THEMA

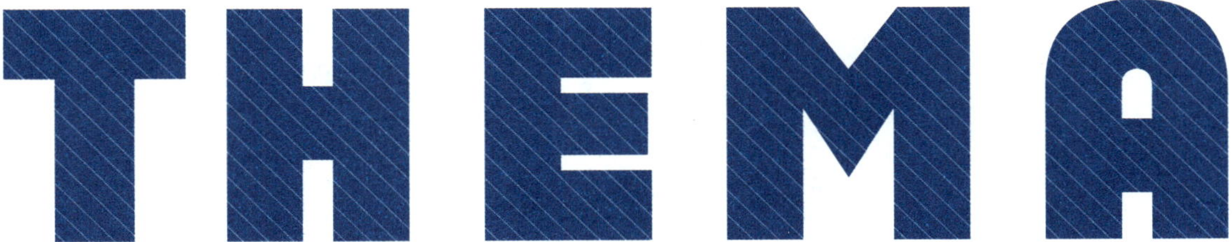

2026
전면
개정판

객관식
테마

조충환 · 양건

형법 총론 Ⅱ

조충환 · 양건 편저

2025년 상반기 기준 개정법령 · 판례 · 기출문제 반영

경찰승진 · 채용 · 간부 | 해경승진 · 채용 · 간부
법원직 · 검찰직 · 승진 | 철도경찰 · 마약수사

동영상강의 www.pmg.co.kr

박문각

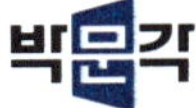

조충환 · 양건

형법
THEMA

2026 테마 형법 전면개정판을 내면서

2년 만에 출간한 이번 전면개정판은 최근의 출제경향을 반영하여 다음과 같은 사안에 중점을 두었습니다.

첫째, 테마 형법의 특징

다른 교재[기본서, 판례집, 요약집(sub-note), 객관식 문제(기출문제)집 등]를 보지 않아도 테마 형법 한 권만으로 어느 시험에서든지 고득점으로 합격·승진하는 데 아무런 지장이 없도록 만들었습니다.

둘째, 개정 형법(신설 조항) 반영

공중협박죄(제116조의 2: 2025.3.18. 공포·시행)와 공공장소 흉기소지죄(제116조의 3: 2025.4.8. 공포·시행)를 반영하였습니다.

셋째, 기출문제 반영

최근(2020년~2025년 상반기)의 모든 직종(변호사시험, 법원행정고시, 경찰 순경채용·승진·간부·경위공채·경력채용·수사경과, 해양경찰 승진·간부·수사·해경채용, 9급 법원서기보, 7급 검찰·마약수사직, 9급 검찰·마약수사·철도경찰직 등)의 기출문제를 중심으로 전면 개편하였습니다.

넷째, 판례 반영

최근 판례(2025.5.30. 대법원 판례공보 및 미간행 판례)까지 빠짐없이 반영하였으며, 최근의 출제경향에 맞추어 기존 판례의 일부를 수정·교체·추가하였습니다.

다섯째, 테마와 객관식 문제(기출문제)

각 단원마다 출제 비중이 높은 것들(판례, 법조문, 이론)을 기본서 순서에 따라 파트별로 테마로 정리하고(사안마다 키워드와 6개년 기출표시를 색표시 했음), 이어서 관련 객관식(기출)문제를 배열하였습니다(예 위법성: 이론 ⇨ 정당방위 ⇨ 긴급피난 ⇨ 자구행위 ⇨ 피해자의 승낙 ⇨ 정당행위 ⇨ 위법성조각사유 종합문제).

애독자 여러분께 진심으로 감사드리며, 절실한 심정으로 초지일관하시어 우수한 성적으로 합격·승진하시길 간절히 기원합니다.

2025. 7.

공편저자 조충환·양건

CONTENTS

차례

제3장 위법성

제4장 책임론

총론 II

제5장 미수론

제6장 공범론

CONTENTS

차례

각론 II

CONTENTS

차례

II

총론

제2편　범죄론

제3편　형벌론

THEMA

02 PART

범죄론

제1절) 예비 · 음모죄

THEMA 01 '예비 · 음모죄' 관련판례 총정리

> **제28조【음모, 예비】** 범죄의 음모 또는 예비행위가 실행의 착수에 이르지 아니한 때에는 법률에 특별한 규정이 없는 한 벌하지 아니한다. 14. 법원직, 18 · 22. 법원행시

1. 음모란 2인 이상의 자 사이에 범죄실행의 합의를 말하는 것으로, 단순히 범죄결심을 외부에 표시 · 전달하는 것만으로는 부족하고 객관적으로 특정한 범죄의 실행을 위한 준비행위라는 것이 명백히 인식되고 그 합의에 실질적인 위험성이 인정되어야 한다(대판 1999.11.12, 99도3801). 16. 경찰간부 · 순경 2차, 17. 9급 검찰 · 마약수사 · 철도경찰, 18. 법원행시, 21. 경찰승진 · 법원직, 24. 변호사시험

2. 현행형법이 예비행위를 독립된 범죄유형으로 규정하지 않고 "… 죄를 범할 목적으로 예비 또는 음모한 자는 …"라는 형식을 취한 점으로 보아 예비죄는 독립된 범죄유형이 아니라 기본범죄의 수정적 구성요건에 불과하므로 기본범죄의 발현형태에 지나지 않는다는 견해이다. 형법 각칙의 예비죄를 처단하는 규정을 바로 독립된 구성요건개념에 포함시킬 수는 없다(대판 1976.5.25, 75도1549). 18. 7급 검찰, 21. 경찰승진, 22. 9급 철도경찰, 23. 경찰간부 · 경찰채용

3. 강도예비 · 음모죄가 성립하기 위해서는 예비 · 음모 행위자에게 미필적으로라도 '강도'를 할 목적이 있음이 인정되어야 하고 그에 이르지 않고 단순히 '준강도'할 목적이 있음에 그치는 경우에는 강도예비 · 음모죄로 처벌할 수 없다(대판 2006.9.14, 2004도6432 예 절도행위가 발각되었을 경우에 등산용 칼로 위협하여 체포를 면탈하겠다는 의도를 가지고 이를 구입한 경우 ⇨ 강도예비죄 ×). 17. 순경 2차, 21. 경찰간부 · 법원직 · 경력채용, 22. 경찰승진, 23. 법원행시, 24. 7급 검찰, 25. 변호사시험

4. 살인예비죄가 성립하기 위하여는 살인죄를 범할 목적 외에도 살인의 준비에 관한 고의가 있어야 하며, 나아가 실행의 착수까지에는 이르지 아니하는 살인죄의 실현을 위한 준비행위가 있어야 한다. 여기서의 준비행위는 물적인 것에 한정되지 아니하며 특별한 정형이 있는 것도 아니지만, 단순히 범행의 의사 또는 계획만으로는 그것이 있다고 할 수 없고 객관적으로 보아서 살인죄의 실현에 실질적으로 기여할 수 있는 외적 행위를 필요로 한다(대판 2009.10.29, 2009도7150 예 甲이 사람을 살해하기 위해 乙을 고용하여 대금지급을 약속하는 등 모의한 행위 ⇨ 살인예비죄 ○). 19. 경찰승진, 21. 변호사시험, 23. 경찰간부 · 9급 철도경찰 · 해경승진 · 법원행시, 24. 7급 검찰

5. 예비 · 음모를 처벌한다고 규정하고 있으나 그 형에 관하여 따로 규정하고 있지 않은 이상 본범이나 미수범에 준하여 처벌한다고 해석함은 죄형법정주의 원칙에 반한다(즉, 처벌할 수 없다. 대판 1977.6.28, 77도251). 14. 변호사시험 · 9급 검찰 · 마약수사, 21. 법원직 · 법원행시, 22. 철도경찰, 23. 경찰간부 · 해경승진

6. 중지범은 범죄의 실행에 착수한 후 자의로 그 행위를 중지한 때를 말하는 것이므로, 실행의 착수가 있기 전인 예비 · 음모의 행위를 처벌하는 경우에 있어서는 중지범의 관념을 인정할 수 없다(대판 1999.4.9, 99도424). 16. 순경 2차, 19. 법원직 · 순경 1차, 22. 경찰승진, 23. 경찰간부 · 9급 철도경찰 · 경력채용, 24. 7급 검찰 · 법원행시, 24 · 25. 변호사시험

7. 종범이 처벌되기 위해서는 정범의 실행의 착수가 있는 경우에만 가능하고, **정범이 실행의 착수에** 이르지 아니한 예비의 단계에 그친 경우에는 이에 가공한 행위가 예비의 공동정범이 되는 경우를 제외하고는, 예비행위와 종범행위는 무정형·무한정한 것이므로 예비죄의 종범을 처벌하는 때에는 처벌이 부당하게 확대될 염려가 있다는 이유를 들어 예비죄의 종범의 성립을 부정한다(대판 1979. 11.27, 79도2201). 17. 9급 검찰, 18. 경찰간부, 20. 법원직, 22. 경찰승진·순경 1차, 23. 법원행시·해경승진·9급 철도 경찰·경력채용, 24. 변호사시험·7급 검찰·순경 2차

8. 방조범(종범)은 정범의 실행행위 중에 이를 방조하는 경우뿐만 아니라, 실행의 착수 전에 장래의 실행행위를 예상하고 이를 용이하게 하는 행위를 하여 방조한 경우에도 정범이 그 실행행위에 나아 갔다면 성립한다(대판 1997.4.17, 96도3377). 17. 변호사시험, 23. 경찰간부

9. 종범은 정범의 실행행위 중에 이를 방조하는 경우뿐만 아니라, 실행 착수 전에 장래의 실행행위를 예상하고 이를 용이하게 하는 것을 말한다. 따라서 정범의 범죄종료 후의 이른바 사후방조를 종범이라고 볼 수는 없다(대판 2009.6.11, 2009도1518). 11. 사시, 20. 법원직

---

01 예비죄에 대한 설명으로 옳은 것은?(다툼이 있는 경우 판례에 의함) 　　20. 7급 검찰

① 甲이 절도 범행이 발각되었을 경우 체포를 면탈하는 데 도움이 될 수 있을 것이라는 정도의 생각에서 등산용 칼을 휴대하고 있던 중에 붙잡힌 경우, 甲에게 강도예비죄가 성립한다.

② 甲은 강도를 하려고 흉기를 구하던 乙에게 자신이 가지고 있던 전자충격기를 건네주었는데 乙이 실행행위로 나아가지 않은 경우, 甲에게 乙의 강도예비죄에 대한 방조범이 성립한다.

③ 甲이 자신을 배신한 A를 살해하려고 사냥용 총을 구입한 직후 스스로 후회하고 총을 폐기한 경우, 甲에게 살인죄의 중지미수 규정이 준용될 수 있다.

④ 甲이 A를 살해하기 위하여 乙, 丙 등을 고용하면서 그들에게 대가의 지급을 약속한 경우, 甲에게는 살인예비죄가 성립한다.

해설 ① × : 강도예비죄 ×(대판 2006.9.14, 2004도6432)
② × : 강도예비죄의 종범(방조범) ×〔대판 1979.5.22, 79도552 ∴ 정범(乙)이 실행의 착수에 이르지 못한 경우 ⇨ 강도예비죄의 종범 ×〕 ③ × : 예비죄에 중지미수 규정 준용 ×(대판 1999.4.9, 99도424)
④ ○ : 대판 2009.10.29, 2009도7150

02 다음 설명 중 가장 옳지 않은 것은?(다툼이 있는 경우 판례에 의함) 　　20. 법원직

① 준강도죄에 관한 형법 제335조는 "절도가 재물의 탈환을 항거하거나 체포를 면탈하거나 죄적을 인멸할 목적으로 폭행 또는 협박을 가한 때에는 전2조의 예에 의한다."라고 규정하면서 준강도를 강도죄와 같이 취급하도록 규정하고 있다. 따라서 강도예비·음모죄가 성립하기 위해서는 예비·음모행위자에게 미필적으로라도 '준강도'를 할 목적이 있음이 인정되어야 하고 만일 이에 이르지 않고 단순히 '특수절도'할 목적이 있음에 그치는 경우에는 강도예비·음모죄로 처벌할 수 없다.

② 살해의 용도에 제공하기 위한 흉기를 준비하였다 하더라도 그 흉기로 살해할 대상자가 확정되지 아니한 경우에는 살인예비죄로 처벌할 수 없다.

③ 종범은 정범의 실행행위 중에 이를 방조하는 경우뿐만 아니라, 실행 착수 전에 장래의 실행행위를 예상하고 이를 용이하게 하는 것을 말한다. 따라서 정범의 범죄종료 후의 이른바 사후방조를 종범이라고 볼 수는 없다.

④ 정범이 실행의 착수에 이르지 아니하고 예비단계에 그친 경우에는, 이에 가공한다 하더라도 예비의 공동정범이 되는 때를 제외하고는 종범으로 처벌할 수 없다.

해설 ① × : ~(4줄) 미필적으로라도 '강도'(준강도 ×)를 할 목적이 있음이 인정되어야 하고 만일 이에 이르지 않고 단순히 '특수절도'할 목적이 있음에 그치는 경우에는 강도예비 · 음모죄로 처벌할 수 없다(대판 2006.9.14, 2004도6432).
② 대판 1959.9.1, 4292형상387
③ 대판 2009.6.11, 2009도1518
④ 대판 1979.11.27, 79도2201

03 범죄 실현단계에 대한 설명으로 옳지 않은 것은?(다툼이 있는 경우 판례에 의함)   21. 경찰간부

① 부동산 이중양도에 있어서 매도인이 제2차 매수인으로부터 계약금만을 지급받고 중도금을 수령한 바 없다면 배임죄의 실행의 착수가 있었다고 볼 수 없다.

② 절도를 준비하면서 뜻하지 않게 절도 범행이 발각되었을 때 체포를 면탈하는 데 도움이 될 수 있을 것이라고 생각하며 칼을 휴대하고 있었더라도 강도예비죄가 성립하지 않는다.

③ 중지범은 범죄의 실행에 착수한 후 자의로 그 행위를 중지한 때를 말하는 것이고 실행의 착수가 있기 전인 예비 · 음모의 행위를 처벌하는 경우에 있어서 중지범의 관념은 이를 인정할 수 없다.

④ 살인예비죄가 성립하기 위하여는 살인죄를 범할 목적과 살인의 준비에 관한 고의가 있어야 할 뿐만 아니라 나아가 실행의 착수까지에는 이르지 아니하는 살인죄의 실현을 위한 준비행위가 있어야 하는데, 이 준비행위는 물적인 것에 한정되지 않고 특별한 정형이 있는 것이 아니므로 준비행위는 단순한 범행의 의사 또는 계획만으로도 인정된다.

해설 ① 대판 2003.3.25, 2002도7134
② 대판 2006.9.14, 2004도6432
③ 대판 1999.4.9, 99도424
④ × : ~ (4줄) 계획만으로는 그것이 있다고 할 수 없고, 객관적으로 보아서 살인죄의 실현에 실질적으로 기여할 수 있는 외적 행위를 필요로 한다(대판 2009.10.29, 2009도7150).

04 **범죄의 예비에 대한 설명으로 옳은 것은?**(다툼이 있는 경우 판례에 의함)　　22. 9급 철도경찰

① 형법의 규정에 따르면 범죄의 예비행위가 실행의 착수에 이르지 아니할 때에도 원칙적으로 처벌의 대상이 된다.

② 예비죄를 처벌하는 규정을 독립된 구성요건 개념에 포함시킬 수는 없다고 보는 것은 죄형법정주의의 원칙에 합치하지 않는다.

③ 살인예비죄가 성립하기 위하여는 살인죄를 범할 목적이 있어야 하지만 살인의 준비에 관한 고의까지 요하는 것은 아니다.

④ 범죄의 예비는 이를 처벌한다는 취지와 그 형을 함께 규정하고 있을 때에만 처벌할 수 있다.

[해설] ① × : 우리 형법 제28조는 예비·음모는 원칙적으로 처벌되지 않고, 예외적으로 각칙에 특별규정이 있는 경우에 한하여 처벌된다고 규정하고 있다.
② × : 형법은 예비죄의 처벌이 가져올 범죄의 구성요건을 부당하게 유추 내지 확장 해석하는 것을 금지하고 있기 때문에 형법 각칙의 예비죄를 처단하는 규정을 바로 독립된 구성요건 개념에 포함시킬 수는 없다고 하는 것이 죄형법정주의의 원칙에 합당한 해석이다(대판 1976.5.25, 75도1549).
③ × : ~ 범할 목적 외에도 살인의 준비에 관한 고의가 있어야 한다(대판 2009.10.29, 2009도7150).
④ ○ : 예비·음모를 처벌한다고 규정하고 있으나 그 형에 관하여 따로 규정하고 있지 않은 이상 본범이나 미수범에 준하여 처벌한다고 해석함은 죄형법정주의 원칙에 반한다(즉, 처벌할 수 없다. 대판 1977.6.28, 77도251).

05 **예비·음모에 대한 설명으로 옳은 것은?**(다툼이 있는 경우 판례에 의함)　　24. 7급 검찰

① 예비·음모 행위자에게 미필적으로라도 준강도할 목적이 있는 경우에는 강도예비·음모죄로 처벌할 수 있다.

② 실행의 착수가 있기 전인 예비·음모의 행위를 처벌하는 경우에 있어서는 중지범의 관념은 이를 인정할 수 없다.

③ 정범이 실행의 착수에 이르지 아니한 예비의 단계에 그친 경우 이에 가공하는 행위는 예비의 공동정범이 될 수 없다.

④ 형법 제255조의 법문을 고려할 때 살인예비죄가 성립하기 위하여는 형법 제255조에서 명문으로 요구하는 살인죄를 범할 목적이 있으면 족하고 살인의 준비에 관한 고의가 있어야 할 필요는 없다.

[해설] ① × : ~ 처벌할 수 없다(대판 2006.9.14, 2004도6432).
② ○ : 대판 1999.4.9, 99도424
③ × : ~ 될 수 있다(대판 1979.11.27, 79도2201).
④ × : 형법 제255조의 살인예비죄가 성립하기 위하여는 형법 제255조에서 명문으로 요구하는 살인죄를 범할 목적 외에도 살인의 준비에 관한 고의가 있어야 한다(대판 2009.10.29, 2009도7150).

THEMA 02 '형법상 예비·음모·선동·선전의 처벌규정' 총정리

17. 변호사시험·경찰승진, 21. 해경간부·해경승진·경력채용, 24. 순경 2차·법원행시

구 분	법 익	형법 규정〔주의 : ×(처벌규정 없음)〕
예비 · 음모	개인적 법익	• 살인죄, 존속살해죄(제250조), **위계·**위력에 의한 촉탁·승낙살인죄(제253조) (촉탁·승낙에 의한 살인죄 ⇨ ×) • 약취·유인 및 인신매매의 죄(제296조 : **미성년자 약취·유인죄** 등) • **강도죄**〔강도죄 이외의 재산범죄(절도죄, 횡령·배임죄, 사기·공갈죄, 장물·손괴죄) ⇨ ×〕 • **강간죄**, 유사강간죄, 준강간죄, 의제강간·강제추행죄, 강간 등 상해죄(제305조의 3)(▶주의 : **강제추행죄**, 준강제추행죄, 미성년자 등에 대한 간음죄, 업무상 위력 등에 의한 간음죄, 강간 등 치상죄 ⇨ ×) ▶ 주의 : 협박죄, 상해죄, 폭행죄, 감금죄, **인질강요죄** 등 ⇨ ×
	국가적 법익	• 외국에 대한 사전죄(제111조)(▶ 주의 : **중립명령위반죄** ⇨ ×) • **도주원조죄**(제147조)(▶ 주의 : 도주죄, **특수도주죄** ⇨ ×) • 간수자의 도주원조죄(제148조)
	사회적 법익	• 방화죄와 일수죄(**현주건조물**, 공용건조물, 타인소유일반건조물 ▶ 주의 : **일반 물건**, 자기소유일반건조물 ⇨ ×) • **기차**·선박 등의 교통방해죄, 기차 등의 전복죄(제191조, **일반교통방해죄** ×) • 음용수·수도음용수 유해물 혼입죄, **수도불통죄** • 폭발성물건파열죄(제172조 제1항), 가스·전기 등 방류죄(제172조), 가스·전기 등 공급방해죄(제173조) • 각종 위조·변조죄(**통화, 유가증권, 인지·우표), 자격모용에 의한 유가증권작성죄** ▶ 주의 : **문서위조·변조죄, 허위유가증권작성죄**, 통화유사물제조죄, 소인말소죄 ⇨ ×
예비· 음모·선동	사회적 법익	**폭발물사용죄**(제119조)
예비· 음모· 선동· 선전	국가적 법익	• 내란죄(제87조), **내란목적살인죄**(제88조) • 외환의 죄(외환유치죄, 여적죄, 모병이적죄, 시설제공이적죄, 시설파괴이적죄, 물건제공이적죄, **간첩죄, 일반이적죄** : 제92조~제99조) • 국기에 관한 죄, 국교에 관한 죄(외국에 대한 사전죄 ○, 중립명령위반죄 ×) ⇨ × ▶ 주의 : 외환의 죄 중에서 전시군수계약불이행죄 ⇨ ×, 공안을 해하는 죄(범죄단체조직죄, 소요죄, 다중불해산죄, 공무원자격사칭죄 등) ⇨ ×, (위계에 의한) **공무집행방해죄** ⇨ ×

☑ 기도된 교사

1. 효과 없는 교사(제31조 제2항) : 교사자와 피교사자를 예비·음모에 준하여 처벌 17. 9급 검찰, 22. 순경 1차

2. 실패한 교사(제31조 제3항) : 교사자를 예비·음모에 준하여 처벌 14. 법원행시, 22. 순경 1차

01 형법상 예비 · 음모죄에 대한 설명 중 가장 적절하지 않은 것은?(다툼이 있는 경우 판례에 의함)

21. 경력채용

① 甲은 乙을 강간하기로 계획하고 범행에 사용할 흉기를 구입한 후, 범행기회를 엿보다가 발각되었다면 강간예비죄로 처벌할 수 있다.

② 강도예비 · 음모죄가 성립하기 위해서는 예비 · 음모 행위자에게 미필적으로라도 강도를 할 목적이 있음이 인정되어야 하고, 단순히 준강도할 목적이 있음에 그치는 경우에는 강도예비 · 음모죄로 처벌할 수 없다.

③ 甲이 권총을 구입하는 乙에게 자금을 제공하였고, 乙에게 살인예비죄가 인정되면 甲은 살인예비죄의 방조범에 해당한다.

④ 관세납부의무자 甲이 관세를 포탈할 목적으로 수입 물품의 수량과 가격이 낮게 기재된 계약서를 첨부하여 수입예정 물량 전부에 대한 과세가격 사전심사를 신청함으로써 과세가격을 허위로 신고하고 이에 따른 과세가격 사전심사서를 미리 받아 둔 경우, 관세포탈예비죄에 해당한다.

해설 ① 강간예비죄 처벌규정(제305조의 3)이 신설(2020. 5. 19)되었으므로 옳다.
② 대판 2006.9.14, 2004도6432
③ × : 판례(대판 1979.11.27, 79도2201)는 예비죄의 종범의 성립을 부정하므로 살인예비죄의 방조범에 해당하지 않는다. ④ 대판 1999.4.9, 99도424

02 형법상 예비죄에 대한 설명 중 옳지 않은 것만을 모두 고른 것은?(다툼이 있는 경우 판례에 의함)

23. 경찰간부

㉠ 형법 각칙의 예비죄를 처단하는 규정을 바로 독립된 구성요건 개념에 포함시킬 수는 없다고 하는 것이 죄형법정주의에 부합한다.

㉡ 예비와 미수는 각각 형법 각칙에 처벌규정이 있는 경우에만 처벌할 수 있지만 구체적인 법정형까지 규정될 필요는 없다.

㉢ 예비죄를 처벌하는 범죄의 예비단계에서 자의로 중지를 하였다면, 예비죄의 중지미수가 성립한다.

㉣ 살인예비죄가 성립하기 위하여는 살인죄를 범할 목적이 있어야 할 뿐만 아니라 살인의 준비에 관한 고의도 있어야 한다.

㉤ 정범의 실행 착수 전에 장래의 실행행위를 예상하고 이를 용이하게 하는 행위를 하여 방조한 경우, 정범이 실행의 착수에 이르지 못했다면 방조자는 종범이 성립되지 않지만 정범이 그 실행행위로 나아갔다면 종범이 성립한다.

㉥ 본범이 절취한 차량이라는 정을 알면서도 본범 등으로부터 그들이 위 차량을 이용하여 강도를 하려 함에 있어 차량을 운전해 달라는 부탁을 받고 위 차량을 운전해 준 경우, 강도예비죄뿐만 아니라 장물운반죄도 함께 성립한다.

㉦ 간첩이 불특정 다수인인 경찰관으로부터의 체포 기타 방해를 배제하기 위하여 무기를 휴대하였다면 살인예비죄가 성립한다.

① ㉠, ㉡, ㉑   ② ㉡, ㉢, ㉘   ③ ㉠, ㉢, ㉤   ④ ㉢, ㉣, ㉘

[해설] ㉠ ○ : 대판 1976.5.25, 75도1549
㉡ × : ~ 처벌할 수 있고, 미수는 구체적인 법정형까지 규정될 필요는 없으나 예비는 구체적인 법정형까지 규정되어 있어야 한다(대판 1977.6.28, 77도251 참조).
㉢ × : ~ 성립될 수 없다(대판 1999.4.9, 99도424).
㉣ ○ : 대판 2009.10.29, 2009도7150
㉤ ○ : 대판 1997.4.17, 96도3377
㉘ ○ : 대판 1999.3.26, 98도3030(∵ 강도예비죄와 장물운반죄의 상상적 경합)
㉑ × : × : 살인예비죄 ×(대판 1959.9.1, 4292형상387 ∵ 무기로 살해할 대상자가 확정되지 아니한 경우 ⇨ 살인예비죄 ×)

03 예비에 관한 설명으로 옳은 것만을 모두 고른 것은?(다툼이 있는 경우 판례에 의함) 23. 경력채용

> ㉠ 예비죄는 형법상 독립된 구성요건에 해당하는 범죄가 아니라 기본범죄 실행행위의 전단계의 행위, 즉 발현행위를 처벌하고 있는 것이다.
> ㉡ 예비행위와 미수행위를 처벌하는 범죄에 있어서 예비행위를 마친 후 자의적으로 실행의 착수를 하지 아니한 예비죄의 중지에 대해서도 중지미수의 효과를 그대로 인정한다.
> ㉢ 2인 이상이 합동하여 강제추행을 준비하였지만 실행의 착수에 이르지 않은 경우에는 성폭력범죄의 처벌 등에 관한 특례법상 특수강제추행죄의 예비음모죄가 성립하지 않는다.
> ㉣ 정범이 실행의 착수에 이르지 아니한 예비의 단계에 그친 경우에는 이에 가공한다 하더라도 예비의 공동정범이 되는 때를 제외하고는, 종범(방조범)으로 처벌할 수 없다.

① ㉠, ㉣   ② ㉡, ㉢   ③ ㉢, ㉣   ④ ㉠, ㉢, ㉣

[해설] ㉠ ○ : 대판 1976.5.25, 75도1549
㉡ × : ~ (2줄) 중지에 대해서는 중지미수(제26조)가 준용되지 않는다(대판 1999.4.9, 99도424).
㉢ × : ~ (2줄) 예비음모죄가 성립한다(동법 제4조 제2항 및 제15조의 2).
㉣ ○ : 대판 1979.11.27, 79도2201

04 다음 설명 중 옳지 않은 것을 모두 고른 것은?(다툼이 있는 경우 판례에 의함)   24. 순경 2차

> ㉠ 甲은 乙이 A를 살해할 것을 예상하고 이를 도와주기 위해 칼을 빌려주었지만, 乙이 실행의 착수에 나아가지 않은 경우 甲은 살인예비죄의 방조범이 성립한다.
> ㉡ 甲이 타인의 사망을 보험사고로 하는 생명보험계약을 체결함에 있어 제3자가 피보험자인 것처럼 가장하여 체결하는 과정에서 고의로 보험사고를 일으키려는 의도를 가지고 보험계약을 체결하는 경우 甲의 행위는 보험사기의 예비행위에 해당한다.
> ㉢ 甲이 A(23세)를 강제추행할 목적으로 범행 장소를 답사하는 등 예비행위를 한 경우 강제추행의 예비죄로 처벌된다.
> ㉣ 甲이 A를 살해하기 위하여 치사량에 필요한 독극물 100g을 모으던 중 양심의 가책을 느껴 자의로 중지한 경우 甲은 살인예비죄의 중지미수가 성립한다.

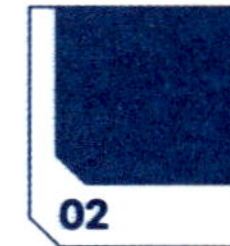

① ㉠, ㉡   ② ㉠, ㉢, ㉣   ③ ㉡, ㉢, ㉣   ④ ㉠, ㉡, ㉢, ㉣

[해설] ㉠ × : 살인예비죄의 방조범 ×(대판 1979.11.27, 79도2201)
㉡ × : ~ (3줄) 보험사기의 실행의 착수가 인정된다(대판 2013.11.14, 2013도7494 ∵ 보험사고의 우연성과 같은 보험의 본질을 해칠 정도라고 볼 수 있는 특별한 사정이 있는 경우임).
㉢ × : 의제강제추행죄(13세 미만) ⇨ 예비 · 음모 처벌 ○(제305조의 3), 강제추행죄(23세) ⇨ 예비 · 음모 처벌 ×
㉣ × : 살인예비죄의 중지미수 ×(대판 1999.4.9, 99도424)

05 예비, 음모에 관한 설명 중 가장 옳지 않은 것은?(다툼이 있는 경우 판례에 의함) **24. 법원행시**

① 은행강도 범행으로 강취할 돈을 송금받을 계좌를 개설한 것만으로는 범죄수익은닉의 규제 및 처벌 등에 관한 법률 제3조 제1항 제3호에서 정한 범죄수익 등의 은닉에 관한 죄의 실행에 착수한 것으로 볼 수 없다.

② 도주원조의 죄를 범할 목적으로 예비 또는 음모한 자는 3년 이하의 징역에 처한다.

③ 타인의 사망을 보험사고로 하는 생명보험계약을 체결함에 있어 제3자가 피보험자인 것처럼 가장하여 체결하는 등으로 그 유효요건이 갖추어지지 못한 경우에도, 특별한 사정이 없는 한, 그와 같이 하자 있는 보험계약을 체결한 행위만으로는 미필적으로라도 보험금을 편취하려는 의사에 의한 기망행위의 실행에 착수한 것으로 볼 것은 아니다.

④ 준강제추행의 죄를 범할 목적으로 예비 또는 음모한 사람은 3년 이하의 징역에 처한다.

⑤ 중지범은 범죄의 실행에 착수한 후 자의로 그 행위를 중지한 때를 말하는 것이고 실행의 착수가 있기 전인 예비음모의 행위를 처벌하는 경우에 있어서 중지범의 관념은 인정할 수 없다.

[해설] ① 대판 2007.1.11, 2006도5288
② 제150조
③ 대판 2013.11.14, 2013도7494
④ × : 준강간죄의 예비 · 음모는 처벌 ○, 준강제추행죄의 예비 · 음모는 처벌 ×(제305조의 3)
⑤ 대판 1999.4.9, 99도424

제2절 미수범의 일반이론·장애미수

관련조문

제25조【미수범】 ① 범죄의 실행에 착수하여 행위를 종료하지 못하였거나(착수미수) 결과가 발생하지 아니한 때(실행미수)에는 미수범으로 처벌한다.
② 미수범의 형은 기수범보다 감경할 수 있다.
제29조【미수범의 처벌】 미수범을 처벌할 죄는 각칙의 해당 죄에서 정한다.

---

01 미수범에 관한 설명으로 틀린 것은 모두 몇 개인가?

> ㉠ 형법에는 과실범의 미수를 처벌하는 규정이 존재한다.
> ㉡ 현행 형법상 진정부작위범의 미수를 처벌하는 규정은 없다.
> ㉢ 미수범을 기수범의 형과 동일하게 처벌할 수는 없다.
> ㉣ 미수범은 형법에 특별한 규정이 있는 경우에만 처벌한다.
> ㉤ 예비행위가 실행의 착수에 이르지 못한 때에는 법률에 특별한 규정이 없는 한 벌하지 아니한다.

① 1개   ② 2개   ③ 3개   ④ 없 음

해설 ㉠ × : 과실범은 고의가 없고, 또한 과실범은 전부 결과범이므로 과실범의 미수는 인정되지 않는다. 우리 형법상 과실범의 미수를 처벌하는 규정도 존재하지 않는다.
㉡ × : 퇴거불응죄(제319조 제2항)와 집합명령위반죄(제145조 제2항)는 미수범 처벌규정이 있다.
㉢ × : 임의적 감경사유이므로 동일한 형으로 처벌할 수 있다.
㉣ ○ : 제29조
㉤ ○ : 제28조

---

02 다음 설명 중 타당한 것은 모두 몇 개인가?

> ㉠ 형법은 착수미수와 실행미수를 동일하게 처벌한다.
> ㉡ 결과가 발생하면 범죄는 언제나 기수에 이르게 된다.
> ㉢ 범죄의 실행에 착수하면 언제나 미수범으로 처벌이 가능하다.
> ㉣ 미수범의 처벌 여부는 법관의 재량에 따른다.
> ㉤ 부진정부작위범은 미수가 성립할 수 있다.

① 2개   ② 3개   ③ 4개   ④ 5개

해설 ㉠㉤ 타당하다.
㉡ × : 결과가 발생하더라도 인과관계나 객관적 귀속이 부정되면 미수가 된다.
㉢ × : 실행의 착수는 미수범의 성립요건 중의 하나에 지나지 않는다.
㉣ × : 처벌 여부는 법정사항이며(제29조), 단지 임의적 감경사유일 뿐이다.

Answer   1. ③   2. ①

THEMA 03 '형법상 미수가 처벌되는 범죄' 총정리

구 분	범죄의 종류
개인적 법익에 대한 죄	• 살인의 죄 15. 경찰간부, 17. 순경 1차, 21. 해경 2차 • 상해 · 존속상해죄(▶ 주의 : 폭행 · 존속폭행죄, 중상해 · 존속중상해죄 ⇨ ×) 11. 법원행시, 15. 경찰간부 · 경찰승진 • 체포와 감금의 죄 15. 경찰간부 · 순경 3차, 21. 해경승진 • 협박의 죄 14. 순경 1차, 15. 경찰간부, 21. 해경승진 • 약취 · 유인 및 인신매매의 죄 • 강간과 추행의 죄(강간, 강제추행, 준강간, 준강제추행) • 주거침입의 죄(주거침입 · 퇴거불응죄, 주거 · 신체수색죄) 11. 법원행시, 13. 순경 3차 • 권리행사를 방해하는 죄(강요죄, 인질강요죄, 인질상해죄, 인질살해죄, 점유강취 · 준점유강취죄) • 재산죄(절도 · 강도죄, 사기 · 공갈죄, 횡령 · 배임죄, 손괴죄)(▶ 주의 : 장물죄, 점유이탈물횡령죄, 권리행사방해죄, 강제집행면탈죄, 경계침범죄, 부당이득죄 ⇨ ×) 12. 경찰간부, 14. 경찰승진, 15. 순경 3차, 17. 순경 1차, 21 · 22. 해경 2차, 23. 해경승진
사회적 법익에 대한 죄	• 교통방해죄 • 통화에 관한 죄(▶ 주의 : 위조통화취득 후 지정행사죄 ⇨ ×) • 유가증권 · 우표 · 인지에 관한 죄(▶ 주의 : 소인말소죄 ⇨ ×) • 문서에 관한 죄(▶ 주의 : 사문서부정행사죄 ⇨ ×) 12. 경찰승진 · 경찰간부, 17. 순경 1차, 21. 해경 2차 • 인장에 관한 죄(사인위조죄) 12. 순경 3차, 17. 순경 1차, 21. 해경 2차 • 아편에 관한 죄(▶ 주의 : 아편 등 소지죄 ⇨ ×) • 폭발물사용죄 • 음용수에 관한 죄, 공중협박죄 • 일수와 수리에 관한 죄(▶ 주의 : 자기소유일반건조물일수죄 ⇨ ×) • 방화의 죄(현주건조물 · 공용건조물 · 타인소유 일반건조물 등의 방화, 폭발성물건파열죄, 가스 · 전기 등 방류죄, 가스 · 전기 등 공급방해죄)(▶ 주의 : 자기소유일반건조물방화죄, 일반물건방화죄, 진화방해죄 ⇨ ×) 12. 경찰승진 · 순경 3차
국가적 법익에 대한 죄	• 내란의 죄 • 외환의 죄 • 외국에 대한 사전죄(▶ 주의 : 나머지 국교에 관한 죄 ⇨ ×) • 직권남용(불법)체포 · 감금죄〔▶ 주의 : 이 이외의 공무원의 직무에 관한 죄(뇌물죄, 직무유기죄, 직권남용권리행사방해죄, 공무상 비밀누설죄 등) ⇨ ×〕 15. 경찰승진 · 경찰간부 · 순경 3차, 17. 순경 1차, 21 · 22. 해경 2차 • 공무방해에 관한 죄(공무상 비밀표시무효죄, 부동산강제집행효용침해죄, 공용서류 등 무효죄, 공용물파괴죄, 공무상 보관물무효죄 ⇨ ○, 공무집행방해죄, 위계에 의한 공무집행방해죄 ⇨ ×) 14. 경찰승진, 15. 순경 3차, 17. 경찰간부, 22. 해경 2차, 23. 해경승진 • 도주 · 집합명령위반죄, 특수도주죄, 도주원조죄, 간수자의 도주원조죄(▶ 주의 : 범인은닉죄, 위증죄, 증거인멸죄, 무고죄 ⇨ ×) 15. 경찰승진, 17. 순경 1차, 21. 해경 2차

☑ **주의** : 형법상 미수범처벌규정이 없는 범죄(과실범, 대부분의 결과적 가중범, 예비·음모죄 ⇨ ×)

1. 형식범(폭행·존속폭행죄, 무고죄, 위증죄, 유기죄, 모욕죄, 명예훼손죄, 신용훼손죄, 업무방해죄, 비밀침해죄, 상습도박죄) 10. 순경, 15. 경찰승진

2. 공무집행방해죄, 범인은닉죄, 증거인멸죄

3. 공안을 해하는 죄(범죄단체조직죄, 소요죄, 다중불해산죄, 공무원자격사칭죄) 08. 순경

4. 진정부작위범(다중불해산죄, 전시군수계약불이행죄, 전시공수계약불이행죄)

• 퇴거불응죄와 집합명령위반죄는 진정부작위범이지만 미수범처벌규정이 있다(제322조).

• 부진정부작위범은 미수를 인정할 수 있다.

5. 재산죄 중 장물에 관한 죄, 점유이탈물횡령죄, 권리행사방해죄, 경계침범죄, 강제집행면탈죄

6. 낙태죄, 유기·학대죄, 성풍속에 관한 죄(공연음란죄 등), 도박과 복표에 관한 죄 08. 경찰승진

▶ 주의 : 형법상 미수범처벌규정이 있는 결과적 가중범 ⇨ 현주건조물일수치사상죄, 인질치사상죄, 강도치사상죄, 해상강도치사상죄 15. 경찰간부, 17. 순경 1차, 18. 경찰승진, 22. 해경 2차, 23. 해경승진

☑ **형법상 미수범의 체계**

현실적 결과발생 ─────────────────→ 기 수

현실적 결과불발생 ┬ 사실상 결과발생 가능
　　　　　　　　　　• 자의성× : 장애미수(협의의 미수 : 제25조) ⇨ 임의적 감경
　　　　　　　　　　• 자의성○ : 중지미수(제26조) ⇨ 필요적 감면
　　　　　　　　　└ 수단과 대상의 착오로 인한 사실상 결과발생 불가능
　　　　　　　　　　• 위험성○(평가상 결과발생 가능) : 불능미수(제27조) ⇨ 임의적 감면
　　　　　　　　　　• 위험성×(평가상 결과발생 불가능) : 불능범 ⇨ 불가벌

THEMA 04 '실행의 착수시기' 관련판례 총정리

1. **절도죄** : 타인의 재물에 대한 '사실상의 지배'를 침해하는 데 밀접한 행위가 개시된 경우(대판 1986. 12.23, 86도2256) ⇨ 밀접행위설·물색행위시설(실질적 객관설)

① 소매치기가 금품을 절취하려고 타인의 호주머니에 손을 뻗쳐 그 겉을 더듬은 경우(대판 1984.12. 11, 84도2524) 15. 순경 2차, 16. 경찰승진, 20. 9급 검찰·마약수사·철도경찰, 23. 해경 3차

② 범인들이 마당에 들어가 그중 1명이 구리를 찾기 위해 담에 붙어 걸어가다가 붙잡힌 경우(대판 1989.9.12, 89도1153) 13. 7급 검찰, 16. 경찰간부·경찰승진

③ 자동차 안에 있는 물건(밍크코트)을 훔치려고 공범이 망을 보는 사이에 앞문을 열려고 손잡이를 잡아당기다가 피해자에게 발각된 경우(대판 1986.12.23, 86도2256) 14. 경찰간부, 16. 경찰승진, 17. 법원직

　　유사판례 : 야간에 손전등과 노끈을 이용하여 도로에 주차된 차량의 문을 열고 현금을 훔치기로 마음먹고, 차량의 문이 잠겨 있는지 확인하기 위해 양손으로 운전석 문의 손잡이를 잡고 열려고 하던 중 경찰관에게 발각된 경우(대판 2009.9.24, 2009도5595) 11. 사시, 14. 경찰간부, 16·17. 7급 검찰·철도경찰

④ 피고인이 ㉠주간에 피해자의 주택에 침입하여 절취할 재물을 찾으려고 신발을 신은 채 거실을 통하여 안방으로 들어가 여기저기를 둘러보고는 절취할 재물을 찾지 못하고 다시 거실로 나와서 두리번거리고 있다가 피해자에게 발각된 경우, ㉡甲이 금품을 훔칠 목적으로 A의 집에 담을 넘어 침입한 후 부엌에서 금품을 물색하던 중 발각되어 도주한 경우(대판 2003.6.24, 2003도1985 ; 대판 1987.1.20, 86도2199 ∵ 야간이 아닌 주간에 절도의 목적으로 다른 사람의 주거에 침입하여 절취할 재물의 물색행위를 시작하는 등 그에 대한 사실상의 지배를 침해하는 데에 밀접한 행위를 개시하면 절도죄의 실행에 착수한 것으로 보아야 한다.) 18. 법원행시, 24. 경력채용·해경경위·순경 1차

　　비교판례 : 실행의 착수가 부정되는 경우

　　　㉠길에 세워 놓은 자동차 안에 있는 물건을 훔칠 생각으로 유리창을 통해 그 내부를 손전등으로 살펴보다가 체포된 경우(대판 1985.4.23, 85도464), 16. 법원행시, 20. 경찰승진·법원직·7급 검찰, 22. 변호사시험·해경 3차 ㉡잘 아는 피해자에게 전화채권을 사주겠다며 골목길로 유인하여 돈을 절취하려고 기회를 엿본 행위(대판 1983.3.8, 82도2944), 13. 7급 검찰, 16. 경찰간부·경찰승진 ㉢甲이 소를 흥정하고 있는 피해자의 뒤에 접근하여 자신의 가방으로 돈이 들어 있는 피해자의 주머니를 스치면서 지나간 행위(대판 1986.11.11, 86도1109), 16. 경찰간부·경찰승진, 19. 7급 검찰 ㉣주간에 절도의 목적으로 타인의 집 현관을 통하여 그 집 마루 위에 올라서서 창고문 쪽으로 향하다가 피해자에게 발각, 체포된 경우(대판 1986.10.28, 86도1753), ㉤주간에 절도의 목적으로 주거에 침입하기 위하여 부엌문에 시정된 열쇠고리의 장식을 뜯는 경우(대판 1989.2.28, 88도1165) ⇨ 절도죄의 실행의 착수 × ⇨ 절도죄의 예비 ⇨ 처벌 ×, ㉥절도죄의 실행의 착수시기는 재물에 대한 타인의 사실상의 지배를 침해하는 데에 밀접한 행위를 개시한 때라고 보아야 하므로, 야간이 아닌 주간에 절도의 목적으로 타인의 주거에 침입하였다고 하여도 아직 절취할 물건의 물색행위를 시작하기 전이라면 주거침입죄만 성립할 뿐 절도죄의 실행에 착수한 것으로 볼 수 없다(대판 1992.9.8, 92도1650). 20. 순경 2차, 21. 법원행시, 22. 9급 검찰·마약수사·순경 1차, 24. 해경 간부·해경승진

⑤ 절취목적으로 고속버스 선반 위에 놓인 손가방의 한쪽 걸쇠를 연 경우(대판 1983.10.25, 83도2432) 10. 경찰승진, 20. 해경승진

2. **주거침입죄** : 주거침입죄의 실행의 착수는 주거자, 관리자, 점유자 등의 의사에 반하여 주거나 관리하는 건조물 등에 들어가는 행위, 즉 구성요건의 일부를 실현하는 행위까지 요구하는 것은 아니고, 범죄구성요건의 실현에 이르는 현실적 위험성을 포함하는 행위를 개시하는 것으로 족하다(대판 2006.9.14, 2006도2824). 16. 순경 1차, 17. 경찰승진, 20. 9급 검찰 · 마약수사 · 철도경찰

① 침입 대상인 아파트에 사람이 있는지 확인하기 위해 초인종을 누른 행위만으로는 주거침입죄의 실행의 착수에 해당하지 아니한다(대판 2008.4.10, 2008도1464). 16. 7급 검찰 · 철도경찰, 20. 경찰승진, 24. 9급 철도경찰

② 주거침입죄의 범의로써 주거로 들어가는 문의 시정장치를 부수거나 문을 여는 등 침입을 위한 구체적 행위를 시작하였다면 주거침입죄의 실행의 착수가 인정된다(대판 1995.9.15, 94도2561). 16. 순경 1차, 20. 경찰승진

3. **야간주거침입절도죄** : 야간에 주거에 침입시 ○(물색행위시 ×, 주간에 주거에 침입시 ×)

① 야간에 아파트에 침입하여 물건을 훔칠 의도하에 아파트의 베란다 철제난간까지 올라가 유리창문을 열려고 시도한 경우(대판 2003.10.24, 2003도4417) 16. 경찰간부 · 순경 1차, 17. 법원직 · 9급 검찰 · 법원행시, 20. 해경승진, 23. 경찰승진, 24. 해경경장

🔁 **비교판례** : 야간에 다세대주택에 침입하여 물건을 절취하기 위하여 가스배관을 타고 오르다가 순찰 중이던 경찰관에게 발각되어 그냥 뛰어내린 경우 ⇨ 실행의 착수 ×(대판 2008.3.27, 2008도917) 14. 7급 검찰, 18. 경찰간부, 19. 변호사시험 · 법원행시, 20 · 24. 경찰승진

② 야간에 타인의 재물을 절취할 목적으로 출입문이 열려 있으면 안으로 들어가겠다는 의사 아래 출입문을 당겨보는 행위(대판 2006.9.14, 2006도2824) 18. 9급 철도경찰, 20. 7급 검찰, 23. 법원행시 · 해경승진

③ 주간에 사람의 주거 등에 침입하여 야간에 타인의 재물을 절취한 경우 형법 제330조의 야간주거침입절도죄가 성립하지 않는다(대판 2011.4.14, 2011도300). 16. 순경 2차, 20. 9급 검찰

④ 야간에 절도목적으로 상점 울타리를 침입하여 점포 문틈에 드라이버를 넣고 비틀어 부수려 한 경우(대판 1972.6.27, 72도1028)

4. **특수절도죄**

① 제331조 제1항(손괴 후 야간주거침입절도죄) : 야간에 건조물의 일부를 손괴한 때〔대판 1977.7.26, 77도1802 ⑩ 두 사람이 공모 합동하여 야간에 타인의 재물을 절취하려고 한 사람은 망을 보고 다른 한 사람은 도구를 가지고 출입문의 자물쇠를 떼어낸 경우(대판 1986.7.8, 86도843), 야간에 절도의 목적으로 출입문에 장치된 자물통 고리를 절단하고 출입문을 손괴한 뒤 집안으로 침입하려다가 발각된 경우(대판 1986.9.9, 86도1273)〕 16. 변호사시험 · 경찰간부, 20. 7급 검찰, 21. 해경간부

② 제331조 제2항(합동절도) : 주거침입시 ×, 물색행위시 ○〔⑩ ㉠ 피고인들이 낮에 아파트 출입문 시정장치를 손괴하다가 발각되어 도주한 경우, 형법 제331조 제2항의 특수절도의 실행의 착수가 있었다고 볼 수 없다(대판 2009.12.24, 2009도9667 ∵ 합동절도의 실행의 착수시기 : 물색행위시 ○). 17. 법원행시, 18. 법원직 · 9급 철도경찰, 20. 경찰간부, 21. 해경승진, 24. 경찰승진 ㉡ 피고인이 아파트 신축공사 현장 안에 있는 건축자재 등을 훔칠 생각으로 공범과 함께 위 공사현장 안으로 들어간 후 창문을 통하여 신축 중인 아파트의 지하실 안쪽을 살핀 행위는 특수절도죄의 실행의 착수에 해당하지 않는다(대판 2010.4.29, 2009도14554).〕 11. 사시, 19. 7급 검찰

5. **강간죄** : 강간죄는 사람을 강간하기 위하여 피해자의 항거를 불능하게 하거나 현저히 곤란하게 할 정도의 폭행 또는 협박을 개시한 때에 그 실행의 착수가 있다고 보아야 할 것이지(실제로 폭행·협박에 의해 피해자의 항거가 불능하게 되거나 현저히 곤란하게 되었을 때가 아님 : 대판 2000.6.9, 2000도1253 ; 대판 1990.5.25, 90도607), 21. 법원행시 실제 간음행위가 시작되어야만 그 실행의 착수가 있다고 볼 것은 아니다. 유사강간죄의 경우도 이와 같다(대판 2021.8.12, 2020도17796). 25. 경찰승진

① 강간을 목적으로 피해자가 자고 있는 안방에 들어가서 피해자의 가슴과 엉덩이를 더듬은 경우 ▷ 실행의 착수 ×(대판 1990.5.25, 90도607) 15. 9급 철도경찰, 18. 법원직·경찰간부, 23. 법원행시

② 간음할 목적으로 새벽에 혼자 있는 여자방문을 세게 두드리고 여자가 위험을 느끼고 창문에 걸터앉아 가까이 오면 뛰어내리겠다고 하는 데도 창문으로 침입하려고 한 경우 ▷ 실행의 착수 ○(대판 1991.4.9, 91도288) 17. 경찰간부·순경 1차, 22. 경력채용

③ 잠을 자고 있는 피해자의 옷을 벗기고 자신의 바지를 내린 상태에서 피해자의 음부 등을 만지는 행위 ▷ 준강간죄(제299조 : 심신상실상태를 이용하여 간음한 경우)의 실행의 착수 ○(대판 2000.1.14, 99도5187) 18. 법원행시, 23. 경찰승진

④ 준강간죄의 실행의 착수시기 : 피해자의 심신상실 또는 항거불능의 상태를 이용하여 간음을 할 의도를 가지고 간음의 수단이라고 할 수 있는 행동을 시작한 때(대판 2019.2.14, 2018도19295)

예 ① 수면 중인 여자의 옷을 벗기고 자신의 바지를 내린 상태에서 피해자의 음부 등을 만지고 성기를 삽입하려고 했으나 여자가 잠에서 깨어 거부하는 듯한 기색을 보이자 간음을 포기한 경우 ▷ 준강간미수죄(대판 2000.1.14, 99도5187) 17. 경찰간부·수사경과, 22. 경력채용, 23. 경찰승진

② 성관계를 할 의사로 술에 취하여 모텔 침대에 잠들어 있는 피해자의 속바지를 벗기다가 피해자가 깨어나자 중단한 경우 ▷ 준강간죄의 미수(대판 2019.2.14, 2018도19295)

⑤ 주거침입강간죄는 사람의 주거 등을 침입한 자가 피해자를 간음한 경우에 성립하는 것으로서, 주거침입죄를 범한 후에 사람을 강간하는 행위를 하여야 하는 일종의 신분범이고 선후가 바뀌어 강간죄를 범한 자가 그 피해자의 주거에 침입한 경우에는 이에 해당하지 않고 강간죄와 주거침입죄의 실체적 경합범이 된다. 그 실행의 착수시기는 주거침입 행위 후 강간죄의 실행행위에 나아간 때이다(주거침입 행위를 한 때 ×)(대판 2021.8.12, 2020도17796). 22. 법원행시, 24. 해경간부

6. **강제추행죄** : 추행의 고의로 상대방의 의사에 반하는 유형력의 행사, 즉 폭행행위를 하여 실행행위에 착수하였으나 추행의 결과에 이르지 못한 때에는 강제추행미수죄가 성립하며, 이러한 법리는 폭행행위 자체가 추행행위라고 인정되는 이른바 '기습추행'의 경우에도 마찬가지로 적용된다〔대판 2015.9.10, 2015도6980 예 피고인이 밤에 술을 마시고 배회하던 중 버스에서 내려 혼자 걸어가는 피해자 甲(여, 17세)을 발견하고 마스크를 착용한 채 뒤따라가다가 인적이 없고 외진 곳에서 가까이 접근하여 껴안으려 하였으나, 甲이 뒤돌아보면서 소리치자 그 상태로 몇 초 동안 쳐다보다가 다시 오던 길로 되돌아간 경우, 아동·청소년에 대한 강제추행미수죄에 해당한다〕. 18. 순경 3차, 19. 순경 2차, 20. 경찰간부·해경승진, 21. 7급 검찰, 22. 법원행시, 24. 9급 검찰·마약수사·철도경찰

7. **사기죄**

① 태풍피해 복구보조금 지원절차의 전제가 된 피해신고만 하고 지원신청을 하지 않은 경우 ▷ 사기미수죄 ×(대판 1999.3.12, 98도3443 ∵ 사기죄의 예비 ○, 실행의 착수 ×) ▷ 무죄, 장애인단체의 지회장이 지방자치단체로부터 보조금을 더 많이 지원받기 위하여 허위의 보조금 정산보고서를 제출한 경우에는 보조금 편취범행인 사기죄의 실행에 착수한 것으로 보기 어렵다(대판 2003.6.13, 2003도1279 ∵ 사기죄의 예비 ○, 실행의 착수 ×). ▷ 무죄 15. 순경 2차, 16. 9급 철도경찰, 20. 법원직, 21. 경찰간부, 23. 해경 3차

② 장해보상지급청구권자에게 보상금을 찾아주겠다고 거짓말을 하여 동인을 보상금 지급기관까지 유인한 것 ➡ 사기죄의 실행의 착수 ×(대판 1980.5.13, 78도2259) 11. 사시, 14. 7급 검찰

③ 사기도박에서 사기적인 방법으로 도금을 편취하려는 자가 상대방에게 도박에 참여할 것을 권유하는 때에 실행의 착수가 있다(대판 2011.1.13, 2010도9330). 14. 순경 2차, 17. 법원직·9급 검찰, 21. 법원행시·경력채용·7급 검찰, 24. 경찰승진·해경승진

④ 소송사기 : 원고의 경우 ➡ 소송에서 주장하는 권리가 존재하지 않는 사실을 알고 있으면서도 법원을 기망한다는 인식을 가지고 소를 제기한 때(대판 1993.9.14, 93도915 ▶주의 : 피고에게 소장이 송달되지 않아도 실행의 착수가 인정됨), 피고의 경우 ➡ 적극적인 방법으로 법원을 기망할 의사를 가지고 허위내용의 서류를 증거로 제출하거나 그에 따른 주장을 담은 답변서나 준비서면을 제출한 때(대판 1998.2.27, 97도2786) 15. 법원직, 16. 7급 검찰·철도경찰, 18. 순경 2차, 19. 경찰간부·경찰승진

법원을 기망하여 유리한 판결을 얻어내고 상대방으로부터 재물이나 재산상 이익을 취득하려고 소송을 제기하였다가 법원으로부터 유리한 판결을 받지 못하고 소송이 종료됨으로써 미수에 그친 경우, 소송사기미수죄에 있어서 범죄행위의 종료 시기는 소송이 종료된 때이다(대판 2000.2.11, 99도4459). 13. 경찰승진, 20. 9급 철도경찰

⑤ 가압류는 강제집행의 보전방법에 불과하고 그 기초가 되는 허위의 채권에 의하여 실제로 청구의 의사표시를 한 것이라고 할 수 없으므로 소의 제기 없이 가압류신청을 한 것만으로는 사기죄의 실행에 착수한 것이라고 할 수 없다(대판 1982.10.26, 82도1529). 16. 순경 2차, 17. 순경 1차, 18. 경찰간부, 23. 경찰승진·해경 3차, 24. 해경승진, 25. 해경경사·9급 철도경찰

⑥ 강제집행절차를 통한 소송사기에서 실행의 착수시기 ➡ 집행절차의 개시신청을 한 때 또는 진행 중인 집행절차에 배당신청을 한 때, 부동산에 관한 소유권이전등기청구권에 대한 강제집행절차에서, 소송사기의 실행의 착수시기 ➡ 허위 채권에 기한 공정증서를 집행권원으로 하여 채무자의 소유권이전등기청구권에 대하여 압류신청을 한 때(대판 2015.2.12, 2014도10086) 18. 경찰간부·순경 3차, 22. 7급 검찰, 23. 순경 1차, 25. 경찰승진·해경경위

⑦ 피담보채권인 공사대금 채권을 실제와 달리 허위로 크게 부풀려 유치권에 의한 경매를 신청할 경우 정당한 채권액에 의하여 경매를 신청한 경우보다 더 많은 배당금을 받을 수도 있으므로, 불능범에 해당한다고 볼 수 없고, 소송사기죄의 실행의 착수에 해당한다(대판 2012.11.15, 2012도9603). 17. 순경 1차, 18. 법원행시, 19. 경찰간부·경찰승진, 21. 7급 검찰

🔎 **비교판례** : 부동산 경매절차에서 피고인들이 허위의 공사대금채권을 근거로 유치권 신고를 한 경우, 소송사기의 실행의 착수가 있다고 볼 수 없다(대판 2009.9.2, 2009도5900 ∵ 사례의 경우 입찰물건명세서에 '유치권신고 있음'이라는 사실만을 기재할 뿐, 법원의 판단대상이 아니므로, 법원을 기망한 것이 아님). 20. 경찰간부, 22. 7급 검찰, 25. 해경경사

⑧ 타인의 사망을 보험사고로 하는 생명보험계약을 체결함에 있어 제3자가 피보험자인 것처럼 가장하여 체결하는 등으로 그 유효 요건이 갖추어지지 못한 경우에, 보험사고의 우연성과 같은 보험의 본질을 해칠 정도라고 볼 수 있는 특별한 사정이 없는 한, 그와 같이 하자 있는 보험계약을 체결한 행위만으로 미필적으로라도 보험금을 편취하려는 의사에 의한 기망행위의 실행에 착수한 것으로 볼 것은 아니다(대판 2013.11.14, 2013도7494). 19. 경찰간부, 21. 해경간부·법원직, 22. 경찰승진, 24. 9급 철도경찰·순경 2차·법원행시

⑨ 진정한 임차권자가 아니면서 허위의 임대차계약서를 법원에 제출하여 임차권등기명령을 신청하면 그로써 소송사기의 실행행위에 착수한 것으로 보아야 하고, 나아가 그 임차보증금 반환채권에 관하여 현실적으로 청구의 의사표시를 하여야만 사기죄의 실행의 착수가 있다고 볼 것은 아니다(대판 2012.5.24, 2010도12732). 16. 법원행시, 21. 경찰간부

⑩ 허위의 증거를 이용하지 않은 채 허위의 내용을 기재하여 지급명령을 신청한 단계에서는 상대방의 이의신청으로 지급명령은 이의의 범위 안에서 그 효력을 잃게 되더라도 지급명령을 신청한 때 소를 제기한 것으로 보게 되므로 소송사기죄에 있어서 실행에 착수하였다고 볼 수 있다(대판 2004.6.24, 2002도4151). 05. 법원행시, 06. 경찰승진

⑪ 피고인 또는 그와 공모한 자가 자신이 토지의 소유자라고 허위의 주장을 하면서 소유권보존등기 명의자를 상대로 보존등기의 말소를 구하는 소송을 제기한 경우 소송사기의 실행행위에 착수한 것이다(대판 2006.4.7, 2005도9858 전원합의체). 07. 순경

⑫ 법원을 기망하여 자기에게 유리한 판결을 얻고자 소송을 제기한 자가 상대방의 주소를 허위로 기재하여 소송을 제기함으로써 그 허위주소로 소송서류가 송달되어 그로 인하여 상대방 아닌 다른 사람이 그 서류를 받아 소송을 진행한 경우 소송사기죄의 실행의 착수가 인정된다(대판 2006.11.10, 2006도5811). 16. 7급 검찰·철도경찰, 21. 경찰간부, 24. 9급 검찰·마약수사·철도경찰

8. **배임죄**

① 부동산의 이중양도에 있어서 부동산의 매도인인 甲이 제1차 매수인인 乙로부터 계약금 및 중도금 명목의 금원을 교부받은 후 제2차 매수인인 丙에게 부동산을 매도하기로 하고 계약금과 중도금을 지급받은 경우(대판 1983.10.11, 83도2057 ∴ 제2차 매수인에게 계약금만을 지급받은 뒤 더 이상의 계약이행에 나아가지 않는 경우 ⇨ 실행의 착수 × : 대판 2003.3.25, 2002도7134) 20. 9급 검찰, 21. 경찰간부·해경간부, 22. 7급 검찰, 23. 법원행시, 24. 해경승진

    유사판례 : 양수인에게 무허가건물 인도의무를 부담하는 양도인이 중도금 또는 잔금까지 수령한 상태에서 양수인의 의사에 반하여 제3자에게 그 무허가건물을 이중으로 양도하고 중도금까지 수령한 경우 ⇨ 배임죄의 실행의 착수 ○(대판 2005.10.28, 2005도5713 ∵ 부동산의 이중매매) 17. 법원행시

② 배임죄는 임무에 위배하는 행위를 한다는 점과 이로 인하여 자기 또는 제3자가 이익을 취득하여 본인에게 손해를 가한다는 점에 대한 인식이나 의사를 가지고 임무에 위배한 행위를 개시한 때 실행에 착수하였다고 볼 수 있으며, 그 임무위배행위가 사법상 무효라 하더라도 실행의 착수가 있다고 볼 수 있다(대판 2017.9.21, 2014도9960). 21. 법원행시, 23. 순경 1차

③ 업무상 배임죄는 타인과의 신뢰관계에서 일정한 임무에 따라 사무를 처리할 법적 의무가 있는 자가 그 상황에서 당연히 할 것이 법적으로 요구되는 행위를 하지 않는 부작위에 의해서도 성립할 수 있다. 그러한 부작위를 실행의 착수로 볼 수 있기 위해서는 작위의무가 이행되지 않으면 사무처리의 임무를 부여한 사람이 재산권을 행사할 수 없으리라고 객관적으로 예견되는 등으로 구성요건적 결과 발생의 위험이 구체화한 상황에서 부작위가 이루어져야 한다. 그리고 행위자는 부작위 당시 자신에게 주어진 임무를 위반한다는 점과 그 부작위로 인해 손해가 발생할 위험이 있다는 점을 인식하였어야 한다(대판 2021.5.27, 2020도15529). 22. 법원행시, 23. 순경 1차, 24. 경찰승진

9. **공갈죄** : 기업체의 탈세사실을 국세청이나 정보부에 고발한다는 말을 기업주에게 전한 때(대판 1969.7.29, 69도984) 06. 법원행시

10. **살인죄** : 살해하기 위하여 낫을 들고 피해자에게 접근한 때(대판 1986.2.25, 85도2773), 13. 경찰승진, 18. 9급 철도경찰, 22. 9급 검찰·마약수사·철도경찰 소속 중대장을 살해 보복할 목적으로 수류탄의 안전핀을 빼고 그 사무실로 들어간 때(대판 1970.6.30, 70도861)

11. **강도살인죄** : 강도살인미수죄의 성립에는 살해행위가 미수에 그쳤으면 족하고 강취행위의 미수·기수를 불문한다(대판 1973.5.30, 73도847).

12. **간첩죄** : 간첩목적으로(국가기밀을 탐지·모집하기 위하여) 대한민국 지배지역 내에 잠입·침투상륙한 때(대판 1984.9.11, 84도1381 : 주관설) 15. 경찰승진, 18. 경찰간부, 25. 해경경위

13. **방화죄** : 불이 방화목적물 내지 도화물체에 점화된 때(대판 1960.7.22, 4239형상213 : 형식적 객관설)
    ⇨ 현주건조물에 방화하기 위해 비현주건조물에 방화한 때, 거주하는 가옥의 일부로 된 축사에 방화한 때(대판 1967.8.29, 67도925), 방화의 의사로 뿌린 휘발유가 인화성이 강한 상태로 주택주변과 피해자의 몸에 적지 않게 살포되어 있는 사정을 알면서도 라이터를 켜 불꽃을 일으킴으로써 피해자의 몸에 불이 붙은 경우(대판 2002.3.26, 2001도6641) 14. 7급 검찰, 15. 경찰승진, 18. 순경 1차, 23. 해경승진

14. 병역법은 '병역의무를 기피하거나 감면받을 목적으로 도망가거나 행방을 감춘 경우 또는 신체를 손상하거나 속임수를 쓴' 경우를 처벌의 대상으로 하고 있는바, 입영대상자가 병역면제처분을 받을 목적으로 병원으로부터 허위의 병사용 진단서를 발급받았다면 이로써 그 죄의 실행에 착수한 것으로 볼 수 없다[대판 2005.10.13, 2005도2200 ∵ 병역을 기피할 목적으로 사위의 방법으로 발급받은 병사용 진단서를 관할 병무청에 제출하거나 징병검사장에 출석하여 사위(속임수)의 방법으로 신체검사를 받는 등의 행위에까지 이르지 않았다면 병역법 제86조에서 규정하고 있는 사위행위의 실행에 이르렀다고 할 수 없다]. 15. 9급 철도경찰 · 법원직, 20. 해경승진, 22. 7급 검찰, 23. 경찰승진, 24. 해경경장

15. 위장결혼의 당사자 및 브로커와 공모한 피고인이 허위로 결혼사진을 찍고 혼인신고에 필요한 서류를 준비하여 위장결혼의 당사자에게 건네준 것만으로는 공전자기록 등 부실기재죄의 실행에 착수한 것으로 볼 수 없다(대판 2009.9.24, 2009도4998 ∵ 공전자기록 등 부실기재죄의 실행의 착수시기는 공무원에 대하여 허위의 신고를 하는 때임). 16. 사시 · 법원행시 · 순경 2차, 18. 순경 1차 · 3차, 19. 경찰간부, 20. 해경승진, 23. 경찰승진, 24. 해경경장, 25. 해경경위

16. 부정경쟁방지 및 영업비밀보호에 관한 법률 제18조 제2항의 영업비밀부정사용죄에 있어서는 행위자가(당해 영업비밀과 관계된 영업활동에 이용 · 활용할 의사로) 그 영업활동에 근접한 시기에 영업비밀을 열람하는 행위나(영업비밀이 전자파일의 형태인 경우) 저장의 단계를 넘어서 해당 전자파일을 실행하는 행위를 하였다면 그 실행의 착수가 있다(대판 2009.10.15, 2008도9433). 13. 순경 2차, 17. 순경 1차

17. 甲이 히로뽕 제조원료 구입비를 乙에게 제공하였는데 乙이 그로써 구입할 원료를 물색 중 적발된 경우 히로뽕 제조에 착수하였다고 볼 수 없다(대판 1983.11.22, 83도2590). 17. 순경 1차

    ⚖ **유사판례** : 필로폰을 매수하려는 자에게서 필로폰을 구해 달라는 부탁과 함께 돈을 지급받았다고 하더라도, 당시 필로폰을 소지 또는 입수한 상태에 있었다는 등 매매행위에 근접 · 밀착한 상태에서 대금을 지급받은 것이 아니라 단순히 필로폰을 구해 달라는 부탁과 함께 대금 명목으로 돈을 지급받은 것에 불과한 경우에는 필로폰 매매행위의 실행의 착수에 이른 것이라고 볼 수 없다(대판 2015.3.20, 2014도16920). 18. 순경 1차 · 3차, 21. 7급 검찰, 22. 경찰승진 · 법원행시, 24. 해경경위

    ⚖ **비교판례** : 마약류를 소지 또는 입수하였거나 그것이 가능한 상태에 있었고, 甲이 그러한 상태에 있는 乙에게 그 매매대금을 송금하였다는 사실만으로 甲이 마약류 매수행위에 근접 · 밀착하는 행위를 하였다고 볼 수 있으므로 대마 또는 향정신성의약품 매매행위의 실행의 착수를 인정할 수 있다(대판 2020.7.9, 2020도2893). 21. 경력채용

18. 은행강도 범행으로 강취할 돈을 송금받을 계좌를 개설한 것만으로는 범죄수익 등의 은닉에 관한 죄의 실행에 착수한 것으로 볼 수 없다(대판 2007.1.11, 2006도5288). 08. 법원행시, 10. 9급 검찰

19. 피고인이 외화를 반출하기 위하여 일화 400만엔이 들어 있는 휴대용 가방을 가지고 보안검색대에 나아가지 않은 채 공항 내에서 탑승을 기다리고 있던 중에 체포되었다면, 외국환거래법 위반죄의 실행의 착수가 있다고 볼 수 없다(대판 2001.7.27, 2000도4298). 22. 경찰승진, 23. 법원행시 · 순경 2차

20. 북한과의 범민족단합대회추진을 위한 예비회담을 하기 위하여 판문점을 향하여 출발하려 하였다면 국가보안법상 회합예비죄에 해당하고 회합죄의 실행에 착수하였다고 볼 수 없다(대판 1990.8.28, 90도1217). 06. 사시

21. 비지정문화재를 국외로 반출하는 행위에 근접·밀착하는 행위가 행해진 때 ⇨ 비지정문화재의 수출미수죄 성립〔따라서 수출할 사람에게 비지정문화재를 판매하려다가 가격절충이 되지 않아 계약이 성사되지 못하였다면 비지정문화재수출미수죄가 성립하지 아니한다(대판 1999.11.26, 99도2461) : 실질적 객관설(밀접행위설)〕 06. 경찰승진

22. 로렉스 손목시계 1개를 출국 당시 차고 나간 신변 휴대품인 양 손목에 차고 이를 세관에 신고하지 아니하고 몰래 반입하려는 의사로 위 시계를 손목에 찬 채 다른 물품이 들어 있는 가방을 세관 검사대에 올려놓았다면 관세포탈죄의 실행의 착수가 있는 것이다(대판 1987.11.24, 87도1571). 25. 해경경사

23. 체포죄는 계속범으로서 체포의 행위에 확실히 사람의 신체의 자유를 구속한다고 인정할 수 있을 정도의 시간적 계속이 있어야 하나, 체포의 고의로써 타인의 신체적 활동의 자유를 현실적으로 침해하는 행위를 개시한 때(예 팔을 잡아당기거나 등을 미는 등의 방법으로 끌고 간 때) 체포죄의 실행에 착수하였다고 볼 것이다(대판 2018.2.28, 2017도21249). 22. 법원행시·9급 검찰·마약수사·철도경찰

24. 국제우편 등을 통하여 향정신성의약품(필로폰)을 수입하는 경우에는 국내에 거주하는 사람이 수신인으로 명시되어 발신국의 우체국 등에 향정신성의약품이 들어 있는 우편물을 제출할 때에 범죄의 실행에 착수하였다고 볼 수 있다(대판 2019.5.16, 2019도97). 23. 순경 1차, 24. 해경경위

25. 법률사무의 수임에 관하여 당사자를 특정 변호사에게 소개한 후 그 대가로 금품을 수수하면 변호사법 제109조 제2호, 제34조 제1항을 위반하는 죄가 성립하는바, 소개의 대가로 금품을 받을 고의를 가지고 변호사에게 소개를 하면 실행의 착수를 인정할 수 있다(대판 2006.4.7, 2005도9858 전원합의체). 21. 경력채용

26. 성폭력범죄의 처벌 등에 관한 특례법 위반(카메라 등 이용촬영)죄에서 '촬영'이란 카메라나 그 밖에 이와 유사한 기능을 갖춘 기계장치 속에 들어 있는 필름이나 저장장치에 피사체에 대한 영상정보를 입력하는 행위를 의미한다. 따라서 범인이 피해자를 촬영하기 위하여 육안 또는 캠코더의 줌 기능을 이용하여 피해자가 있는지 여부를 탐색하다가 피해자를 발견하지 못하고 촬영을 포기한 경우에는 촬영을 위한 준비행위에 불과하여 성폭력처벌법 위반(카메라 등 이용촬영)죄의 실행에 착수한 것으로 볼 수 없다. 이에 반하여 범인이 카메라 기능이 설치된 휴대전화를 피해자의 치마 밑으로 들이밀거나, 피해자가 용변을 보고 있는 화장실 칸 밑 공간 사이로 집어넣는 등 카메라 등 이용 촬영 범행에 밀접한 행위를 개시한 경우에는 성폭력처벌법 위반(카메라 등 이용촬영)죄의 실행에 착수하였다고 볼 수 있다(대판 2021.3.25, 2021도749). 22. 법원행시, 25. 경찰승진

01 실행의 착수시기에 대한 설명 중 가장 적절한 것은?(다툼이 있는 경우 판례에 의함) 20. 경찰승진

① 침입 대상인 아파트에 사람이 있는지를 확인하기 위해 그 집의 초인종을 누른 경우 주거의 사실상의 평온을 침해할 객관적인 위험성이 있으므로 주거침입죄의 실행의 착수가 인정된다.

② 야간에 다세대주택 2층의 불이 꺼져있는 것을 보고 물건을 절취하기 위하여 가스배관을 타고 올라가다가, 발은 1층 방범창을 딛고 두 손은 1층과 2층 사이에 있는 가스배관을 잡고 있던 상태에서 순찰 중이던 경찰관에게 발각되자 그대로 뛰어내린 경우 야간주거침입절도죄의 실행의 착수가 인정되지 않는다.

③ 야간에 아파트에 침입하여 물건을 훔칠 의도하에 아파트의 베란다 철제난간까지 올라가 유리창문을 열려고 시도하고 실제로 집안에 들어가지는 못한 경우 야간주거침입절도죄의 실행의 착수가 인정되지 않는다.

④ 노상에 세워 놓은 자동차 안에 있는 물건을 훔칠 생각으로 자동차의 유리창을 통하여 그 내부를 손전등으로 비추어 본 경우 유리창을 따기 위해 면장갑을 끼고 있었고 칼을 소지하고 있었다면 절도죄의 실행의 착수가 인정된다.

> [해설] ① × : 실행의 착수 ×(대판 2008.4.10, 2008도1464)
> ② ○ : 대판 2008.3.27, 2008도917
> ③ × : 실행의 착수 ○(대판 2003.10.24, 2003도4417)
> ④ × : 실행의 착수 ×(대판 1985.4.23, 85도464)

02 실행의 착수에 관한 설명으로 가장 옳은 것은?(다툼이 있는 경우 판례에 의함)
20. 경찰간부, 21. 해경승진

① 예비·음모 후 실행의 착수로 나아가기를 자의로 포기한 경우 중지범 규정을 유추적용할 수 있다.

② 2인 이상이 합동하여 주간에 피해자의 아파트 출입문 시정 장치를 손괴하다가 발각되어 도주한 경우 형법 제331조 제2항 특수절도죄의 실행의 착수가 인정된다.

③ 이른바 '기습추행'의 경우 피고인의 팔이 피해자의 몸에 닿지 않았더라도 양팔을 높이 들어 갑자기 뒤에서 껴안으려고 한 경우 강제추행죄의 실행의 착수가 인정된다.

④ 범죄수익은닉의 규제 및 처벌 등에 관한 법률상 범죄수익 등의 은닉에 관한 죄의 경우, 강도범행을 통해 강취할 돈을 송금받기 위해 계좌를 개설한 때 실행의 착수가 인정된다.

> [해설] ① × : 중지범 규정 유추적용 ×(대판 1999.4.9, 99도424)
> ② × : 2인 이상이 합동하여 주간에 절도의 목적으로 타인의 주거에 침입하였으나 아직 절취할 물건의 물색행위를 시작하기 전이라면 형법 제331조 제2항의 특수절도죄의 실행에 착수한 것은 아니다(대판 2009.12.24, 2009도9667).
> ③ ○ : 대판 2015.9.10, 2015도6980
> ④ × : 실행의 착수 ×(대판 2007.1.11, 2006도5288)

03 **실행의 착수에 대한 설명 중 가장 적절하지 않은 것은?**(다툼이 있는 경우 판례에 의함)

21. 경력채용

① 사기죄는 편취의 의사로 기망행위를 개시한 때에 실행에 착수한 것으로 보아야 하므로, 사기도박에서도 사기적인 방법으로 도금을 편취하려고 하는 자가 상대방에게 도박에 참가할 것을 권유하는 등의 행위를 개시하였다면 실행의 착수를 인정할 수 있다.

② 甲이 A의 팔을 잡아당기거나 등을 미는 등의 방법으로 A를 끌고 가 그 신체적 활동의 자유를 침해하는 행위를 개시하였다면 체포죄의 실행의 착수를 인정할 수 있다.

③ 법률사무의 수임에 관하여 당사자를 특정 변호사에게 소개한 후 그 대가로 금품을 수수하면 변호사법 제109조 제2호, 제34조 제1항을 위반하는 죄가 성립하는바, 소개의 대가로 금품을 받을 고의를 가지고 변호사에게 소개를 하면 실행의 착수를 인정할 수 있다.

④ 마약류를 소지 또는 입수하였거나 그것이 가능한 상태에 있었고, 甲이 그러한 상태에 있는 乙에게 그 매매대금을 송금하였다는 사실만으로 甲이 마약류 매수행위에 근접·밀착하는 행위를 하였다고 볼 수 없으므로 대마 또는 향정신성의약품 매매행위의 실행의 착수를 인정할 수 없다.

 ① 대판 2011.1.13, 2010도9330
② 대판 2018.2.28, 2017도21249
③ 대판 2006.4.7, 2005도9858 전원합의체
④ × : ~ (3줄) 볼 수 있으므로 대마 또는 향정신성의약품 매매행위의 실행의 착수를 인정할 수 있다(대판 2020.7.9, 2020도2893).

04 **실행의 착수에 대한 설명으로 옳은 것만을 모두 고르면?**(다툼이 있는 경우 판례에 의함)

21. 7급 검찰

> ㉠ 사기도박에서 사기적인 방법으로 도금을 편취하려고 하는 자가 상대방에게 도박에 참가할 것을 권유하는 등 기망행위를 개시한 때에 사기죄의 실행의 착수가 인정된다.
> ㉡ 甲이 A를 발견하고 접근하여 껴안으려 하였으나 A가 뒤돌아보면서 소리치자 몇 초 동안 쳐다보다가 되돌아간 경우, 甲이 A를 껴안으려고 하였을 때 강제추행죄의 실행의 착수가 인정된다.
> ㉢ 필로폰을 매수하려는 자에게서 필로폰을 구해 달라는 부탁과 함께 돈을 지급받았다고 하더라도, 당시 필로폰을 소지 또는 입수한 상태에 있었거나 그것이 가능하였다는 등 매매행위에 근접·밀착한 상태에서 대금을 지급받은 것이 아니라 단순히 필로폰을 구해 달라는 부탁과 함께 대금 명목으로 돈을 지급받은 것에 불과한 경우에는 필로폰 매매행위의 실행의 착수에 이른 것이라고 볼 수 없다.
> ㉣ 피담보채권인 공사대금 채권을 실제와 달리 허위로 부풀려 유치권에 의한 경매를 신청한 경우에는 소송사기죄의 실행의 착수가 인정되지 않는다.

① ㉠, ㉢   ② ㉡, ㉣   ③ ㉠, ㉡, ㉢   ④ ㉠, ㉡, ㉢, ㉣

Answer   3.④   4.③

> **[해설]** ㉠ ○ : 대판 2011.1.13, 2010도9330
> ㉡ ○ : 대판 2015.9.10, 2015도6980 ㉢ ○ : 대판 2015.3.20, 2014도16920
> ㉣ × : ~ 실행의 착수가 인정된다(대판 2012.11.15, 2012도9603).

05 실행의 착수시기에 관한 설명 중 가장 옳은 것은?(다툼이 있는 경우 판례에 의함) 21. 법원행시

① 주간에 절도의 목적으로 다른 사람의 주거에 침입한 경우 주거에 침입한 단계에서 이미 절도죄의 실행에 착수한 것으로 보아야 한다.

② 사기죄는 편취의 의사로 기망행위를 개시한 때에 실행에 착수한 것으로 보아야 하므로, 사기도박에 있어서는 사기적인 방법으로 도금을 편취하려고 하는 자가 상대방에게 도박에 참가할 것을 권유한 후 정상적인 도박행위를 한 단계에서는 실행의 착수가 있다고 보기 어렵고, 이후 사기적인 방법의 도박행위를 개시한 때에 사기죄의 실행의 착수가 있는 것으로 보아야 한다.

③ 주거침입죄의 실행의 착수는 주거자, 관리자, 점유자 등의 의사에 반하여 주거나 관리하는 건조물 등에 들어가는 행위, 즉 구성요건의 일부를 실현하는 행위까지 요구하는 것은 아니고 범죄구성요건의 실현에 이르는 현실적 위험성을 포함하는 행위를 개시하는 것으로 족하므로, 출입문이 열려 있으면 안으로 들어가겠다는 의사 아래 출입문을 당겨보는 행위는 바로 주거의 사실상의 평온을 침해할 객관적인 위험성을 포함하는 행위를 한 것으로 볼 수 있어 그것으로 주거침입의 실행에 착수한 것으로 보아야 한다.

④ 강간죄에 있어서 폭행 또는 협박은 피해자의 항거를 불능하게 하거나 현저히 곤란하게 할 정도의 것이어야 하므로, 그와 같은 폭행 또는 협박에 의하여 피해자의 항거가 불능하게 되거나 현저히 곤란하게 되는 때 실행의 착수가 있다고 볼 수 있다.

⑤ 타인의 사무를 처리하는 자가 배임의 범의로, 즉 임무에 위배하는 행위를 한다는 점과 이로 인하여 자기 또는 제3자가 이익을 취득하여 본인에게 손해를 가한다는 점에 대한 인식이나 의사를 가지고 임무에 위배한 행위를 개시한 때 배임죄의 실행에 착수한 것으로 볼 수 있으나, 그 임무위배행위가 사법상 무효인 경우에는 실해 발생의 위험이 없으므로 실행의 착수가 있다고 보기 어렵다.

> **[해설]** ① × : 야간이 아닌 주간에 절도의 목적으로 타인의 주거에 침입하였다고 하여도 아직 절취할 물건의 물색행위를 시작하기 전이라면 주거침입죄만 성립할 뿐 절도죄의 실행에 착수한 것으로 볼 수 없다(대판 1992.9.8, 92도1650).
> ② × : 사기도박에서 사기적인 방법으로 도금을 편취하려는 자가 상대방에게 도박에 참여할 것을 권유하는 때에 실행의 착수가 있다(대판 2011.1.13, 2010도9330).
> ③ ○ : 대판 2006.9.14, 2006도2824
> ④ × : 항거를 불가능하게 하거나 현저히 곤란하게 할 정도의 폭행·협박을 개시한 때에 실행의 착수가 인정되는 것이지 실제로 피해자의 항거가 불가능하게 되거나 현저히 곤란하게 되었을 때 인정되는 것이 아니다(대판 2000.6.9, 2000도1253).
> ⑤ × : ~ (4줄) 무효라 하더라도 실행의 착수가 있다고 볼 수 있다(대판 2017.9.21, 2014도9960).

Answer ▶ 5. ③

06 **실행의 착수에 대한 설명으로 가장 적절한 것은?**(다툼이 있는 경우 판례에 의함) **22. 경찰승진**

① 업무상 배임죄에서 부작위를 실행의 착수로 볼 수 있기 위해서는 작위의무가 이행되지 않으면 사무처리의 임무를 부여한 사람이 재산권을 행사할 수 없으리라고 객관적으로 예견되는 등으로 구성요건적 결과 발생의 위험이 구체화한 상황에서 부작위가 이루어져야 한다.

② 구 외국환거래법에서 규정하는 신고를 하지 아니하거나 허위로 신고하고 지급수단·귀금속 또는 증권을 수출하는 행위는 지급수단 등을 국외로 반출하기 위한 행위에 근접·밀착하는 행위가 행하여진 때에 그 실행의 착수가 있으므로, 공항 내에서 보안 검색대에 나아가지 않은 채 휴대용 가방 안에 해당물건을 가지고 탑승을 기다리던 중에 발각되었다면 이미 실행의 착수가 있는 것으로 볼 수 있다.

③ 타인의 사망을 보험사고로 하는 생명보험계약을 체결함에 있어 제3자가 피보험자인 것처럼 가장하여 체결하는 등으로 그 유효요건이 갖추어지지 못한 경우, 보험사고의 우연성과 같은 보험의 본질을 해칠 정도라고 볼 수 있는 특별한 사정이 없더라도, 그와 같이 하자 있는 보험계약을 체결한 행위는 보험금을 편취하려는 의사에 의한 기망행위의 실행에 착수한 것으로 볼 수 있다.

④ 정범의 실행의 착수 전에 장래의 실행행위를 예상하고 이를 용이하게 하는 행위를 하여 방조한 경우에도 정범이 그 실행행위에 나아갔다면 종범이 성립하지만, 정범이 실행의 착수에 이르지 못한 경우 방조자는 예비죄의 종범으로 처벌된다.

> **해설** ① ○ : 대판 2021.5.27, 2020도15529
> ② × : ~ 볼 수 없다(대판 2001.7.27, 2000도4298).
> ③ × : ~ (3줄) 특별한 사정이 없는 한, 그와 같이 하자 있는 보험계약을 체결한 행위는 보험금을 편취하려는 의사에 의한 기망행위의 실행에 착수한 것으로 볼 수 없다(대판 2013.11.14, 2013도7494).
> ④ × : 예비죄의 종범 ×(대판 1979.11.27, 79도2201)

07 **실행의 착수에 관한 설명 중 가장 옳지 않은 것은?**(다툼이 있는 경우 판례에 의함) **22. 법원행시**

① 체포죄는 사람의 신체에 대하여 직접적이고 현실적인 구속을 가하여 신체활동의 자유를 박탈하는 죄로서 그 실행의 착수시기는 체포의 고의로 타인의 신체적 활동의 자유를 현실적으로 침해하는 행위를 개시한 때이다.

② 필로폰을 매수하려는 자로부터 필로폰을 구해 달라는 부탁과 함께 금전을 지급받았다고 하더라도, 당시 피고인이 필로폰을 소지 또는 입수한 상태에 있었거나 그것이 가능하였다는 등 매매행위에 근접·밀착한 상태에서 그 대금을 지급받은 것이 아니라 단순히 필로폰을 구해 달라는 부탁과 함께 대금 명목으로 금전을 지급받은 것에 불과한 경우에는 필로폰 매매행위의 실행의 착수에 이른 것이라고 볼 수 없다.

③ 피고인의 팔이 피해자의 몸에 닿지는 않았다 하더라도 양팔을 높이 들어 갑자기 뒤에서 피해자를 껴안으려는 행위는 피해자의 의사에 반하는 유형력의 행사로서 폭행행위에 해당하고, 그 때에 이른바 '기습추행'에 관한 실행의 착수가 있다고 볼 수 있다.

④ 범인이 피해자를 촬영하기 위하여 육안 또는 캠코더의 줌 기능을 이용하여 피해자가 있는지 여부를 탐색하다가 피해자를 발견하지 못하고 촬영을 포기한 경우에는 촬영을 위한 준비행위에 불과하여 성폭력범죄의 처벌 등에 관한 특례법 위반(카메라 등 이용촬영)죄의 실행에 착수한 것으로 볼 수 없다.

⑤ 업무상 배임죄는 부작위에 의해서도 성립할 수 있는데, 이때 행위자는 부작위 당시 자신에게 주어진 임무를 위반한다는 점만 인식하면 족하고, 그 부작위로 인해 손해가 발생할 위험이 있다는 점을 인식할 필요는 없다.

> **해설** ① 대판 2018.2.28, 2017도21249
> ② 대판 2015.3.20, 2014도16920
> ③ 대판 2015.9.10, 2015도6980
> ④ 대판 2021.3.25, 2021도749
> ⑤ × : ~ (2줄) 임무를 위반한다는 점과 그 부작위로 인해 손해가 발생할 위험이 있다는 점을 인식하였어야 한다(대판 2021.5.27, 2020도15529).

08 실행의 착수에 대한 설명으로 옳은 것만을 모두 고르면?(다툼이 있는 경우 판례에 의함)

22. 7급 검찰

> ㉠ 병역법은 '병역의무를 기피하거나 감면받을 목적으로 도망가거나 행방을 감춘 경우 또는 신체를 손상하거나 속임수를 쓴' 경우를 처벌의 대상으로 하고 있는바, 입영대상자가 병역면제처분을 받을 목적으로 병원으로부터 허위의 병사용 진단서를 발급받았다면 이로써 그 죄의 실행에 착수한 것으로 볼 수 있다.
> ㉡ 부동산 이중양도에서 제1차 매수인으로부터 계약금 및 중도금을 받은 매도인이 제2차 매수인으로부터 계약금을 받은 것만으로는 제1차 매수인에 대한 배임죄의 실행에 착수하였다고 볼 수 없다.
> ㉢ 강제집행 절차를 통한 소송사기의 경우, 집행 절차의 개시신청을 했을 때 또는 진행 중인 집행 절차에 배당신청을 했을 때 사기죄의 실행의 착수가 인정된다.
> ㉣ 부동산경매 절차에서 허위의 공사대금채권을 근거로 유치권 신고를 한 행위만으로는 사기죄의 실행에 착수하였다고 볼 수 없다.

① ㉠, ㉡   ② ㉠, ㉣   ③ ㉡, ㉢   ④ ㉡, ㉢, ㉣

> **해설** ㉠ × : ~ 것으로 볼 수 없다〔대판 2005.10.13, 2005도2200 ∵ 병역을 기피할 목적으로 사위의 방법으로 발급받은 병사용 진단서를 관할 병무청에 제출하거나 징병검사장에 출석하여 사위(속임수)의 방법으로 신체검사를 받는 등의 행위에까지 이르지 않았다면 병역법 제86조에서 규정하고 있는 사위행위의 실행에 이르렀다고 할 수 없다〕.
> ㉡ ○ : 대판 2003.3.25, 2002도7134
> ㉢ ○ : 대판 2015.2.12, 2014도10086
> ㉣ ○ : 대판 2009.9.2, 2009도5900

Answer 8.④

09 실행의 착수에 대한 설명으로 옳은 것을 모두 고른 것은?(다툼이 있는 경우 판례에 의함)

> ㉠ 야간에 아파트에 침입하여 물건을 훔칠 의도하에 아파트의 베란다 철제난간까지 올라가 유리창문을 열려고 시도한 경우 야간주거침입절도죄의 실행에 착수하였다.
> ㉡ 甲이 잠을 자고 있는 피해자 A의 옷을 벗긴 후 자신의 바지를 내린 상태에서 A의 음부 등을 만지고 자신의 성기를 A의 음부에 삽입하려고 하였으나 A가 몸을 뒤척이고 비트는 등 잠에서 깨어 거부하는 듯한 기색을 보이자 더 이상 간음행위에 나아가는 것을 포기한 경우 준강간죄의 실행에 착수하였다.
> ㉢ 위장결혼의 당사자 및 브로커와 공모한 甲이 허위로 결혼사진을 찍고 혼인신고에 필요한 서류를 준비하여 위장결혼의 당사자에게 건네준 것만으로는 공전자기록 등 부실기재죄의 실행에 착수한 것으로 볼 수 없다.
> ㉣ 입영대상자가 병역면제처분을 받을 목적으로 병원으로부터 허위의 병사용 진단서를 발급받은 경우 구 병역법 제86조 사위행위의 실행에 착수하였다.
> ㉤ 허위의 채권을 피보전권리로 삼아 가압류를 한 경우 그 채권에 관하여 현실적으로 청구의 의사표시를 한 것이라고 볼 수 있으므로, 본안소송을 제기하지 아니한 채 가압류를 한 경우에도 사기죄의 실행에 착수하였다.

① ㉠, ㉡, ㉢　　　　　　　　　② ㉠, ㉡, ㉤

③ ㉠, ㉢, ㉣　　　　　　　　　④ ㉡, ㉣, ㉤

해설 ㉠ ○ : 대판 2003.10.24, 2003도4417
㉡ ○ : 대판 2000.1.14, 99도5187
㉢ ○ : 대판 2009.9.24, 2009도4998
㉣ × : ~ 실행에 착수한 것으로 볼 수 없다(대판 2005.10.13, 2005도2200).
㉤ × : 가압류는 강제집행의 보전방법에 불과하고 그 기초가 되는 허위의 채권에 의하여 실제로 청구의 의사표시를 한 것이라고 할 수 없으므로 소의 제기 없이 가압류신청을 한 것만으로는 사기죄의 실행에 착수한 것이라고 할 수 없다(대판 1982.10.26, 82도1529).

10 실행의 착수에 관한 설명 중 가장 적절하지 않은 것은?(다툼이 있는 경우 판례에 의함)

① 소유권이전등기청구권에 대한 압류는 강제집행절차를 위한 일련의 시작행위라고 할 수 있으므로, 허위 채권에 기한 공정증서를 집행권원으로 하여 채무자의 소유권이전등기청구권에 대하여 압류신청을 한 시점에 소송사기의 실행에 착수하였다고 볼 수 있다.

② 배임죄는 임무에 위배하는 행위를 한다는 점과 이로 인하여 자기 또는 제3자가 이익을 취득하여 본인에게 손해를 가한다는 점에 대한 인식이나 의사를 가지고 임무에 위배한 행위를 개시한 때 실행에 착수하였다고 볼 수 있다.

③ 업무상 배임죄에서 부작위를 실행의 착수로 볼 수 있기 위해서는 작위의무가 이행되지 않으면 사무처리의 임무를 부여한 사람이 재산권을 행사할 수 없으리라고 객관적으로

예견되는 등으로 구성요건적 결과 발생의 위험이 구체화한 상황에서 부작위가 이루어져야 하고, 행위자는 부작위 당시 자신에게 주어진 임무를 위반한다는 점과 그 부작위로 인해 손해가 발생할 위험이 있다는 점을 인식하였어야 한다.

④ 甲이 乙로부터 국제우편을 통해 향정신성의약품을 수입하는 경우, 필로폰을 받을 국내 주소를 알려주었으나 乙이 필로폰이 들어 있는 우편물을 발신국의 우체국에 제출하지 않았다고 하더라도 甲의 이러한 행위는 향정신성의약품 수입행위의 실행에 착수하였다고 볼 수 있다.

[해설] ① 대판 2015.2.12, 2014도10086
② 대판 2017.9.21, 2014도9960
③ 대판 2021.5.27, 2020도15529
④ × : 국제우편 등을 통하여 향정신성의약품을 수입하는 경우에는 국내에 거주하는 사람이 수신인으로 명시되어 발신국의 우체국 등에 향정신성의약품이 들어 있는 우편물을 제출할 때에 범죄의 실행에 착수하였다고 볼 수 있다(대판 2019.5.16, 2019도97).

11 실행의 착수시기에 관한 학설의 설명으로 옳은 것은 모두 몇 개인가? 24. 경찰간부

⊙ 형식적 객관설은 행위자가 구성요건에 해당하는 행위 또는 그 행위의 일부가 시작되었을 때 실행의 착수가 있다는 견해로 실행의 착수시기를 인정하는 시점이 너무 늦어져 미수의 범위가 좁아진다는 비판이 있다.
ⓛ 실질적 객관설은 구성요건의 보호법익을 기준으로 하여 법익에 대한 직접적 위험을 발생시킨 객관적 행위시점에서 실행의 착수가 있다는 견해로 법익침해의 '직접적 위험'이라는 기준이 모호하다는 비판이 있다.
ⓒ 주관설은 범죄란 범죄적 의사의 표현이므로 범죄의사를 명백하게 인정할 수 있는 외부적 행위가 있을 때 또는 범의의 비약적 표동이 있을 때 실행의 착수가 있다는 견해로 가벌적 미수의 범위가 지나치게 확대될 수 있다.
ⓔ 주관적(개별적) 객관설은 행위자의 전체적 범행계획에 비추어 구성요건실현에 대한 직접적 행위가 있을 때 실행의 착수가 있다는 견해로 실행의 착수에 관한 객관설과 주관설의 단점을 제거하고 양설을 타협하기 위해 제시된 절충적인 견해이다.

① 1개　　　② 2개　　　③ 3개　　　④ 4개

[해설] ⊙ ○ : 야간주거침입절도죄의 범의를 가지고 야간에 타인 주거의 출입문을 열려고 출입문을 당긴 때 실행의 착수 인정 가능(대판 2006.9.14, 2006도2824)
ⓛ ○ : 소매치기의 경우 피해자의 양복주머니에서 금품을 절취하려고 손을 뻗어 양복주머니 겉을 더듬은 때 실행의 착수 인정 가능(대판 1984.12.11, 84도2524)
ⓒ ○ : 관세포탈의 범의를 가지고 선박을 이용하여 물품을 영해 내에 반입하는 때 실행의 착수 인정 가능(대판 1984.7.24, 84도832), 간첩의 목적으로 외국 또는 북한에서 국내에 침투 또는 월남하는 때 실행의 착수 인정 가능(대판 1984.9.11, 84도1381)
ⓔ ○

12 실행의 착수에 관한 설명으로 가장 적절하지 않은 것은?(다툼이 있는 경우 판례에 의함)

24. 경찰승진

① 야간에 다세대주택에 침입하여 물건을 절취하기 위하여 가스 배관을 타고 오르다가 순찰 중이던 경찰관에게 발각되어 그냥 뛰어내렸다면, 야간주거침입절도죄의 실행의 착수가 인정되지 않는다.

② 업무상 배임죄에서 부작위를 실행의 착수로 볼 수 있기 위해서는 작위의무가 이행되지 않으면 사무처리의 임무를 부여한 사람이 재산권을 행사할 수 없으리라고 객관적으로 예견되는 등으로 구성요건적 결과 발생의 위험이 구체화한 상황에서 부작위가 이루어지면 충분하고, 행위자가 부작위 당시 자신에게 주어진 임무를 위반한다는 점과 그 부작위로 인해 손해가 발생할 위험이 있다는 점을 인식할 필요는 없다.

③ 사기도박에서 사기적인 방법으로 도금을 편취하려고 하는 자가 상대방에게 도박에 참가할 것을 권유하였다면 사기죄의 실행에 착수한 것으로 볼 수 있다.

④ 2인 이상이 합동하여 주간에 절도의 목적으로 피해자의 아파트 출입문 시정장치를 손괴하다가 발각되어 도주한 경우 형법 제331조 제2항에 정한 특수절도죄의 실행의 착수가 인정되지 않는다.

해설 ① 대판 2008.3.27, 2008도917
② × : ~ (3줄) 부작위가 이루어져야 하고, 행위자는 부작위 당시 자신에게 주어진 임무를 위반한다는 점과 그 부작위로 인해 손해가 발생할 위험이 있다는 점을 인식하였어야 한다(대판 2021.5.27, 2020도15529).
③ 대판 2011.1.13, 2010도9330 ④ 대판 2009.12.24, 2009도9667

13 실행의 착수에 대한 설명으로 옳은 것은?(다툼이 있는 경우 판례에 의함) 24. 9급 철도경찰

① 침입 대상인 주택에 사람이 있는지를 확인하기 위해 그 집의 초인종을 누른 행위는 주거의 사실상 평온을 침해할 객관적 위험성을 포함하므로 주거침입죄의 실행의 착수가 인정된다.

② 피고인이 종량제 쓰레기봉투에 시장(市長) 명의의 문안을 인쇄하기 위하여 동판 제작 이전 단계에서 필름을 제조한 경우 공문서위조죄의 실행의 착수가 인정된다.

③ 타인의 사망을 보험사고로 하는 생명보험계약을 체결함에 있어 제3자가 피보험자인 것처럼 가장하여 체결하는 등으로 그 유효요건이 갖추어지지 못한 경우에도 보험사고의 구체적 발생 가능성을 예견할 만한 사정을 인식하고 있었다는 등의 특별한 사정이 있다면, 하자 있는 보험계약을 체결한 행위는 보험금을 편취하려는 의사에 의한 기망행위의 실행에 착수한 것으로 볼 수 있다.

④ 밤에 혼자 걸어가는 피해자를 발견하고 뒤따라가다가 가까이 접근하여 껴안으려 하였으나, 피해자가 뒤돌아보면서 소리치자 그 상태로 몇 초 동안 쳐다보다가 다시 오던 길로 되돌아갔다면, 피해자의 항거를 곤란하게 하는 정도의 폭행이나 협박이 있었다고 보기 어려워 강제추행죄의 실행의 착수가 있었다고 볼 수 없다.

Answer   12. ②   13. ③

해설 ① × : ~ (2줄) 객관적 위험성을 포함하는 것으로 볼 수 없어 주거침입죄의 실행의 착수가 인정되지 않는다(대판 2008.4.10, 2008도1464).
② × : ~ 실행의 착수가 인정되지 않는다(대판 2007.2.23, 2005도7430 ∵ 필름 제조행위는 준비단계에 불과한 것임).
③ ○ : 대판 2013.11.14, 2013도7494
④ × : ~ (3줄) 되돌아간 경우 피해자의 의사에 반하는 유형력의 행사로서 폭행행위에 해당하며, 폭행행위 자체가 추행행위라고 인정되는 '기습추행'에 관한 강제추행죄의 실행의 착수가 있다고 볼 수 있다(대판 2015.9.10, 2015도6980).

14 실행의 착수에 관한 설명으로 가장 적절하지 않은 것은?(다툼이 있는 경우 판례에 의함)

25. 경찰승진

① 유사강간죄의 실행의 착수는 폭행 또는 협박에 의해 실제로 피해자의 항거가 불가능하게 되거나 현저히 곤란하게 되었을 때 인정되는 것이지 간음행위까지 착수해야 하는 것은 아니다.
② 甲이 피해자를 촬영하기 위하여 육안 또는 캠코더의 줌 기능을 이용하여 피해자가 있는지 여부를 탐색하다가 피해자를 발견하지 못하고 촬영을 포기한 경우 성폭력범죄의 처벌 등에 관한 특례법상 카메라 등 이용촬영죄의 실행에 착수한 것으로 볼 수 없다.
③ 허위채권에 기한 공정증서를 집행권원으로 하여 채무자의 소유권이전등기청구권에 대하여 압류신청을 한 경우 소송사기의 실행에 착수한 것으로 볼 수 있다.
④ 甲이 카메라 기능이 설치된 휴대전화를 피해자가 용변을 보고 있는 화장실 칸 밑 공간 사이로 집어넣는 등 카메라 등 이용촬영 범행에 밀접한 행위를 개시한 경우에는 성폭력범죄의 처벌 등에 관한 특례법상 카메라 등 이용촬영죄의 실행에 착수하였다고 볼 수 있다.

해설 ① × : 강간죄는 사람을 강간하기 위하여 피해자의 항거를 불능하게 하거나 현저히 곤란하게 할 정도의 폭행 또는 협박을 개시한 때에 그 실행의 착수가 있다고 보아야 할 것이지(실제로 폭행·협박에 의해 피해자의 항거가 불능하게 되거나 현저히 곤란하게 되었을 때가 아님), 실제 간음행위가 시작되어야만 그 실행의 착수가 있다고 볼 것은 아니다. 유사강간죄의 경우도 이와 같다(대판 2021.8.12, 2020도17796).
② 대판 2021.3.25, 2021도749
③ 대판 2015.2.12, 2014도10086
④ 대판 2021.3.25, 2021도749

Answer **14.** ①

THEMA 05 '실행의 기수시기' 관련판례 총정리

1. 일반적으로 사람에게 공포심을 일으킬 수 있는 정도의 해악의 고지가 상대방에게 도달하여 상대방이 그 의미를 인식했지만 현실적으로 공포심을 일으키지 않은 경우 ⇨ 협박죄 기수(미수 ×, 대판 2006. 4.7, 2005도9858 전원합의체) 18. 경찰승진, 20. 9급 철도경찰, 21. 경찰간부

2. 주거침입의 고의로 야간에 타인의 집 창문을 열고 집 안으로 얼굴을 들이밀어 사실상의 주거의 평온을 해한 경우 ⇨ 주거침입죄 기수(미수 ×, 대판 1995.9.15, 94도2561 전원합의체) 15. 순경 1차, 18. 법원직, 20. 9급 철도경찰

3. 다가구용 단독주택인 빌라의 잠기지 않은 대문을 몰래 열고 들어가 공용 계단으로 빌라 3층까지 올라갔다가 1층으로 내려온 경우 ⇨ 주거침입죄의 기수(미수 ×, 대판 2009.8.20, 2009도3452) 18. 9급 철도경찰, 19. 경찰간부

4. 금융기관 직원이 전산단말기를 이용하여 다른 공범들이 지정한 특정계좌에 돈이 입금된 것처럼 허위의 정보를 입력하는 방법으로 위 계좌로 입금되도록 한 경우, 그 후 그러한 입금이 취소되어 현실적으로 인출되지 못한 경우 ⇨ 컴퓨터사용사기죄 기수(미수 ×, 대판 2006.9.14, 2006도4127) 12. 변호사시험 · 7급 검찰, 18. 경찰승진 · 순경 1차, 21. 경찰간부

5. 준강도죄의 기수 여부는 절도행위의 기수 여부를 기준으로 하여 판단하여야 한다. ∴ 절도미수범이 체포를 면탈할 목적으로 폭행한 행위에 대하여 준강도미수죄가 성립한다(대판 2004.11.18, 2004도5074 전원합의체 ⑩ 주점에 침입하여 양주를 바구니에 담고 있던 중 종업원이 들어오는 소리를 듣고서 양주를 그대로 둔 채 출입문을 열고 나오다가 체포를 면탈할 목적으로 종업원의 오른손을 깨무는 등 폭행한 경우). 18. 법원직, 20. 7급 검찰, 23. 변호사시험 · 경찰승진, 24. 해경간부 · 순경 1차

6. 부동산에 대한 공갈죄는 그 부동산에 관하여 소유권이전등기를 경료받거나 또는 인도를 받은 때에 기수로 되는 것이고, 소유권이전등기에 필요한 서류를 교부받은 때에 기수로 되어 그 범행이 완료되는 것은 아니다(대판 1992.9.14, 92도1506). 10. 법원행시, 12. 순경 1차, 13. 경찰승진

7. 甲이 카메라폰으로 피해여성의 치마 속 신체 부위를 동영상 촬영 중 경찰에게 발각되어 저장버튼을 누르지 않고 촬영을 종료하였다면 성폭력범죄의 처벌 등에 관한 특례법상 카메라 등 이용 촬영죄의 기수이다(대판 2011.6.9, 2010도10677 ∵ 카메라 기타 이와 유사한 기능을 갖춘 기계장치 속에 들어 있는 필름이나 저장장치에 피사체에 대한 영상정보가 입력되었을 뿐 전자파일 등의 형태로 영구저장되지 않은 채 사용자에 의해 강제종료하였더라도, 구 성폭력범죄의 처벌 및 피해자보호 등에 관한 법률 제14조의 2 제1항에서 정한 '카메라 등 이용촬영죄'는 이미 '기수'에 이르렀다). 16. 사시, 18. 순경 1차, 23. 법원행시 · 순경 2차

8. 甲이 미성년자 A를 약취하여 돈을 요구하였으나 A의 부모가 가난한 사실을 알고 A를 돌려보냈다면 甲의 행위는 특정범죄 가중처벌 등에 관한 법률상 재물요구죄의 기수에 해당한다(대판 1978.7.25, 78도1418 ∵ 甲의 행위 ⇨ 중지미수 ×). 16. 사시, 24. 해경순경

9. 위조사문서행사죄는 상대방이 위조된 문서의 내용을 실제로 인식할 필요 없이 상대방으로 하여금 위조된 문서를 인식할 수 있는 상태에 둠으로써 기수가 된다(대판 2005.1.28, 2004도4663). 12. 변호사시험 · 순경 1차, 15. 법원행시, 17. 경찰승진

10. 대금을 결제하기 위하여, 절취한 타인의 신용카드를 제시하고 신용카드회사의 승인까지 받았으나 매출전표에 서명한 사실이 없고 도난카드임이 밝혀져 최종적으로 매출취소로 거래가 종결되었다면 여신전문금융업법상 신용카드부정사용의 미수행위에 해당하나, 여신전문금융업법에 위와 같은 미수행위를 처벌하는 규정이 없어 무죄이다(대판 2008.2.14, 2007도8767). 13. 9급 검찰 · 마약수사, 16. 사시 · 경찰간부, 18. 변호사시험

11. **특수강간이 미수**에 그쳤다 하더라도 그로 인하여 피해자가 **상해**를 입었으면 **특수강간치상죄가** 성립하고, 특수강간의 죄를 범한 자가 피해자에 대하여 **상해의 고의**를 가지고 피해자에게 상해를 입히려다가 **미수**에 그친 경우에는 **특수강간상해죄의 미수범**으로 처벌된다(대판 2008.4.24, 2007도10058).

   🔳 ① 위험한 물건인 **전자충격기**를 피해자의 허리에 대고 피해자를 **폭행**하여 **강간**하려다가 **미수**에 그치고 피해자에게 약 2주간의 치료를 요하는 안면부 좌상 등의 **상해**를 입힌 경우, 성폭력범죄의 처벌 등에 관한 특례법상 **특수강간치상죄의 기수범(미수범 ×)**이 성립한다). 20. 순경 2차, 21 · 22. 경찰간부 · 9급 검찰 · 마약수사 · 철도경찰, 23. 변호사시험, 24. 해경승진

   ② 강도치상죄(결과적 가중범)와 동일하게 강도상해죄(결과범)도 강도가 미수에 그쳤더라도 상해가 발생하면 강도상해죄(기수)가 된다(대판 1969.3.18, 69도154). 22. 순경 1차

12. ① 회사직원이 **재직 중에** 영업비밀 또는 영업상 주요한 자산을 경쟁업체에 유출하거나 스스로의 이익을 위하여 이용할 목적으로 무단으로 반출하였다면 **유출 또는 반출시에** 업무상 배임죄의 **기수**가 된다(대판 2017.6.29, 2017도3808). 17. 순경 2차

   ② 회사직원이 영업비밀 등을 적법하게 반출하여 반출행위가 업무상 배임죄에 해당하지 않는 경우라도, **퇴사시에** 영업비밀 등을 회사에 반환하거나 폐기할 의무가 있음에도 경쟁업체에 유출하거나 스스로의 이익을 위하여 이용할 목적으로 이를 반환하거나 폐기하지 아니하였다면, 이러한 행위 역시 **퇴사시에** 업무상 배임죄의 **기수가** 된다(대판 2017.6.29, 2017도3808). 17. 순경 2차

13. 공무원이 뇌물로 투기적 사업에 참여할 기회를 제공받은 경우, 뇌물수수죄의 기수시기는 **투기적 사업에 참여하는 행위가 종료된 때**로 보아야 한다(대판 2002.11.26, 2002도3539). 17. 순경 2차

14. 타인의 사무를 처리하는 자가 배임의 범의로, 즉 임무에 위배하는 행위를 한다는 점과 이로 인하여 자기 또는 제3자가 이익을 취득하여 본인에게 손해를 가한다는 점에 대한 인식이나 의사를 가지고 **임무에 위배한 행위를 개시한 때** 배임죄의 실행에 착수한 것이고, 이러한 행위로 인하여 자기 또는 제3자가 이익을 취득하여 본인에게 **손해를 가한 때** 배임죄는 기수가 된다(대판 2017.9.21, 2014도9960). 18. 법원행시

15. 마약류 관리에 관한 법률에서 정한 **향정신성의약품 수입**행위로 인한 위해 발생의 위험은 향정신성의약품의 양륙 또는 지상반입에 의하여 발생하고 그 의약품을 선박이나 항공기로부터 **양륙 또는 지상에 반입**함으로써 **기수**에 달한다(대판 2019.5.16, 2019도97).

16. 경찰서에 허위 내용의 고소장을 우송하였고 그 **고소장이 도달**하였다면 수사에 착수하기 전에 그 고소장을 다시 반환받았다고 하더라도 **무고죄의 기수가** 된다(대판 1985.2.8, 84도2215). 16. 7급 검찰 · 경찰승진, 19. 9급 검찰 · 마약수사 · 철도경찰, 23. 순경 2차, 24. 경력채용

17. 피해자들을 공갈하여 피해자들로 하여금 **지정한 예금구좌에 돈을 입금케** 한 이상, 위 돈은 범인이 **자유로히 처분할 수 있는 상태**에 놓인 것으로서 **공갈죄**는 이미 **기수**에 이르렀다 할 것이다(대판 1985.9.24, 85도1687). 13 · 15. 사시

   🔵 **유사판례** : 甲이 타인의 명의를 빌려 예금계좌를 개설한 후 통장과 도장은 명의인에게 보관시키고 자신은 위 계좌의 현금인출카드를 소지한 채 명의인을 기망하여 위 계좌로 돈을 송금하게 하였지만 그 돈을 인출하지 않고 있던 중 명의인이 이를 인출한 경우, 甲은 사기죄의 기수가 된다(대판 2003.7.25, 2003도2252). 11. 법원직, 21. 9급 검찰 · 마약수사 · 철도경찰

18. 피해자의 해외도피를 방지하기 위하여 피해자를 협박하고 이에 피해자가 겁을 먹고 있는 상태를 이용하여 피해자 소유의 여권을 교부하게 함으로써 피해자가 그의 **여권을 강제회수 당하였다면** 강요죄의 **기수가** 성립한다(대판 1993.7.27, 93도901). 19. 경찰간부, 25. 해경경위 · 9급 검찰 · 마약수사 · 철도경찰

19. **야간**에 아무도 없는 **카페 내실에 침입**하여 장식장 안에 들어 있던 **정기적금통장** 등을 **꺼내 들고** 카페로 나오던 중 발각되어 **돌려준 경우** ⇨ 야간주거침입절도죄의 **기수범**(대판 1991.4.23, 91도476) 14. 변호사시험, 20. 7급 검찰

20. 도박장소 등 개설죄는 영리의 목적으로 도박을 하는 장소나 공간을 개설하면 기수에 이르고, 실제로 도박이 행하여져야 기수가 되는 것은 아니다(대판 2009.12.10, 2008도5282). 11. 법원직, 16 · 22. 경찰승진

21. 주식회사의 대표이사가 대표권을 남용하여 회사 명의로 의무를 부담하는 행위를 한 경우(대판 2017.7.20, 2014도1104 전원합의체)

① 상대방이 대표이사의 진의를 알았거나 알 수 있었던 경우 : **특별한 사정**(의무부담행위로 인하여 실제로 채무의 이행이 이루어졌다거나 회사가 민법상 불법행위책임을 부담하게 되었다는 사정)이 **없는** 이상 배임죄의 **기수** ×(∵ 그 행위는 회사에 대하여 무효 ⇨ 회사에 대하여 현실적인 손해발생이나 실해발생 위험 초래 ×), 배임죄의 **미수범** ○(∵ 배임의 범의로 임무위배행위를 함으로써 실행에 착수한 것임) 21. 변호사시험, 24. 9급 검찰 · 마약수사

② 상대방이 대표권 남용 사실을 알지 못한 경우 : 그 의무부담행위가 **회사에 대하여 유효** ⇨ 회사의 채무 발생(이행의무 부담) 자체로 현실적인 손해 또는 재산상 실해발생의 위험 ⊂ ⇨ 그 채무가 **현실적으로 이행되기 전이라도 배임죄의 기수** ○ 22. 변호사시험, 24. 순경 1차

③ 회사의 대표이사가 대표권을 남용하여 회사 명의의 약속어음을 발행한 사실을 상대방이 알았거나 알 수 있었을 때에 해당하여 약속어음 발행이 무효(회사가 상대방에 대하여 채무부담 ×)라 하더라도 그 어음이 **실제로 제3자에게 유통되었다면** 배임죄의 **기수범**이 되고(∵ 약속어음 발행의 경우 어음법상 발행인은 종전의 소지인에 대한 인적 관계로 인한 항변으로써 소지인에게 대항하지 못함 ∴ 회사로서는 어음채무를 부담할 위험이 구체적 · 현실적으로 발생), **유통되지 않았다면** 배임미수죄(∵ 손해발생이나 실해발생의 위험 ×)이다. 18. 순경 3차, 19. 변호사시험, 20. 법원직, 21. 법원행시 · 경찰간부 · 7급 검찰 · 순경 2차

22. 저작권 침해 게시물을 인터넷 웹사이트 서버 등에 업로드하여 공중의 구성원이 개별적으로 선택한 시간과 장소에서 접근할 수 있도록 이용에 제공하면, **공중에게 침해 게시물을 실제로 송신하지 않더라도 공중송신권 침해는 기수에 이른다**(대판 2021.9.9, 2017도19025 전원합의체). 22. 순경 1차

23. 甲이 A로부터 위탁받아 식재 · 관리하여 오던 나무들을 A 모르게 제3자에게 매도하는 계약을 체결하고 그 제3자로부터 **계약금을 수령한 상태**에서 A에게 적발되어 위 **계약이 더 이행되지 아니하고** 무위로 그쳤다면, 甲에게는 **횡령미수죄가 성립한다**(대판 2012.8.17, 2011도9113). 15. 사시, 18. 수사경과, 23. 변호사시험

24. **건설사업자가** 도급받은 건설공사의 전부 또는 대통령령으로 정하는 주요 부분의 대부분을 다른 건설사업자에게 **일괄하여 하도급**하는 내용의 계약을 체결한 경우 특별한 사정이 없는 한 그 **계약 체결 시**에 건설산업기본법 제96조 제4호 위반죄는 **기수**에 이른다고 보아야 한다(대판 2023.2.2, 2021도15681).

25. 법정에서 선서한 증인이 일단 기억에 반하는 허위의 진술을 하였다가 그 신문이 끝나기 전에 그 진술을 철회 · 시정한 경우에는 위증이 되지 아니한다(대판 1984.3.27, 83도2583 ∵ 증인신문절차가 종료된 때에 위증죄는 기수에 달함). 21. 수사경과, 24. 경찰승진, 25. 순경 1차 · 9급 검찰 · 마약수사 · 철도경찰

01 기수와 미수에 대한 설명이다. 아래 ㉠부터 ㉣까지의 설명 중 옳고 그름의 표시(○, ×)가 바르게 된 것은?(다툼이 있는 경우 판례에 의함) 17. 순경 2차

> ㉠ 회사직원이 재직 중에 영업비밀 또는 영업상 주요한 자산을 경쟁업체에 유출하거나 스스로의 이익을 위하여 이용할 목적으로 무단으로 반출하였다면 유출 또는 반출시에 업무상 배임죄의 기수가 된다.
>
> ㉡ 회사직원이 영업비밀 등을 적법하게 반출하여 반출행위가 업무상 배임죄에 해당하지 않는 경우라도, 퇴사시에 영업비밀 등을 회사에 반환하거나 폐기할 의무가 있음에도 경쟁업체에 유출하거나 스스로의 이익을 위하여 이용할 목적으로 이를 반환하거나 폐기하지 아니하였다면, 이러한 행위 역시 퇴사시에 업무상 배임죄의 기수가 된다.
>
> ㉢ 추행의 고의로 상대방의 의사에 반하는 유형력의 행사, 즉 폭행행위를 하여 실행행위에 착수하였으나 추행의 결과에 이르지 못한 때에는 강제추행미수죄가 성립하며, 이러한 법리는 폭행행위 자체가 추행행위라고 인정되는 이른바 '기습추행'의 경우에도 마찬가지로 적용된다.
>
> ㉣ 공무원이 뇌물로 투기적 사업에 참여할 기회를 제공받은 경우, 뇌물수수죄의 기수시기는 투기적 사업에 참여하는 행위가 종료된 때로 보아야 한다.

① ㉠(○), ㉡(×), ㉢(○), ㉣(○) ② ㉠(○), ㉡(×), ㉢(○), ㉣(×)
③ ㉠(×), ㉡(○), ㉢(×), ㉣(×) ④ ㉠(○), ㉡(○), ㉢(○), ㉣(○)

해설 ㉠ ○ : 대판 2017.6.29, 2017도3808
㉡ ○ : 대판 2017.6.29, 2017도3808 ㉢ ○ : 대판 2015.9.10, 2015도6980
㉣ ○ : 대판 2002.11.26, 2002도3539

02 실행의 착수시기 또는 기수시기에 대한 다음 설명 중 옳지 않은 것은 모두 몇 개인가?(다툼이 있는 경우 판례에 의함) 19. 경찰간부

> ㉠ 위장결혼의 당사자 및 브로커와 공모한 피고인이 허위로 결혼사진을 찍고 혼인신고에 필요한 서류를 준비하여 위장결혼의 당사자에게 건네준 것만으로는 공전자기록 등 부실기재죄의 실행에 착수한 것으로 볼 수 없다.
>
> ㉡ 피해자의 해외도피를 방지하기 위하여 피해자를 협박하고 이에 피해자가 겁을 먹고 있는 상태를 이용하여 피해자 소유의 여권을 교부하게 함으로써 피해자가 그의 여권을 강제회수 당하였다면 강요죄의 기수가 성립한다.
>
> ㉢ 피담보채권인 공사대금 채권을 실제와 달리 허위로 부풀려 유치권에 의한 경매를 신청한 경우 소송사기죄의 실행의 착수에 해당한다.
>
> ㉣ 소송사기의 고의로 소를 제기한 경우 아직 그 소장이 피고에게 송달되지 않아도 사기죄의 실행의 착수가 인정된다.
>
> ㉤ 카메라 기타 이와 유사한 기능을 갖춘 기계장치 속에 들어 있는 필름이나 저장장치에 피사체에 대한 영상정보가 입력되었을 뿐 전자파일 등의 형태로 영구저장되지 않은 채 사용자에 의해 강제종료되었다면, 구 성폭력범죄의 처벌 및 피해자보호 등에 관한 법률 제14조의 2 제1항에서 정한 '카메라 등 이용촬영죄'는 미수에 그친 것으로 보아야 할 것이다.

Answer 1.④ 2.②

> ㉤ 위조사문서행사죄는 상대방이 위조된 문서의 내용을 실제로 인식할 필요 없이 상대방으로 하여금 위조된 문서를 인식할 수 있는 상태에 둠으로써 기수가 된다.

① 없 음　　　　② 1개　　　　③ 2개　　　　④ 3개

[해설] ㉠ ○ : 대판 2009.9.24, 2009도4998　㉡ ○ : 대판 1993.7.27, 93도901
㉢ ○ : 대판 2012.11.15, 2012도9603　㉣ ○ : 대판 1993.9.14, 93도915
㉤ × : ~ (3줄) 강제종료하였더라도, 구 성폭력범죄의 처벌 및 피해자보호 등에 관한 법률 제14조의 2 제1항에서 정한 '카메라 등 이용촬영죄'는 이미 '기수'에 이르렀다(대판 2011.6.9, 2010도10677).
㉥ ○ : 대판 2005.1.28, 2004도466

03 미수 · 기수에 대한 설명으로 옳은 것은?(다툼이 있는 경우 판례에 의함)　　19. 9급 검찰 · 마약수사
① 허위 내용의 고소장을 경찰관에게 제출하였다면 무고죄는 기수에 이르고 그 후 고소장을 되돌려 받았더라도 무고죄의 성립에는 영향이 없다.
② 피해자를 살해하려고 낫을 들고 피해자에게 다가서려고 하였으나 제3자가 이를 제지하여 피해자가 그 틈을 타서 도망함으로써 살인의 목적을 이루지 못했다면 살인미수죄로 처벌할 수 없다.
③ 강도의 기회에 강간의 결과가 발생하였더라도 강도가 기수에 이르지 못하였다면 강도강간의 미수에 불과하다.
④ 준강도죄의 기수 또는 미수는 구성요건적 행위인 폭행 또는 협박이 종료되었는가의 여부에 따라 결정된다.

[해설] ① ○ : 대판 1985.2.8, 84도2215(∵ 무고죄 기수시기 : 허위의 신고가 당해 공무소 또는 공무원에 도달한 때)　② × : 살인미수죄 ○(대판 1986.2.25, 85도2773)
③ × : 강도강간의 기수 ○(∵ 본죄의 미수 · 기수는 강간의 미수 · 기수에 따라 결정됨. 강도의 미수 · 기수는 불문)
④ × : 준강도죄의 미수 · 기수는 폭행 또는 협박이 종료되었는가의 여부가 아니라 절도행위의 기수 여부를 기준으로 판단하여야 한다(대판 2004.11.18, 2004도5074 전원합의체).

04 미수범의 성립에 대한 설명으로 옳은 것은?(다툼이 있는 경우 판례에 의함)　　20. 9급 철도경찰
① 일반적으로 사람으로 하여금 공포심을 일으키게 하기에 충분한 해악을 고지하여 상대방이 그 의미를 인식하였지만 현실적으로 공포심을 일으키지 않은 경우 - 협박죄의 미수범
② 신체의 일부만 주거 안으로 들어갔지만 사실상의 주거의 평온을 해할 수 있는 정도에 이른 경우 - 주거침입죄의 미수범
③ 법원을 기망하여 유리한 판결을 얻어 내고 이에 터잡아 상대방으로부터 재물이나 재산상 이익을 취득하려고 소송을 제기하였지만 패소판결이 확정되는 등 유리한 판결을 받지 못하고 소송이 종료된 경우 - 사기죄의 미수범

④ 노상에 세워져 있는 자동차 안의 물건을 훔칠 생각으로 자동차의 유리창을 통하여 그 내부를 손전등으로 비추어 본 경우 - 절도죄의 미수범

> **해설** ① × : 협박죄의 기수범(대판 2006.4.7, 2005도9858 전원합의체)
> ② × : 주거침입죄의 기수범(대판 1995.9.15, 94도2561 전원합의체)
> ③ ○ : 대판 2000.2.11, 99도4459
> ④ × : 절도죄의 미수범 ×(대판 1985.4.23, 85도464 ∵ 실행의 착수 ×)

05 괄호 안의 범죄의 미수범이 성립하는 것만을 모두 고르면?(다툼이 있는 경우 판례에 의함)

20. 7급 검찰

> ㉠ 야간에 아무도 없는 카페 내실에 침입하여 장식장 안에 들어 있던 정기적금통장 등을 꺼내 들고 카페로 나오던 중 발각되어 돌려준 경우(야간주거침입절도죄)
> ㉡ 야간에 타인의 재물을 절취할 목적으로 타인의 주거에 침입하였다가 발각된 경우(야간주거침입절도죄)
> ㉢ 야간에 절도의 목적으로 출입문에 장치된 자물통 고리를 절단하고 출입문을 손괴한 뒤 집안으로 침입하려다가 발각된 경우(특수절도죄)
> ㉣ 노상에 세워 놓은 자동차 안에 있는 물건을 훔칠 생각으로 자동차의 유리창을 통하여 그 내부를 손전등으로 비추어 보다가 체포된 경우(절도죄)
> ㉤ 주점에 침입하여 양주를 바구니에 담고 있던 중 종업원이 들어오는 소리를 듣고서 양주를 그대로 둔 채 출입문을 열고 나오다가 체포를 면탈할 목적으로 종업원의 오른손을 깨무는 등 폭행한 경우(준강도죄)

① ㉠, ㉤　　　② ㉠, ㉢, ㉤　　　③ ㉡, ㉢, ㉣　　　④ ㉡, ㉢, ㉤

> **해설** • 미수범 ○ : ㉡ 대판 1970.4.24, 70도507 ㉢ 대판 1986.9.9, 86도1273 ㉤ 대판 2004.11.18, 2004도5074 전원합의체
> • 미수범 × : ㉠ 야간주거침입절도죄의 기수범(대판 1991.4.23, 91도476) ㉣ 무죄(대판 1985.4.23, 85도464 ∵ 절도죄의 실행의 착수 ×)

06 실행의 착수 또는 기수시기에 대한 설명으로 옳은 것은?(다툼이 있는 경우 판례에 의함)

21. 경찰간부

① 장애인단체의 지회장이 지방자치단체로부터 다음 해의 보조금을 더 많이 지원받기 위하여 지원금 지원결정의 참고자료로 이용되는 허위의 보조금 정산보고서를 제출한 경우에는 보조금 편취범행의 실행에 착수한 것으로 보기 어렵다.

② 금융기관 직원이 전산단말기를 이용하여 다른 공범들이 지정한 특정 계좌에 돈이 입금된 것처럼 허위의 정보를 입력하는 방법으로 위 계좌로 입금되도록 한 경우, 그 후 그러한 입금이 취소되어 현실적으로 인출하지 못한 경우에는 컴퓨터 등 사용사기미수죄에 해당한다.

Answer　5.④　6.①

③ 진정한 임차권자가 아니면서 허위의 임대차계약서를 법원에 제출하여 임차권등기명령을 신청한 것만으로는 소송사기의 실행행위에 착수한 것으로 볼 수 없고, 나아가 그 임차보증금 반환채권에 관하여 현실적으로 청구의 의사표시를 하여야 사기죄의 실행의 착수가 있다고 볼 것이다.

④ 법원을 기망하여 자기에게 유리한 판결을 얻고자 소송을 제기한 자가 상대방의 주소를 허위로 기재하여 소송을 제기함으로써 그 허위주소로 소송서류가 송달되어 그로 인하여 상대방 아닌 다른 사람이 그 서류를 받아 소송을 진행한 경우 소송사기죄의 실행의 착수가 인정되지 않는다.

해설 ① ○ : 대판 2003.6.13, 2003도1279
② × : 지문의 경우 컴퓨터 등 사용사기죄의 기수(대판 2006.9.14, 2006도4127)
③ × : 진정한 임차권자가 아니면서 허위의 임대차계약서를 법원에 제출하여 임차권등기명령을 신청하면 그로써 소송사기의 실행행위에 착수한 것으로 보아야 하고, 나아가 그 임차보증금 반환채권에 관하여 현실적으로 청구의 의사표시를 하여야만 사기죄의 실행의 착수가 있다고 볼 것은 아니다(대판 2012.5.24, 2010도 12732). ④ × : ~ 실행의 착수가 인정된다(대판 2006.11.10, 2006도5811).

07 甲의 행위가 미수범에 해당하는 것을 모두 고른 것은?(다툼이 있는 경우 판례에 의함)
22. 변호사시험

> ㉠ 甲이 노상에 세워 놓은 자동차 안에 있는 물건을 훔칠 생각으로 면장갑을 끼고 칼을 소지한 채 자동차의 유리창을 통하여 그 내부를 손전등으로 비추어 본 경우
> ㉡ 甲이 A의 재물을 절취하려고 준비한 가방에 A의 재물을 담던 중 A에게 발각되자 체포를 면 탈할 목적으로 A를 폭행하고 가방을 그대로 둔 채 도망간 경우
> ㉢ A주식회사의 대표이사인 甲이 대표권을 남용하는 등 그 임무에 위배하여 A회사 명의의 약속 어음을 발행하고 그 정을 모르는 자에게 이를 교부하였으나 아직 어음채무가 실제로 이행되 기 전인 경우

① ㉠   ② ㉡   ③ ㉢   ④ ㉠, ㉡   ⑤ ㉡, ㉢

해설 ㉠ 절도의 실행의 착수 × ⇨ 절도미수범 ×(대판 1985.4.23, 85도464)
㉡ 준강도미수범 ○(대판 2004.11.18, 2004도5074 전원합의체)
㉢ 상대방이 대표권 남용 사실을 알지 못한 경우에는 그 의무부담행위가 회사에 대하여 유효하므로 회사의 채무 발생(이행의무 부담) 자체로 현실적인 손해 또는 재산상 실해발생의 위험이 있어 그 채무가 현실적으로 이행되기 전이라도 배임죄의 기수가 된다(대판 2017.7.20, 2014도1104 전원합의체).

08 다음의 설명 중 가장 적절하지 않은 것은?(다툼이 있는 경우 판례에 의함)   22. 경찰승진
① 강도예비·음모죄가 성립하기 위해서는 예비음모 행위자에게 미필적으로라도 '강도'를 할 목적이 있음이 인정되어야 하고 그에 이르지 않고 단순히 '준강도'할 목적이 있음에 그치는 경우에는 강도예비·음모죄로 처벌할 수 없다.

② 필로폰을 매수하려는 자에게서 필로폰을 구해 달라는 부탁과 함께 돈을 지급받았다고 하더라도, 당시 필로폰을 소지 또는 입수한 상태에 있었거나 그것이 가능하였다는 등 매매행위에 근접밀착한 상태에서 대금을 지급받은 것이 아니라 단순히 필로폰을 구해달라는 부탁과 함께 대금명목으로 돈을 지급받은 것에 불과한 경우에는 필로폰 매매행위의 실행의 착수에 이르렀다고 볼 수 없다.

③ 도박장소 등 개설죄는 영리의 목적으로 도박을 하는 장소나 공간을 개설하면 기수에 이르고, 실제로 도박이 행하여져야 기수가 되는 것은 아니다.

④ 장애미수는 형을 감경할 수 있고, 중지미수는 형을 감경 또는 면제할 수 있으며, 불능미수는 형을 감경 또는 면제한다.

해설 ① 대판 2006.9.14, 2004도6432 ② 대판 2015.3.20, 2014도16920 ③ 대판 2009.12.10, 2008도5282 ④ × : 장애미수 ⇨ 임의적 감경(감경할 수 있다. 제25조 제2항), 중지미수 ⇨ 필요적 감면(감경 또는 면제한다. 제26조), 불능미수 ⇨ 임의적 감면(감경 또는 면제할 수 있다. 제27조)

09 미수범에 관한 설명 중 가장 옳지 않은 것은?(다툼이 있는 경우 판례에 의함) 　23. 법원행시

① 카메라 기타 이와 유사한 기능을 갖춘 기계장치 속에 들어 있는 필름이나 저장장치에 피사체에 대한 영상정보가 입력되었을 뿐 전자파일 등의 형태로 영구저장되지 않은 채 사용자에 의해 강제종료되었다면, 구 성폭력범죄의 처벌 및 피해자보호 등에 관한 법률 제14조의 2 제1항에서 정한 '카메라 등 이용촬영죄'는 미수에 그친 것으로 보아야 할 것이다.

② 甲이 강간할 목적으로 피해자의 집에 침입하였다 하더라도 안방에 들어가 누워 자고 있는 피해자의 가슴과 엉덩이를 만지면서 간음을 기도하였다는 사실만으로는 강간의 수단으로 피해자에게 폭행이나 협박을 개시하였다고 하기 어렵다.

③ 출입문이 열려 있으면 안으로 들어가겠다는 의사 아래 출입문을 당겨보는 행위는 그것으로 주거침입의 실행에 착수한 것으로 보아야 한다.

④ 甲이 제1차 매수인으로부터 계약금 및 중도금 명목의 금원을 교부받은 후 제2차 매수인에게 부동산을 매도하기로 하고 계약금만을 지급받은 뒤 더 이상의 계약 이행에 나아가지 않았다면 배임죄의 실행의 착수가 있었다고 볼 수 없다.

⑤ 구 외국환거래법 제28조 제1항 제3호는 신고를 하지 아니하거나 허위로 신고하고 지급수단·귀금속 또는 증권을 수출하는 행위를 처벌하고 있는데, 甲이 신고없이 일화 400만엔을 휴대용 가방에 넣어 국외로 반출하려고 하는 경우, 甲이 휴대용 가방을 가지고 보안검색대에 나아가지 않은 채 공항 내에서 탑승을 기다리고 있던 중에 체포되었다면 실행의 착수가 있다고 볼 수 없다.

해설 ① × : ~ (3줄) 강제종료하였더라도, 구 성폭력범죄의 처벌 및 피해자보호 등에 관한 법률 제14조의 2 제1항에서 정한 '카메라 등 이용촬영죄'는 이미 '기수'에 이르렀다(대판 2011.6.9, 2010도10677).
② 대판 1990.5.25, 90도607 ③ 대판 2006.9.14, 2006도2824
④ 대판 2003.3.25, 2002도7134 ⑤ 대판 2001.7.27, 2000도4298

제3절 중지미수

관련조문

제26조【중지범】 범인이 실행에 착수한 행위를 자의로 중지하거나(착수중지, 착수미수의 중지) 그 행위로 인한 결과의 발생을 자의로 방지한 경우(실행중지, 실행미수의 중지)에는 형을 감경하거나 면제한다(~ 감경하거나 면제할 수 있다. ×). 22. 법원행시 · 경찰승진, 24. 경력채용

THEMA 06

1. 자의성(중지미수와 장애미수를 구별하는 기준)

> 범죄의 미수가 자의에 의한 중지냐 또는 어떤 장애에 의한 미수이냐에 따라 가려야 하고 특히 자의에 의한 중지 중에서도 일반 사회통념상 장애에 의한 미수라고 보여지는 경우를 제외한 것을 중지미수로 본다(대판 1985.11.12, 85도2002). 20. 변호사시험, 22. 경찰간부 · 해경간부 · 해경 2차, 23. 9급 철도경찰

⚖ 관련판례

- **중지미수** : 사회통념상 범죄실행(완수)에 장애가 되는 사정이 없는 경우
  피해자를 강간하려다 피해자의 다음번에 만나 친해지면 응해 주겠다는 취지의 간곡한 부탁으로 인하여 그 목적을 이루지 못한 후 피해자를 자신의 차로 집에까지 데려다 준 경우(대판 1993.10.12, 93도1851) 16. 사시, 18. 경찰간부, 21. 9급 검찰, 24. 법원직, 25. 해경경사

- **장애미수** : 사회통념상 범죄실행(완수)에 장애가 되는 사정이 있는 경우

1. 두려움('발각의 두려움', '겁이 나서')으로 인하여 중단한 때 ⇨ 자의성 × ⇨ 중지미수 ×
   ① 장롱 안에 있는 옷가지에 불을 놓아 건물을 소훼하려 하였으나 불길이 치솟는 것을 보고 겁이 나서 물을 부어 불을 끈 경우(대판 1997.6.13, 97도957) 17. 법원행시, 18. 순경 1차, 19. 경찰간부, 22. 경력채용, 23. 변호사시험 · 9급 철도경찰, 24. 법원직, 25. 경찰승진 · 해경경사
   ② 피고인이 피해자를 살해하려고 그의 목 부위와 왼쪽 가슴 부위를 칼로 수회 찔렀으나 피해자의 가슴 부위에서 많은 피가 흘러나오는 것을 발견하고 겁을 먹고 그만 둔 경우(대판 1999.4.13, 99도640) 20. 순경 2차, 21. 경찰간부, 23. 경찰승진 · 9급 철도경찰, 24. 법원직 · 해경승진 · 경위공채
   ③ 원료불량으로 인한 제조상의 애로, 제품의 판로문제, 범행탄로시의 처벌공포, 다른 피고인의 포악성 등으로 인하여 히로뽕 제조를 단념한 경우(대판 1985.11.12, 85도2002) 03. 입시
   ④ 범행 당일 세관직원들이 범행장소 주변에 잠복근무를 하고 있는 것을 본 피고인이 발각을 두려워한 나머지 자신이 분담한 실행행위를 못한 경우(대판 1986.1.21, 85도2339) 16. 법원직, 21. 순경 1차
   ⑤ 피고인이 甲에게 위조한 예금통장 사본 등을 보여주면서 외국회사에서 투자금을 받았다고 거짓말하며 자금 대여를 요청하였으나, 이를 의심한 甲이 그 입금 여부의 확인을 요청하여 甲과 함께 은행에 가던 중 은행 입구에서 갑자기 피고인이 차용을 포기하고 돌아간 경우(대판 2011.11.10, 2011도10539) 16. 변호사시험 · 순경 2차, 24. 9급 검찰 · 마약수사 · 철도경찰, 25. 경찰승진 · 순경 1차
2. 피고인이 피해자를 강간하려고 하였으나 피해자가 시장에 간 남편이 곧 돌아온다고 하면서 임신 중이라고 말하자 강간행위의 실행을 중지하고 도주한 경우(대판 1993.4.13, 93도347) 16. 9급 검찰 · 마약수사 · 법원행시, 19. 경찰간부, 23. 9급 철도경찰, 24. 법원직

3. 강간하려고 폭행하였으나 피해자가 수술한 지 얼마 되지 않아 배가 아프다면서 애원하자 강간행위를 그만 둔 경우(대판 1992.7.28, 92도917) **17. 법원행시, 20. 법원직, 21. 경찰승진, 24. 순경 1차**

4. 피고인이 기밀탐지 임무를 부여받고 대한민국에 입국하여 기밀을 탐지 · 수집 중 **경찰관이 피고인의 행적을 탐문하고 갔다는 말을 전해듣고** 지령사항 수행을 보류하고 있던 중 체포된 경우(대판 1984.9.11, 84도1381) **16. 사시, 18. 경찰간부, 19. 경력채용**

2. 범죄의 미완성(실행행위의 중지 또는 결과발생의 방지)

① 실행미수가 중지범으로 인정되기 위해서는 단순히 행위의 계속을 포기하는 것으로 족하지 않고 행위자가 자의에 의하여 결과의 발생을 방지할 것이 요구된다(대판 1986.3.11, 85도2831). **11. 9급 검찰, 18. 변호사시험**

② 결과발생 ⇨ 중지미수 ×, 기수 ○

⚖ **관련판례**

1. 타인의 재물을 공유하는 자가 공유자의 승낙을 받지 않고 공유대지를 담보로 제공하고 **가등기를 경료하였으나, 그 후 가등기를 말소한 경우** ⇨ **중지미수 ×**(대판 1978.11.28, 78도2175 ∵ 횡령죄의 기수) **16. 사시 · 법원직, 18. 경찰간부, 21. 해경승진, 22. 경찰승진**

2. **대마 2상자를 사가지고** 돌아오던 중 장사를 다시 하게 되면 인생을 망치게 된다는 생각이 들어 이를 **불태운 경우** ⇨ **중지미수 ×**(대판 1983.12.27, 83도2629 ∵ 대마매매죄의 **기수**) **22. 경력채용**

3. 甲이 미성년자 A를 약취하여 돈을 요구하였으나 A의 부모가 가난한 사실을 알고 A를 돌려보냈다면 甲의 행위는 특정범죄 가중처벌 등에 관한 법률상 재물요구죄의 중지미수에 해당하지 않는다(대판 1978.7.25, 78도1418 ∵ 재물요구죄의 기수). **16. 사시**

3. 공범과 중지미수

① 공범(공동정범, 간접정범, 교사범 · 종범)이 중지미수가 되기 위해서는 **결과가 발생하지 않아야** 하며 중지미수의 효과는 자의로 중지한 자에게만 미치고 **다른 범죄 참가인은 장애미수가** 된다. **15. 사시, 16. 변호사시험, 24. 해경승진 · 7급 검찰**

② 공동정범의 중지미수 : 다른 **공범자 전원의 실행행위를 중지하게 하거나 모든 결과발생을 완전히 방지해야만** 자의로 중지한 자에게 중지미수가 성립한다(그 이외의 자는 장애미수가 된다. ∵ 책임개별화원칙). 따라서 1인이 중지하였더라도 다른 자에 의해 결과가 발생하면 중지한 자에게도 중지미수범이 성립되지 않는다(∵ 공동정범 ⇨ 일부실행 · 전부책임). **16 · 21. 변호사시험, 20. 경찰간부**

⚖ **관련판례**

1. 다른 공범의 범행을 중지하게 하지 아니한 이상 자기만의 범의를 철회, 포기하여도 중지미수로는 인정될 수 없다(대판 1969.2.25, 68도1676). **17. 법원행시, 19. 9급 철도경찰, 21. 9급 검찰 · 마약수사**

2. **공동피고인이** 피고인과의 공모하에 **강간행위에 나아간 이상** 비록 피고인이 강간행위에 나아가지 않았다 하더라도 중지미수에 해당하지 않는다(대판 2005.2.25, 2004도8259). **15. 법원행시, 18. 순경 1차 · 2차, 19. 법원직, 22. 경력채용, 25. 경찰승진 · 9급 검찰 · 마약수사 · 철도경찰**

3. 甲은 乙과 함께 丙이 경영하는 사무실의 금품을 절취하기로 **공모한 후** 甲은 그 부근 포장마차에 있고 乙은 사무실의 열려진 출입문을 통하여 안으로 들어가 물건을 **물색하고 있는** 동안 甲은 자신의 범행전력 등을 생각하여 가책을 느낀 나머지 丙에게 乙의 **침입사실을 알려** 丙과 함께 乙을 체포한 경우 ⇨ 甲 : 특수절도의 중지미수 乙 : 특수절도의 장애미수(대판 1986.3.11, 85도2831) **18. 경찰간부**

01 **중지미수에 관한 설명 중 가장 적절하지 않은 것은?**(다툼이 있는 경우 판례에 의함) 22. **경력채용**
① 자의성 판단기준에 관한 학설 중 객관설에 따르면 외부적 사정에 의하여 범죄가 완성되지 않은 경우에는 장애미수로 본다.
② 피고인이 대마 2상자를 사가지고 돌아오다 이 장사를 다시 하게 되면 내 인생을 망치게 된다는 생각이 들어 이를 불태웠다고 하더라도 중지미수에 해당되지 않는다.
③ 피고인 甲과 乙은 합동하여 피해자를 텐트 안으로 끌고간 후 乙, 甲의 순으로 성관계를 하기로 하고 甲은 텐트 밖에서 망을 보고 乙은 피해자의 옷을 벗기고 피해자의 반항을 억압한 후 1회 간음하여 강간하고, 이어 甲이 위 텐트 안으로 들어가 피해자를 강간하려 하였으나 피해자가 반항을 하며 강간을 하지 말아 달라고 사정을 하여 강간을 하지 않았다면, 甲에게는 강간죄의 중지미수가 성립한다.
④ 피고인이 장롱 안에 있는 옷가지에 불을 놓아 건물을 소훼(燒燬)하려 하였으나 불길이 치솟는 것을 보고 겁이 나서 물을 부어 불을 끈 경우 방화죄의 중지미수로 볼 수 없다.

해설 ① 옳다.
② 대판 1983.12.27, 83도2629(∵ 대마매매죄의 기수)
③ × : ~ (4줄) 강간을 하지 않았더라도 甲은 강간죄의 중지미수에 해당하지 않는다(대판 2005.2.25, 2004도8259 ∵ 성폭력특례법상의 특수강간죄의 기수).
④ 대판 1997.6.13, 97도957

02 **다음 중 중지미수가 인정된 사례는?**(다툼이 있는 경우 판례에 의함) 24. **법원직**
① 피고인이 피해자를 살해하려고 그의 목 부위와 왼쪽 가슴 부위를 칼로 수회 찔렀으나 피해자의 가슴 부위에서 많은 피가 흘러나오는 것을 발견하고 겁을 먹고 그만 둔 사안
② 피고인이 피해자를 강간하려고 하다가 피해자의 다음 번에 만나 친해지던 응해 주겠다는 취지의 간곡한 부탁으로 인하여 그 목적을 이루지 못한 사안
③ 피고인이 장롱 안에 있는 옷가지에 불을 놓아 건물을 소훼하려 하였으나 불길이 치솟는 것을 보고 겁이 나서 물을 부어 불을 끈 사안
④ 강도가 강간하려고 하였으나 잠자던 피해자의 어린 딸이 잠에서 깨어 우는 바람에 도주하였고, 또 피해자가 시장에 간 남편이 곧 돌아온다고 하면서 임신중이라고 말하자 도주한 사안

해설 • **중지미수** ○ : ② 대판 1993.10.12, 93도1851
• **중지미수** × : ① 대판 1999.4.13, 99도640 ③ 대판 1997.6.13, 97도957 ④ 대판 1993.4.13, 93도347

03 **중지미수에 대한 설명으로 옳지 않은 것은?**(다툼이 있는 경우 판례에 의함)   24. 7급 검찰

① 다른 공범의 범행을 중지하게 하지 아니하여 그 공범이 범행에 나아간 이상 자신의 범의를 철회·포기하여도 중지미수가 인정될 수 없다.

② 공범 중 1인에 의한 중지미수의 법적 효과는 자의로 실행행위를 중지하거나 결과발생을 방지한 자에게만 미치고 다른 공범은 장애미수가 된다.

③ 중지미수에 관한 형법 제26조는 그 적용을 배제하는 명문규정이 없는 이상 상습절도에 관한 구 특정범죄 가중처벌 등에 관한 법률 제5조의 4 제1항 위반의 죄에도 그대로 적용된다.

④ 미성년자를 약취·유인한 자가 그 피해자를 안전한 장소로 풀어준 경우 스스로 범죄를 중단하였다는 점에서 중지미수와 유사한 평가가 가능하고, 중지미수와 동일한 법적 효과가 부여된다.

해설 ① 대판 1969.2.25, 68도1676 ② 대판 1986.3.11, 85도2831 ③ 대판 1986.3.11, 85도2831
④ × : ~ 장소로 풀어준 경우 미성년자약취·유인죄가(기수)가 성립하고(∴ 중지미수 ×), 다만 그 형을 감경할 수 있다(제295조의 2).

04 **미수에 대한 설명으로 옳은 것만을 모두 고르면?**(다툼이 있는 경우 판례에 의함)
25. 9급 검찰·마약수사·철도경찰

⊙ 법정에서 선서한 증인이 일단 기억에 반하는 허위의 진술을 하였다가 그 신문이 끝나기 전에 그 진술을 철회·시정한 경우에는 중지미수에 해당하므로 형을 감경하거나 면제한다.

ⓛ 甲이 자신의 범행 전력 등을 생각하여 가책을 느낀 나머지 스스로 결의를 바꾸어 다른 공범자 乙의 침입 사실을 알려 그를 체포하게 하여 야간주거침입절도의 범행을 중지하게 한 경우, 甲에 대해서는 형을 감경하거나 면제하나, 乙에 대해서는 형을 감경할 수 없다.

ⓒ 甲이 乙과 합동하여 피해자 A를 텐트 안으로 끌고 간 후 乙, 甲의 순으로 성관계를 하기로 하고 甲은 위 텐트 밖으로 나와 주변에서 망을 보고 乙은 A의 옷을 모두 벗기고 A의 반항을 억압한 후 A를 1회 간음하여 강간하고, 이어 甲이 위 텐트 안으로 들어가 A를 강간하려 하였으나 A가 반항을 하며 강간을 하지 말아 달라고 사정을 하여 강간을 하지 않은 경우 甲이 강간행위에 나아가지 않았다 하더라도 중지미수에 해당하지는 않는다.

ⓔ 중지범은 범죄의 실행에 착수한 후 자의로 그 행위를 중지한 때를 말하는 것이고 실행의 착수가 있기 전인 예비·음모의 행위를 처벌하는 경우에 있어서 중지범의 관념은 이를 인정할 수 없다.

① ⊙, ⓛ   ② ⊙, ⓒ   ③ ⓛ, ⓔ   ④ ⓒ, ⓔ

해설 ⊙ × : ~ (2줄) 경우에는 위증이 되지 아니한다(대판 1984.3.27, 83도2583 ∵ 증인신문절차가 종료된 때에 위증죄는 기수에 달함).
ⓛ × : ~ (3줄) 형을 감경하거나 면제하나, 乙에 대해서는 형을 감경할 수 있다(대판 1986.3.11, 85도2831 ∵ 甲 ⇨ 중지미수, 乙 ⇨ 장애미수).
ⓒ ○ : 대판 2005.2.25, 2004도8259(∵ 성폭력특례법상의 특수강간죄의 기수)
ⓔ ○ : 대판 1999.4.9, 99도424

Answer   3.④   4.④

05 **중지미수에 관한 설명으로 가장 적절하지 않은 것은?**(다툼이 있는 경우 판례에 의함)

25. 경찰승진

① 甲이 A에게 위조한 예금통장 사본 등을 보여주면서 외국회사에서 투자금을 받았다고 거짓말하며 자금대여를 요청하였으나, A와 함께 그 입금 여부를 확인하기 위해 은행에 가던 중 범행이 발각될 것이 두려워 은행 입구에서 차용을 포기하고 돌아간 행위는 중지미수로 볼 수 없다.

② 甲이 乙과 합동하여 피해자를 텐트 안으로 끌고 간 후 甲은 텐트 밖으로 나와 주변에서 망을 보고 乙은 피해자를 강간한 후, 이어서 甲이 피해자를 강간하려 하였으나 피해자가 반항을 하며 강간을 하지 말아 달라고 사정을 하여 강간을 하지 않은 경우 乙이 甲과의 공모하에 강간행위에 나아간 이상 甲의 행위는 중지미수에 해당하지 않는다.

③ 방화 후 불길이 치솟는 것을 보고 겁이 나서 물을 부어 불을 끈 경우 중지미수에 해당한다.

④ 甲과 乙이 A가 경영하는 사무실의 금품을 절취하기로 공모한 후, 甲은 그 부근 포장마차에 있고 乙은 사무실의 열린 출입문을 통하여 안으로 들어가 물건을 물색하고 있는 동안 甲이 자신의 범행전력 등을 생각하여 가책을 느낀 나머지 A에게 乙의 침입사실을 알려 A와 함께 乙을 체포하였다면 甲의 행위는 중지미수의 요건이 갖추어졌다고 인정된다.

해설 ① 대판 2011.11.10, 2011도10539

② 대판 2005.2.25, 2004도8259

③ × : ~ 중지미수로 볼 수 없다(대판 1997.6.13, 97도957).

④ 대판 1986.3.11, 85도2831

Answer　5.③

제4절) 불능미수

제27조【불능범】 실행의 수단 또는 대상의 착오로 인하여 결과의 발생이 불가능하더라도 위험성이 있는 때에는 처벌한다. 단, 형을 감경 또는 면제할 수 있다. 22. 해경간부 · 해경 2차, 23. 해경승진 · 법원직

THEMA 07 '불능미수' 기본개념(대판 2019.3.28, 2018도16002 전원합의체)

1. 불능미수는 행위자에게 범죄의사가 있고 실행의 착수라고 볼 수 있는 행위가 있지만 실행의 수단이나 대상의 착오로 처음부터 구성요건이 충족될 가능성이 없는 경우이다. 다만, 결과적으로 구성요건의 충족은 불가능하지만, 그 행위의 위험성이 있으면 불능미수로 처벌한다. 불능미수는 행위자가 실제로 존재하지 않는 사실을 존재한다고 오인하였다는 측면에서 존재하는 사실을 인식하지 못한 사실의 착오와 다르다. 20. 변호사시험 · 법원행시, 20 · 22. 경찰승진, 25. 순경 1차

2. 장애미수 또는 중지미수는 범죄의 실행에 착수할 당시 실행행위를 놓고 판단하였을 때 행위자가 의도한 범죄의 기수가 성립할 가능성이 있었으므로 처음부터 기수가 될 가능성이 객관적으로 배제되는 불능미수와 구별된다. 19. 순경 2차, 20. 경찰간부 · 변호사시험

3. 불능미수범에서 말하는 '실행의 수단 또는 대상의 착오'는 행위자가 시도한 행위방법 또는 행위객체로는 결과의 발생이 처음부터 불가능하다는 것을 의미한다. 그리고 '결과 발생의 불가능'은 실행의 수단 또는 대상의 원시적 불가능성으로 인하여 범죄가 기수에 이를 수 없는 것을 의미한다. 19. 순경 2차, 20. 경찰승진 · 법원행시, 22. 9급 검찰 · 마약수사 · 철도경찰, 23. 경력채용, 24. 9급 철도경찰

THEMA 08 위험성(불능범과 불능미수의 구별기준)

위험성이 있으면 불능미수로 처벌되고, 위험성이 없으면 불능범으로 처벌되지 아니한다.

☑ **위험성 판단기준** 17. 경찰간부, 19 · 20. 순경 1차

학 설	내 용	사 례

구객관설
(절대적 불능 · 상대적 불능 구별설) :
판례
	• 결과발생이 어떠한 경우에도 개념적으로 불가능한 **절대적 불능** ⇨ **불능범**(위험성 ×)
	• 결과발생이 일반적으로는 가능하지만 구체적 · 특수한 경우에만 불가능한 **상대적 불능** ⇨ **불능미수**(위험성 ○)
		• 시체에 대한 살인형위
		  ⇨ 객체의 절대적 불능(위험성 ×)
		• 방탄복을 입은 자에 대한 살인행위
		  ⇨ 객체의 상대적 불능(위험성 ○)
		• 독살의 의사로 설탕을 먹인 경우
		  ⇨ 수단의 절대적 불능(위험성 ×)
		• 치사량 미달의 독약을 먹인 경우
		  ⇨ 수단의 상대적 불능(위험성 ○)

법률적 불능 · 사실적 불능설	• 법률적 불능 ⇨ 불능범 • 사실적 불능 ⇨ 불능미수	법률적 불능은 절대적 불능, 사실적 불능은 상대적 불능으로 이해
구체적 위험설 (신객관설)	행위 당시에 **행위자가 인식한 사정과 일반인이 인식할 수 있었던 사정을 기초로** 일반인(통찰력 있는 사람)의 관점에서 **객관적 · 사후적으로** 구체적 위험성이 있는가를 판단하는 견해이다.	시체를 살아 있는 사람으로 오인하여 살해하려고 한 경우 • 일반인도 살아 있는 것으로 안 경우 ⇨ 불능미수 • 일반인은 시체임을 알고 있었던 경우 ⇨ 불능범
추상적 위험설 (법질서에 대한 위험설, 주관적 위험설, 주관적 객관설) : 다수설 · 판례	위험성은 행위 당시에 **피고인이 인식한 사정**(일반인이 인식할 수 있었던 사정 ×)을 놓고 **일반인이 객관적으로 판단**하여 결과 발생의 가능성이 있는지 여부를 따져야 한다(대판 2019.3.28, 2018도16002 전원합의체). 22. 경찰간부 · 해경간부, 22 · 23. 경찰승진 · 경력채용, 24. 9급 철도경찰, 25. 변호사시험	① 시체를 살아 있는 사람으로 오인하고 살해하려고 한 경우 ⇨ 불능미수 ② 설탕을 독약으로 오인하고 먹여 살해하려고 한 경우 ⇨ 불능미수 ③ 설탕으로도 사람을 살해할 수 있다고 믿고서 설탕을 먹인 경우 ⇨ 불능범
주관설	범죄의사를 표현하는 구성요건 실현행위가 있는 이상 결과발생이 객관적으로 불가능하더라도 항상 위험성이 있다고 보는 견해이다.	불능범의 개념을 부정한다. 미신범 이외에는 원칙적으로 불능범을 부정하며 모두 미수범으로 처벌된다.

THEMA 09 '불능미수' 관련판례 총정리

1. 피고인이 피해자가 심신상실 또는 항거불능의 상태에 있다고 인식하고 그러한 상태를 이용하여 간음할 의사로 피해자를 간음하였으나 피해자가 실제로는 심신상실 또는 항거불능의 상태에 있지 않은 경우, 준강간죄의 불능미수에 해당한다(대판 2019.3.28, 2018도16002 전원합의체 ∵ 피고인이 행위 당시에 인식한 사정을 놓고 일반인이 객관적으로 판단하였을 때 준강간의 결과가 발생할 위험성이 있음). 20. 법원직·법원행시, 21. 경찰승진, 22. 경찰간부, 23. 9급 철도경찰, 24. 변호사시험, 24·25. 순경 1차

2. 소송비용을 편취할 의사로 소송비용의 지급을 구하는 손해배상청구의 소를 제기하였다고 하더라도 이는 객관적으로 소송비용의 청구방법에 관한 법률적 지식을 가진 일반인의 판단으로 보아 결과발생의 가능성이 없어 위험성이 인정되지 않아 사기죄의 불능범에 해당한다(대판 2005.12.8, 2005도8105). 21. 순경 1차, 22. 9급 검찰·철도경찰, 23. 경찰승진·법원직·순경 2차, 24. 7급 검찰

3. 치사량 미달의 독약으로 사람을 살해하려고 한 경우(대판 1984.2.28, 83도3331 : 요구르트병에 치사량 미달의 농약을 넣은 사건), 히로뽕 제조를 시도하였으나 기술부족으로 완제품을 제조하지 못한 경우 (대판 1985.3.26, 85도206) ⇨ 결과발생의 위험이 절대 불능 × ⇨ (불능)미수범 ○(구객관설의 입장) 13. 경찰승진, 17. 9급 검찰·철도경찰·경찰간부, 18·19. 법원행시, 23. 해경승진

4. 부동산을 편취할 의사로 이미 사망한 자에 대하여 소유권이전등기청구의 소를 제기하여 승소판결을 받는다고 하더라도 판결의 효력이 해당 임야의 재산상속인에게 미칠 수 없으므로 사기죄를 구성한다고 할 수 없다(대판 2002.1.11, 2000도1881 ∴ 사기죄의 불능미수 ×, 사기죄의 불능범). 15. 사시, 18. 경찰승진, 19. 경찰간부, 24. 9급 철도경찰

5. 일정량 이상을 먹으면 사람이 사망에 이를 수도 있는 '초우뿌리' 또는 '부자' 달인 물을 피해자에게 마시게 하여 피해자를 살해하려고 하였으나 피해자가 이를 토해버림으로써 미수에 그친 행위는 불능범이 아닌 살인미수죄가 성립한다(대판 2007.7.26, 2007도3687). 18. 법원행시·9급 철도경찰, 23. 변호사시험

6. 소매치기가 피해자의 주머니에 손을 넣어 금품을 절취하려 한 경우 비록 그 주머니 속에 금품이 들어있지 않았었다 하더라도 그러한 행위는 절도라는 결과발생의 위험성을 충분히 내포하고 있으므로 이는 절도미수에 해당한다(대판 1986.11.25, 86도2090). 14. 법원행시, 15. 순경 1차

7. 임대인과 임대차계약을 체결한 임차인이 임차건물에 거주하기는 하였으나 그의 처만이 전입신고를 마친 후에 경매절차에서 배당을 받기 위하여 임대차계약서상의 임차인 명의를 처로 변경하여 경매법원에 배당요구를 한 경우 ⇨ 사기죄의 불능범으로서 무죄(대판 2002.2.8, 2001도6669) 16. 법원직, 20. 법원행시, 23. 9급 철도경찰

8. 히로뽕 제조를 위해 에페트린에 빙초산을 혼합한 행위가 불능범이 아니라고 인정하려면 행위 당시에 행위자가 인식한 사정을 놓고 객관적으로 제약방법을 아는 과학적 일반인의 판단으로 보아 결과발생의 가능성이 있어야 한다(대판 1978.3.28, 77도4049 ⇨ 추상적 위험설 입장). 12. 9급 검찰

9. 피해자를 독살하려 하였으나 피해자가 토함으로써 그 목적을 이루지 못한 경우에는, 피고인이 사용한 독의 양이 치사량 미달이어서 결과발생이 불가능한 경우도 있을 것이므로 불능미수에 해당하는지 가려야 한다(대판 1984.2.14, 83도2967). 18. 법원행시, 24. 7급 검찰

10. 우물물에 치사량 미달의 악취가 심한 농약(스미치온)을 타서 살해하려고 한 경우 ⇨ 불능미수 ○(대판 1973.4.30, 73도354) 05. 법원행시, 06. 경찰승진

11. 권총에 탄환을 장전하여 발사하였으나 탄환이 불량하여 불발된 경우 ⇨ 불능미수 ○, 불능범 ×(대판 1954.1.30, 4286형상103) 16. 법원직, 21. 해경승진

01 다음 사례에서 불능미수의 학설에 관한 설명으로 가장 적절하지 않은 것은?

20. 순경 1차, 23. 해경승진

> 甲은 평소 맘에 들지 않던 乙이 동네 벤치에 누워있는 것을 발견하고 살해하기 위해 총을 발사하였다. 그러나 乙은 甲이 총을 발사하기 전에 이미 심장마비로 사망한 상태였다.

① 구객관설(절대적 불능·상대적 불능 구별설)에 의하면 결과발생이 어떠한 경우에도 개념적으로 불가능하여 위험성이 인정되지 않는다.

② 구체적 위험설에 의하면 일반인이 乙을 살아 있는 것으로 오인한 경우뿐만 아니라 乙을 사망한 것으로 인식한 경우에도 행위자 甲의 인식이 우선시되므로 위험성이 인정된다.

③ 추상적 위험설에 의하면 甲은 乙을 살아 있는 사람으로 인식하고 있었으므로 위험성이 인정된다.

④ 주관설에 의하면 위 사례의 경우 위험성이 인정된다.

[해설] ①③④ 타당하다.

② × : 구체적 위험설은 행위 당시에 행위자가 인식한 사정과 일반인이 인식할 수 있었던 사정을 기초로 일반적 경험법칙(통찰력 있는 사람)의 관점에서 사후판단을 하여 구체적 위험성이 있는가를 판단하는 견해이다. 사례의 경우 일반인도 乙이 살아 있는 것으로 오인한 경우에는 위험성이 인정되나, 일반인이 乙을 사망한 것으로 인식한 경우에는 위험성을 부정한다.

02 불능미수에 대한 설명 중 가장 적절하지 않은 것은?(다툼이 있는 경우 판례에 의함) 20. 경찰승진

① 불능미수는 실행의 수단이나 대상의 착오로 처음부터 구성요건이 충족될 가능성이 없는 경우로, 결과적으로 구성요건의 충족은 불가능하지만 그 행위의 위험성이 있으면 불능미수로 처벌한다.

② 불능미수는 행위자가 실제로 존재하지 않는 사실을 존재한다고 오인하였다는 측면에서 존재하는 사실을 인식하지 못한 사실의 착오와 다르다.

③ '결과 발생의 불가능'은 실행의 수단 또는 대상의 원시적 불가능성으로 인하여 범죄가 기수에 이를 수 없는 것을 의미한다고 보아야 한다.

④ 불능범과 구별되는 불능미수의 성립요건인 '위험성'은 행위 당시에 행위자가 인식한 사정과 일반인이 인식할 수 있는 사정을 기초로 일반적 경험법칙에 따라 판단해야 한다.

[해설] ①②③ 대판 2019.3.28, 2018도16002 전원합의체

④ × : ~ 행위자가 인식한 사정만을 기초로 일반인의 관점에서 판단해야 한다(대판 2005.12.8, 2005도8105).

03 다음 설명 중 옳은 것은 모두 몇 개인가?(다툼이 있는 경우 판례에 의함) 20. 경찰간부

> ㉠ 형법은 실행의 주체, 수단 또는 대상의 착오로 인하여 결과의 발생이 불가능하더라도 위험성이 있는 경우에는 처벌이 가능하도록 규정하며, 처벌의 수준에 있어서는 형의 임의적 감면을 규정하고 있다.
>
> ㉡ 장애미수 또는 중지미수는 범죄의 실행에 착수할 당시 실행행위를 놓고 판단하였을 때 행위자가 의도한 범죄의 기수가 성립할 가능성이 있었으므로 처음부터 기수가 될 가능성이 객관적으로 배제되는 불능미수와 구별된다.
>
> ㉢ 임대인과 소액 임대차계약을 체결한 임차인이 임차건물에 거주하기는 하였으나 그의 처만이 전입신고를 마친 후에 경매절차에서 배당을 받기 위하여 임대차계약서상의 임차인 명의를 처로 변경하여 경매법원에 배당요구를 한 경우 불능범에 해당한다.
>
> ㉣ 피고인이 피해자가 심신상실 또는 항거불능의 상태에 있다고 인식하고 그러한 상태를 이용하여 간음할 의사로 피해자를 간음하였으나 피해자가 실제로는 심신상실 또는 항거불능의 상태에 있지 않은 경우, 준강간죄의 불능미수에 해당한다.
>
> ㉤ 일반적으로 공범이 자신의 행위를 중지한 것만으로는 중지미수가 성립하지 않지만, 다른 공범 또는 정범의 행위를 중단시키기 위하거나 결과 발생을 저지하기 위한 진지한 노력이 있었을 경우에는 비록 결과가 발생하였다고 할지라도 그 공범에게는 예외적으로 중지미수가 성립될 수 있다.

① 1개   ② 2개   ③ 3개   ④ 4개

해설 ㉠ × : 형법은 실행의 수단 또는 대상의 착오로(실행의 주체의 착오 ×) ~ 있다(제27조).
㉡ ○ : 대판 2019.3.28, 2018도16002 전원합의체
㉢ ○ : 대판 2002.2.8, 2001도6669
㉣ ○ : 대판 2019.3.28, 2018도16002 전원합의체 ㉤ × : 결과발생 ⇨ 중지미수 ×

04 다음 중 甲의 행위와 미수(불가벌적 불능범 포함)의 연결이 바르게 된 것을 모두 고른 것은?(다툼이 있는 경우 판례에 의함) 21. 경찰승진

> ㉠ 소송비용을 편취할 의사로 민사소송법상 소송비용의 지급을 구하는 손해배상청구의 소를 제기한 甲의 행위 - 형법 제347조 사기죄의 불능미수
>
> ㉡ 甲은 피해자가 심신상실 또는 항거불능의 상태에 있다고 인식하고 그러한 상태를 이용하여 간음할 의사로 피해자를 간음하였으나 피해자가 실제로는 심신상실 또는 항거불능의 상태에 있지 않은 경우, 甲의 행위 - 형법 제299조 준강간죄의 불가벌적 불능범
>
> ㉢ 피해자를 살해하기 위해 그의 목 부위와 왼쪽 가슴 부위를 칼로 수회 찔렀으나 피해자의 가슴 부위에서 많은 피가 흘러나오는 것을 발견하고 겁을 먹고 범행을 그만둔 甲의 행위 - 형법 제250조 살인죄의 중지미수
>
> ㉣ 강도행위 중에 피해자를 강간하려고 작은 방으로 끌고가 팬티를 강제로 벗기고 음부를 만지자 피해자가 수술한 지 얼마 안 되어 배가 아프다면서 애원하는 바람에 강간을 그만둔 甲의 행위 - 형법 제339조 강도강간죄의 장애미수

① ㉠, ㉡, ㉣   ② ㉠, ㉢   ③ ㉡, ㉢   ④ ㉣

해설 ㉠ × : 사기죄의 불능미수 ×, 불능범 ○(대판 2005.12.8, 2005도8105)
㉡ × : 준강간죄의 불능미수 ○, 불능범 ×(대판 2019.3.28, 2018도16002 전원합의처)
㉢ × : 살인죄의 장애미수 ○, 중지미수 ×(대판 1999.4.13, 99도640)
㉣ ○ : 대판 1992.7.28, 92도917

05 괄호 안의 범죄에 대한 불능미수가 성립하는 경우는?(다툼이 있는 경우 판례에 의함)

23. 9급 철도경찰

① 부동산을 편취할 의사로 이미 사망한 자에 대하여 소유권이전등기청구의 소를 제기하였다. (사기죄)

② 이미 배당금을 수령할 권리를 가진 임차인이 경매배당금을 편취할 의사로 임차인 명의를 처(妻)로 변경하고 경매법원에 배당요구를 하였다. (사기죄)

③ 소송비용을 편취할 의사로 소송비용의 지급을 구하는 손해배상금 청구의 소를 제기하였다. (사기죄)

④ 피해자를 항거불능상태라고 인식하고 추행하였으나 피해자는 이미 사망한 상태였다. (준강제추행죄)

해설 • **불능미수** ×, **불능범** ○ : ① 대판 2002.1.11, 2000도1881 ② 대판 2002.2.8, 2001도6669 ③ 대판 2005.12.8, 2005도8105
• **불능미수** ○, **불능범** × : ④ 대판 2019.3.28, 2018도16002 전원합의체

06 불능미수에 대한 설명으로 옳은 것은?(다툼이 있는 경우 판례에 의함)

24. 9급 철도경찰

① 불능미수의 판단 기준으로서 위험성 판단은 피고인이 행위 당시에 인식한 사정과 일반인이 인식할 수 있었던 사정을 놓고 이것이 객관적으로 일반인의 판단으로 보아 결과 발생의 가능성이 있느냐를 따져야 한다.

② 소송사기에서 피기망자인 법원의 재판은 피해자의 처분행위에 갈음하는 내용과 효력이 있는 것이어야 하므로, 피고인의 제소가 사망한 자를 상대로 한 것이라면 이와 같은 사망한 자에 대한 판결은 그 내용에 따른 효력이 발생할 수 없으므로 불능미수가 성립한다.

③ 불능미수에 있어서 실행의 수단이나 대상의 착오로 '결과의 발생이 불가능'하다는 것은 범죄행위의 성질상 어떠한 경우에도 구성요건의 실현이 불가능하다는 것을 의미한다.

④ 일정량 이상을 먹으면 사람이 사망에 이를 수도 있는 '초우뿌리' 또는 '부자' 달인 물을 피해자에게 마시게 하여 살해하려고 하였으나 피해자가 이를 토해 버림으로써 미수에 그쳤다면 불가벌적 불능범이다.

해설 ① × : ~ (1줄) 피고인이 행위 당시에 인식한 사정(일반인이 인식할 수 있었던 사정 ×)을 놓고 이것이 객관적으로 일반인의 판단으로 보아 결과 발생의 가능성이 있느냐를 따져야 한다(더판 2019.3.28, 2018도16002 전원합의체).

② × : 사기죄의 불능미수 ×, 사기죄의 불능범 ○(대판 2002.1.11, 2000도1881)
③ ○ : 대판 2019.3.28, 2018도16002 전원합의체
④ × : ~ (2줄) 토해 버림으로써 미수에 그쳤다면 불능범이 아닌 살인미수죄가 성립한다(대판 2007.7.26, 2007도3687).

07 불능미수에 대한 설명으로 옳은 것은?(다툼이 있는 경우 판례에 의함)　　24. 7급 검찰

① 불능미수 성립요건인 위험성 판단은 일반인이 행위 당시에 인식한 사정을 놓고 이것이 객관적으로 일반인의 판단으로 보아 결과발생의 가능성이 있느냐를 따져야 한다.

② 농약을 탄 배추국을 먹여 피해자를 살해하고자 하였으나 이를 먹던 피해자가 국물을 토함으로써 미수에 그친 경우, 법원으로서는 불능미수 성립 여부에 대해서도 판단하여야 한다.

③ 소송비용을 편취할 의사로 소송비용의 지급을 구하는 손해배상청구의 소를 제기한 경우, 이러한 소의 제기는 일반인의 판단으로 보아 결과발생의 가능성이 있어 사기죄의 불능미수에 해당한다.

④ 염산에페트린 및 수종의 약품을 교반하여 히로뽕 제조를 시도하였으나 약품배합 미숙으로 완제품을 제조하지 못한 경우, 이는 그 성질상 결과발생의 위험성이 없어 습관성의약품제조죄의 불능범에 해당한다.

【해설】 ① × : ~ (1줄) 판단은 피고인(일반인 ×)이 행위 당시에 인식한 사정을 놓고 이것이 객관적으로 일반인의 판단으로 보아 결과발생의 가능성이 있느냐를 따져야 한다(대판 2019.3.28, 2018도16002 전원합의체)
② ○ : 대판 1984.2.14, 83도2967
③ × : ~ (2줄) 결과발생의 가능성이 없어 사기죄의 불능범(불능미수 ×)에 해당한다(대판 2005.12.8, 2005도8105).
④ × : ~ (2줄) 결과발생의 위험성이 있어 습관성의약품제조죄의 불능미수(불능범 ×)에 해당한다(대판 1985.3.26, 85도206).

08 형법 제27조(불능범)에 관한 설명 중 옳은 것은?(다툼이 있는 경우 판례에 의함)　25. 변호사시험

① 간통이 형사처벌된다고 착오하고 간통행위를 한 경우는 불능범에 해당한다.

② 결과발생의 불가능은 범죄행위의 성질상 어떠한 경우에도 구성요건의 실현이 불가능하다는 것을 의미하는 것은 아니다.

③ 위험성은 행위 당시에 행위자가 인식한 사정과 일반인이 인식할 수 있었던 사정을 기초로 일반적 경험법칙에 따라 객관적·사후적으로 판단한다.

④ 소송비용을 편취할 의사로 소송비용의 지급을 구하는 손해배상청구의 소를 제기한 경우 소송사기죄의 불능미수가 성립한다.

⑤ 甲이 살인의 고의로 乙에게 치사량의 독약을 복용시키려 하였으나 착오로 치사량에 현저히 미달하는 양의 독약을 복용시킨 다음 후회하여 乙에게 해독제를 먹인 경우, 방지행위와 결과불발생 사이에 인과관계를 요하는 견해에 따르면 살인죄의 불능미수가 성립한다.

Answer　7. ②　8. ⑤

[**해설**] ① × : ~ 경우는 환각범(반전된 금지의 착오, 위법성의 적극적 착오)에 해당한다.
② × : ~ 불가능하다는 것을 의미한다(대판 2019.5.16, 2019도97).
③ × : 위험성은 행위 당시에 피고인이 인식한 사정(일반인이 인식할 수 있었던 사정 ×)을 놓고 일반인이 객관적으로 판단하여 결과발생의 가능성이 있는지 여부를 따져야 한다(대판 2019.3.28, 2018도16002 전원합의체).
④ × : ~ 소송사기죄의 불능범(불능미수 ×)에 해당한다(대판 2005.12.8, 2005도8105).
⑤ ○ : 방지행위(해독제를 먹인 경우)와 결과(사망)의 불발생 사이에 인과관계가 있어야 중지미수가 성립할 수 있으므로, 방지행위가 아닌 다른 원인(치사량에 현저히 미달하는 양의 독약을 복용)에 의하여 결과(사망)가 발생하지 않은 ⑤의 경우 살인죄의 중지미수가 아닌 불능미수(결과의 발생이 처음부터 불가능)가 성립한다.

09 미수범에 관한 설명으로 가장 적절하지 않은 것은?(다툼이 있는 경우 판례에 의함) 25. 순경 1차

① 준강간의 고의로 실행에 착수하였는데 피해자가 실제 항거불능 상태에 있지 않아 구성요건적 결과 발생이 처음부터 불가능하였으나, 그러한 결과 발생의 위험성이 인정되는 경우, 이러한 행위는 준강간죄의 불능미수에 해당한다.

② 甲이 A에게 위조한 예금통장 사본 등을 보여주면서 외국회사에서 투자금을 받았다고 거짓말하며 자금 대여를 요청하였으나, A와 함께 그 입금 여부를 확인하기 위해 은행에 가던 중 범행이 발각될 것이 두려워 은행 입구에서 차용을 포기하고 돌아간 경우, 이를 자의에 의한 사기죄의 중지미수로 볼 수는 없다.

③ 불능범과 구별되는 불능미수의 성립요건인 '위험성'은 행위자가 행위 당시에 인식한 사정을 놓고 일반인이 객관적으로 판단하여 결과 발생의 가능성이 있는지 여부를 따져야 한다.

④ 형법 제27조에서 규정하고 있는 불능미수는 실행의 수단이나 대상의 착오로 처음부터 구성요건이 충족될 가능성이 없는 경우이므로, 실행의 착수로 볼 수 있는 행위가 있어야 하는 것은 아니다.

[**해설**] ①③ 대판 2019.3.28, 2018도16002 전원합의체
② 대판 2011.11.10, 2011도10539
④ × : 불능미수는 행위자에게 범죄의사가 있고 실행의 착수라고 볼 수 있는 행위가 있지만 실행의 수단이나 대상의 착오로 처음부터 구성요건이 충족될 가능성이 없는 경우이다(대판 2019.3.28, 2018도16002 전원합의체).

종합문제 | **미수론**

01 미수에 관한 설명 중 옳지 않은 것은?(다툼이 있는 경우 판례에 의함)　　　20. 변호사시험

① 중지미수는 범죄의 실행행위에 착수하고 그 범죄가 완수되기 전에 자기의 자유로운 의사에 따라 범죄의 실행행위를 중지하는 것으로서 장애미수와 대칭되는 개념이다.

② 중지미수와 장애미수는 범죄의 미수가 자의에 의한 중지이냐 또는 어떤 장애에 의한 미수이냐에 따라 구분하여야 하고, 특히 자의에 의한 중지 중에서도 사회통념상 장애에 의한 미수로 보이는 경우를 제외하고는 중지미수라고 보는 것이 일반이다.

③ 장애미수 또는 중지미수는 범죄의 실행에 착수할 당시 실행행위를 놓고 판단하였을 때 행위자가 의도한 범죄의 기수가 성립할 가능성이 있었으므로 처음부터 기수가 될 가능성이 객관적으로 배제되는 불능미수와 구별된다.

④ 불능미수는 행위자가 실제로 존재하지 않는 사실을 존재한다고 오인하였다는 측면에서 존재하는 사실을 인식하지 못한 사실의 착오와 다르다.

⑤ 불능범과 구별되는 불능미수의 성립요건인 위험성은 행위 당시에 피고인이 인식한 사정과 일반인이 인식할 수 있었던 사정을 놓고 일반인이 객관적으로 판단하여 결과 발생의 가능성이 있는지 여부를 따져야 한다.

> **해설** ①② 대판 1985.11.12, 85도2002
> ③④ 대판 2019.3.28, 2018도16002 전원합의체
> ⑤ × : ~ 위험성은 피고인이 행위 당시에 인식한 사정(일반인이 인식할 수 있었던 사정 ×)을 놓고 일반인이 객관적으로 ~ 한다(대판 2019.3.28, 2018도16002 전원합의체 ○ ∴ 추상적 위험설).

02 다음 설명 중 옳은 것만을 모두 고르면?(다툼이 있는 경우 판례에 의함)　　　21. 9급 철도경찰

> ㉠ 장애미수와 중지미수는 범죄실행에 착수할 당시 실행행위를 놓고 판단하였을 때 행위자가 의도한 범죄의 기수가 성립할 가능성이 있었으므로, 처음부터 기수가 될 가능성이 객관적으로 배제되는 불능미수와 구별된다.
> ㉡ 예비행위를 자의로 중지한 경우 예비의 형이 중지미수의 형보다 무거운 때에는 중지미수의 규정을 준용할 수 있다.
> ㉢ 사람을 약취·유인한 자가 인질을 안전한 장소로 풀어준 때와 같이 예외적인 경우에는 범죄가 기수에 이른 후에도 형법 총칙상 중지미수의 규정을 준용한다.
> ㉣ 범죄의 실행에 착수하였으나 피해자의 간곡한 부탁으로 인하여 그 목적을 이루지 못하고 자기의 자유로운 의사에 따라 범죄의 실행을 중지한 경우에는 중지미수에 해당한다.

① ㉠, ㉡　　　　② ㉠, ㉣　　　　③ ㉡, ㉢　　　　④ ㉢, ㉣

> **해설** ㉠ ○ : 대판 2019.3.28, 2018도16002 전원합의체
> ㉡ × : ~ 준용할 수 없다(대판 1999.4.9, 99도424).

Answer　1. ⑤　2. ②

© × : 사람을 약취·유인한 자가 인질을 안전한 장소로 풀어준 때에는 그 형을 감경할 수 있으나(제295조의 2), 범죄가 기수에 이른 후에는 형법 총칙상 중지미수의 규정을 준용할 수 없다.
② ○ : 대판 1993.10.12, 93도1851

03 미수와 예비에 대한 설명으로 가장 적절한 것은?(다툼이 있는 경우 판례에 의함) 21. 순경 1차

① 불능미수와 장애미수는 모두 형을 감경 또는 면제할 수 있다.

② 범행이 발각될 것이 두려워 범행을 중지한 경우, 자의에 의한 중지미수로 볼 수 없다.

③ 소송비용을 편취할 의사로 소송비용의 지급을 구하는 손해배상청구의 소를 제기한 경우, 이는 객관적으로 소송비용의 청구방법에 관한 법률적 지식을 가진 일반인의 판단으로 보아 결과 발생의 가능성이 있어 위험성이 인정되므로 사기죄의 불능미수로 볼 수 있다.

④ 예비행위를 자의로 중지한 경우 중지미수의 규정을 준용하여 형을 감경 또는 면제한다.

해설 ① × : 장애미수 ⇨ 임의적 감경(제25조 제2항), 불능미수 ⇨ 임의적 감면(제27조)
② ○ : 대판 1986.1.21, 85도2339
③ × : ~ 위험성이 인정되지 않아 사기죄의 불능범에 해당한다(대판 2005.12.8, 2005도8105).
④ × : ~ 규정을 준용할 수 없다(대판 1999.4.9, 99도424).

04 미수 및 예비죄에 관한 설명 중 옳지 않은 것을 모두 고른 것은?(다툼이 있는 경우 판례에 의함)
21. 변호사시험

> ㉠ 중지범은 범죄의 실행에 착수한 후 자의로 그 행위를 중지한 때를 말하는 것이므로 실행의 착수가 있기 전인 예비의 중지범은 인정할 수 없다.
> ㉡ 공동정범 중 1인의 자의에 의한 실행중지만으로는 그의 중지미수를 인정할 수 없으며, 공동정범 전원의 실행행위를 중지시키거나 모든 결과발생을 완전히 방지한 때 공동정범 전체의 중지미수가 인정된다.
> ㉢ 정범이 예비단계에 그친 경우, 이를 방조한 자도 예비죄의 종범으로 처벌된다.
> ㉣ 살인예비죄가 성립하기 위하여 살인죄를 범할 목적 이외에 살인의 준비에 관한 고의가 있어야 하는 것은 아니다.
> ㉤ 가벌적 불능미수와 불가벌적 불능범의 구별 기준인 '위험성'은 행위 당시에 행위자가 인식한 사정 및 일반인이 인식할 수 있었던 사정을 기초로 일반적 경험법칙에 따라 사후 판단한다.

① ㉠, ㉡, ㉢   ② ㉠, ㉢, ㉣   ③ ㉡, ㉢, ㉣
④ ㉡, ㉣, ㉤   ⑤ ㉡, ㉢, ㉣, ㉤

해설 ㉠ ○ : 대판 1999.4.9, 99도424
㉡ × : ~ (2줄) 방지한 때 자의로 중지한 자에게는 중지미수가 인정되지만 다른 공동정범은 장애미수가 된다.
㉢ × : 예비죄의 공동정범 ○, 예비죄의 종범 ×(대판 1979.11.27, 79도2201)
㉣ × : ~ 고의가 있어야 한다(대판 2009.10.29, 2009도7150).
㉤ × : ~ 행위자가 인식한 사정(일반인이 인식할 수 있었던 사정 ×)을 기초로 일반인이 객관적으로 판단하여 결과 발생의 가능성이 있는지 여부를 따져야 한다(대판 2019.3.28, 2018도16002 전원합의체 ; 추상적 위험설). ㉤ 지문은 구체적 위험설 입장임.

05 **미수 · 기수에 대한 설명으로 옳지 않은 것은?**(다툼이 있는 경우 판례에 의함)

21. 9급 검찰 · 마약수사 · 철도경찰

① 공동정범 중 1인이 다른 공범의 범행을 중지하게 하지 아니하고 자기만의 범의를 철회, 포기한 경우 중지미수로 인정될 수 없다.

② 불능범과 구별되는 불능미수의 성립요건인 '위험성'은 행위자가 행위 당시에 인식한 사정을 놓고 일반인이 객관적으로 판단하여 결과 발생의 가능성이 있는지 여부를 따져야 한다.

③ 甲이 A에게 위조한 예금통장 사본 등을 보여주면서 외국회사에서 투자금을 받았다고 거짓말하며 자금 대여를 요청한 후 A와 함께 그 입금 여부를 확인하기 위해 은행에 가던 중 범행이 발각될 것이 두려워 은행 입구에서 그 차용을 포기하고 돌아간 경우 사기죄의 장애미수에 해당한다.

④ 甲이 타인의 명의를 빌려 예금계좌를 개설한 후 통장과 도장은 명의인에게 보관시키고 자신은 위 계좌의 현금인출카드를 소지한 채 명의인을 기망하여 위 계좌로 돈을 송금하게 하였지만 그 돈을 인출하지 않고 있던 중 명의인이 이를 인출한 경우, 甲은 사기죄의 장애미수에 해당한다.

> **해설** ① 대판 1969.2.25, 68도1676
> ② 대판 2019.3.28, 2018도16002 전원합의체
> ③ 대판 2011.11.10, 2011도10539
> ④ × : ~ 경우, 甲은 사기죄의 기수가 된다(대판 2003.7.25, 2003도2252 ∵ 송금받은 돈을 자신의 지배하에 두게 되어 편취행위는 기수에 이르렀다).

06 **미수에 대한 설명으로 가장 적절한 것은?**(다툼이 있는 경우 판례에 의함)　　　22. 경찰승진

① 불능미수의 성립요건인 '위험성'은 피고인이 행위 당시에 인식한 사정과 일반인이 인식할 수 있었던 사정을 놓고 일반인이 객관적으로 판단하여 결과발생의 가능성이 있는지 여부를 따져야 한다.

② 불능미수에서 '결과의 발생이 불가능'하다는 것은 범죄행위의 성질상 그 어떠한 경우에도 구성요건의 실현이 불가능하다는 것을 의미한다.

③ 예비 · 음모의 행위를 한 후 실행의 착수로 나아가기 전에 자의로 중지한 경우에는 예비 · 음모죄의 중지미수를 인정할 수 있다.

④ 타인의 재물을 공유하는 자가 공유자의 승낙을 받지 않고 공유대지를 담보에 제공하고 가등기를 경료한 후 자의로 가등기를 말소하였다면 이는 횡령죄의 중지미수에 해당한다.

> **해설** ① × : ~ 위험성은 피고인이 행위 당시에 인식한 사정(일반인이 인식할 수 있었던 사정 ×)을 놓고 일반인이 객관적으로 ~ 한다(대판 2019.3.28, 2018도16002 전원합의체 ○).
> ② ○ : 대판 2019.3.29, 2018도16002 전원합의체
> ③ × : ~ 인정할 수 없다(대판 1999.4.9, 99도424).
> ④ × : ~ 횡령죄의 기수에 이른다(대판 1978.11.28, 78도2175).

Answer　5. ④　6. ②

07 미수범 성립에 대한 판례의 입장으로 옳지 않은 것만을 모두 고르면?

22. 9급 검찰 · 마약수사 · 철도경찰

> ㉠ 특수강간이 미수에 그쳤지만, 피해자에게 상해의 결과가 발생한 경우 – 특수강간치상죄의 미수범 인정
> ㉡ 체포의 고의로 피해자의 팔을 잡아당기거나 등을 미는 등의 방법으로 피해자를 끌고 갔으나 일시적인 자유 박탈에 그친 경우 – 체포죄의 미수범 인정
> ㉢ 주간에 절도의 목적으로 타인의 주거에 침입하였지만, 아직 절취할 물건의 물색행위를 시작하기 전인 경우 – 절도죄의 미수범 부정
> ㉣ 민사소송법상의 소송비용액 확정절차에 의하지 아니한 채, 단순히 소송비용을 편취할 의사로 소송비용의 지급을 구하는 손해배상청구의 소를 제기한 경우 – 사기죄의 불능미수범 인정

① ㉠, ㉡　　　　　② ㉠, ㉣　　　　　③ ㉡, ㉢　　　　　④ ㉢, ㉣

해설 ㉠ × : 특수강간치상죄의 기수범 인정(대판 2008.4.24, 2007도10058).
㉡ ○ : 대판 2018.2.28, 2017도21249 ㉢ ○ : 대판 1992.9.8, 92도1650
㉣ × : 사기죄의 불능범 ○, 불능미수범 ×(대판 2005.12.8, 2005도8105)

08 예비와 미수에 관한 설명으로 옳은 것은 모두 몇 개인가?(다툼이 있는 경우 판례에 의함)

22. 순경 1차

> ㉠ 미수범이란 행위를 종료했더라도 결과가 발생하지 아니한 경우를 말하는 것이므로 결과가 발생한 경우에는 미수범이 성립할 여지가 없다.
> ㉡ 강도치상죄와는 달리 강도상해죄는 강도가 미수에 그쳤다면 상해가 발생하였어도 강도상해죄의 미수에 해당한다.
> ㉢ 대법원은 예비죄의 실행행위성을 긍정하는 입장에 서 있으므로 예비죄의 공동정범뿐만 아니라 예비죄에 대한 종범의 성립도 긍정한다.
> ㉣ 저작권 침해 게시물을 인터넷 웹사이트 서버 등에 업로드하여 공중의 구성원이 개별적으로 선택한 시간과 장소에서 접근할 수 있도록 이용에 제공하였더라도 공중에게 침해 게시물을 실제로 송신하지 않았다면 저작권법상 공중송신권 침해는 기수에 이르지 않는다.
> ㉤ 교사를 받은 자가 범죄의 실행 자체를 승낙하지 아니하거나 실행을 승낙하고 실행의 착수에 이르지 않은 경우, 교사자는 예비음모에 준하여 처벌된다.

① 1개　　　　　② 2개　　　　　③ 3개　　　　　④ 4개

해설 ㉠ × : 결과가 발생하더라도 행위와 결과 사이의 인과관계가 인정되지 않는 경우에는 미수범이 성립할 여지가 있다. ㉡ × : 강도치상죄(결과적 가중범)와 동일하게 강도상해죄(결과범)도 강도가 미수에 그쳤더라도 상해가 발생하면 강도상해죄(기수)가 된다(대판 1969.3.18, 69도154).
㉢ × : 예비죄의 공동정범 ○, 예비죄에 대한 종범 ×(대판 1979.11.27, 79도2201)
㉣ × : ~ (2줄) 이용에 제공하면, 공중에게 침해 게시물을 실제로 송신하지 않더라도 저작권법상 공중송신권 침해는 기수에 이른다(대판 2021.9.9, 2017도19025 전원합의체).
㉤ ○ : 실패한 교사(제31조 제3항), 효과 없는 교사(제31조 제2항)

09 미수에 대한 설명 중 가장 적절한 것은?(다툼이 있는 경우 판례에 의함) 23. 경찰승진

① 준강도죄의 기수 여부는 구성요건적 행위인 폭행 또는 협박이 종료되었는가의 여부에 따라 결정된다.

② 소송비용을 이미 송금받았음에도 불구하고 소송비용을 편취할 의사로 소송비용의 지급을 구하는 손해배상청구의 소를 제기한 경우 사기죄의 불능범에 해당한다.

③ 피해자를 살해하려고 그의 목 부위와 왼쪽 가슴 부위를 칼로 수회 찔렀으나 피해자의 가슴 부위에서 많은 피가 흘러나오는 것을 발견하고 겁을 먹고 그만 둔 경우 살인죄의 중지미수에 해당한다.

④ 불능범과 구별되는 불능미수의 성립요건인 '위험성'은 행위 당시 행위자가 인식한 사정과 일반인이 인식할 수 있었던 사정을 기초로 일반적 경험법칙에 따라 객관적 사후적으로 판단하여야 한다.

> **해설** ① × : ~ 종료되었는가의 여부가 아니라 절도행위의 기수 여부에 따라 결정된다(대판 2004.11.18, 2004도5074 전원합의체). ② ○ : 대판 2005.12.8, 2005도8105
> ③ × : ~ 살인죄의 장애미수(중지미수 ×)에 해당한다(대판 1999.4.13, 99도640).
> ④ × : ~ '위험성'은 피고인이 행위 당시에 인식한 사정(일반인이 인식할 수 있었던 사정 ×)을 놓고 일반인이 객관적으로 판단하여 결과발생의 가능성이 있는지 여부를 따져야 한다(대판 2019.3.28, 2018도16002 전원합의체).

10 다음 중 가장 적절한 것은?(다툼이 있는 경우 판례에 의함) 23. 순경 2차

① 甲이 허위내용의 고소장을 경찰관에게 제출하였다가 그 경찰관으로부터 고소장의 내용만으로는 범죄 혐의가 없는 것이라 하므로 그 고소장을 되돌려 받은 때에는 형법 제156조에 따른 무고죄의 장애미수에 해당한다.

② 甲이 소송비용을 편취할 의사로 소송비용의 지급을 구하는 손해배상청구의 소를 제기하였다가 담당 판사로부터 소송비용의 확정은 소송비용액 확정절차를 통해 하라는 권유를 받고 위 소를 취하한 때에는 형법 제347조에 따른 사기죄의 불능미수에 해당한다.

③ 甲이 외국환 수출의 신고를 하지 않은 채 일화를 국외로 반출하기 위해, 일화 400만엔이든 휴대용 가방을 가지고 보안검색대에 나아가지 않은 채 공항 내에서 탑승을 기다리고 있던 중에 체포되었다면 일화 400만 엔의 반출에 대해서는 실행의 착수가 있다고 볼 수 없다.

④ 甲이 A의 뒤에 서서 카메라폰으로 치마 속 신체 부위를 일정한 시간 동안 촬영하다가 경찰관에게 발각되어 저장버튼을 누르지 않고 촬영을 종료하였다면 구 성폭력범죄의 처벌 및 피해자보호 등에 관한 법률 제14조의 2 제1항에 따른 카메라 등 이용촬영죄의 장애미수에 해당한다.

> **해설** ① × : 무고죄의 기수범(장애미수 ×)(대판 1985.2.8, 84도2215)
> ② × : 사기죄의 불능범(불능미수 ×)(대판 2005.12.8, 2005도8105) ③ ○ : 대판 2001.7.27, 2000도4298
> ④ × : 카메라 등 이용촬영죄의 기수범(장애미수 ×)(대판 2011.6.9, 2010도10677)

Answer 9. ② 10. ③

11 **미수에 대한 설명으로 옳은 것은?**(다툼이 있는 경우 판례에 의함) **24. 9급 검찰 · 마약수사 · 철도경찰**

① 甲이 A에게 위조한 통장 사본 등을 보여 주면서 투자금을 받았다고 거짓말하며 자금 대여를 요청하였으나 A와 함께 그 입금 여부를 확인하기 위해 은행에 가던 중 범행이 발각될 것이 두려워 차용을 포기하고 돌아간 경우, 사기죄의 중지미수가 성립한다.

② 甲이 A가 심신상실 또는 항거불능의 상태에 있다고 인식하고 그러한 상태를 이용하여 간음할 의사로 A를 간음하였으나 실제로는 A가 심신상실 또는 항거불능의 상태에 있지 않았다면 甲에게 준강간죄의 장애미수가 성립한다.

③ 강도가 재물강취의 뜻을 재물의 부재로 이루지 못한 채 미수에 그쳤고 그 자리에서 항거불능의 상태에 빠진 피해자를 간음할 것을 결의하고 실행에 착수했으나 역시 미수에 그친 경우, 반항을 억압하기 위한 폭행으로 피해자에게 상해를 입혔다면 강도강간미수죄와 강도치상죄가 성립하고 양 죄는 상상적 경합관계에 있다.

④ 甲이 소송에서 주장하는 권리가 존재하지 않는 사실을 알고 있으면서도 법원을 기망한다는 인식을 가지고 소를 제기하였지만, 상대방의 주소를 허위로 기재함으로써 소장의 유효한 송달이 되지 않는 경우 소송사기의 실행의 착수가 인정되지 않는다.

해설 ① × : 중지미수 ×, 장애미수 ○(대판 2011.11.10, 2011도10539)
② × : 장애미수 ×, 불능미수 ○(대판 2019.3.28, 2018도16002 전원합의체)
③ ○ : 대판 1988.6.28, 88도820
④ × : ~ 소송사기의 실행의 착수가 인정된다(대판 2006.11.10, 2006도5811).

12 **미수에 관한 설명으로 가장 적절하지 않은 것은?**(다툼이 있는 경우 판례에 의함) **24. 순경 1차**

① 甲은 A가 술에 만취하여 심신상실 또는 항거불능의 상태에 있다고 인식하고 그러한 상태를 이용하여 간음할 의사로 A를 간음하였으나, 실제로는 A가 심신상실 또는 항거불능의 상태에 있지 않았던 경우, 甲에게는 준강간죄의 불능미수가 성립한다.

② 甲은 A가 운영하는 주점에서 양주를 절취할 목적으로 야간에 그 주점의 잠금장치를 뜯고 침입하여 주점 내 진열장에 있던 양주를 미리 준비한 바구니에 담던 중, A가 주점으로 돌아오는 소리가 들려 양주를 주점에 그대로 둔 채 도망가다가 A에게 붙잡히자 체포를 면탈하기 위해 A를 폭행한 경우, 甲에게는 준강도죄의 미수범이 성립한다.

③ 甲이 금품을 훔칠 목적으로 A의 집에 담을 넘어 침입한 후 부엌에서 금품을 물색하던 중 발각되어 도주한 경우, 甲에게는 절도죄의 실행의 착수가 인정되지 않는다.

④ 甲이 A를 강간하려고 속옷을 강제로 벗기고 음부를 만지던 중 A가 수술한 지 얼마 되지 않아 배가 아프다면서 애원하는 바람에 간음행위를 중단한 경우, 甲에게는 중지미수의 성립요건인 '자의성'이 인정되지 않는다.

해설 ① 대판 2019.3.28, 2018도16002 전원합의체 ② 대판 2004.11.18, 2004도5074 전원합의체
③ × : ~ 실행의 착수가 인정된다(대판 1987.1.20, 86도2199). ④ 대판 1992.7.28, 92도917

Answer **11.** ③ **12.** ③

13 예비·음모와 미수에 관한 설명 중 옳은 것을 모두 고른 것은?(다툼이 있는 경우 판례에 의함)

24. 변호사시험

> ㉠ 甲이 乙의 강도예비죄의 범행에 방조의 형태로 가담한 경우 甲을 강도예비죄의 방조범으로 처벌할 수 없다.
>
> ㉡ 형법상 음모죄의 성립을 위한 범죄실행의 합의가 있다고 하기 위하여는 단순히 범죄결심을 외부에 표시·전달하는 것만으로는 부족하고, 객관적으로 보아 특정한 범죄의 실행을 위한 준비행위라는 것이 명백히 인식되고, 그 합의에 실질적인 위험성이 인정되어야 한다.
>
> ㉢ 중지미수의 경우에는 법정형의 상한과 하한 모두를 2분의 1로 감경하는 반면, 장애미수의 경우에는 법익침해의 위험 발생 정도에 따라 법정형에 대한 감경을 하지 않거나 법정형의 하한만 2분의 1로 감경할 수 있다.
>
> ㉣ 실행의 착수가 있기 전인 예비나 음모의 행위를 처벌하는 경우 중지미수범의 관념을 인정할 수 없으므로, 예비단계에서 범행을 중지하더라도 중지미수범의 규정이 적용될 수 없다.
>
> ㉤ 甲이 피해자가 심신상실 또는 항거불능의 상태에 있다고 인식하고 그러한 상태를 이용하여 간음할 의사로 피해자를 간음하였으나 실행의 착수 당시부터 피해자가 실제로는 심신상실 또는 항거불능의 상태에 있지 않은 경우 甲이 행위 당시에 인식한 사정을 놓고 일반인이 객관적으로 판단하여 보았을 때 준강간의 결과가 발생할 위험성이 있었다면 준강간죄의 불능미수가 성립한다.

① ㉠, ㉡, ㉢   ② ㉠, ㉡, ㉣   ③ ㉡, ㉢, ㉤
④ ㉠, ㉡, ㉣, ㉤   ⑤ ㉠, ㉢, ㉣, ㉤

해설 ㉠ ○ : 대판 1979.11.27, 79도2201
㉡ ○ : 대판 1999.11.12, 99도3801
㉢ × : ~ (2줄) 감경을 하지 않거나, 법정형의 상한과 하한 모두를 2분의 1로 감경할 수 있는 것이지 하한만 2분의 1로 감경할 수 없다(대판 2021.1.21, 2018도5475 전원합의체).
㉣ ○ : 대판 1999.4.9, 99도424
㉤ ○ : 대판 2019.3.28, 2018도16002 전원합의체

제1절 공범이론

THEMA 10 임의적 공범과 필요적 공범

1. **임의적 공범**(형법 총칙상의 공범) : 1인이 단독으로 실행할 수 있는 범죄를 2인 이상이 협력하여 실현하는 경우(㉑ 공동정범, 간접정범, 교사범, 종범)

2. **필요적 공범** : 구성요건 자체가 처음부터 2인 이상이 참가해서만 실행할 수 있고, 1인이 단독으로는 실행이 불가능하도록 규정된 공범형태

   ① 집합범 : 다수의 행위자가 동일목표를 향하여 공동으로 작용함으로써 성립하는 범죄〔㉑ 다수인에게 동일한 법정형이 규정된 경우(소요죄, 다중불해산죄), 다수인에게 서로 다른 법정형이 규정된 경우(내란죄), 합동범(특수절도죄, 특수강도죄, 특수도주죄)〕 24. 해경간부, 25. 경찰승진

   ② 대향범 : 범죄성립상 2인 이상이 서로 대향적 행위를 통하여 동일목표를 지향하는 범죄형태

   　㉠ 동일한 법정형이 규정된 경우 : 도박죄, 인신매매죄, 아동혹사죄 15. 변호사시험, 17. 경찰간부

   　㉡ 서로 다른 법정형이 규정된 경우 : 수뢰죄와 증뢰죄, 배임수재죄와 배임증재죄, 도주죄와 도주원조죄 13. 법원행시, 23. 해경승진

   　㉢ 일방만이 처벌되는 경우 : 음화판매죄, 범인은닉죄, 촉탁·승낙살인죄, 자살교사·방조죄, 음행매개죄 24. 해경간부, 25. 경찰승진

⚖ **관련판례** : 필요적 공범(대향범)의 경우 반드시 가담자 모두 범죄가 성립되거나 같이 처벌받아야 하는 것은 아니다.

1. 뇌물공여죄가 성립되기 위하여서는 뇌물을 공여하는 행위와 상대방 측에서 금전적으로 가치가 있는 그 물품 등을 받아들이는 행위(부작위 포함)가 필요할 뿐이지 반드시 상대방 측에서 뇌물수수죄가 성립되어야만 한다는 것은 아니다(대판 1987.12.22, 87도1699). 17. 경찰간부, 18. 법원행시, 20. 경찰승진·7급 검찰, 21. 해경간부, 23. 해경승진

2. 배임수재죄와 배임증재죄는 통상 필요적 공범의 관계에 있기는 하나 이것은 반드시 수재자와 증재자가 같이 처벌받아야 하는 것을 의미하는 것은 아니고 증재자에게는 정당한 업무에 속하는 청탁이라도 수재자에게는 부정한 청탁이 될 수도 있는 것이다(대판 1991.1.15, 90도2257). 10. 경찰승진, 11. 순경, 15. 순경 3차 재물을 공여하는 자가 부정한 청탁을 하였다 하더라도 그 청탁을 받아들임이 없이 그 청탁과는 관계없이 금품을 받은 경우에는 배임수재죄는 성립하지 아니한다(대판 1982.7.13, 82도874). 09. 경찰승진

3. 정치자금을 기부한 자와 기부받은 자는 이른바 대향범(對向犯)인 필요적 공범관계에 있다. 이러한 공범관계는 행위자들이 서로 대향적 행위를 하는 것을 전제로 하는데, 각자의 행위가 범죄구성요건에 해당하면 그에 따른 처벌을 받을 뿐이고 반드시 협력자 전부에게 범죄가 성립해야 하는 것은 아니다. 정치자금을 기부하는 자의 범죄가 성립하지 않더라도 정치자금을 기부받는 자가 정치자금법이 정하지 않은 방법으로 정치자금을 제공받는다는 의사를 가지고 받으면 정치자금부정수수죄가 성립한다(대판 2017.11.14, 2017도3449). 18. 경찰승진, 21·22. 해경간부, 24. 9급 검찰·마약수사·철도경찰

4. 필요적 공범(**대향범**)이라는 것은 법률상 범죄의 실행이 다수인의 협력을 필요로 하는 것을 가리키는 것으로서 이러한 범죄의 성립에는 **행위의 공동을 필요로 하는 것에 불과하고 반드시 협력자 전부가 책임이 있음을 필요로 하는 것은 아니므로,** 오로지 공무원을 함정에 **빠뜨릴 의사로 직무와 관련되었다는 형식을 빌려 그 공무원에게 금품을 공여한 경우에도 공무원이 그 금품을 직무와 관련하여 수수한다는 의사를 가지고 받아들이면 뇌물수수죄가 성립한다**(대판 2008.3.13, 2007도10804). 15. 순경 3차, 16. 법원행시, 19·22. 변호사시험, 23. 경찰간부, 24. 경찰승진

5. 형사소송법(제253조 제2항)은 공범 사이의 처벌에 형평을 기하기 위하여 공범 중 1인에 대한 공소의 제기로 다른 공범자에 대하여도 공소시효가 정지되도록 규정하고 있는데, 여기에서 말하는 '공범'에는 **뇌물공여죄와 뇌물수수죄 사이와 같은 대향범 관계에 있는 자는 포함되지 않는다**(대판 2015.2.12, 2012도4842). 16. 법원행시, 22. 변호사시험, 23. 법원직

THEMA 11 　대향범(필요적 공범)에 형법 총칙상의 공범규정의 적용 여부

1. **내부참가자의 경우** : 뇌물공여죄와 뇌물수수죄 사이와 같은 이른바 **대향범** 관계에 있는 자는 강학상으로는 필요적 공범이라고 불리고 있으나, 서로 **대향된 행위의 존재를 필요로 할 뿐 각자 자신의 구성요건을 실현하고 별도의 형벌규정에 따라 처벌되는 것이어서,** 2인 이상이 가공하여 공동의 구성요건을 실현하는 공범관계에 있는 자와는 본질적으로 다르며, 대향범 관계에 있는 자 사이에서는 **각자 상대방의 범행에 대하여 형법 총칙의 공범규정이 적용되지 아니한다**(대판 2015.2.12, 2012도4842). 15. 경찰간부, 16. 법원행시, 22. 9급 검찰·마약수사·철도경찰

⚖️ 관련판례

1. 뇌물수수죄는 필요적 공범으로서 형법 총칙의 공범이 아니므로, 형법 제30조(공동정범)를 따로 적용하여야 하는 것이 아니다(대판 1971.3.9, 70도2536). 09. 경찰승진

2. 2인 이상의 서로 대향된 행위의 존재를 필요로 하는 대향범에 대하여는 공범에 관한 형법 총칙 규정을 적용할 수 없다(대판 2007.10.25, 2007도6712). 10. 경찰승진, 15. 사시, 16. 9급 검찰·마약수사 이러한 법리는 해당 처벌규정의 구성요건 자체에서 2인 이상의 서로 대향적 행위의 존재를 필요로 하는 필요적 공범인 대향범을 전제로 한다. 구성요건상으로는 단독으로 실행할 수 있는 형식으로 되어 있는데 단지 구성요건이 대향범의 형태로 실행되는 경우에도 대향범에 관한 법리가 적용된다고 볼 수는 없다. 23. 법원직, 24. 변호사시험·법원행시·경력채용, 25. 경찰승진 따라서 마약거래방지법 제7조 제1항에서 정한 '불법수익 등의 출처 또는 귀속관계를 숨기거나 가장하는 행위'는 처벌규정의 구성요건 자체에서 2인 이상의 서로 대향된 행위의 존재를 필요로 하지 않으므로 정범의 이러한 행위에 가담하는 행위에는 형법 총칙의 공범 규정이 적용된다(대판 2022.6.30, 2020도7866).

3. 대향범의 경우 일방만을 처벌하는 경우에 있어서 처벌되지 않는 자의 가담행위 ⇨ 공범 ×

   ① 매도, 매수와 같이 2인 이상의 서로 대향된 행위의 존재를 필요로 하는 관계에 있어서는 매도인에게 따로 처벌규정이 없는 이상 매도인의 매도행위는 그와 대향적 행위의 존재를 필요로 하는 상대방의 매수범행에 대하여 공범이나 방조범관계가 성립되지 아니한다(대판 2001.12.28, 2001도5158). 17. 변호사시험, 21. 법원직, 23. 해경승진, 24. 경찰승진

   ② 변호사가 변호사 아닌 자에게 고용되어 법률사무소의 개설·운영에 관여하는 행위가 일반적인 형법 총칙상의 공모, 교사 또는 방조에 해당된다고 하더라도 변호사를 변호사 아닌 자의 공범(변호사법 위반죄의 공범)으로서 처벌할 수는 없다(대판 2004.10.28, 2004도3994 ∵ 이런 경우 변호사법

에서 변호사 아닌 자를 처벌할 뿐 고용된 변호사는 처벌 ×). 16. 9급 검찰·마약수사, 17. 경찰간부, 18. 7급 검찰, 20. 법원직·순경 1차, 23. 해경승진·법원행시, 24. 경찰승진

③ 형법 제127조는 공무원 또는 공무원이었던 자가 법령에 의한 직무상 비밀을 누설하는 행위만을 처벌하고 있을뿐, 직무상 비밀을 누설받은 상대방을 처벌하는 규정이 없는 점에 비추어 볼 때, 직무상 비밀을 누설받은 자에 대하여는 공범에 관한 형법 총칙 규정이 적용될 수 없다(대판 2009.6.23, 2009도544). 17. 순경 2차·법원직, 19. 경찰간부·변호사시험, 20. 경찰승진, 22. 해경간부, 24. 9급 검찰

▶ 유사판례

1. 변호사 사무실 직원인 피고인 甲이 법원공무원인 피고인 乙에게 부탁하여, 수사 중인 사건의 체포영장 발부자 53명의 명단을 누설받은 경우(대판 2011.4.28, 2009도3642) ➡ 甲 : 무죄(∵ 피고인 乙이 직무상 비밀을 누설한 행위와 피고인 甲이 이를 누설받은 행위는 대향범 관계에 있으므로 공범에 관한 형법 총칙 규정이 적용 × ➡ 공무상 비밀누설죄의 교사범 ×), 乙 : 공무상 비밀누설죄의 정범 15. 변호사시험, 17. 경찰간부, 18. 법원직·9급 검찰·철도경찰, 21. 해경간부, 23. 법원행시

2. 세무사법의 직무상 비밀누설죄는 세무사 등이 직무상 비밀을 타인에게 누설하는 경우에 성립하는 범죄로, 세무사와 공모하여 세무사로부터 직무상 비밀(임대사업자 등의 인적사항, 사업자소재지가 기재된 서면)을 전달받은 세무사 등이 아닌 자는 해당 세무사법위반죄의 공동정범에 해당하지 않는다(대판 2007.10.25, 2007도6712). 17. 법원행시, 18. 7급 검찰, 20. 경찰승진, 23. 해경승진

3. 정보통신망인 국세청의 홈텍스시스템이나 자료상 연계분석시스템 등에 접근권한이 있는 세무공무원 甲이 위 시스템에 접속하여 과세정보자료를 취득한 후 乙에게 전달한 경우(대판 2017.6.19, 2017도4240) ➡ 甲 : 무죄(∵ 정보통신망을 이용하여 부정한 수단 또는 방법으로 과세정보자료를 취득하였다고 보기 어렵고, 위와 같이 취득한 과세정보자료를 유출하더라도 정보통신망에 의하여 처리·보관 또는 전송되는 타인의 비밀을 누설하는 경우에 해당한다고 보기 어렵다.), 乙 : 공동정범 ×(대향범 관계에 있으므로 공동정범으로 처벌할 수 없다.)

④ 의사가 직접 환자를 진찰하지 않고 처방전을 작성하여 교부한 행위와 대향범 관계에 있는 '처방전을 교부받은 행위'에 대하여 공범에 관한 형법 총칙 규정을 적용할 수 없다(대판 2011.10.13, 2011도6287 ∴ 의사 : 의료법 위반죄, 의사와 공모하거나 교사하여 처방전을 교부받은 자 : 무죄). 18. 경찰승진·변호사시험, 22. 해경간부

⑤ 종업원 소유 화물차를 자신의 가스배달업무에 제공하는 대가로 임금을 포함하여 매월 일정 금원을 지급하였다면, 자가용화물자동차를 유상으로 화물운송에 제공하는 행위를 처벌하는 구 화물자동차운수사업법 위반죄의 공동정범이 성립하지 않는다(대판 2011.4.14, 2008도6693 ∵ 자가용화물자동차를 유상으로 화물운송용에 제공하거나 임대한 자만을 처벌함). 18. 법원행시

⑥ 공인중개사법 처벌규정들이 중개행위를 처벌 대상으로 삼고 있을 뿐이므로, 중개의뢰인의 중개의뢰행위를 중개업자의 중개행위와 동일시하여 중개행위에 관한 공동정범 행위로 처벌할 수도 없다(대판 2013.6.27, 2013도3246).

⑦ '노동조합 및 노동관계조정법'에서 쟁의행위 기간 중 그 쟁의행위로 중단된 업무의 수행을 위하여 당해 사업과 관계없는 자를 채용 또는 대체하는 사용자만을 처벌할 뿐이므로, 사용자에게 채용 또는 대체되는 자의 행위에 대하여는 일반적인 형법 총칙상의 공범 규정을 적용하여 공동정범, 교사범 또는 방조범으로 처벌할 수 없다(대판 2020.6.11, 2016도3048). 24. 9급 검찰·마약수사·철도경찰

> ▶ **비교판례** : '재화 또는 용역을 공급하는 자가 허위의 매출처별 세금계산서합계표를 정부에 제출하는 행위'와 '재화 또는 용역을 공급받는 자가 허위의 매입처별 세금계산서합계표를 정부에 제출하는 행위'는 서로 대향된 행위의 존재를 필요로 하는 대향범의 관계에 있다고 할 수는 없으므로, 설령 재화 또는 용역을 공급받는 자가 이를 공급하는 자의 허위 매출처별 세금계산서합계표 제출행위에 가담하였다면 그 가담 정도에 따라 그 범행의 공동정범이나 교사범 또는 종범이 될 수 있다(대판 2014.12.11, 2014도11515). 21. 법원행시

2. 대향범에 외부에서 가담한 경우

① 대향범의 경우 외부에서 각 대향자에게 관여하는 자에게는 총칙상의 공범규정이 적용된다. 따라서 대향범의 경우에는 교사와 방조는 물론 공동정범에 관한 규정도 적용된다. 21. 순경 1차

② 이때 대향범이 신분범일 경우에는(⑩ 수뢰죄) 외부에서 관여하는 제3자에게 임의적 공범으로서 제33조('공범과 신분')가 적용된다.

③ 다만, 처벌되지 아니하는 대향자에 대한 관여행위는 공범규정이 적용되지 않는다(⑩ 금품 등을 공여한 자에게 따로 처벌규정이 없는 이상, 그 공여행위는 그와 대향적 행위의 존재를 필요로 하는 상대방의 범행에 대하여 공범관계가 성립되지 아니하고, 오로지 금품 등을 공여한 자의 행위에 대하여만 관여하여 그 공여행위를 교사하거나 방조한 행위도 상대방의 범행에 대하여 공범관계가 성립되지 아니한다 : 대판 2014.1.16, 2013도6969). 15. 9급 철도경찰, 16. 법원행시, 21. 경찰승진 · 해경 2차, 22. 변호사시험

---

01 다음 중 공범에 관한 설명으로 옳지 않은 것은 모두 몇 개인가?(다툼이 있는 경우 판례에 의함)
17. 경찰간부, 23. 해경승진

> ㉠ 변호사가 변호사 아닌 자에게 고용되어 법률사무소를 개설 · 운영하는 행위에 관여한 행위가 형법 총칙상의 교사, 방조에 해당될 경우 변호사를 변호사법 위반죄의 공범으로 처벌할 수 있다.
> ㉡ 변호사 사무실 직원인 피고인 甲이 법원공무원인 피고인 乙에게 부탁하여, 수사 중인 사건의 체포영장 발부자 53명의 명단을 누설받은 경우 공무상 비밀누설교사죄에 해당한다.
> ㉢ 뇌물공여죄가 성립되기 위하여는 뇌물을 공여하는 행위와 상대방이 뇌물을 받아들이는 행위가 필요할 뿐이지 반드시 상대방 측에서 뇌물수수죄가 성립되어야만 하는 것은 아니다.
> ㉣ 각 가담자에 대해 동일한 법정형이 부과되는 범죄로는 도박죄, 아동혹사죄, 배임수 · 증재죄 등이 있다.

① 1개　　　　② 2개　　　　③ 3개　　　　④ 4개

해설 ㉠ × : ~ 처벌할 수는 없다(대판 2004.10.28, 2004도3994).
㉡ × : ~ 해당하지 않는다(대판 2011.4.28, 2009도3642).
㉢ ○ : 대판 1987.12.22, 87도1699
㉣ × : 동일한 법정형(도박죄, 아동혹사죄), 다른 법정형(배임수 · 증재죄)

02 공범에 대한 설명으로 가장 적절하지 않은 것은?(다툼이 있는 경우 판례에 의함)

18. 경찰승진, 22. 해경간부

① 금품 등을 공여한 자에게 따로 처벌규정이 없는 이상, 그 공여행위는 그와 대향적 행위의 존재를 필요로 하는 상대방의 범행에 대하여 공범관계가 성립되지 아니하고, 오로지 금품 등을 공여한 자의 행위에 대하여만 관여하여 그 공여행위를 교사하거나 방조한 행위도 상대방의 범행에 대하여 공범관계가 성립되지 아니한다.

② 정치자금을 기부하는 자의 범죄가 성립하지 않으면 정치자금을 기부받는 자가 정치자금법이 정하지 않은 방법으로 정치자금을 제공받는다는 의사를 가지고 받더라도 정치자금 부정수수죄가 성립하지 아니한다.

③ 정범의 성립은 교사범의 구성요건의 일부를 형성하고 교사범이 성립함에는 정범의 범죄행위가 인정되는 것이 그 전제요건이 된다.

④ 의사가 직접 환자를 진찰하지 않고 처방전을 작성하여 교부한 행위와 대향범 관계에 있는 '처방전을 교부받은 행위'에 대하여 공범에 관한 형법 총칙 규정을 적용할 수 없다.

해설 ① 대판 2014.1.16, 2013도6969

② × : ~ 성립한다(대판 2017.11.14, 2017도3449 ∵ 대향범으로 협력자 전부에게 범죄가 성립해야 하는 것은 아님).

③ 대판 2000.2.25, 99도1252

④ 대판 2011.10.13, 2011도6287(∵ 의사 : 의료법 위반죄, 의사와 공모하거나 교사하여 처방전을 교부받은 자 : 무죄)

03 필요적 공범에 대한 설명 중 가장 적절한 것은?(다툼이 있는 경우 판례에 의함)　　20. 경찰승진

① 필요적 공범인 뇌물공여죄와 뇌물수수죄가 성립하기 위해서는 반드시 관여된 자 모두의 행위가 범죄로 성립되어야 하므로 일방에게 뇌물공여죄가 성립하려면 상대방 측에서 뇌물수수죄가 성립되어야 한다.

② 공무원이 직무상 비밀을 누설한 경우 형법 제127조의 공무상 비밀누설죄로 처벌이 되며, 그 대향범인 비밀누설을 받은 자는 형법 총칙의 공범규정이 적용되어 공무상 비밀누설죄의 공범이 된다.

③ 변호사 甲이 변호사 아닌 자에게 고용되어 법률사무소를 개설·운영하는 행위에 관여한 행위가 형법 총칙의 교사 방조에 해당할 경우 변호사 甲을 구 변호사법 제109조 제2호, 제34조 제4항 위반죄의 공범으로 처벌할 수 있다.

④ 甲이 세무사의 사무직원으로부터 그가 직무상 보관하고 있던 임대사업자 등의 인적사항, 사업자소재지가 기재된 서면을 교부받은 경우 구 세무사법상 직무상 비밀누설죄의 공동정범에 해당하지 않는다.

Answer　2. ②　3. ④

[해설] ① × : ~ (2줄) 범죄로 성립되어야 하는 것은 아니므로 일방에게 ~ 뇌물수수죄가 성립되어야 하는 것은 아니다(대판 1987.12.22, 87도1699).
② × : 형법 총칙의 공범규정 적용 × ⇨ 공무상 비밀누설죄의 공범 ×(대판 2009.6.23, 2009도544)
③ × : ~ 공범으로 처벌 ×(대판 2004.10.28, 2004도3994)
④ ○ : 대판 2007.10.25, 2007도6712

04 다음 사례에 관한 설명으로 가장 적절하지 않은 것은?(다툼이 있는 경우 판례에 의함)

20. 순경 1차

> 변호사가 아닌 甲은 변호사를 고용하여 법률사무소를 개설 운영하기 위해 평소 친분이 있는 회사원 丙을 찾아가 변호사를 소개해 달라고 부탁하였다. 이에 丙은 변호사 乙을 추천해 주었고, 변호사 乙은 甲의 제안을 승낙한 후 甲에게 고용되어 법률사무소를 개설하여 운영하는 데 참여하였다.

① 변호사법 제109조 제2호, 제34조 제4항은 변호사 아닌 자가 변호사를 고용하여 법률사무소를 개설 운영하는 행위를 처벌하도록 규정하고 있다.

② 甲이 변호사 乙을 고용하여 법률사무소를 개설 운영하는 행위에 있어서는 甲은 변호사 乙을 고용하고 乙은 甲에게 고용된다는 서로 대향적인 행위의 존재가 반드시 필요하다.

③ 甲에게 고용되어 법률사무소의 개설 운영에 관여한 변호사 乙의 행위가 일반적인 형법 총칙상의 공범에 해당된다고 하더라도 乙을 甲의 변호사법위반죄의 공범으로 처벌할 수는 없다.

④ 丙이 변호사 아닌 甲을 교사·방조한 경우에도 丙은 형법 총칙상의 공범규정이 적용될 여지가 없다.

[해설] ① 옳다.
②③ 대판 2004.10.28, 2004도3994
④ × : 대향범의 경우 외부자(丙)가 처벌되는 대향자(甲)에게 관여한 경우(교사·방조한 경우)에는 형법 총칙상의 공범규정이 적용된다.

05 **공범의 종류에 대한 설명으로 옳지 않은 것은?**(다툼이 있는 경우 판례에 의함)

24. 9급 검찰 · 마약수사 · 철도경찰

① 형법 제127조는 공무원 또는 공무원이었던 자가 법령에 의한 직무상 비밀을 누설하는 행위만을 처벌하고 있을 뿐 직무상 비밀을 누설받은 상대방을 처벌하는 규정이 없으므로, 직무상 비밀을 누설받은 자에 대하여는 공범에 관한 형법 총칙 규정을 적용하여 처벌할 수 없다.

② 뇌물공여죄와 뇌물수수죄 사이와 같은 이른바 대향범 관계에 있는 자는 서로 대향된 행위의 존재를 필요로 할 뿐 각자 자신의 구성요건을 실현하고 별도의 형벌규정에 따라 처벌되는 것이어서, 2인 이상이 가공하여 공동의 구성요건을 실현하는 공범관계에 있는 자와는 본질적으로 다르다.

③ 구 정치자금법 제45조 제1항의 정치자금을 기부한 자와 기부받은 자는 이른바 대향범인 필요적 공범관계에 있으므로, 정치자금을 기부하는 자의 범죄가 성립하지 않더라도 정치자금을 기부받는 자가 구 정치자금법이 정하지 않은 방법으로 정치자금을 제공받는다는 의사를 가지고 받으면 정치자금부정수수죄가 성립한다.

④ 쟁의행위 기간 중 그 쟁의행위로 중단된 업무의 수행을 위하여 당해 사업과 관계없는 자를 채용 또는 대체하는 사용자를 처벌하는 노동조합 및 노동관계조정법 제91조, 제43조 제1항을 사용자에게 채용 또는 대체되는 자의 행위에 대하여 일반적인 형법 총칙상의 공범 규정을 적용하여 동법 위반죄의 공동정범, 교사범 또는 방조범으로 처벌할 수 있다.

해설 ① 대판 2009.6.23, 2009도544

② 대판 2015.2.12, 2012도4842

③ 대판 2017.11.14, 2017도3449

④ × : '노동조합 및 노동관계조정법'에서 쟁의행위 기간 중 그 쟁의행위로 중단된 업무의 수행을 위하여 당해 사업과 관계없는 자를 채용 또는 대체하는 사용자만을 처벌할 뿐이므로, 사용자에게 채용 또는 대체되는 자의 행위에 대하여는 일반적인 형법 총칙상의 공범 규정을 적용하여 공동정범, 교사범 또는 방조범으로 처벌할 수 없다(대판 2020.6.11, 2016도3048).

THEMA 12

공범의 종속성설과 관련된 설명 중 옳은 것은 모두 몇 개인가?

㉠ 공범종속성설에 의하면 공범은 정범이 일정한 범죄성립요건을 구비한 때에 한하여 성립한다.
㉡ 공범종속성설은 형법 제31조 제2항·제3항(기도된 교사)을 특별규정으로 이해하고 있다.
㉢ 공범독립성설은 형법 제33조(공범과 신분) 단서를 원칙규정으로 보며, 같은 조 본문을 예외규정으로 파악한다.
㉣ 공범독립성설은 자살교사·방조를 처벌하는 형법 제252조 제2항을 당연규정으로 파악한다.
㉤ 공범독립성설은 간접정범의 정범성을 인정하나, 공범종속성설은 간접정범을 공범 속에 흡수해야 한다고 본다.

① 2개   ② 3개   ③ 4개   ④ 5개

도움말 **공범의 종속성 유무**

구 분	공범종속성설(통설·판례)	공범독립성설
의 의	공범이 성립하려면 정범(피교사자나 피방조자)의 실행행위가 있어야 한다는 것으로 공범의 성립은 정범의 성립에 종속한다는 견해이다. 23. 순경 1차	공범행위(교사행위·방조행위)는 그 자체가 반사회적인 범죄실행행위로서의 실질을 가지므로 정범의 실행행위가 없더라도 공범은 정범의 성립 여부와 관계없이 독립하여 성립한다는 견해이다.
논 거	범죄의 중점을 객관적·외부적인 행위에 두는 객관주의 범죄론(구파)의 공범이론이다.	범죄를 반사회적 성격의 징표로 보는 주관주의 범죄론(신파)의 공범이론이다.
공범의 미수 (제31조 제2항· 제3항)	공범은 정범의 실행행위가 있어야 종속적으로 성립되므로 정범의 행위가 미수(즉, 실행의 착수 이후)로 된 때에만 공범도 미수로 처벌된다. • 따라서 미수범(정범이 미수에 그친 경우)의 공범(예 미수의 교사)은 성립될 수 있으나 공범의 미수(예 교사의 미수, 교사행위 자체가 미수에 그쳐 정범이 실행행위로 나아가지 않는 경우)는 성립되지 아니한다. • 기도된 교사(제31조 제2항의 효과 없는 교사와 제31조 제3항의 실패한 교사)는 공범의 미수를 처벌하는 것으로 특별규정(예외규정)으로 본다.	교사행위·방조행위 그 자체가 범죄실행행위이므로 정범이 실행에 착수하지 않더라도 공범의 미수가 가능하다. • 따라서 미수범의 공범과 공범의 미수가 모두 가능하다. • 제31조 제2항·제3항은 공범의 미수를 처벌한 것으로 공범독립성설의 근거이자 당연규정이라고 본다.
간접정범 (제34조 제1항)	정범(피이용자 ; 피교사자나 피방조자)이 성립하지 않거나 처벌되지 않는 경우에 공범(이용자)도 처벌되지 않으므로 이용자를 처벌하기 위하여 간접정범의 개념을 인정하여 간접정범은 공범이 아니라 정범이다.	공범행위(교사·방조행위) 자체로 공범은 성립하고 처벌되므로 이용자는 정범이 아니라 공범이다. 즉, 간접정범은 정범이 아니라 공범이므로 간접정범의 개념을 부정한다.

공범과 신분 (제33조)	신분의 연대성을 규정한 제33조 본문을 당연규정으로 본다.	제33조 본문은 예외 규정이고 신분의 개별성을 규정한 제33조 단서가 원칙 규정이라고 본다.
자살 관여죄 (제252조 제2항)	자살이 범죄가 아님에도 불구하고 교사 · 방조자를 처벌하는 것은 공범종속성에 대한 예외로서 제252조 제2항을 특별규정으로 본다.	자살자의 처벌 여부와 관계없이 교사 · 방조자를 처벌하는 것은 공범독립성에 기초한 당연규정으로 제252조 제2항을 공범독립성설의 유력한 근거로 본다.
결 어	형법 제31조 제1항이 '타인을 교사하여 죄를 범하게 한 자'라고 규정하고, 제32조 제1항은 '타인의 범죄를 방조한 자'라고 규정한 점으로 보아 공범은 정범을 전제하고 있으며, 교사의 미수(제31조 제2항 · 제3항)를 미수범으로 처벌하지 않고 예비 · 음모에 준해 처벌한 것 등으로 보아 공범종속성설이 타당하다(통설 · 판례).	

⚖ **관련판례**

1. 정범의 성립은 교사범 · 방조범의 구성요건의 일부를 형성하고 교사범 · 종범이 성립함에는 먼저 정범의 범죄행위가 인정되는 것이 그 전제요건이 되는 것은 공범의 종속성에 연유하는 당연한 귀결이다(대판 1981.11.24, 81도2422). 22. 7급 검찰, 25. 경찰승진

2. 종범의 범죄는 정범의 범죄에 종속하여 성립하는 것이므로 사기방조죄는 정범인 본범의 사기 또는 사기미수의 증명이 없으면 사기방조죄도 그 증명이 없음에 돌아간다(대판 1970.3.10, 69도2492).

3. 교사범이 성립하기 위해서는 교사자의 교사행위와 정범의 실행행위가 있어야 하는 것이므로, 정범의 성립은 교사범의 구성요건의 일부를 형성하고 교사범이 성립함에는 정범의 범죄행위가 인정되는 것이 그 전제요건이 된다(대판 2000.2.25, 99도1252). 16. 9급 검찰 · 마약수사 · 법원행시, 21. 7급 검찰, 22. 해경간부

[해 설]

㉠㉡㉢㉣ 옳다. ㉤ × : 공범독립성설에 의하면 간접정범은 정범이 아니라 공범이므로 간접정범의 개념을 부정하나, 공범종속성설에 의하면 간접정범은 공범이 아니라 정범이다. ≫ ③

---

01 **공범종속성설의 논거나 주장을 모두 고른 것은?** 15. 사시

> ㉠ 범죄는 행위자의 반사회성의 징표이다.
> ㉡ 실패한 교사범(형법 제31조 제3항)을 처벌하고 있다.
> ㉢ 형법 제33조(공범과 신분)의 본문이 원칙규정이다.
> ㉣ 자살방조죄(형법 제252조 제2항)를 처벌하고 있다.
> ㉤ 공범의 본질은 타인의 구성요건실현에 가담하는 데 있다.

① ㉡, ㉣ ② ㉢, ㉤ ③ ㉠, ㉡, ㉣
④ ㉠, ㉢, ㉤ ⑤ ㉢, ㉣, ㉤

[해설] • **공범독립성설 :** ㉠㉡㉣
　　　　• **공범종속성설 :** ㉢㉤

THEMA 13

다음 설명 중 옳은 것은?

① 제한적 종속형식에 의하면 甲이 13세인 乙에게 절도행위를 교사한 경우에는 甲에게 절도교사죄가 성립될 수 없다.

② 甲이 乙을 교사하여 乙의 아버지의 물건을 훔쳐오게 한 경우에 극단적 종속형식에 따르면 甲에게 절도교사죄가 성립되지 않는다.

③ 형사미성년자를 교사하여 절도를 행하게 한 경우 교사자는 극단적 종속형식에 의하면 절도교사죄가 성립하지 않고, 최극단 종속형식에 의하더라도 절도교사죄가 성립하지 않는다.

④ 행사의 목적 없는 타인을 교사하여 사문서를 위조하게 한 경우 최소한 종속형식에 의하면 사문서위조교사죄가 성립할 수 있지만 제한적 종속형식에 의하면 사문서위조교사죄가 성립할 수 없다.

도움말 **공범의 종속형식(M. E. Mayer)**

학 설	내 용
최소한 종속형식	정범의 행위가 **구성요건에 해당**하기만 하면 그 행위가 위법·유책하지 않은 경우에도 공범이 성립한다는 종속형식이다. 이에 의하면 적법행위(위법하지 않은 행위)를 교사한 경우 정범은 처벌할 수 없는데, 공범은 처벌되는 결과가 되어 부당하다. ⑩ 폭행의 고의로 친권자를 교사하여 미성년자를 징계하도록 한 경우 ⇨ 친권자(정범)는 무죄(∵ 위법성 ×), 교사자는 폭행죄의 교사범
제한적 종속형식 (통설·판례)	정범의 행위가 **구성요건**에 해당하고 **위법**하면 공범이 성립하고 정범의 행위가 책임성까지 있어야 할 필요는 없다는 종속형식이다. 이에 의하면 책임무능력자를 교사한 경우 교사자는 공범(교사범)이 된다. 17. 변호사시험, 21. 순경 1차, 22. 경력채용 ⑩ 12세의 어린이에게 절도행위를 시켰을 경우 ⇨ 절도죄의 교사범
극단적 종속형식	정범의 행위가 **구성요건**에 해당하고 **위법·유책**해야만, 즉 범죄의 성립요건을 완전히 구비해야만 공범이 성립한다는 종속형식이다. 이에 의하면 책임무능력자를 교사한 경우 교사자는 공범(교사범)이 될 수 없고 간접정범이 된다. 19. 경찰간부·순경 2차 ⑩ 13세된 중학생을 부추겨 학교실험실에 있는 물건을 절취해 오도록 한 경우 ⇨ 절도죄의 교사범 ×, 절도죄의 간접정범
초(최)극단 종속형식 (확장적 종속형식)	정범의 행위가 **구성요건**에 해당하고 **위법·유책**할 뿐만 아니라 **가벌성의 조건**까지 모두 갖추어야 공범이 성립한다는 종속형식이다. 이에 의하면 정범자의 신분관계로 인하여 형이 가중·감경되는 것까지 공범의 성립에 영향을 미치므로 타당하지 않다.

해설

① × : 乙의 행위가 구성요건에 해당하고 위법하므로 甲에게 절도교사죄가 성립될 수 있다.

② × : 乙의 행위가 구성요건에 해당하고 위법·유책하므로 甲에게 절도교사죄가 성립한다.

③ ○ : 극단종속형식과 최극단종속형식은 책임 없는 자를 교사했을 때 교사범의 성립을 인정하지 않는다. ④ × : 피교사자인 타인에게 사문서위조죄의 구성요건해당성이 인정되지 않으므로 최소한 종속형식의 입장, 제한적 종속형식의 입장 모두 사문서위조교사죄가 성립하지 않는다. » ③

01 공범에 대한 설명 중 옳은 것(○) 옳지 않은 것(×)을 순서대로 바르게 나열한 것은?

14. 9급 검찰 · 마약수사 · 철도경찰, 20. 해경 1차

> ㉠ 단일정범개념에 대해서는 가벌성의 확대를 초래한다는 비판이 있다.
> ㉡ 제한적 정범개념에 의하면 공범규정은 형벌제한사유가 된다.
> ㉢ 공범종속성설은 유력한 근거로 이른바 '기도된 교사'를 규정한 형법 제31조 제2항을 든다.
> ㉣ 책임가담설에 대해서는 책임의 연대성을 인정하므로 개인 책임의 원칙에 반한다는 비판이 있다.
> ㉤ 공범종속성설 중 극단적 종속형식에 의하면 정범의 행위가 구성요건에 해당하고 위법하며 유책할 뿐만 아니라 가벌성의 조건(처벌조건)까지 모두 갖추어야 공범이 성립할 수 있다.

① ㉠(○), ㉡(×), ㉢(×), ㉣(○), ㉤(×)
② ㉠(×), ㉡(×), ㉢(×), ㉣(○), ㉤(×)
③ ㉠(○), ㉡(×), ㉢(○), ㉣(○), ㉤(○)
④ ㉠(×), ㉡(○), ㉢(○), ㉣(×), ㉤(○)

해설 ㉠ ○ : 단일정범개념은 구성요건실현에 기여한 자들을 모두 정범으로 간주하여 범죄 관여의 질적 · 양적 차이를 무시하여 처벌이 확대될 우려가 있다. 현행 형법은 단일정범체계가 아니라 공범 · 정범 분리형식(제2장 제3절 '공범')을 취하고 있다.
㉡ × : ~ 형벌확장(제한 ×)사유가 된다.
㉢ × : ~ 공범독립성설(공범종속성설 ×)은 ~ 든다.
㉣ ○ : 옳다. ㉤ × : ~ 위법하며 유책하면 공범이 성립할 수 있고 가벌성의 조건(처벌조건)까지 갖추어야 하는 것은 아니다.

02 공범에 관한 설명 중 가장 옳지 않은 것은?(다툼이 있는 경우 판례에 의함)

19. 경찰간부

① 공범종속성설에 따르면, 기도된 교사(제31조 제2항 효과 없는 교사와 제31조 제3항 실패한 교사)는 공범의 미수를 처벌하는 것으로서 당연규정(원칙규정)으로 본다.
② 극단적 종속형식에 따르면, 甲이 乙(만13세)을 부추겨 교회에 있는 시계를 절취해 오도록 한 경우 甲은 절도죄의 간접정범이 된다.
③ 거래상대방의 대향적 행위의 존재를 필요로 하는 유형의 배임죄에 있어서 거래상대방이 배임행위를 교사하거나 그 배임행위의 전 과정에 관여하는 등으로 배임행위에 적극 가담함으로써 그 실행행위자와의 계약이 반사회적 법률행위에 해당하여 무효로 되는 경우라면 그 상대방은 배임죄의 교사범 또는 공동정범이 될 수 있다.
④ 형법 제127조는 공무원 또는 공무원이었던 자가 법령에 의한 직무상 비밀을 누설하는 행위만을 처벌하고 있으므로 직무상 비밀을 누설받은 자에 대하여는 공범에 관한 형법 총칙 규정이 적용될 수 없다.

해설 ① × : 공범종속성설 ⇨ 당연규정(원칙규정) ×, 특별규정(예외규정) ○
② ○ : 옳다. ③ ○ : 대판 2005.10.28, 2005도4915
④ ○ : 대판 2009.6.23, 2009도547

03 ㉠부터 ㉤까지는 정범과 공범의 구별에 관한 학설에 대한 설명이다. 옳고 그름의 표시(○, ×)가 바르게 된 것은?   21. 순경 2차

> ㉠ '구성요건상의 실행행위의 전부 또는 일부를 스스로 하는 자'를 정범, '구성요건적 행위 이외의 행위로써 구성요건실현에 기여하는 자'를 공범으로 보는 형식적 객관설에 따르면, 간접정범을 정범으로 인정하기 어렵다.
> ㉡ '스스로 구성요건상의 정형적 행위를 한 자'만을 정범으로 이해하는 제한적 정범개념에 따르면, 형법 제31조, 제32조는 형벌확장사유로서 정범 이외에 특별히 공범의 처벌을 인정하는 규정이다.
> ㉢ '정범자의 의사로 행위한 자'는 정범, '공범자의 의사로 행위한 자'는 공범이라는 의사설에 따르면, 청부살인업자는 구성요건적 행위를 스스로 모두 수행하기에 항상 정범이 된다.
> ㉣ '자기 자신의 이익을 위한 목적으로 행위한 자'는 정범, '타인의 이익을 위한 목적으로 행위한 자'는 공범이라는 이익설에 따르면, 제3자를 위하여 강도행위를 한 자는 공범이 된다.
> ㉤ 행위지배설에 따르면, 이용자가 자신의 우월한 지위에 의하여 피이용자를 수중에 두고 도구처럼 그의 의사를 조종(지배)하여 그로 하여금 범죄를 행하게 하면 행위지배가 인정되어 정범이 된다.

① ㉠(×), ㉡(○), ㉢(×), ㉣(○), ㉤(×)
② ㉠(○), ㉡(×), ㉢(○), ㉣(○), ㉤(○)
③ ㉠(○), ㉡(○), ㉢(×), ㉣(○), ㉤(○)
④ ㉠(○), ㉡(○), ㉢(×), ㉣(×), ㉤(○)

해설 ㉠ ○ : 옳다(∵ 간접정범은 실행행위의 전부 또는 일부를 스스로 하는 자가 아님).
㉡ ○ : 옳다〔∵ 교사범, 종범은 스스로 구성요건상의 정형적 행위를 한 자가 아님에도 불구하고 제31조(교사범), 제32조(종범)로 처벌됨〕.
㉢ × : 의사설에 따르면 청부살인업자가 정범자의 의사(자기의 범죄로 실현하고자 하는 의사)로 행위한 경우에는 정범이 되나, 살인을 청부한 자의 공범자의 의사(타인의 범죄에 가담할 의사)로 행위한 경우에는 정범이 아닌 공범이 된다.
㉣ ○ : 옳다〔∵ 제3자를 위하여 강도행위를 한 자는 '타인(제3자)의 이익을 위한 목적으로 행위한 자'임〕.
㉤ ○ : 옳다〔직접정범(단독정범) ⇨ 실행지배, 간접정범 ⇨ 의사지배(㉤), 공동정범 ⇨ 기능적 행위지배〕.

04 가담형태에 관한 설명으로 가장 적절한 것은?(다툼이 있는 경우 판례에 의함)   25. 경찰승진
① 형법은 범죄구성요건을 실현하는 데에 어떤 형태로든 기여한 자 모두를 정범으로 인정하는 단일정범체계를 취한다.
② 가담자들이 공동의 목표를 위하여 의사방향이 일치된 형태로 범죄를 실현하도록 되어 있는 범죄구성요건인 집단범의 경우 각 가담자에 대하여는 가담 정도와 상관없이 동일한 법정형이 부과된다.
③ 필요적 공범이 성립하기 위해서는 행위를 공동으로 할 뿐만 아니라 관여자 모두의 행위가 범죄로 성립되어야 한다.

④ 대향범에 대하여 공범에 관한 형법총칙 규정이 적용될 수 없으나, 이러한 법리가 구성요 건상으로는 단독으로 실행할 수 있는 형식으로 되어 있는데 단지 구성요건이 대향범의 형태로 실행되는 경우에는 적용되지 않는다.

[해설] ① × : 형법은 단일정범체계가 아니라 정범·공범분리형식을 취하고 있다(제2장 제3절 공범).
② × : ~ (2줄) 집단범(집합범)의 경우 다수인에게 동일한 법정형이 규정된 경우(소요죄, 다중불해산죄)와 서로 다른 법정형이 규정된 경우(내란죄)가 있다.
③ × : 필요적 공범(대향범)이 성립하기 위해서 관여자 모두의 행위가 범죄로 성립되어야 하는 것은 아니다 (∵ 일방만이 처벌되는 경우 : 음화판매죄, 범인은닉죄, 음행매개죄 등).
④ ○ : 대판 2022.6.30, 2020도7866

05 공범의 종속성에 관한 설명으로 가장 적절하지 않은 것은?(다툼이 있는 경우 판례에 의함)

25. 경찰승진

① 정범의 성립은 교사범, 방조범의 구성요건의 일부를 형성하고 교사범, 방조범이 성립함 에는 먼저 정범의 범죄행위가 인정되는 것이 그 전제요건이 되는 것은 공범의 종속성에 연유하는 당연한 귀결이다.
② 종범은 정범의 실행행위 중에 이를 방조하는 경우는 물론이고 실행의 착수 전에 장래의 실행행위를 예상하고 이를 용이하게 하는 행위를 하여 방조한 경우에도 정범이 그 실행 행위에 나아갔다면 성립한다.
③ 공범종속성설에 따르면, 형법상 효과 없는 교사(제31조 제2항)와 실패한 교사(제31조 제3항)는 공범의 미수를 처벌하는 것으로 당연규정이라 이해한다.
④ 종속의 정도에 대한 극단종속형식에 따르면, 14세 미만자를 부추겨 교회에 있는 시계를 절취해 오도록 한 자는 절도죄의 공범이 아니라 간접정범이 될 수 있을 뿐이다.

[해설] ① 대판 1981.11.24, 81도2422
② 대판 1997.4.17, 96도3377
③ × : ~ 것으로 예외규정(특별규정)이라 이해한다.
④ 옳다.

제2절 공동정범

관련조문

제30조【공동정범】 2인 이상이 공동하여 죄를 범한 때에는 각자를 그 죄의 정범으로 처벌한다.

THEMA 14 '공동정범의 성립요건' 총정리

공동정범이 성립하기 위하여는 주관적 요건인 공동가공의 의사와 객관적 요건인 공동의사에 의한 기능적 행위지배를 통한 범죄의 실행사실이 필요하다. 공동가공의 의사는 타인범행을 인식하고 이를 제재하지 아니하거나 용인한 것만으로는 부족하고 공동의 의사로 특정한 범죄행위를 하기 위하여 일체가 되어 서로 다른 사람의 행위를 이용하여 자기의 의사를 실행에 옮기는 것을 내용으로 하는 것이어야 한다(대판 2001.11.9, 2001도4792). 17. 법원행시 · 순경 1차, 21. 경찰승진, 23. 해경승진 · 해경 3차, 24. 변호사시험 · 경력채용 · 순경 2차, 25. 9급 검찰 · 마약수사 · 철도경찰

1. 주관적 요건

• **공동가공의 의사가 있다고 보지 않는 경우 ⇨ 공동정범 ×**

1. "오토바이를 훔쳐오면 내가 사 주겠다."고 말한 경우(대판 1997.9.30, 97도1940), "황소를 훔쳐오면 문제없이 팔아주겠다."고 말한 것(대판 1975.2.25, 74도2228) 13. 9급 검찰 · 마약수사 · 철도경찰

2. 전자제품(캠코더) 등을 밀수입해 올 테니 팔아달라는 제의를 받고 승낙한 경우(대판 2000.4.7, 2000도576) 11. 경찰승진, 18. 경찰간부

3. 피해자 일행을 한 사람씩 나누어 강간하자는 동료들의 제의에 아무런 대답도 하지 않고 따라다니다가 자신의 강간 상대방으로 남겨진 사람에게 신체적 접촉도 시도 않고 다른 일행이 인근 숲속에서 강간을 마칠 때까지 이야기만 나눈 경우(대판 2003.3.28, 2002도7477) 16. 순경 2차, 23. 경찰승진, 24. 해경승진 · 경위공채

4. 여권위조행위에 가담한 것만으로는 공동가공의 의사로 밀항행위에까지 가담하였다고 볼 수 없다(대판 1998.9.22, 98도1832).

5. 회사의 고문이었던 피고인이 대표이사로부터 회사의 금원으로 사건을 무마하겠다는 보고를 받고도 아무런 말도 없이 창밖만 쳐다보았는데, 대표이사는 피고인이 동의한 것으로 알고 회사 돈을 제3자에게 준 경우(대판 1999.9.17, 99도2889) 21. 해경승진

☑ **주의** : 공동가공의사는 행위자 상호간에 있어야 하며, 일방의 가공의사만으로는 공동정범이 성립하지 않는다(대판 1985.5.14, 84도2118). ⇨ 편면적 공동정범 부정, 동시범 또는 종범의 성립이 문제될 뿐임. 15. 순경 3차, 16. 7급 검찰 · 철도경찰, 21. 해경승진 · 순경 3차, 23. 경찰승진 · 법원행시 · 해경 3차

① 의사연락의 방법 : 의사의 연락방법은 명시적이든 묵시적이든 불문하며(대판 1987.10.13, 87도1240), 공동행위자 전원이 일정한 장소에 모여 직접 모의할 것을 요하지도 않는다. 따라서 직접적이든 간접적이든(릴레이식 · 연쇄적) 불문한다(대판 1985.8.20, 83도2575). 22. 9급 검찰 · 마약수사 · 철도경찰 즉, 공동정범은 상호간에 면식이 있음을 요하지 않고 단순히 자기 이외에 다른 사람이 공동으로 죄를 범한다는 사실을 인식하면 족하다.

2인 이상이 범죄에 공동 가공하는 공범관계에서 공모는 법률상 어떤 정형을 요구하는 것이 아니고 2인 이상이 공모하여 범죄에 공동 가공하여 범죄를 실현하려는 의사의 결합만 있으면 충분하다. 비록 전체의 모의과정이 없더라도 여러 사람 사이에 순차적으로 또는 암묵적으로 의사의 결합이 이루어지면 공모관계가 성립한다. 이러한 공모관계를 인정하기 위해서는 엄격한 증명이 요구되지만, 피고인이 범죄의 주관적 요소인 공모관계를 부인하는 경우에는 사물의 성질상 이와 상당한 관련성이 있는 간접사실 또는 정황사실을 증명하는 방법으로 이를 증명할 수밖에 없다(대판 2018.4.19, 2017도14322 전원합의체 21. 변호사시험, 22. 해경간부, 23. 경찰간부 ⓔ 사기의 공모공동정범이 그 기망방법을 구체적으로 몰랐다고 하더라도 공모관계를 부정할 수 없다 : 대판 2013.8.23, 2013도5080). 16. 사시, 19. 순경 2차, 21. 경찰간부 · 순경 1차, 22. 9급 검찰 · 마약수사 · 철도경찰 · 해경간부, 24. 경찰승진

범인 전원이 동일일시, 동일장소에서 모의하지 아니하고 순차적으로 범의의 연락이 이루어짐으로써 그 범의내용에 대하여 포괄적 또는 개별적 의사의 연락이나 인식이 있었다면 범인 전원의 공모관계가 있다(대판 1988.6.14, 88도592). 18. 경찰승진 · 9급 검찰 · 마약수사, 21. 변호사시험

이와 같은 공모에 대하여는 직접증거가 없더라도 정황사실과 경험법칙에 의하여 이를 인정할 수 있고, 상명하복 관계에 있는 자들 사이에 있어서도 범행에 공동 가공한 이상 공동정범이 성립하는 데 아무런 지장이 없는 것이다(대판 2012.1.27, 2010도10739). 15. 9급 검찰 · 마약수사 · 철도경찰, 21. 변호사시험, 22. 해경간부, 23. 해경승진, 24. 경찰승진

▶ **유사판례** : 도로교통법 위반(공동위험행위) 범행에서는 '2명 이상이 공동으로' 범행에 가담하는 것이 구성요건의 내용을 이루기 때문에 행위자의 고의의 내용으로서 '공동의사'가 필요하고, 위와 같은 공동의사는 반드시 위반행위에 관계된 운전자 전부 사이의 의사 연락이 필요한 것은 아니고 다른 사람에게 위해를 끼치거나 교통상의 위험을 발생하게 하는 것과 같은 사태의 발생을 예견하고 그 행위에 가담할 의사로 족하다. 또한 공동의사는 사전 공모뿐 아니라 현장에서의 공모에 의한 것도 포함된다(대판 2021.10.14, 2018도10327).

● **공모관계를 인정한 경우 ⇨ 공동정범 ○**

1. 이른바 딱지어음을 발행하여 매매한 이상 사기의 실행행위에 직접 관여하지 아니하였다고 하더라도 공동정범으로서의 책임을 면하지 못하고, 딱지어음의 전전유통경로나 중간 소지인들 및 그 기망방법을 구체적으로 몰랐다고 하더라도 공모관계를 부정할 수는 없다(대판 1997.9.12, 97도1706). 15. 순경 2차 · 9급 검찰 · 마약수사 · 철도경찰, 17. 순경 1차, 22. 해경간부

2. 입시부정행위를 지시한 자가 부정행위의 방법으로서 사정위원들의 업무를 방해할 것을 특정하거나 명시하여 지시하지 않았더라도 업무방해죄의 공동정범에 해당한다(대판 1994.3.8, 93도3154 ⓔ 사립대학 이사장인 甲은 대학의 간부인 乙에게 지시하여 乙의 주도하에 편입학 부정행위 및 입학시험점수 날조 등의 방법으로 일부학생을 부정입학 시킨 경우, 甲도 업무방해죄의 공모공동정범이 성립된다). 10. 9급 검찰, 11. 경찰승진

3. 허위작성된 유가증권을 피교부자가 그것을 유통하게 한다는 사실을 인식하고 교부한 때에는 허위작성유가증권행사죄에 해당하고, 행사할 의사가 분명한 자에게 교부하여 그가 이를 행사한 때에는 허위작성유가증권행사죄의 공동정범이 성립된다(대판 1995.9.29, 95도803).

4. 피고인 甲이 평소 잘 알고 지내던 乙과 범행 당일 만나 함께 을왕리 해수욕장에 가기로 약속한 다음 서로 수회 전화통화를 주고받으며 각자 자동차를 운전하여 출발한 후, 인천공항고속도로에서 합류하여 함께 주행하면서 여러 구간에서 앞뒤로 또는 좌우로 줄지어 제한속도를 현저히 초과하여 주행한 경우 ⇨ 도로교통법 위반(공동위험행위)죄 ○(대판 2021.10.14, 2018도18045 ∵ 피고인 甲과 乙에게는 공동 위험행위에 관한 공동의사가 있었음)

② 의사연락의 성립시기 : 의사연락은 미리 공모하여 사전(행위 이전)에 있었음을 요하지 않으며, 공동의사의 성립시기에 따라 다음과 같이 구별된다. 02. 9급 검찰

- 공모공동정범(예모공동정범) : 공동실행의 의사(의사의 연락)가 실행행위 이전에 성립한 경우로 실행행위를 분담하지 않는 자의 공동정범 인정 여부가 문제된다.
- 우연적 공동정범 : 공동실행의 의사(공동의 범행결의)가 실행행위시에 성립한 경우를 말한다(공동정범이 성립하기 위하여는 반드시 공범자 간에 사전에 모의가 있어야 하는 것은 아니며, 우연히 만난 자리에서 서로 협력하여 공동의 범의를 실현하려는 의사가 암묵적으로 상통하여 범행에 공동가공하더라도 공동정범은 성립된다 : 대판 1984.12.26, 82도1373). 17. 순경 1차, 18. 순경 3차, 20. 경찰승진, 21. 변호사시험 · 경찰간부, 22. 9급 검찰 · 마약수사 · 철도경찰, 23. 해경승진 · 7급 검찰 · 순경 2차, 25. 해경경위
- 승계적 공동정범 : 공동실행의 의사가 실행행위 도중, 즉 실행행위의 일부 종료 후 그 기수 이전에 성립한 경우를 말한다.

2. 객관적 요건 : 공동실행의 사실(공동가공의 사실)

① 공동의 실행행위는 실행의 착수 이후부터 기수가 아닌 범행의 실질적 종료 이전까지 존재하면 되고, 동시에 행하여지든 이시에 행하여지든 불문하나, 범죄의 실행착수 이전의 예비 · 음모단계에서 기여한 행위는 공동정범의 실행행위가 될 수 없다.

② 공동정범 각자가 구성요건 전부를 실행한 경우는 물론, 구성요건 일부를 실행한 경우에도 행위기여가 인정되어 공동정범이 성립한다(일부실행 · 전부책임).

⚖️ **관련판례**

1. 다른 공범자가 강간하고 있는 동안 피해자가 반항 못하도록 입을 막고 주먹으로 얼굴을 때린 경우 ⇨ 강간죄의 공동정범(대판 1984.6.12, 84도780) 15. 경찰간부
2. 강도범행 후 다른 공범자가 신고를 막기 위해 피해자를 옆방으로 끌고가 강간할 때에 피해자의 자녀들을 감시한 경우 ⇨ 강도강간죄의 공동정범(대판 1986.1.21, 85도2411) 12. 법원행시

③ 구성요건에 해당하는 행위가 아니더라도 전체적으로 볼 때 범죄를 실현하는 데 불가결한 기능적 역할분담을 한 경우에는 공동실행의 행위기여가 인정되어 공동정범이 성립한다(공모에 의한 범죄의 공동실행은 모든 공범자가 스스로 범죄의 구성요건을 실현하는 것을 전제로 하지 아니하고, 그 실현행위를 하는 공범자에게 그 행위결정을 강화하도록 협력하는 것으로도 가능하다 : 대판 2006.12.22, 2006도1623). 16. 순경 2차, 20. 해경승진, 21. 경찰승진

⚖️ **관련판례**

1. 업무상 배임죄의 실행으로 인하여 이익을 얻게 되는 수익자 또는 그와 밀접한 관련이 있는 제3자를 배임의 실행행위자와 공동정범으로 인정하기 위하여는 실행행위자의 행위가 피해자 본인에 대한 배임행위에 해당한다는 것을 알면서도 소극적으로 그 배임행위에 편승하여 이익을 취득한 것만으로는 부족하고, 실행행위자의 배임행위를 교사하거나 또는 배임행위의 전 과정에 관여하는 등으로 배임행위에 적극 가담할 것을 필요로 한다(대판 2007.4.12, 2007도1033). 17. 법원행시, 19. 경찰간부 · 경찰승진, 23. 해경승진, 25. 순경 1차
2. 부하들이 흉기를 들고 싸움을 하고 있는 도중에 폭력단체의 두목급 수괴 甲이 사건 현장에서 "전부 죽여 버리라."고 고함을 치자, 그 부하들이 피해자들을 난자하여 사망케 한 경우 ⇨ 살인죄의 공동정범(대판 1987.10.13, 87도1240) 09. 9급 검찰, 16. 경찰승진
3. 乙이 위조된 부동산임대차계약서를 담보로 제공하고 A로부터 돈을 빌려 편취할 것을 계획하면서 甲에게 미리 전화를 하여 임대인 행세를 하여달라고 부탁하였고, 甲은 그 사정을 잘 알면

서도 임대인인 것처럼 행세하여 전세금액 등을 확인한 경우 甲에게 위조사문서행사죄의 공동정범(방조범 ×)이 성립한다(대판 2010.1.28, 2009도10139 ∵ 기능적 행위지배의 공동정범 요건을 갖추었음). 12. 순경 2차, 18. 7급 검찰

4. 특수강도의 범행을 모의한 후 범행실행에 가담하지 아니하고 강취해 온 장물의 처분을 알선만 한 경우 ⇨ 특수강도죄의 공동정범(대판 1983.2.22, 82도3103 ∴ 장물알선죄 ×) 19. 철도경찰

5. 화염병과 돌맹이들을 진압 경찰관을 향하여 무차별 던지는 시위 현장에 적극 참여하여 돌맹이를 던지는 등의 행위로 다른 사람의 화염병 투척을 용이하게 한 경우 비록 자신이 직접 화염병 투척의 행위는 하지 아니하였다 하더라도 그 화염병 투척(사용)의 공동정범이 된다(대판 1992. 3.31, 91도3279). 05. 9급 검찰

6. 피고인들이 업무방해죄를 범할 의사 없이 광고중단 압박운동에 참여한 사람들을 자신들의 위력 행사에 이용한 행위는 이른바 간접정범을 통하여 그 범행을 실행한 것으로 코아야 할 것이고, 피고인들의 경우 위와 같은 간접정범 형태의 범행에 대하여도 주관적 요건으로서 공모와 객관적 요건으로서 기능적 행위지배가 인정되는 이상 피고인들은 결국 이 부분 범행의 실행에 대하여도 공동정범으로서 의 죄책을 면할 수 없다(대판 2013.3.14, 2010도410).

④ 부작위범 사이의 공동정범은 다수의 부작위범에게 공통된 의무가 부여되고 있고 그 의무를 공통으로 이행할 수 있을 때에만 성립한다(대판 2008.3.27, 2008도89). 09. 사시, 12. 순경 2차, 13. 7급 검찰, 15. 순경 3차, 17. 변호사시험, 22. 법원행시

Ⓥ 주권상장법인의 주식 등 대량보유·변동·변경 보고의무 위반으로 인한 자본시장법 위반죄는 구성요건이 부작위에 의해서만 실현될 수 있는 진정부작위범에 해당한다. 진정부작위범인 주식 등 대량보유·변동·변경 보고의무 위반으로 인한 자본시장법 위반죄의 공동정범은 그 의무가 수인에게 공통으로 부여되어 있는데도 수인이 공모하여 전원이 그 의무를 이행하지 않았을 때 성립할 수 있다(대판 2022.1.13, 2021도11110). 22. 순경 1차

⑤ 범죄의 실행에 가담한 사람이라고 할지라도 그가 공동의 의사에 따라 다른 공범자를 이용하여 실현하려는 행위가 자신에게는 범죄를 구성하지 않는다면, 특별한 사정이 없는 한 공동정범의 죄책을 진다고 할 수 없다(대판 2017.4.26, 2013도12592 Ⓥ 자기 자신을 무고하기르 제3자와 공모하고 이에 따라 무고행위에 가담하였더라도 이는 자기 자신에게는 무고죄의 구성요건에 해당하지 않아 범죄가 성립할 수 없는 행위를 실현하고자 한 것에 지나지 않아 무고죄의 공동정범으로 처벌할 수 없다). 17. 법원행시, 18. 순경 3차, 19. 7급 검찰, 18·20. 경찰간부

▶ **유사판례** : 피고인 자신이 직접 형사처분을 받게 될 것을 두려워한 나머지 자기의 이익을 위하여 그 증거가 될 자료를 은닉하였다면 증거은닉죄에 해당하지 않고, 제3자와 공동하여 그러한 행위를 하였다고 하더라도 마찬가지이다(대판 2018.10.25, 2015도1000 ∴ 증거은닉죄의 공동정범 ×). 20·22. 법원행시, 23. 경찰간부

⑥ 공동정범 중 어느 한 사람이 실행행위를 직접 개시한 순간부터 공동정범 모두에 대해 실행의 착수를 인정한다.

THEMA 15 '승계적 공동정범' 총정리

선행행위자가 실행에 착수한 후에 후행가담자가 공동가담의 의사를 가지고 선행행위자의 행위에 가담한 경우에도 공동정범이 성립한다(통설·판례).

1. 공동의사 성립시기 : 선행자와 후행자 사이에 공동의사가 성립할 수 있는 시기에 대해 판례는 즉시범과 상태범(⑩ 횡령죄, 배임죄, 공갈죄 등)의 경우에는 기수시까지, 계속범(⑩ 범인도피죄 등)의 경우에는 기수 이후 범죄종료시까지 가능하다고 한다.

① 실행행위가 종료함과 동시에 범죄가 기수에 이르는 이른바 '즉시범'에서는 범죄가 기수에 이르기 이전에 가담하는 경우에만 공동정범이 성립하고 범죄가 기수에 이른 이후에는 공동정범이 성립될 수 없다(대판 1953.8.4, 4286형상20). 17. 9급 검찰·마약수사·철도경찰

② 회사직원이 영업비밀을 경쟁업체에 유출하거나 스스로의 이익을 위하여 이용할 목적으로 무단으로 반출한 때 업무상 배임죄의 기수에 이르렀다고 할 것이고, 그 이후에 위 직원과 접촉하여 영업비밀을 취득하려고 한 자는 업무상 배임죄의 공동정범이 될 수 없다(대판 2003.10.30, 2003도4382). 15. 9급 검찰·마약수사·철도경찰, 18. 경찰간부, 22. 해경간부, 24. 해경승진·순경 2차

③ 배임죄는 본인에게 손해를 가한 때에 기수가 되는 것이므로 본인에게 손해가 발생하기 이전에 업무상 배임행위로 취득할 유류를 그 배임행위자로부터 미리 이를 매수하기로 합의한 행위는 배임으로 취득한 장물을 취득한 행위에 지나지 않는 것이 아니라 모두 배임행위 자체의 공동정범이 된다(대판 1987.4.28, 83도1568).

④ 공범자가 공갈행위의 실행에 착수한 후 그 범행을 인식하면서 그와 공동의 범의를 가지고 그 후의 공갈행위를 계속하여 재물의 교부나 재산상 이익의 취득에 이른 때에는 공갈죄의 공동정범이 성립한다(대판 1997.2.14, 96도1959). 17. 법원행시, 18. 순경 2차

⑤ 공범자의 범인도피행위 도중에 그 범행을 인식하면서 그와 공동의 범의를 가지고 기왕의 범인도피상태를 이용하여 스스로 범인도피행위를 계속한 경우에는 범인도피죄의 공동정범이 성립하고, 이는 공범자의 범행을 방조한 종범의 경우도 마찬가지이다(대판 2012.8.30, 2012도6027). 13. 9급 검찰·마약수사·철도경찰, 14. 법원행시·경찰승진, 21. 경찰간부, 23. 순경 2차

⑥ 직권남용권리행사방해죄는 공무원에게 직권이 존재하는 것을 전제로 하는 범죄이고, 직권은 국가의 권력 작용에 의해 부여되거나 박탈되는 것이므로, 공무원이 공직에서 퇴임하면 해당 직무에서 벗어나고 그 퇴임이 대외적으로도 공표된다. 공무원인 피고인이 퇴임한 이후에는 직권이 존재하지 않으므로, 퇴임 후에도 실질적 영향력을 행사하는 등으로 퇴임 전 공모한 범행에 관한 기능적 행위지배가 계속되었다고 인정할 만한 특별한 사정이 없는 한, 퇴임 후의 범행에 관하여는 공범으로서 책임을 지지 않는다고 보아야 한다(대판 2020.2.13, 2019도5186).

2. 후행가담자의 책임범위

① 포괄일죄의 범행 도중에 공동정범으로 범행에 가담한 자는 비록 그가 그 범행에 가담할 때에 이미 이루어진 종전의 범행을 알았다 하더라도 그 가담 이후의 범행에 대하여만 공동정범으로 책임을 진다(대판 2007.11.15, 2007도6336). 18. 7급 검찰, 21. 경찰간부·순경 2차, 22·23. 경찰승진, 24. 해경승진·순경 1차, 25. 9급 검찰·마약수사·철도경찰

② 연속된 히로뽕제조행위 도중에 공동정범으로 범행에 가담한 자는 비록 그가 그 범행에 가담할 때에 이미 이루어진 종전의 범행을 알았다 하더라도 그 가담 이후의 범행에 대하여만 공동정범으로 책임을 지는 것이다(대판 1982.6.8, 82도884). 16. 경찰간부, 18. 순경 2차, 25. 경찰승진

THEMA 16　과실범의 공동정범

형법 제30조에 '공동하여 죄를 범한 때'의 '죄'는 고의범이고 과실범이고를 불문한다고 해석하여야 할 것이고 따라서 공동정범의 주관적 요건인공동의 의사도 고의를 공동으로 가질 의사임을 필요로 하지 않고 고의행위이고 과실행위이고 간에 그 행위를 공동으로 할 의사이면 족하다고 해석하여야 할 것이므로 2인 이상이 어떠한 과실행위를 서로의 의사연락 아래 하여 범죄되는 결과를 발생케 한 것이라면 여기에 과실범의 공동정범이 성립되는 것이다(대판 1962.3.29, 4294형상598 ∴ 행위공동설 입장에서 과실범의 공동정범 인정). 20. 9급 검찰·마약수사, 23. 법원행시·법원직·해경 3차, 25. 순경 1차

🔖 관련판례

1. 성수대교가 붕괴하여 자동차들이 한강에 추락하고 승객들이 사망·부상한 사건에서 피고인들(트러스 제작책임자, 건설공사감독자, 감독공무원)의 과실(불량시공, 감독 및 유지·관리 소홀)이 합쳐져서 사고의 원인이 되었으며, 피고인들은 성수대교를 안전하게 건축되도록 한다는 공동목표와 의사연락이 있었으므로 업무상 과실치사상죄, 업무상 과실일반교통방해죄, 업무상 과실자등차추락죄 등의 공동정범이 성립한다(대판 1997.11.28, 97도1740). 16. 법원행시, 22. 경찰승진, 24. 해경승진

2. 트럭 운전사 乙은 甲과 함께 트럭에 짐을 싣고 운전을 하던 중 경찰관 A의 검문을 위한 정차 신호에 따라 정차하던 중에 甲이 검문을 피할 목적으로 "그대로 가자."라고 말하였고, 乙이 그대로 달려 A를 치어 사망에 이르게 한 경우 ⇨ 업무상 과실치사죄의 공동정범(대판 1962.3.29, 4294형상598 ∴ 행위공동설의 입장에서 과실범의 공동정범 인정) 24. 경위공채

3. 정기관사의 지휘·감독을 받는 부기관사가 사고열차의 퇴행에 관해 동의한 후 퇴행하다가 다른 열차와 충돌한 경우 ⇨ 과실범의 공동정범(대판 1982.6.8, 82도781) 13. 9급 철도경찰

4. 터널굴착공사를 도급받은 건설회사의 현장소장과 공사를 발주한 한국전력공사의 乙소장이 철로 밑 굴착공사를 하다가 무너져 사고현장을 지나가던 열차를 전복케 하여 사상자가 발생한 경우 ⇨ 과실범의 공동정범(대판 1994.5.24, 94도660 : 구포 열차추락사건). 13. 9급 철도경찰

5. 회사 대표이사와 공장장이 먼저 제조한 빵을 늦게 배식하여 수 명의 아동이 식중독에 걸려 사망하고, 수 명은 병원에 입원한 경우 ⇨ 과실범의 공동정범(대판 1978.9.26, 78도2082). 13. 9급 철도경찰

   ▶ **참고판례** : 차량운전행위를 살펴보고 잘못된 점이 있으면 이를 지적하여 교정해 주려고 운전자의 부탁으로 차량의 조수석에 동승하였는데 운행 중 사고가 난 경우 주도적 지위에서(예 전문적인 운전교습자가 피교습자에 대해 차량운행에 관해 모든 지시를 하는 경우) 동차량을 운행할 의도가 있었다거나 실제로 그 같은 운행을 하였다고 보기 어려우므로 과실범의 공등정범의 죄책을 물을 수 없다(대판 1984.3.13, 82도3136). 13. 9급 철도경찰, 16. 법원행시, 24. 경찰승진

6. 공동의 과실이 경합되어 화재가 발생한 경우에 적어도 각 과실이 화재의 발생에 대하여 하나의 조건이 된 이상은 그 공동적 원인을 제공한 각자에 대하여 실화죄의 죄책을 물어야 한다(대판 1983.5.10, 82도2279). 16. 법원행시

7. 예인선 정기용선자의 현장소장 甲은 사고의 위험성이 높은 시점에 출항을 강행할 것을 지시하였고, 예인선 선장 乙은 甲의 지시에 따라 사고의 위험성이 높은 시점에 출항하는 등 무리하게 예인선을 운항한 결과 예인되던 선박에 적재된 물건이 해상에 추락하여 선박교통을 방해한 경우, 甲과 乙은 업무상 과실일반교통방해죄의 공동정범이 성립한다(대판 2009.6.11, 2008도11784). 22. 7급 검찰·순경 2차, 24. 해경승진

THEMA 17 '공모공동정범' 총정리

공모공동정범이란 2인 이상의 자가 공모하여 그 공모자 가운데 일부만이 범죄의 실행에 나아간 때에 실행행위를 하지 않은 공모자에게도 공동정범이 성립한다는 이론을 말한다.

⚖ 관련판례

1. 공모공동정범이 성립되려면 두 사람 이상이 공동의 의사로 특정한 범죄행위를 하기 위하여 일체가 되어 서로가 다른 사람의 행위를 이용하여 각자 자기의 의사를 실행에 옮기는 것을 내용으로 하는 모의를 하여(공동의사주체설) 그에 따라 범죄를 실행한 사실이 인정되어야 하고, 이와 같이 공모에 참여한 사실이 인정되는 이상 직접 실행행위에 관여하지 안했더라도 다른 사람의 행위를 자기의사의 수단으로 하여 범죄를 하였다는 점(간접정범유사설)에서 자기가 직접 실행행위를 분담한 경우와 형사책임의 성립에 차이를 둘 이유가 없다(대판 1988.4.12, 87도2368). 12. 순경 1차, 13. 경찰승진

2. 공모자 중 일부가 구성요건적 행위 중 일부를 직접 분담하여 실행하지 않은 경우라 할지라도 단순한 공모자에 그치는 것이 아니라 범죄에 대한 본질적 기여를 통한 기능적 행위지배가 존재하는 것으로 인정된다면, 이른바 공모공동정범으로서의 죄책을 면할 수 없는 것이다(대판 2009.2.12, 2008도6551 예 타인의 시세조종을 통한 주가조작 범행과 관련하여, 자기 명의의 증권계좌와 자금을 교부하였을 뿐만 아니라 적극적으로 투자자 등을 유치·관리한 사람에게 증권거래법 제188조의 4 위반죄의 공모공동정범의 죄책을 인정 ○). 21·22. 변호사시험, 23. 해경승진, 24. 9급 검찰·마약수사·철도경찰, 25. 해경경위

   ▶ **유사판례** : 甲주식회사의 협력업체 소속 근로자인 피고인들을 비롯한 10인이 甲주식회사 정문 앞 등에서 1인은 고용보장 등의 주장 내용이 담긴 피켓을 들고 다른 2~4인은 그 옆에 서 있는 방법으로 6일간 총 17회에 걸쳐 미신고 옥외시위를 한 경우, 공모공동정범에 의한 시위주최자로서 책임을 물을 수 있다(대판 2011.9.29, 2009도2821). 13. 경찰승진

   ▶ **비교판례** : 전국노점상총연합회가 주관한 도로행진시위에 참가한 피고인이 다른 시위 참가자들과 함께 경찰관 등에 대한 특수공무집행방해 행위를 하던 중 체포된 이후에 이루어진 다른 시위참가자들의 범행에 대하여는 본질적 기여를 통한 기능적 행위지배가 존재한다고 보기 어려워 공모공동정범의 죄책을 인정할 수 없다(대판 2009.6.23, 2009도2994). 19. 경찰승진, 23. 해경승진

3. 건설 관련 회사의 유일한 지배자가 회사 대표의 지위에서 장기간에 걸쳐 건설공사 현장소장들의 뇌물공여행위를 보고받고 이를 확인·결재하는 등의 방법으로 위 행위에 관여한 경우, 비록 사전에 구체적인 대상 및 액수를 정하여 뇌물공여를 지시하지 아니하였다고 하더라도 그 핵심적 경과를 계획적으로 조종하거나 촉진하는 등으로 기능적 행위지배를 하였다고 보아 공모공동정범의 죄책을 인정하여야 한다(대판 2010.7.15, 2010도3544). 16. 사시, 18. 경찰간부·경찰승진, 19. 7급 검찰

4. 공모자들이 그 공모한 범행을 수행하는 도중에 파생적인 범행 하나하나에 대해 개별적인 의사연락이 없었다 하더라도 부수적인 다른 범죄가 파생되리라고 충분히 예상되었다면 그 범행 전부에 대해 공모와 기능적 행위지배가 있다고 보아야 한다(대판 2011.1.27, 2010도11030). 21. 변호사시험, 20. 법원행시, 23. 해경승진, 24. 순경 2차

5. 자동차 명의신탁관계에서 제3자가 명의수탁자로부터 승용차를 가져가 매도할 것을 허락받고 인감증명 등을 교부받아 위 승용차를 명의신탁자 몰래 가져간 경우, 위 제3자와 명의수탁자의 공모·가공에 의한 절도죄의 공모공동정범이 성립한다(대판 2007.1.11, 2006도4498). 18. 7급 검찰, 19. 9급 철도경찰

6. 의사가 간호사에게 의료행위의 실시를 개별적으로 지시하거나 위임한 적이 없음에도 간호사가 그의 주도 아래 전반적인 의료행위의 실시 여부를 결정하고 간호사에 의한 의료행위의 실시과정에도 의사가 지시·관여하지 아니한 경우, 의사가 이러한 방식으로 의료행위가 실시되는 데 간호사와 함께 공모하여 그 공동의사에 의한 기능적 행위지배가 있었다면, 의사도 무면허의료행위의 공동정범으로서의 죄책을 진다(대판 2012.5.10, 2010도5964). 13. 경찰승진, 16. 변호사시험, 23. 9급 검찰·마약수사·철도경찰

7. 배임증재의 공모공동정범이 다른 공모공동정범에 의하여 수재자에게 재물 또는 재산상 이익이 제공되는 방법을 구체적으로 몰랐다고 하더라도 공모관계를 부정할 수 없다(대판 2015.7.23, 2015도3080). 17. 순경 2차, 25. 순경 1차

8. 뇌물수수의 공범자들 사이에 직무와 관련하여 금품이나 이익을 수수하기로 하는 명시적 또는 암묵적 공모관계가 성립하고 그 공모 내용에 따라 공범자 중 1인이 금품이나 이익을 수수하였다면, 사전에 특정 금액 이하로만 받기로 약정하였다든가 수수한 금액이 공모 과정에서 도저히 예상할 수 없는 고액이라는 등과 같은 특별한 사정이 없는 한, 공모자 전원에게 그 수수한 금품이나 이익 전부에 관하여 뇌물수수죄의 공모공동정범이 성립한다(대판 2014.12.24, 2014도10199). 17. 7급 검찰, 20. 경찰간부

  ▶ 비교판례 : 공무원인 공범자들이 국가자금을 횡령하여 그 횡령범행으로 취득한 돈을 공범자끼리 수수한 행위가 공동정범들 사이의 범행에 의하여 취득한 돈을 공모에 따라 내부적으로 분배한 것에 지나지 않는다면 그 돈의 수수행위에 관하여 별도로 뇌물죄가 성립하는 것은 아니다(대판 2019.11.28, 2019도11766). 20. 법원행시, 22. 변호사시험

9. 건설노동조합의 조합원들이 조합의 상급단체 간부 甲의 지시에 따라 건조물 침입, 업무방해, 손괴, 폭행 등 범죄행위를 하였다면 위 조합의 상급단체 간부인 甲도 이들 범행에 대한 공모공동정범이 성립한다(대판 2007.4.26, 2007도428). 10. 9급 검찰, 21. 변호사시험

10. 유가증권의 허위작성행위 자체에는 직접 관여한 바 없다 하더라도 타인에게 그 작성을 부탁하여 의사연락이 되고 그 타인으로 하여금 범행을 하게 하였다면 공모공동정범에 의한 허위작성죄가 성립한다(대판 1985.8.20, 83도2575). 09. 순경 피고인이 공문서 위조행위 자체에는 관여한 바 없다고 하더라도 타인에게 위조를 부탁하여 의사연락이 되고 그로 하여금 범행을 하게 하였다면 공모공동정범에 의한 공문서위조죄가 성립된다(대판 1980.5.27, 80도907). 24. 법원행시

11. 수인이 상해를 공모했으나 실행행위를 분담한 공모자 중 일부가 피해자를 상해하여 사망하게 한 경우에 사무실에서 대기 중인 자는 상해치사죄의 공동정범에 해당한다(대판 1991.10.11, 91도1755). 21. 순경 2차

12. 국가정보원의 원장 피고인 甲, 3차장 피고인 乙, 심리전단장 피고인 丙이 심리전단 산하 사이버팀 직원들과 공모하여 인터넷 게시글과 댓글 작성, 찬반클릭, 트윗과 리트윗 행위 등의 사이버 활동을 한 경우, 피고인들이 실행행위자인 사이버팀 직원들과 순차 공모하여 범행에 대한 기능적 행위지배를 함으로써 범행에 가담하였으므로, 피고인들에게 구 국가정보원법 위반죄와 구 공직선거법 위반죄의 공모공동정범이 성립된다(대판 2018.4.19, 2017도14322 전원합의체).

13. 교통방해를 유발한 집회에 참가한 경우 참가 당시 이미 다른 참가자들에 의해 교통의 흐름이 차단된 상태였더라도 그들과 암묵적·순차적으로 공모하여 교통방해의 위법상태를 지속시켰다고 평가할 수 있다면 일반교통방해죄가 성립한다(대판 2018.5.11, 2017도9146 ∵ 일반교통방해죄는 계속범으로 교통방해의 상태가 계속되는 한 위법상태는 계속 존재함. ∴ 일반교통방해죄의 공모공동정범 ○). 19. 변호사시험·7급 검찰·9급 철도경찰·경찰승진, 20. 법원행시

THEMA 18

1. 공모관계의 이탈

공모공동정범에 있어서 다른 공모자가 실행행위에 이르기 전에 그 공모관계에서 이탈한 때에는 이탈 이후의 다른 공모자의 행위에 대해 공동정범이 성립하지 않으며 그 이탈의 표시는 반드시 명시적일 필요가 없다(대판 1986.1.21, 85도2371). 15. 경찰간부, 18. 순경 2차, 20. 7급 검찰, 23. 해경 3차, 24. 9급 검찰·마약수사·철도경찰, 25. 경찰승진 그러나 다른 공모자가 이미 실행에 착수한 이후에는 그 공모관계에서 이탈하였더라도 공동정범이 성립하며(대판 1984.1.31, 83도2941), 다른 공범자에 의해 그 범죄가 기수에 이른 때에는 그 범죄의 기수로 처벌받지(대판 2002.8.27, 2001도513) 중지미수가 되지 않는다. 10. 7급 검찰

⚖ 관련판례

1. 공모관계에서의 이탈은 공모자가 공모에 의하여 담당한 기능적 행위지배를 해소하는 것이 필요하므로 공모자가 공모에 주도적으로 참여하여 다른 공모자의 실행에 영향을 미친 때에는 범행을 저지하기 위하여 적극적으로 노력하는 등 실행에 미친 영향력을 제거하지 아니하는 한 공모관계에서 이탈하였다고 할 수 없다(대판 2008.4.10, 2008도1274). 18. 순경 3차, 20. 경찰승진·7급 검찰, 22. 해경간부·순경 1차, 23. 경력채용·순경 2차, 25. 변호사시험·9급 검찰·마약수사·철도경찰

   ㉠ ① 다른 공모자들과 강도 모의를 주도한 피고인이, 다른 공모자들이 피해자를 뒤쫓아 가자 단지 "어?"라고만 하고 더 이상 만류하지 아니하여 공모자들이 강도상해의 범행을 한 경우 ⇨ 강도상해죄의 공동정범 ○(대판 2008.4.10, 2008도1274) 16. 경찰승진, 22. 해경간부, 24. 경위공채

   ② 甲은 乙과 공모하여 가출 청소년 丙(여, 16세)에게 낙태수술비를 벌도록 해 주겠다고 유인하였고, 乙로 하여금 丙의 성매매 홍보용 나체사진을 찍도록 하였으며, 丙이 중도에 약속을 어길 경우 민형사상 책임을 진다는 각서를 작성하도록 한 후, 甲이 별건으로 체포되어 구치소에 수감 중인 동안 丙이 乙의 관리 아래 성매매를 계속하여 丙, 乙 및 甲의 처 등이 나누어 사용한 경우 ⇨ 공모관계 이탈 ×(대판 2010.9.9, 2010도6924) 18. 경찰간부, 19. 경찰승진, 20. 7급 검찰, 23. 해경승진, 25. 해경경사

   ③ 처(妻)가 구속된 남편을 대행하여 그의 지시를 받아 회사를 운영하면서 조세범처벌법상의 조세포탈행위를 하다가 협의이혼한 후 처(妻) 혼자 회사를 경영하였더라도 이혼 전 남편의 영향력이 제거되지 않아 조세포탈행위가 계속되었다면 남편은 협의이혼 후에도 여전히 공동정범으로서 책임을 진다(대판 2008.7.24, 2007도4310). 16. 사시, 24. 경찰승진, 25. 해경경사

   ④ 해적 甲, 乙이 두목의 사전지시에 따라 선원들을 윙브리지로 세워 해군의 위협사격을 받게 함으로써 '인간방패'로 사용한 경우, 甲이 사전모의는 하였지만 선원들을 윙브리지로 내몰았을 당시 총을 버리고 도망갔다고 하더라도 공모관계에서 이탈한 것으로 볼 수 없다(대판 2011.12.22, 2011도12927). 18. 법원행시, 20. 경찰간부, 21. 해경간부, 23. 해경 3차

2. 실행의 착수 전 공모관계이탈 ⇨ 공동정범 ×

   피고인은 살해모의에는 가담하였으나 다른 공모자들이 실행행위에 이르기 전에 그 공모관계에서 이탈하였다면 피고인이 위 공모관계에서 이탈한 이후의 다른 공모자의 행위에 관하여는 공동정범으로서의 책임을 지지 않는다(대판 1986.1.21, 85도2371). 13. 사시, 21. 순경 2차, 24. 경위공채

3. 실행의 착수 후 공모관계이탈 ⇨ 공동정범 ○ 05. 법원직, 08. 9급 검찰

   ① 피고인이 포괄일죄의 관계에 있는 범행의 일부를 실행한 후 공범관계에서 이탈하였으나 다른 공범자에 의하여 나머지 범행이 이루어진 경우, 피고인이 관여하지 않은 부분에 대하여도 공동

정범으로서의 죄책을 부담한다(대판 2011.1.13, 2010도9927). 15. 9급 검찰, 18. 순경 3차, 21. 9급 검찰·마약수사·철도경찰, 22. 경찰승진, 23. 법원직·7급 검찰·해경 3차, 24. 해경승진  피고인이 甲투자금융회사에 입사하여 다른 공범들과 공모한 다음 시세조정행위의 일부를 실행한 후 甲회사로부터 해고를 당하여 공범관계로부터 이탈하였고, 다른 공범들이 그 이후의 나머지 시세조정행위를 계속한 경우, 그 이후 나머지 공범들이 행한 시세조정행위에 대하여도 공동정범으로서의 죄책을 부담한다(대판 2011.1.13, 2010도9927). 20. 법원행시·7급 검찰, 22. 순경 2차, 25. 해경경사

② 금품을 강취할 것을 공모하고 다른 공범자들이 집에 침입한 후 상해를 가하고 금품을 강취하는 동안 망을 보기로 한 피고인이 망을 보지 않고 담배를 사러 간 경우(다른 공범자들이 강도상해죄를 범함) ⇨ 강도상해죄의 공동정범(대판 1984.1.31, 83도2941) 12. 법원행시

2. 결과적 가중범과 공동정범

⚖ 관련판례

1. 결과적 가중범인 상해치사죄의 공동정범은 폭행 기타의 신체침해 행위를 공동으로 할 의사가 있으면 성립되고 결과를 공동으로 할 의사는 필요 없으며, 여러 사람이 상해의 범의로 범행 중 한 사람이 중한 상해를 가하여 피해자가 사망에 이르게 된 경우 나머지 사람들은 사망의 결과를 예견할 수 없는 때가 아닌 한 상해치사의 죄책을 면할 수 없다(대판 2000.5.12, 2000도745). 15. 경찰간부, 16. 사시·순경 1차, 19·20. 9급 검찰·마약수사·철도경찰

2. 합동하여 강도를 하던 여러 명 중 한 사람이 살인을 하였다면 그의 살해행위에 관하여 예견할 수 있었던 다른 가담자는 강도치사죄(강도살인죄 ×)의 죄책을 진다(대판 1991.11.12, 91도2156). 16. 변호사시험·경찰간부, 23. 9급 검찰·마약수사·철도경찰

▶ **비교판례** : 甲과 乙이 칼을 들고 강도하기로 공모한 경우, 乙이 피해자의 거소에 들어가 피해자를 향하여 칼을 휘둘러 상해를 가하였다면 대문 밖에서 망을 본 甲은 상해의 결과에 대하여도 공동정범으로서의 책임을 면할 수 없다(대판 1998.4.14, 98도356 ∴ 강도상해죄의 공동정범 ○, 강도치상죄의 공동정범 ×). 12. 변호사시험, 22. 경찰승진

3. 공동정범과 신분 : 비신분자는 단독으로 진정신분범의 정범이 될 수 없으나 신분자와 공동하여서 진정신분범의 공동정범이 될 수 있다(제33조 본문).

⚖ 관련판례

1. 물건의 소유자가 아닌 사람은 형법 제33조 본문에 따라 소유자의 권리행사방해 범행에 가담한 경우에 한하여 그의 공범이 될 수 있을 뿐이다. 그러나 권리행사방해죄의 공범으로 기소된 물건의 소유자에게 고의가 없는 등으로 범죄가 성립하지 않는다면 공동정범이 성립할 여지가 없다(대판 2017.5.30, 2017도4578). 18. 7급 검찰, 20. 변호사시험·경찰간부

2. 의료인일지라도 의료인 아닌 자의 의료행위에 공모하여 가공하면 무면허의료행위의 공동정범으로서의 책임을 진다(대판 1986.2.11, 85도448). 18. 순경 3차·철도경찰, 20. 7급 검찰, 21. 순경 1차, 25. 해경경위

3. 신분관계가 없는 사람이 신분관계로 인하여 성립될 범죄에 가공한 경우, 신분관계가 없는 사람에게 공동가공의 의사와 이에 기초한 기능적 행위지배를 통한 범죄의 실행이라는 주관적·객관적 요건이 충족되면 공동정범으로 처벌된다(대판 2019.8.29, 2018도2738 전원합의체). 20. 해경승진, 21. 경력채용, 23. 변호사시험·순경 2차, 24. 법원행시·9급 검찰·마약수사·철도경찰

종합문제 **공동정범**

---

01 **공동정범에 대한 설명으로 옳은 것은?**(다툼이 있는 경우 판례에 의함) 16. 7급 검찰·철도경찰

① 공동정범은 행위자 상호간에 범죄행위를 공동으로 한다는 공동가공의 의사를 가지고 범죄를 공동 실행하는 경우에 성립하는데, 그 공동가공의 의사는 행위자 일방의 가공의사만으로도 인정될 수 있다.

② 가담자 상호간에 암묵적인 방법에 의한 의사의 연락은 그 연락방법이 명시적이지 않기 때문에 공동정범에 있어서 공동가공의 의사로 볼 수 없다.

③ 공모공동정범에 있어서 공모자 중 1인이 다른 공모자가 실행행위에 이르기 전에 그 공모관계에서 이탈한 경우 주도적 공모자는 범행을 저지하기 위하여 적극적으로 노력하는 등 실행에 미친 영향력을 제거하지 아니하는 한 공모관계에서 이탈되지 않는다.

④ 포괄일죄의 범행 도중에 공동정범으로 가담한 자는 그 범행에 가담할 때에 이미 이루어진 종전의 범행을 알았다면 가담 이전의 행위를 포함한 범행 전체에 대하여 공동정범으로 책임을 진다.

> **해설** ① × : 공동가공의사는 행위자 상호간에 있어야 하며, 일방의 가공의사만으로는 공동정범이 성립하지 않는다(대판 1985.5.14, 84도2118 ∴ 편면적 공동정범 부정).
> ② × : 암묵적인 방법에 의한 의사의 연락 ⇨ 공동가공의사 ○(대판 1984.12.26, 82도1373 ∴ 의사의 연락방법은 명시적이든 묵시적이든 불문)
> ③ ○ : 대판 2008.4.10, 2008도1274
> ④ × : 가담 이후의 범행에 대하여만 공동정범 책임(대판 2007.11.15, 2007도6336)

02 **수인이 범행에 가담한 형태에 대한 설명으로 옳은 것은?**(다툼이 있는 경우 판례에 의함)

18. 7급 검찰

① 甲이 乙과 공동으로 A의 권리행사를 방해한 혐의로 기소되었으나 물건의 소유자인 乙에게 고의가 없는 등으로 범죄가 성립하지 않는 경우라도, 甲에게는 권리행사방해죄의 공동정범이 성립될 수 있다.

② 乙이 위조된 부동산임대차계약서를 담보로 제공하고 A로부터 돈을 빌려 편취할 것을 계획하면서 甲에게 미리 전화를 하여 임대인 행세를 하여달라고 부탁하였고, 甲은 그 사정을 잘 알면서도 임대인인 것처럼 행세하여 전세금액 등을 확인한 경우 甲에게 위조사문서행사죄의 방조범이 성립한다.

③ 乙의 포괄일죄의 범행 도중에 공동정범으로 범행에 가담한 甲이 그 범행에 가담할 때에 이미 이루어진 종전의 범행을 알았던 경우 甲은 가담 이전의 범행에 대하여도 공동정범으로 책임을 진다.

④ 피해자 A가 승용차를 구입하고, 다만 장애인에 대한 면세 혜택 등의 적용을 받기 위해 甲의 어머니인 乙의 명의를 빌려 등록하였는데, 甲이 乙로부터 승용차를 가져가 매도할 것을 허락받고 乙의 인감증명 등을 교부받은 뒤 甲이 승용차를 피해자 A 몰래 가져간 경우 甲과 乙에게는 절도죄의 공모공동정범이 성립한다.

[해설] ① × : 물건의 소유자가 아닌 사람은 형법 제33조 본문에 따라 소유자의 권리행사방해 범행에 가담한 경우에 한하여 그의 공범이 될 수 있을 뿐이다. 그러나 권리행사방해죄의 공범으로 기소된 물건의 소유자에게 고의가 없는 등으로 범죄가 성립하지 않는다면 공동정범이 성립할 여지가 없다(대판 2017.5.30, 2017도4578).
② × : 위조사문서행사죄의 공동정범 ○(방조범 ×)(대판 2010.1.28, 2009도10139 ∵ 기능적 행위지배의 공동정범 요건을 갖추었음)
③ × : 가담 이후(가담 이전 ×)의 범행에 대하여만 ~ 진다(대판 2007.11.15, 2007도6336).
④ ○ : 대판 2007.1.11, 2006도4498

03 공모관계 이탈 및 공범관계 이탈에 대한 설명으로 옳지 않은 것은?(다툼이 있는 경우 판례에 의함)
20. 7급 검찰

① 공모자가 공모에 주도적으로 참여하여 다른 공모자의 실행에 영향을 미친 때에는 범행을 저지하기 위하여 적극적으로 노력하는 등 실행에 미친 영향력을 제거하지 아니하는 한 공모관계에서 이탈하였다고 할 수 없다.
② 단순공모자 중의 어떤 사람이 다른 공모자가 실행행위에 이르기 전에 그 공모관계에서 이탈한 때에는 그 이후의 다른 공모자의 행위에 관하여 공동정범으로서의 책임은 지지 않는다고 할 것이고, 그 이탈의 표시는 반드시 명시적임을 요하지 않는다.
③ 피고인이 공범과 함께 가출청소년에게 성매매를 하도록 한 후 피고인이 별건으로 구속된 상태에서 공범들이 그 청소년에게 계속 성매매를 하게 한 경우, 구속 이흐 범행에 대하여는 피고인의 실질적인 행위지배가 인정되지 않으므로 피고인에게는 공동정범의 죄책이 인정되지 않는다.
④ 피고인이 공범들과 주식시세조종의 목적으로 허위매수주문, 통정매매행위 등을 반복적으로 행하다가 회사를 퇴사하는 등의 사정으로 공범관계에서 이탈하였으나 다른 공범에 의하여 포괄일죄 관계에 있는 나머지 범행이 이루어진 경우, 피고인은 자신이 관여하지 않은 부분에 대하여도 죄책을 부담한다.

[해설] ① 대판 2008.4.10, 2008도1274
② 대판 1986.1.21, 85도2371
③ × : 공동정범 ○(대판 2010.9.9, 2010도6924 ∵ 공모관계 이탈 × ⇨ 실질적인 행위지배가 인정됨)
④ 대판 2011.1.13, 2010도9927

04 공동정범에 대한 설명으로 옳은 것은?(다툼이 있는 경우 판례에 의함) 21. 9급 철도경찰

① 다른 공모자가 실행에 착수한 이후에 그 공범관계에서 이탈한 공모자는 자신이 관여하지 않은 부분에 대하여 공동정범으로서 죄책을 부담하지 않는다.

② 공동정범은 범행에서의 역할이나 개별적 양형참작사유에도 불구하고 각자를 정범으로서 동일한 선고형으로 벌한다.

③ 공동실행의 의사는 범죄행위시에 존재하면 족하고 반드시 사전에 공모함을 요하지 아니한다.

④ 공동정범 가운데 1인이 공모한 내용과 질적으로 다른 내용의 결과발생을 야기한 경우 다른 공동정범은 그 범행에 대한 과실범의 책임을 진다.

[해설] ① × : ~ 죄책을 부담한다(대판 2011.1.13, 2010도9927).
② × : 각자를 정범으로 처벌한다는 것은 법정형이 동일하다는 의미일 뿐 구체적인 처단형이나 선고형은 각자 다를 수 있다. 즉, 책임조각사유와 인적 처벌조각사유, 형의 가중·감경사유 등은 그 사유가 존재하는 자에게만 적용된다.
③ ○ : 대판 1984.12.26, 82도1373
④ × : ~ 야기한 경우(추상적 사실의 착오 중 질적 착오) 실행자는 그 범행의 단독정범이 되고 다른 공동정범은 그 범행에 대한 책임을 지지 않는다.

05 공동정범에 관한 설명 중 옳은 것을 모두 고른 것은?(다툼이 있는 경우 판례에 의함)
21. 변호사시험, 22. 해경간부, 23. 해경승진

> ㉠ 상명하복관계에 있는 자들이 범행에 공동가공한 경우, 특수교사·방조범(형법 제34조 제2항)이 성립할 수 있으나 공동정범은 인정될 수 없다.
> ㉡ 공모자에게 범죄에 대한 본질적 기여를 통한 기능적 행위지배가 인정된다면 공모공동정범으로서의 죄책을 물을 수 있다.
> ㉢ 공모자들이 그 공모한 범행을 수행하거나 목적 달성을 위해 나아가는 도중에 부수적인 다른 범죄가 파생되리라고 예상하거나 충분히 예상할 수 있는데도 그 가능성을 외면한 채 이를 방지하기에 족한 합리적 조치를 취하지 않고 공모한 범행에 나아갔다가 결국 그와 같이 예상된 범행들이 발생한 경우, 그 파생적인 범행 하나하나에 대하여 개별적 의사연락이 없었다면 그 범행 전부에 대한 기능적 행위지배가 존재한다고 볼 수 없다.
> ㉣ 공범관계에 있어서 공모는 법률상 어떤 정형을 요구하는 것이 아니므로, 이러한 공모관계를 인정하기 위하여 엄격한 증명이 요구되지는 않는다.
> ㉤ 공동정범이 성립하기 위하여 반드시 공범자 간 사전모의가 있어야 하는 것은 아니며, 우연히 만난 자리에서 서로 협력하여 공동의 범의를 실현하려는 의사가 암묵적으로 상통하여 범행에 공동가공하더라도 공동정범은 성립된다.

① ㉠, ㉡   ② ㉡, ㉣   ③ ㉡, ㉤
④ ㉢, ㉣, ㉤   ⑤ ㉠, ㉡, ㉢, ㉤

Answer 4.③ 5.③

해설 ㉠ × : 공모에 대하여는 직접증거가 없더라도 정황사실과 경험법칙에 의하여 이를 인정할 수 있고, 상명하복 관계에 있는 자들 사이에 있어서도 범행에 공동 가공한 이상 공동정범이 성립하는 데 아무런 지장이 없는 것이다(대판 2012.1.27, 2010도10739).
㉡ ○ : 대판 2009.2.12, 2008도6551
㉢ × : ~ (4줄) 의사연락이 없었다 하더라도 그 범행 전부에 대한 기능적 행위지배가 존재한다고 볼 수 있다(대판 2011.1.27, 2010도11030).
㉣ × : 대판 2018.4.19, 2017도14322 전원합의체(∵ 2인 이상이 범죄에 공동 가공하는 공범관계에서 공모는 법률상 어떤 정형을 요구하는 것이 아니고 2인 이상이 공모하여 범죄에 공동 가공하여 범죄를 실현하려는 의사의 결합만 있으면 충분하다. 비록 전체의 모의과정이 없더라도 여러 사람 사이에 순차적으로 또는 암묵적으로 의사의 결합이 이루어지면 공모관계가 성립한다. 이러한 공모관계를 인정하기 위해서는 엄격한 증명이 요구되지만, 피고인이 범죄의 주관적 요소인 공모관계를 부인하는 경우에는 사물의 성질상 이와 상당한 관련성이 있는 간접사실 또는 정황사실을 증명하는 방법으로 이를 증명할 수밖에 없다.)
㉤ ○ : 대판 1984.12.26, 82도1373

06 공동정범에 대한 설명으로 가장 적절하지 않은 것은?(다툼이 있는 경우 판례에 의함)

21. 순경 2차

① 甲이 A를 살해하고자 A의 음료수 잔에 치사량의 독약을 넣고 사라진 후 그 사실을 알고 있는 乙이 독자적으로 A를 확실히 살해하고자 한번 더 치사량의 독약을 넣어 A가 이를 마시고 사망한 경우, 甲과 乙은 상호간에 의사의 연락이 없어 공동정범이 성립되지 아니한다.

② 甲이 강도살인의 의사로 먼저 A를 살해한 직후 마침 그곳을 지나가던 乙이 이를 보고 甲의 양해 하에 절취의 의사로 참가하여 甲은 A의 지갑과 현금을, 乙은 A의 시계와 금반지를 가져간 경우, 승계적 공동정범을 인정하더라도 乙은 살인에 대한 책임은 지지 아니한다.

③ 행동대원 甲, 乙, 丙은 조직의 두목으로부터 지시를 받고 상대조직 행동대장 A를 살해하기로 공모하였으나, 甲은 쇠파이프 등을 들고 차량에 탑승하던 중 사태의 심각성을 실감하고 범행에 휘말리기 싫어서 조용히 혼자 빠져나와 택시를 타고 집으로 갔다. 이후 乙과 丙이 공모한 대로 A의 사무실로 가서 A를 살해한 경우, 甲에게는 살인죄의 공동정범이 성립한다.

④ 조직의 보스 甲은 부하인 乙과 반대조직의 보스 A를 살해하기로 공모하고, 甲은 자신의 사무실에서 진행 상황을 실시간으로 보고 받고 乙이 A의 사무실로 가서 A를 살해한 경우, 공모공동정범을 인정하는 견해에 따르면 甲에게는 살인죄의 공동정범이 성립한다.

해설 ① ○ : 공동가공의사는 행위자 상호간에 있어야 하며, 일방의 가공의사만으로는 공동정범이 성립하지 않는다(대판 1985.5.14, 84도2118 ∵ 편면적 공동정범 부정). 따라서 상호간에 의사의 연락이 없어 공동정범이 성립되지 않고 동시범 또는 종범(∵ 편면적 종범은 인정됨)의 성립이 문제될 뿐이다.
② ○ : 이른바 '승계적 공동정범'의 경우 비록 그 범행에 가담할 때에 이미 종전의 범행(살인)을 알았다 하더라도 자신(乙)이 가담하기 이전에 타인(甲)이 행한 부분(살인)에는 죄책을 지지 않는다(대판 2007.11.15, 2007도6336).

Answer 6. ③

③ ×: 살인죄의 공동정범 ×(대판 1996.1.26, 94도2654 ∵ 다른 조직원들이 범행에 이르기 전에 그 공모관계에서 이탈한 것임)
④ ○: 공모가 이루어진 이상 실행행위에 직접 관여하지 아니한 자에게도 다른 공모자의 행위에 대하여 공동정범으로서 형사책임을 진다(대판 1991.10.11, 91도1755).

07 공동정범에 관한 설명 중 가장 적절하지 않은 것은?(다툼이 있는 경우 판례에 의함) 22. 순경 2차

① 甲이 A투자금융회사에 입사하여 다른 공범들과 특정 회사 주식을 허위매수 주문 등의 방법으로 시세조종 주문을 내기로 공모하고 시세조종 행위의 일부를 실행한 후 A회사로부터 해고를 당하여 공범관계에서 이탈한 경우, 甲이 다른 공범들의 범죄실행을 저지하지 않은 이상 그 이후 공범들이 행한 나머지 시세조종행위에 대해서도 공동정범이 성립한다.

② 예인선 정기용선자의 현장소장 甲은 사고의 위험성이 높은 시점에 출항을 강행할 것을 지시하였고, 예인선 선장 乙은 甲의 지시에 따라 사고의 위험성이 높은 시점에 출항하는 등 무리하게 예인선을 운항한 결과 예인되던 선박에 적재된 물건이 해상에 추락하여 선박교통을 방해한 경우, 甲과 乙은 업무상 과실일반교통방해죄의 공동정범이 성립한다.

③ 甲, 乙, 丙주식회사가 A주식회사의 주식 총수의 5/100 이상을 보유하여 자본시장과 금융투자업에 관한 법률상 주식 등 변경 보고의무를 공동으로 부담하게 되었고, 동법은 이러한 보고의무를 이행하지 않는 자를 처벌하는 진정부작위범인 주식 등 변경 보고의무 위반죄를 규정하고 있음에도 불구하고 甲과 乙주식회사만이 공모하여 보고의무를 이행하지 않은 경우, 보고의무가 있는 甲주식회사, 乙주식회사, 丙주식회사에게 주식 등 변경 보고의무 위반죄의 공동정범이 성립한다.

④ 강도를 모의한 甲, 乙, 丙이 A에게 칼을 들이댄 후 전화선으로 A의 손발을 묶고 폭행하여 반항을 억압한 후 甲이 다른 방에서 물건을 찾는 사이 乙과 丙이 공동으로 A를 강간하고 다같이 도주한 경우, 甲에게는 강도강간죄의 공동정범이 성립하지 않는다.

해설 ① 대판 2011.1.13, 2010도9927(∵ 실행의 착수 후 공모관계이탈 ⇨ 공동정범 ○)
② 대판 2009.6.11, 2008도11784
③ ×: 주권상장법인의 주식 등 대량보유·변동·변경 보고의무 위반으로 인한 자본시장법 위반죄는 구성요건이 부작위에 의해서만 실현될 수 있는 진정부작위범에 해당한다. 진정부작위범인 주식 등 대량보유·변동·변경 보고의무 위반으로 인한 자본시장법 위반죄의 공동정범은 그 의무가 수인에게 공통으로 부여되어 있는데도 수인이 공모하여 전원이 그 의무를 이행하지 않았을 때 성립할 수 있다(대판 2022.1.13, 2021도11110 ∴ 甲과 乙주식회사만이 공모하여 보고의무를 이행하지 않았으므로, 甲과 乙주식회사 ⇨ 공동정범 ○, 丙주식회사 ⇨ 공동정범 ×).
④ 대판 1988.9.13, 88도1114〔∵ 공모사실(강도)과 발생사실(강간)이 전혀 별개의 구성요건에 속하는 질적 초과의 경우 ⇨ 초과부분: 공동정범 × ∴ 甲: 강도강간죄의 공동정범 ×, 특수강도죄 ○〕

08 **공범에 관한 다음 설명 중 가장 옳은 것은?**(다툼이 있는 경우 판례에 의함)　　23. 법원직

① 2인 이상의 서로 대향된 행위의 존재를 필요로 하는 대향범에 대하여 공범에 관한 형법 총칙 규정이 적용될 수 없는데, 이러한 법리는 해당 처벌규정의 구성요건 자체에서 2인 이상의 서로 대향적 행위의 존재를 필요로 하는 필요적 공범인 대향범에 적용됨은 물론, 구성요건상으로는 단독으로 실행할 수 있는 형식으로 되어 있더라도 그 구성요건이 대향범의 형태로 실행되는 경우에도 적용된다고 보아야 한다.

② 형사소송법 제253조 제2항(공범의 1인에 대한 시효정지는 다른 공범자에 대하여 효력이 미친다)에서 말하는 '공범'에는 뇌물공여죄와 뇌물수수죄 사이와 같은 대향범 관계도 포함된다.

③ 2인 이상이 서로의 의사연락 아래 과실행위를 하여 범죄가 되는 결과를 발생하게 하였더라도 과실범의 공동정범은 성립하지 않는다.

④ 피고인이 포괄일죄의 관계에 있는 범행의 일부를 실행한 후 공범관계에서 이탈하였으나 다른 공범자에 의하여 나머지 범행이 이루어진 경우, 피고인은 관여하지 않은 부분에 대하여도 죄책을 부담한다.

해설 ① × : ~ (3줄) 필요적 공범인 대향범에 적용되나, 구성요건상으로는 단독으로 실행할 수 있는 형식으로 되어 있더라도 그 구성요건이 대향범의 형태로 실행되는 경우에는 적용된다고 볼 수는 없다(대판 2022.6.30, 2020도7866).
② × : ~ 대향범 관계에 있는 자는 포함되지 않는다(대판 2015.2.12, 2012도4842).
③ × : ~ 공동정범은 성립한다(대판 1978.9.26, 78도2082).
④ ○ : 대판 2011.1.13, 2010도9927

09 **공동정범에 대한 설명 중 가장 적절한 것은?**(다툼이 있는 경우 판례에 의함)　　23. 경찰승진

① 공동가공의 의사는 공동행위자 상호간에 있어야 하며 행위자 일방의 가공의사만으로는 공동정범 관계가 성립할 수 없다.

② 甲이 피해자 일행을 한 사람씩 나누어 강간하자는 일행들의 제의에 아무런 대답도 하지 않고 따라 다니다가 자신의 강간 상대방으로 남겨진 A에게 일체의 신체적 접촉도 시도하지 않은채 다른 일행이 인근 숲속에서 강간을 마칠 때까지 A와 함께 이야기만 나눈 경우 강간죄의 공동정범이 성립한다.

③ 회사직원이 영업비밀을 경쟁업체에 유출하거나 스스로의 이익을 위하여 이용할 목적으로 무단으로 반출한 때 업무상 배임죄의 기수에 이르렀으며, 그 이후에 위 직원과 접촉하여 영업비밀을 취득하려고 한 자는 업무상 배임죄의 공동정범이 된다.

④ 포괄일죄의 범행 도중에 공동정범으로 범행에 가담한 자가 그 범행에 가담할 때에 이미 이루어진 종전의 범행을 알았다면 가담 이후의 범행뿐만 아니라 가담 이전의 범행에 대하여도 공동정범으로 책임을 진다.

[해설] ① ○ : 대판 1985.5.14, 84도2118
② × : 강간죄의 공동정범 ×(대판 2003.3.28, 2002도7477 ∵ 공동가공의 의사 ×)
③ × : ~ 공동정범이 될 수 없다(대판 2003.10.30, 2003도4382).
④ × : 포괄일죄의 범행 도중에 공동정범으로 범행에 가담한 자는 비록 그가 그 범행에 가담할 때에 이미 이루어진 종전의 범행을 알았다 하더라도 그 가담 이후(이전 ×)의 범행에 대하여만 공동정범으로 책임을 진다(대판 2007.11.15, 2007도6336).

10 공동정범에 대한 설명으로 옳지 않은 것은?(다툼이 있는 경우 판례에 의함)   23. 7급 검찰

① 강도를 모의한 공동정범 중 1인이 강도범행의 실행행위 중 강간을 한 경우, 이를 예견할 수 없었던 다른 공모자는 강도의 공동정범만 인정될 뿐 강도강간의 공동정범이 인정될 수는 없다.
② 포괄일죄의 일부에 공동정범으로 가담한 피고인이 그때에 이미 이루어진 종전의 범행을 알았다면 그러한 사정만으로도 그 가담 이전의 범행에 대해서도 공동정범으로서의 책임을 진다.
③ 공동정범이 성립하기 위하여는 반드시 공범자 간에 사전에 모의가 있어야 하는 것은 아니며, 우연히 만난 자리에서 서로 협력하여 공동의 범의를 실현하려는 의사가 암묵적으로 상통하여 범행에 공동가공하더라도 공동정범은 성립된다.
④ 피고인이 포괄일죄의 관계에 있는 범행의 일부를 실행한 후 공범관계에서 이탈하였고 다른 공범자에 의하여 나머지 범행이 이루어진 경우에 그 피고인이 관여하지 않은 부분에 대하여도 죄책을 부담한다.

[해설] ① 대판 1982.10.26, 82도1818
② × : 포괄일죄의 범행 도중에 공동정범으로 범행에 가담한 자는 비록 그가 그 범행에 가담할 때에 이미 이루어진 종전의 범행을 알았다 하더라도 그 가담 이후의 범행에 대하여만 공동정범으로 책임을 진다(대판 2007.11.15, 2007도6336).
③ 대판 1984.12.26, 82도1373 ④ 대판 2011.1.13, 2010도9927

11 공동정범에 관한 설명으로 가장 적절하지 않은 것은?(다툼이 있는 경우 판례에 의함)

23. 순경 2차

① 공동정범에서 주관적 요건인 공동가공의 의사는 타인의 범행을 인식하면서도 이를 제지하지 아니하고 용인하는 것만으로는 부족하고, 공동의 의사로 특정한 범죄행위를 하기 위하여 일체가 되어 서로 다른 사람의 행위를 이용하여 자기의 의사를 실행에 옮기는 것을 내용으로 하여야 한다.
② 공동정범이 성립하기 위하여는 반드시 공범자 간에 사전 모의가 있어야 하므로, 우연히 만난 자리에서 서로 협력하여 공동의 범의를 실현하려는 의사가 암묵적으로 상통하여 범행에 공동가공하더라도 공동정범은 성립되지 않는다.

③ 공모공동정범에 있어서 공모자가 공모에 주도적으로 참여하여 다른 공모자의 실행에 영향을 미친 때에는 범행을 저지하기 위하여 적극적으로 노력하는 등 실행에 미친 영향력을 제거하지 아니하는 한 공모관계에서 이탈하였다고 할 수 없다.

④ 비신분자가 신분관계로 인하여 성립될 범죄에 가공한 경우, 비신분자에게 공동가공의 의사와 이에 기초한 기능적 행위지배를 통해 범죄의 실행이라는 주관적·객관적 요건이 충족되면 신분자와 공동정범이 성립한다.

[해설] ① 대판 2001.11.9, 2001도4792

② × : ~ (1줄) 사전 모의가 있어야 하는 것은 아니며, 우연히 만난 자리에서 서로 협력하여 공동의 범의를 실현하려는 의사가 암묵적으로 상통하여 범행에 공동가공하더라도 공동정범은 성립된다(대판 1984.12.26, 82도1373).

③ 대판 2008.4.10, 2008도1274

④ 대판 2019.8.29, 2018도2738 전원합의체

12 **다음 사례 중 甲에게 괄호 범죄의 공동정범이 성립하는 것은 모두 몇 개인가?**(다툼이 있는 경우 판례에 의함)
24. 경위공채

> ㉠ 甲은 피해자들을 한 사람씩 나누어 강간하자는 乙과 丙의 제의에 아무런 대답도 하지 않고 따라다니다가 자신의 강간 상대방으로 남겨진 A에게 일체의 신체적 접촉도 시도하지 않은 채 乙과 丙이 인근 숲속에서 강간을 마칠 때까지 A와 이야기만 나누었다. (특수강간죄)
> ㉡ 甲과 乙, 丙은 A를 납치한 후 팔다리를 묶어 저수지에 던져 살해하기로 공모하였으나, 甲은 A를 납치하기로 한 날 약속된 장소에 나가지 않았다. 乙과 丙은 甲을 기다리다가 시간이 지체되자 계획한 대로 A를 납치하여 팔다리를 묶은 후, 저수지에 던져 살해하였다. (살인죄)
> ㉢ 甲은 乙, 丙과 강도상해를 모의하면서 그 모의를 주도하였고, 범행 대상을 물색하다가 다른 공모자들이 강도의 대상을 지목하고 뒤쫓아 가자 "어?"라고만 하고, 비대한 체격 때문에 따라가지 못한 채 범행 현장에서 200m 정도 떨어진 곳에 앉아 있는 동안 乙과 丙은 강도상해의 범행을 하였다. (강도상해죄)
> ㉣ 트럭 운전사 乙은 甲과 함께 트럭에 짐을 싣고 운전을 하던 중 경찰관 A의 검문을 위한 정차 신호에 따라 정차하던 중에 甲이 검문을 피할 목적으로 "그대로 가자"라고 말하였고, 乙이 그대로 달려 A를 치어 사망에 이르게 하였다. (업무상 과실치사죄)

① 1개   ② 2개   ③ 3개   ④ 4개

[해설] • **공동정범 ○** : ㉢ 대판 2008.4.10, 2008도1274(∵ 甲은 공모관계에서 이탈 ×) ㉣ 대판 1962.3.29, 4294형상598(∵ 행위공동설의 입장에서 과실범의 공동정범 인정)

• **공동정범 ×** : ㉠ 대판 2000.4.7, 2000도576(∵ 주관적 요건인 공동가공의사 ×) ㉡ 대판 1986.1.21, 85도2371〔∵ 甲은 살해모의에는 가담하였으나 다른 공모자들이 실행행위에 이르기 전에 그 공모관계에서 이탈하였다면 피고인이 위 공모관계에서 이탈한 이후의 다른 공모자들(乙과 丙) 행위에 관하여는 공동정범으로서의 책임을 지지 않는다.〕

13 **공동정범에 관한 설명으로 가장 적절한 것은?**(다툼이 있는 경우 판례에 의함)　　25. 순경 1차

① 형법 제30조에서 정한 '2인 이상이 공동하여 죄를 범한 때'에는 고의범만 포함되고, 과실범은 포함되지 않는다.

② 자기 자신을 무고하기로 제3자와 공모하고 이에 따라 무고행위에 가담한 경우, 자기 자신에게는 무고죄의 구성요건에 해당하지 않아 범죄가 성립할 수 없는 행위를 실현한 것일지라도 무고죄의 공동정범이 성립한다.

③ 공모자 중 구성요건행위를 직접 분담하여 실행하지 아니한 사람도 공동가공의 의사와 그 공동의사에 의한 기능적 행위지배를 통한 범죄실행이라는 주관적·객관적 요건을 충족한다면 공모공동정범으로서의 죄책을 지므로, 배임증재의 공모공동정범이 다른 공모공동정범에 의하여 수재자에게 재물 또는 재산상 이익이 제공되는 방법을 구체적으로 몰랐다고 하더라도 공모관계를 부정할 수 없다.

④ 업무상 배임죄의 실행으로 인하여 이익을 얻게 되는 수익자 또는 그와 밀접한 관련이 있는 제3자를 배임의 실행행위자에 대한 공동정범으로 인정하기 위하여는, 실행행위자의 행위가 피해자 본인에 대한 배임행위에 해당한다는 점을 인식하는 것으로 족하고, 실행행위자의 배임행위를 교사하거나 또는 배임행위의 전 과정에 관여하는 등으로 배임행위에 적극 가담할 것을 필요로 하지 않는다.

해설 ① × : 형법 제30조에 '공동하여 죄를 범한 때'의 '죄'라 함은 고의범, 과실범을 불문하므로 두 사람 이상이 어떠한 과실행위를 서로의 의사연락하에 이룩하여 범죄가 되는 결과를 발생케 한 것이라면 과실범의 공동정범이 성립된다(대판 1979.8.21, 79도1249).
② × : 자기 자신을 무고하기로 제3자와 공모하고 이에 따라 무고행위에 가담하였더라도 이는 자기 자신에게는 무고죄의 구성요건에 해당하지 않아 범죄가 성립할 수 없는 행위를 실현하고자 한 것에 지나지 않아 무고죄의 공동정범으로 처벌할 수 없다(대판 2017.4.26, 2013도12592).
③ ○ : 대판 2015.7.23, 2015도3080
④ × : ~ (3줄) 해당한다는 것을 알면서도 소극적으로 그 배임행위에 편승하여 이익을 취득한 것만으로는 부족하고, 실행행위자의 배임행위를 교사하거나 또는 배임행위의 전 과정에 관여하는 등으로 배임행위에 적극 가담할 것을 필요로 한다(대판 2007.4.12, 2007도1033).

THEMA 19 '합동범' 총정리

합동범이란 구성요건상 "2인 이상이 합동하여 …"라고 규정된 범죄를 말한다. 즉, 2인 이상이 합동하여 죄를 범한 경우에 법정형이 형법에 별도로 규정되어 가중처벌되는 범죄이다. 12. 7급 검찰

1. 합동범으로 형법에 특수도주죄(제146조)·특수절도죄(제331조 제2항)·특수강도죄(제334조 제2항)가 있고, 성폭력특별법에 특수강간·특수강제추행·특수준강간 등이 있다. 11. 경찰승진, 22. 9급 검찰

2. 합동범이 성립하기 위하여는 주관적(객관적 ×) 요건으로서의 공모와 객관적(주관적 ×) 요건으로서의 실행행위의 분담이 있어야 하나, 그 공모는 법률상 어떠한 정형을 요구하는 것이 아니어서 공범자 상호간에 직접 또는 간접으로 범죄의 공동가공의사가 암묵리에 서로 상통하면 되고, 사전에 반드시 어떠한 모의과정이 있어야 하는 것도 아니어서 범의 내용에 대하여 포괄적 또는 개별적인 의사연락이나 인식이 있었다면 공모관계가 성립하며, 그 실행행위는 시간적으로나 장소적으로 협동관계에 있다고 볼 수 있는 사정이 있으면 되는 것이다(대판 2012.6.28, 2012도2631). 21. 경찰간부·해경승진, 22·23. 9급 검찰·마약수사·철도경찰, 25. 경찰승진

3. 대법원은 망을 본 경우(대판 1986.7.8, 86도843)는 물론 범행현장 부근에 대기하면서 지켜보거나(대판 1988.9.13, 88도1197) 가까운 곳에 대기하고 있다가 절취품을 같이 가지고 나온 경우(대판 1996.3.22, 96도313)는 시간적·장소적 협동관계에 있다고 보아 합동범(특수절도)이 성립한다고 한다. 18. 순경 2차, 22. 경찰승진

4. 폭력행위 등 처벌에 관한 법률 제2조 제2항 제1호의 '2명 이상이 공동하여 폭행의 죄를 범한 때'란 수인 사이에 공범관계가 존재하고, 수인이 동일 장소에서 동일 기회에 상호 다른 자의 범행을 인식하고 이를 이용하여 폭행의 범행을 한 경우임을 요한다. 따라서 폭행 실행범과의 공모사실이 인정되더라도 그와 공동하여 범행에 가담하였거나 범행장소에 있었다고 인정되지 아니하는 경우에는 공동하여 죄를 범한 때에 해당하지 않고, 여러 사람이 공동하여 범행을 공모하였다면 그중 2인 이상(1인 ×)이 범행장소에서 실제 범죄의 실행에 이르렀어야 나머지 공모자에게도 공모공동정범이 성립할 수 있을 뿐이다(대판 2023.8.31, 2023도6355). 19. 변호사시험, 24. 법원행시

5. 합동절도의 공모에는 참여하였으나 현장에서 실행행위를 직접 분담하지 아니한 자도 그가 현장에서 절도 범행을 실행한 2인 이상의 범인의 행위를 자기 의사의 수단으로 하여 합동절도의 범행을 하였다고 평가할 수 있는 정범성의 표지를 갖추고 있다면 합동절도의 공동정범이 된다. 그러므로 합동절도에서도 공동정범과 교사범·종범의 구별기준은 일반원칙에 따라야 하고, 그 결과 범행현장에 존재하지 아니한 범인도 공동정범이 될 수 있으며, 반대로 상황에 따라서는 장소적으로 협동한 범인도 방조만 한 경우에는 종범으로 처벌될 수도 있다(대판 1998.5.21, 98도321 전원합의체). 15. 경찰간부, 16. 사시, 22. 경찰승진, 23. 9급 검찰·철도경찰, 24·25. 9급 검찰·마약수사·철도경찰

6. 乙, 丙과 A회사의 사무실 금고에서 현금을 절취할 것을 공모한 甲이 乙과 丙에게 범행도구를 구입하여 제공해 주었을 뿐만 아니라 乙과 丙이 사무실에서 현금을 절취하는 동안 범행장소가 보이지 않는 멀리 떨어진 곳에서 기다렸다가 절취한 현금을 운반한 경우, 甲은 乙, 丙의 합동절도의 공동정범(종범 ×)의 죄책을 진다(대판 2011.5.13, 2011도2021). 13. 변호사시험·9급 검찰·철도경찰, 18. 경찰승진

7. 甲, 乙, 丙은 사전 모의에 따라 피해자들을 야산으로 유인한 다음 암묵적 합의에 따라 각자 마음에 드는 피해자들을 데리고 불과 100m 이내의 거리에 있는 곳으로 흩어져 동시 또는 순차적으로 피해자들을 각각 강간하였다면, 각 강간의 실행행위도 시간적으로나 장소적으로 협동관계에 있었다고 보아 특수강간죄가 성립한다(대판 2004.8.20, 2004도2870). 14. 변호사시험, 20. 순경 2차

8. 甲은 乙, 丙과 함께 택시강도를 하기로 모의하였는데, 甲은 乙과 丙이 피해자 A에 대해 폭행에 착수하기도 전에 겁을 먹고 미리 현장에서 도주해 버렸고 그 후 乙과 丙은 폭행에 저항하는 A를 격분하여 살해하고 택시에 있던 현금 8만원을 강취한 경우 ⇨ 甲은 특수강도의 합동범 ×〔∵ 乙과 丙이 폭행에 착수하기 전에 겁을 먹고 미리 현장에서 도주 ⇨ 피고인들(乙과 丙)과의 사이에 강도의 실행행위를 분담한 협동관계 ×〕, 乙과 丙은 강도살인죄의 공동정범 ○(대판 1985.3.26, 84도2956) 23. 9급 검찰 · 마약수사 · 철도경찰, 22 · 24. 경찰승진

01 합동범에 대한 설명으로 가장 적절하지 않은 것은?(다툼이 있는 경우 판례에 의함) 18. 경찰승진

① 합동범의 공동정범은 가능하다.

② 합동범에 대한 교사 · 방조는 불가능하다.

③ 합동범이 성립하기 위해서는 주관적 요건으로서의 공모와 객관적 요건으로서의 실행행위의 분담이 필요하고 그 공모는 법률상 어떠한 정형을 요구하는 것은 아니어서, 공범자 상호간에 직접 또는 간접으로 범죄의 공동가공의사가 암묵리에 서로 상통하여도 합동범의 공모에 포함된다.

④ 乙, 丙과 A회사의 사무실 금고에서 현금을 절취할 것을 공모한 甲이 乙과 丙에게 범행도구를 구입하여 제공해 주었을 뿐만 아니라 乙과 丙이 사무실에서 현금을 절취하는 동안 범행장소에서 100m 떨어진 곳에서 기다렸다가 절취한 현금을 운반한 경우, 甲은 乙과 丙의 합동절도의 공동정범의 죄책을 진다.

해설 ① ○ ④ ○ : 대판 2011.5.13, 2011도2021
② × : 합동절도에서도 공동정범과 교사범 · 종범의 구별기준은 일반원칙에 따라야 하고, 그 결과 범행현장에 존재하지 아니한 범인도 공동정범이 될 수 있으며, 반대로 상황에 따라서는 장소적으로 협동한 범인도 방조만 한 경우에는 종범으로 처벌될 수도 있다(대판 1998.5.21, 98도321 전원합의체).
③ ○ : 대판 2012.6.28, 2012도2631

02 합동범에 대한 설명으로 가장 적절한 것은?(다툼이 있는 경우 판례에 의함) 22. 경찰승진

① 甲이 乙과 공모한 대로 칼을 들고 강도를 하기 위하여 A의 집에 들어가 칼을 휘둘러 A에게 상해를 가한 이상 대문 밖에서 망을 본 乙이 구체적으로 상해를 가할 것까지 공모하지 않았다 하더라도 乙은 상해의 결과에 대하여도 공범으로서의 책임을 면할 수 없다.

② 甲이 乙 및 丙과 택시강도를 하기로 모의를 하였다면, 乙과 丙이 피해자에 대한 폭행에 착수하기 전에 겁을 먹고 미리 현장에서 도주해 버렸더라도 특수강도의 합동범이 성립한다.

③ 3인 이상의 범인이 절도의 범행을 공모한 후 적어도 2인 이상의 범인이 시간적 · 장소적으로 협동관계를 이루어 절도의 실행행위를 분담하여 절도범행을 한 경우, 현장에서 실행행위를 직접 분담하지 않은 가담자는 합동절도의 공동정범도 될 수 없다.

Answer 1. ② 2. ①

④ 甲은 乙, 丙과 실행행위의 분담을 공모하고, 乙과 丙의 절취행위 장소 부근에서 甲 자신이 운전하는 차량 내에 대기한 경우, 甲에게는 합동절도가 성립할 수 없다.

해설 ① ○ : 대판 1998.4.14, 98도356(∴ 강도상해죄의 공동정범 ○, 강도치상죄의 공동정범 ×)
② × : 특수강도의 합동범 ×(대판 1985.3.26, 84도2956)
③ × : ~ 될 수 있다(대판 1998.5.21, 98도321 전원합의체).
④ × : ~ 성립할 수 있다(대판 1988.9.13, 88도1197).

03 **합동범에 대한 설명으로 옳지 않은 것은?**(다툼이 있는 경우 판례에 의함)

23. 9급 검찰 · 마약수사 · 철도경찰

① 합동강도의 공범자 중 1인이 강도의 기회에 피해자를 살해한 경우, 다른 공모자가 살인의 공모를 하지 아니하였다고 하여도 그 살인행위나 치사의 결과를 예견할 수 없었던 경우가 아니면 강도치사죄의 죄책을 면할 수 없다.

② 피고인이 다른 피고인들과 택시강도를 하기로 모의한 일이 있다고 하여도 다른 피고인들이 피해자에 대한 폭행에 착수하기 전에 겁을 먹고 미리 현장에서 도주해 버린 것이라면, 피고인을 특수강도의 합동범으로 다스릴 수는 없다.

③ 합동절도에서도 공동정범과 교사범 · 종범의 구별기준은 일반원칙에 따라야 하고, 그 결과 범행현장에 존재하지 아니한 범인도 공동정범이 될 수 있으며, 상황에 따라서는 장소적으로 협동한 범인도 방조만 한 경우에는 종범으로 처벌될 수도 있다.

④ 합동범이 성립하기 위한 주관적 요건으로서 공모는 법률상 어떠한 정형을 요구하는 것이 아니어서 공범자 상호간에 직접 또는 간접으로 범죄의 공동가공의사가 암묵리에 서로 상통하면 되지만, 적어도 그 모의과정은 사전에 있어야 한다.

해설 ① 대판 1991.11.12, 91도2156
② 대판 1985.3.26, 84도2956
③ 대판 1998.5.21, 98도321 전원합의체
④ × : ~ (3줄) 상통하면 되고, 사전에 반드시 어떠한 모의과정이 있어야 하는 것도 아니어서 범의 내용에 대하여 포괄적 또는 개별적인 의사연락이나 인식이 있었다면 공모관계가 성립한다(대판 2012.6.28, 2012도2631).

THEMA 20 '동시범(독립행위의 경합)' 총정리

제19조【독립행위의 경합】 동시 또는 이시의 독립행위가 경합한 경우에 그 결과발생의 원인된 행위가 판명되지 아니한 때에는 각 행위를 미수범으로 처벌한다. 21. 9급 검찰, 22. 법원행시

1. 의의 : 동시범이란 2인 이상의 행위자(정범)가 의사의 연락(공동의 의사) 없이 동시 또는 이시(근접한 시간적 전후관계)에 동일한 객체에 대해 각자 범죄를 실행하여 구성요건적 결과를 실현한 경우를 말한다(예 甲과 乙은 각자 별개의 살인의 의사로 동시에 丙에게 발포하였는데 丙이 탄환 일방에 명중되어 사망한 경우).

2. 성립요건
① 2인 이상의 실행행위가 있어야 한다.
② 행위자 사이에 의사의 연락이 없어야 한다. 이 점에서 공동정범이나 합동범과 구별된다. 따라서 1인의 행위가 종료되기 이전(실행 도중)에 의사연락이 되어 공동실행하는 경우는 승계적 공동정범이지 동시범이 아니다. 18. 9급 검찰·마약수사·철도경찰, 20. 변호사시험, 21. 해경 1차, 22. 순경 1차
③ 행위객체는 동일해야 한다. 즉, 2인 이상의 행위가 동일 객체에 향한 것이어야 한다.
④ 2인 이상의 행위가 시간적(제19조 '동시 또는 이시')·장소적으로 반드시 동일할 필요는 없다.
⑤ 결과 발생의 원인된 행위가 판명되지 않아야 한다.

3. 효 과
① 원인된 행위가 판명된 경우 : 각 행위자는 독립하여 자기책임의 한도 내에서 그 원인행위에 따라 처벌된다. 예 의사의 연락 없이 甲과 乙은 살해의 고의로 丙을 향해 총탄을 발사한 결과 甲이 쏜 총탄은 스쳐 지나가고 乙이 쏜 총탄에 심장이 맞아 丙이 사망한 경우 ⇨ 甲은 살인미수범, 乙은 살인기수범
② 원인된 행위가 판명되지 않은 경우 : 각 행위자는 발생된 결과에 대해서 미수범으로 처벌된다(제19조). 예 甲과 乙이 각자 별개의 살인의사로 이시에 丙에게 발포하였는데 丙은 탄환 일방에 명중되어 사망하였으나 누가 쏜 탄환에 맞은 것인지 불분명한 경우 ⇨ 甲·乙 모두 살인미수죄

4. 동시범의 특례(상해죄의 동시범) : 제263조

제263조【동시범】 독립행위가 경합하여 상해의 결과를 발생하게 한 경우에 있어서 원인된 행위가 판명되지 아니한 때에는 공동정범의 예에 의한다. 21. 해경승진

> ☑ **주 의**
> • 원인된 행위가 판명된 경우 : 각 행위자는 독립하여 그 원인행위에 따라 처벌된다.
> 예 甲과 乙이 의사의 연락 없이 상해의 고의로 동시에 丙에게 돌을 던졌으나 甲의 돌에 맞아 丙은 상해를 입었으나 乙의 돌은 빗나간 경우 ⇨ 甲은 상해기수, 乙은 상해미수 21. 해경 1차·순경 2차, 22. 경찰승진, 25. 변호사시험
> • '공동정범의 예에 의한다'는 공동정범으로 처벌된다는 것이 아니고, 각자를 제19조에 의해 미수범으로 처벌하는 것이 아니라 제30조에 의해 정범(기수범)으로 처벌한다는 의미이다. 22. 순경 1차

> ① 시간적 차이가 있는 독립된 상해행위나 폭행행위가 경합하여 사망의 결과가 일어나고 그 사망의 원인된 행위가 판명되지 않은 경우에는 공동정범의 예에 의하여 처벌할 것이다(대판 2000.7.28, 2000도2466). 17. 법원직, 20. 변호사시험, 21. 해경 1차·7급 검찰, 24. 순경 2차
> ② 강간치상죄에 대하여는 상해죄의 동시범 처벌에 관한 특례를 인정한 형법 제263조가 적용되지 아니한다(대판 1984.4.24, 84도372). 19. 9급 검찰·마약수사·철도경찰, 21. 법원행시, 22. 순경 1차, 24. 순경 2차
> ③ 고의행위이든 과실행위이든 행위를 공동으로 할 의사가 있어 공동정범이 성립한다면, 독립행위의 경합문제는 제기될 여지가 없다(대판 1997.11.28, 97도1740). 12. 사시
> ④ 상해죄에 있어서의 동시범은 두 사람 이상이 가해행위를 하여 상해의 결과를 가져올 경우에 그 상해가 어느 사람의 가해행위로 인한 것인지가 분명치 않다면 가해자 모두를 공동정범으로 본다는 것이므로 가해행위를 한 것 자체가 분명치 않은 사람에 대하여는 동시범으로 다스릴 수 없다(대판 1984.5.15, 84도488). 14. 경찰간부, 21. 법원행시·순경 1차·2차, 25. 경찰승진

01 형법 제263조(동시범)에 관한 설명 중 가장 옳지 않은 것은?(판례에 의함) 기출지문 종합

① 가해행위를 한 것 자체가 분명치 않은 사람에 대하여는 동시범으로 다스릴 수 없다.
② 甲은 2시간 전에 乙의 폭행으로 부상을 당하여 의자에 누워 있던 丙을 밀어 땅바닥에 떨어지게 함으로써 丙이 사망하게 되었는데, 甲·乙 중 누구의 행위로 사망하였는지 알 수 없는 경우 甲은 폭행치사죄의 공동정범의 예에 따라 처벌된다.
③ 공범관계에 있어 공동가공의 의사가 있었다면 동시범의 문제는 제기될 여지가 없다.
④ 형법 제263조의 동시범은 체포감금치상죄에는 적용할 수 없다.
⑤ 甲이 A를 강간하고 떠난 후 우연히 그곳을 지나가던 乙이 A를 다시 강간하였는데 그 과정에서 A가 입은 상해가 누구의 행위에 의한 것인지 판명되지 않은 경우, 甲과 乙은 강간치상죄의 공동정범의 죄책을 진다.

[해설] ① 상해죄에 있어서의 동시범은 두 사람 이상이 가해행위를 하여 상해의 결과를 가져올 경우에 그 상해가 어느 사람의 가해행위로 인한 것인지가 분명치 않다면 가해자 모두를 공동정범으로 본다는 것이므로 가해행위를 한 것 자체가 분명치 않은 사람에 대하여는 동시범으로 다스릴 수 없다(대판 1984.5.15, 84도488).
② 이시에(시간적 차이가 있는) 독립된 상해행위나 폭행행위가 경합하여 사망의 결과가 일어나고 그 사망의 원인된 행위가 판명되지 않은 경우 ⇨ 동시범의 특례(제263조) 적용 ⇨ 공동정범의 예에 의해 처벌된다(대판 2000.7.28, 2000도2466).
③ 대판 1985.12.10, 85도1892
④ 타당하다.
⑤ × : 형법 제263조의 동시범은 강간치상죄에는 적용할 수 없다(대판 1984.4.24, 84도372).

02 동시범에 관한 설명으로 옳은 것은 모두 몇 개인가?(다툼이 있는 경우 판례에 의함) 22. 순경 1차

> ㉠ 시간적 차이가 있는 독립행위가 경합한 경우, 그 결과발생의 원인된 행위가 판명되지 아니한 때에 형법 제263조가 적용되는 경우를 제외하고는 형법 제19조가 적용된다.
> ㉡ 독립행위가 경합하여 상해의 결과를 발생하게 한 경우에 있어서 원인된 행위가 판명되지 아니한 때에는 각 행위자를 미수범으로 처벌한다.
> ㉢ 형법 제263조의 동시범은 강간치상죄에는 적용할 수 없다.
> ㉣ A가 甲으로부터 폭행을 당하고 얼마 후 함께 A를 폭행하자는 甲의 연락을 받고 달려 온 乙로부터 다시 폭행을 당하고 사망하였으나 사망의 원인행위가 판명되지 않았다면, 형법 제263조가 적용되어 甲과 乙은 폭행치사죄의 공동정범의 예에 의하여 처벌된다.

① 1개 　　　② 2개 　　　③ 3개 　　　④ 4개

해설 ㉠ ○ : 옳다.
㉡ × : ~ 각 행위자를 공동정범(제30조)의 예에 따라 정범(기수범)으로 처벌한다(제263조).
㉢ ○ : 대판 1984.4.24, 84도372
㉣ × : 공동가공의 의사가 있었으므로(∵ 연락하여 함께 폭행할 것을 제안) 승계적 공동정범의 문제이지 동시범의 문제는 제기될 여지가 없어(∵ 제263조 적용 ×) 사망의 원인된 행위가 판명되지 않았다 하더라도 폭행치사죄의 공동정범의 죄책을 진다.

03 형법 제263조 동시범의 특례에 대한 설명 중 적절한 것은 모두 몇 개인가?(다툼이 있는 경우 판례에 의함) 21. 경력채용

> ㉠ 甲은 A를 폭행하다가 힘에 부치자 평소 A에 대해 원한을 품고 있던 乙에게 연락하여 함께 폭행할 것을 제안하였다. 얼마 후 도착한 乙로부터 A는 다시 폭행을 당하고 사망하였으나 사망의 원인된 행위가 판명되지 않았다면, 형법 제263조가 적용되어 甲과 乙은 폭행치사죄의 공동정범의 예에 의하여 처벌된다.
> ㉡ 甲은 길 가던 A를 아무런 이유 없이 수차례 폭행하고 그냥 가버렸다. 격분한 A는 분을 풀기 위해 지나가던 행인 乙에게 시비를 걸었으나 오히려 乙로부터 수차례 폭행을 당하였다. A가 乙의 계속되는 폭행을 피하려고 도로를 무단횡단하다 지나가던 차량에 치어 사망하였다면, 형법 제263조가 적용되어 甲과 乙은 폭행치사죄의 공동정범의 예에 의하여 처벌된다.
> ㉢ 甲은 A에게 상해를 가한 후 그 자리를 떠났다. 얼마 후 A는 근처를 지나가던 행인 乙과 시비가 붙은 끝에 상해를 당한 후 사망하였으나 사망의 원인된 행위가 판명되지 않았다면, 형법 제263조가 적용되어 甲과 乙은 상해치사죄의 공동정범의 예에 의하여 처벌된다.
> ㉣ 甲은 A를 강간한 후 그 자리를 떠났다. 얼마 후 A는 근처를 지나가던 다른 행인 乙로부터 다시 강간을 당하였다. 다음 날 A는 강간을 당하는 과정에서 입은 상해로 병원에 입원하였으나 甲과 乙누구의 행위에 의해 상해를 입었는지는 판명되지 않았다면, 형법 제263조가 적용되어 甲과 乙은 강간치상죄의 공동정범의 예에 의하여 처벌된다.

① 없 음 　　　② 1개 　　　③ 2개 　　　④ 3개

Answer　2. ② 　3. ②

[해설] ㉠ × : 공동가공의 의사가 있었으므로(∵ 연락하여 함께 폭행할 것을 제안) 승계적 공동정범의 문제이지 동시범의 문제는 제기될 여지가 없어(∵ 제263조 적용 ×) 사망의 원인된 행위가 판명되지 않았다 하더라도 폭행치사죄의 공동정범의 죄책을 진다.
㉡ × : 원인된 행위가 판명되었으므로(∵ 지나가던 차량에 치어 사망하였음) 제263조가 적용되지 않고 각자 원인대로 처벌된다(∵ 甲은 폭행죄, 乙은 폭행치사죄).
㉢ ○ : 대판 2000.7.28, 2000도2466
㉣ × : 형법 제263조의 동시범은 강간치상죄에는 적용될 수 없다(대판 1984.4.24, 84도372).

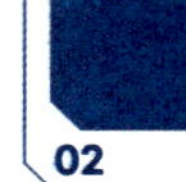

04 **형법 제19조(독립행위의 경합)와 제263조(동시범)에 관한 설명으로 가장 적절하지 않은 것은?**
(다툼이 있는 경우 판례에 의함)   **24. 순경 2차**

① 2인 이상이 상호의사의 연락이 없이 동시에 범죄구성요건에 해당하는 행위를 하였을 때에는 원칙적으로 각인에 대하여 그 죄를 논하여야 하나, 상호의사의 연락이 있어 공동정범이 성립한다면, 독립행위경합 등의 문제는 아예 제기될 여지가 없다.

② 독립행위가 경합하더라도 결과발생의 원인이 분명한 경우, 결과와 인과관계가 인정되는 행위를 한 행위자는 의도한 범죄의 기수범이 되고, 결과와 인과관계가 판명되지 않는 행위를 한 행위자는 그 죄의 미수범 또는 무죄가 된다.

③ 형법 제263조의 동시범은 상해와 폭행죄에 관한 특별규정으로서 동 규정은 그 보호법익을 달리하는 강간치상죄에는 적용할 수 없다.

④ 형법 제263조의 동시범은 '상해의 결과'를 발생하게 한 경우에 적용되기 때문에 시간적 차이가 있는 독립된 상해행위나 폭행행위가 경합하여 사망의 결과가 일어나고 그 사망의 원인된 행위가 판명되지 않은 경우에는 동 규정을 적용할 수 없다.

[해설] ① 대판 1985.12.10, 85도1892
② 옳다.
③ 대판 1984.4.24, 84도372
④ × : ~ (3줄) 동 규정을 적용할 수 있다(대판 2000.7.28, 2000도2466 ∵ 공동정범의 예에 의하여 처벌할 것이다).

종합문제 | **공동정범, 합동범, 동시범**

01 **다음 설명 중 가장 옳지 않은 것은?**(다툼이 있는 경우 판례에 의함) 20. 경찰간부

① 해적 甲, 乙이 두목의 사전지시에 따라 선원들을 윙브리지로 세워 해군의 위협사격을 받게 함으로써 '인간방패'로 사용한 경우, 甲이 사전모의는 하였지만 선원들을 윙브리지로 내몰았을 당시 총을 버리고 도망갔다면 공모관계에서 이탈한 것에 해당한다.

② 대향범은 대립적 범죄로서 2인 이상의 서로 대향된 행위의 존재를 필요로 하는 필요적 공범관계에 있는 범죄로, 대향범 간에는 공범에 관한 형법 총칙 규정이 적용되지 않는다.

③ 시간적 차이가 있는 독립된 폭행행위가 경합하여 사망의 결과가 일어나고 그 사망의 원인된 행위가 판명되지 않은 경우 공동정범의 예에 의하여 처벌한다.

④ 자기 자신을 무고하기로 제3자와 공모하고 이에 따라 무고행위에 가담하였더라도 무고죄의 공동정범으로 처벌할 수 없다.

> **해설** ① × : ~ (3줄) 도망갔다고 하더라도 공모관계에서 이탈한 것으로 볼 수 없다(대판 2011.12.22, 2011도12927).
> ② 대판 1985.3.12, 84도2747
> ③ 대판 2000.7.28, 2000도2466
> ④ 대판 2017.4.26, 2013도12592

02 **공동정범에 대한 설명으로 옳지 않은 것은?**(다툼이 있는 경우 판례에 의함)

20. 9급 검찰 · 마약수사 · 철도경찰

① 2인 이상이 상호 의사연락하에 과실행위를 함으로써 범죄가 되는 결과를 발생케 한 경우 과실범의 공동정범이 성립된다.

② 3인 이상의 범인이 합동절도의 범행을 공모하였지만 범행 현장에 있지 않은 자에 대해서는 합동범의 공동정범을 인정할 수 없다.

③ 결과적 가중범의 공동정범은 행위를 공동으로 할 의사가 있으면 성립하고 그 결과를 공동으로 할 의사까지는 필요 없다.

④ 공모자가 공모에 주도적으로 참여하여 다른 공모자의 실행에 영향을 미친 때에는 그 영향력을 제거하지 아니하는 한 공모관계에서 이탈하였다고 할 수 없다.

> **해설** ① 대판 1962.3.29, 4294형상598
> ② × : ~ 인정할 수 있다(대판 1998.5.21, 98도321 전원합의체).
> ③ 대판 2000.5.12, 2000도745
> ④ 대판 2008.4.10, 2008도1274

03 공동정범과 합동범에 대한 설명으로 옳지 않은 것은?(다툼이 있는 경우 판례에 의함)

21. 경찰간부

① 공동정범에서 공모나 모의는 순차적 암묵적으로 상통하여 이루어질 수 있다.

② 포괄일죄의 일부에 공동정범으로 가담하면서 종전에 이루어진 범행을 알았다면, 가담 이후의 범행은 물론 전체 범죄에 대해 공동정범으로서의 책임을 진다.

③ 합동범이 성립하기 위하여는 주관적 요건으로서의 공모와 객관적 요건으로서의 실행행위의 분담이 있어야 하고, 그 실행행위에 있어서는 시간적·장소적 협동관계에 있어야 한다.

④ 공범자의 범인도피행위 도중에 그 범행을 인식하면서 그와 공동의 범의를 가지고 기왕의 범인도피상태를 이용하여 스스로 범인도피행위를 계속한 자에 대하여는 범인도피죄의 공동정범이 성립한다.

[해설] ① 대판 2003.1.24, 2002도6103
② × : 포괄일죄의 범행 도중에 공동정범으로 범행에 가담한 자는 비록 그가 그 범행에 가담할 때에 이미 이루어진 종전의 범행을 알았다 하더라도 그 가담 이후의 범행에 대하여만 공동정범으로 책임을 진다(대판 2007.11.15, 2007도6336).
③ 대판 2012.6.28, 2012도2631
④ 대판 2012.8.30, 2012도6027

04 필요적 공범에 대한 설명으로 옳지 않은 것은?(다툼이 있는 경우 판례에 의함)

22. 9급 검찰·마약수사·철도경찰

① 공무상 비밀누설죄에 있어서 비밀을 누설하는 행위와 그 비밀을 누설받는 행위는 대향범 관계에 있지만, 처벌받지 않는 대향자는 처벌받는 대향자의 교사범이 될 수 있다.

② 형법은 절도의 죄, 강도의 죄 및 도주의 죄에 관하여 '2인(또는 2명) 이상이 합동하여' 죄를 범하는 경우를 규정하고 있다.

③ 합동범이 성립하기 위하여는 객관적 요건으로서의 실행행위가 시간적으로나 장소적으로 협동관계에 있다고 볼 수 있는 사정이 있어야 한다.

④ 뇌물공여자와 뇌물수수자 사이에서는 각자 상대방의 범행에 대하여 형법 총칙의 공범규정이 적용되지 않는다.

[해설] ① × : ~ 될 수 없다(대판 2009.6.23, 2009도544).
② 특수절도죄(제331조 제2항), 특수강도죄(제334조 제2항), 특수도주죄(제146조)
③ 대판 2012.6.28, 2012도2631
④ 대판 2015.2.12, 2012도4842

Answer 3.② 4.①

05 공동정범에 관한 설명으로 가장 적절한 것은?(다툼이 있는 경우 판례에 의함)　　　24. 경찰승진

① 상명하복 관계에 있는 자들이 범행에 공동 가공한 경우 특수교사 방조범(형법 제34조 제2항)이 성립할 수 있으나 공동정범은 인정될 수 없다.

② 사기죄의 실행행위에 직접 관여하지 아니한 사람도 공모관계가 인정되면 공모공동정범이 성립할 수 있지만, 공모자 중 사기의 기망방법을 구체적으로 몰랐던 자는 공모관계가 부정된다.

③ 처(妻) 乙이 구속된 남편 甲을 대행하여 甲의 지시를 받아 회사를 운영하면서 조세범 처벌법상 조세포탈행위를 하다가 협의이혼한 후, 乙 혼자 회사를 경영하였더라도 이혼 전 甲의 영향력이 제거되지 않아 조세포탈행위가 계속되었다면, 甲은 협의이혼 후에도 여전히 乙의 조세범 처벌법 위반죄에 대하여 공동정범으로서 책임을 진다.

④ 甲은 乙, 丙과 함께 택시강도를 하기로 모의하였는데, 甲은 乙과 丙이 피해자 A에 대해 폭행에 착수하기도 전에 겁을 먹고 미리 현장에서 도주해 버렸고 그 후 乙과 丙은 폭행에 저항하는 A를 격분하여 살해하고 택시에 있던 현금 8만원을 강취하였다면, 甲은 특수강도의 합동범, 乙과 丙은 강도살인죄의 공동정범이 성립한다.

해설 ① × : 상명하복 관계에 있는 자들 사이에 있어서도 범행에 공동 가공한 이상 공동정범이 성립하는 데 아무런 지장이 없는 것이다(대판 2012.1.27, 2010도10739).
② × : 사기의 공모공동정범이 그 기망방법을 구체적으로 몰랐다고 하더라도 공모관계를 부정할 수 없다(대판 2013.8.23, 2013도5080).
③ ○ : 대판 2008.7.24, 2007도4310
④ × : 甲은 특수강도의 합동범 ×〔∵ 乙과 丙이 폭행에 착수하기 전에 겁을 먹고 미리 현장에서 도주 ⇨ 피고인들(乙과 丙)과의 사이에 강도의 실행행위를 분담한 협동관계 ×〕, 乙과 丙은 강도살인죄의 공동정범 ○(대판 1985.3.26, 84도2956)

06 공동정범에 대한 설명으로 옳지 않은 것은?(다툼이 있는 경우 판례에 의함)

24. 9급 검찰·마약수사·철도경찰

① 공무원이 아닌 사람이 공무원과 공동가공의 의사와 이를 기초로 한 기능적 행위지배를 통하여 공무원의 직무에 관하여 뇌물을 수수하는 범죄를 실행하였다면 공무원이 직접 뇌물을 받은 것과 동일하게 평가할 수 있으므로 공무원과 비공무원에게 형법 제129조 제1항에서 정한 뇌물수수죄의 공동정범이 성립한다.

② 합동절도는 범행 현장에서 시간적, 장소적으로 협동관계를 이루어 절도의 실행행위를 분담하여 절도 범행을 하여야 하므로, 공모에는 참여하였으나 현장에 없는 자는 기능적 범행지배 유무를 불문하고 합동범의 공동정범이 성립할 수 없다.

③ 공모공동정범에 있어서 그 공모자 중 1인이 다른 공모자가 실행행위에 이르기 전에 그 공모관계에서 이탈한 경우 그 이탈의 표시는 반드시 명시적임을 요하지 않는다.

④ 구성요건행위를 직접 분담하여 실행하지 않은 공모자가 공모공동정범으로 인정되기 위해서는 전체 범죄에서 그가 차지하는 지위·역할, 범죄 경과에 대한 지배나 장악력 등을 종합하여 그가 단순한 공모자에 그치는 것이 아니라 범죄에 대한 본질적 기여를 통한 기능적 행위지배가 존재한다고 인정되어야 한다.

해설 ① 대판 2019.8.29, 2018도2738 전원합의체
② × : 합동절도의 공모에는 참여하였으나 현장에서 실행행위를 직접 분담하지 아니한 자도 그가 현장에서 절도 범행을 실행한 2인 이상의 범인의 행위를 자기 의사의 수단으로 하여 합동절도의 범행을 하였다고 평가할 수 있는 정범성의 표지를 갖추고 있다면 합동절도의 공동정범이 된다(대판 1998.9.12, 98도321 전원합의체).
③ 대판 1986.1.21, 85도2371
④ 대판 2009.2.12, 2008도6551

07 공동정범에 대한 설명으로 옳은 것은?(다툼이 있는 경우 판례에 의함)

25. 9급 검찰·마약수사·철도경찰

① 공동가공의 의사는 타인의 범행을 인식하면서도 이를 제지하지 아니하고 용인하는 것만으로도 인정된다.
② 포괄일죄의 범행 도중에 공동정범으로 범행에 가담한 자가 그 범행에 가담할 때에 이미 이루어진 종전의 범행을 알았다면 전체 범행에 대하여 공동정범으로 책임을 진다.
③ 공모공동정범에 있어서 공모관계에서 이탈이 인정되기 위해서는 공모자가 공모에 의하여 담당한 기능적 행위지배를 해소하는 것이 필요하므로 공모자가 공모에 주도적으로 참여하여 다른 공모자의 실행에 영향을 미친 때에는 범행을 저지하기 위하여 적극적으로 노력하는 등 실행에 미친 영향력을 제거해야 한다.
④ 3인 이상이 합동절도를 모의한 후 2인 이상이 현장에서 범행을 실행한 경우, 직접 실행행위에 가담하지 않은 자는 그가 현장에서 절도 범행을 실행한 2인 이상의 범인의 행위를 자기 의사의 수단으로 하여 합동절도의 범행을 하였다고 평가할 수 있더라도 합동범의 공동정범이 인정되지 아니한다.

해설 ① × : 공동정범에서 주관적 요건인 공동가공의 의사는 타인의 범행을 인식하면서도 이를 제지하지 아니하고 용인하는 것만으로는 부족하고, 공동의 의사로 특정한 범죄행위를 하기 위하여 일체가 되어 서로 다른 사람의 행위를 이용하여 자기의 의사를 실행에 옮기는 것을 내용으로 하여야 한다(대판 2001.11.9, 2001도4792).
② × : 포괄일죄의 범행 도중에 공동정범으로 범행에 가담한 자는 비록 그가 그 범행에 가담할 때에 이미 이루어진 종전의 범행을 알았다 하더라도 그 가담 이후의 범행에 대하여만 공동정범으로 책임을 진다(대판 2007.11.15, 2007도6336).
③ ○ : 대판 2008.4.10, 2008도1274
④ × : ~ (3줄) 평가할 수 있다면 정범성의 표지를 갖추고 있다면 합동절도의 공동정범이 인정된다(대판 1998.9.12, 98도321 전원합의체).

08 공동정범에 관한 설명으로 옳은 것을 모두 고른 것은?(다툼이 있는 경우 판례에 의함)

25. 경찰승진

> ㉠ 공모공동정범에 있어서 그 공모자 중 1인이 다른 공모자가 실행행위에 이르기 전에 그 공모관계에서 이탈한 때에도 그 이후의 다른 공모자의 행위에 관하여 공동정범으로서의 책임을 부담하고 그 이탈의 표시는 명시적일 것을 요한다.
> ㉡ 교량이 그 수명을 유지하기 위하여는 건설업자의 완벽한 시공, 감독공무원들의 철저한 제작시공상의 감독 및 유지·관리를 담당하고 있는 공무원들의 철저한 유지·관리라는 조건이 합치되어야 하는 것이므로, 각 단계에 관여한 자는 자신의 과실이 교량붕괴의 원인이 되지 않았다고 하더라도 붕괴에 대한 공동책임을 면할 수 없다.
> ㉢ 상해죄에 있어서의 동시범은 두 사람 이상이 가해행위를 하여 상해의 결과를 가져올 경우에 그 상해가 어느 사람의 가해행위로 인한 것인지가 분명치 않다면 가해자 모두를 공동정범으로 본다는 것이므로 가해행위를 한 것 자체가 분명치 않은 사람에 대하여는 동시범으로 다스릴 수 없다.
> ㉣ 연속된 제조행위 도중에 공동정범으로 범행에 가담한 자는 그가 그 범행에 가담할 때에 이미 이루어진 종전의 범행을 알았다면, 제조행위 전체가 포괄하여 하나의 죄가 되는 이상 그 가담 이전의 제조행위에 대하여도 유죄를 인정할 수 있다.
> ㉤ 합동범이 성립하기 위하여는 주관적 요건으로서의 공모와 객관적 요건으로서의 실행행위의 분담이 있어야 하나, 그 공모는 법률상 어떠한 정형을 요구하는 것이 아니어서 공범자 상호간에 직접 또는 간접으로 범죄의 공동가공의사가 암묵리에 서로 상통하면 되고, 사전에 반드시 어떠한 모의과정이 있어야 하는 것도 아니다.

① ㉠, ㉢　　　　② ㉡, ㉣　　　　③ ㉢, ㉤　　　　④ ㉣, ㉤

해설 ㉠ × : 공모공동정범에 있어서 다른 공모자가 실행행위에 이르기 전에 그 공모관계에서 이탈한 때에는 이탈 이후의 다른 공모자의 행위에 대해 공동정범이 성립하지 않으며 그 이탈의 표시는 반드시 명시적일 필요가 없다(대판 1986.1.21, 85도2371).
㉡ × : ~ (3줄) 각 단계에 관여한 자는 전혀 과실이 없거나 자신의 과실이 교량붕괴의 원인이 되지 않았다는 특별한 사정이 있는 경우에는 붕괴에 대한 공동책임을 면할 수 있다(대판 1997.11.28, 97도1740).
㉢ ○ : 대판 1984.5.15, 84도488
㉣ × : 연속된 히로뽕제조행위 도중에 공동정범으로 범행에 가담한 자는 비록 그가 그 범행에 가담할 때에 이미 이루어진 종전의 범행을 알았다 하더라도 그 가담 이후의 범행에 대하여만 공동정범으로 책임을 지는 것이다(대판 1982.6.8, 82도884).
㉤ ○ : 대판 2012.6.28, 2012도2631

Answer 8. ③

제3절 간접정범

관련조문

제34조 제1항【간접정범】 어느 행위로 인하여 처벌되지 아니하는 자 또는 과실범으로 처벌되는 자를 교사 또는 방조하여 범죄행위의 결과를 발생하게 한 자는 교사 또는 방조의 예에 의하여 처벌한다.

---

01 간접정범에 관한 설명으로서 틀린 것은 모두 몇 개인가?

> ㉠ 행위지배의 하나인 실행지배를 정범성의 표지로 한다.
> ㉡ 공범독립성설에 의하면 공범이 된다.
> ㉢ 제한적 정범개념에 따르면 공범이 된다.
> ㉣ 확장적 정범개념에 따르면 정범이 된다.
> ㉤ 교사·방조의 예에 따라 처벌된다.
> ㉥ 제한적 종속형식에 의하면 극단적 종속형식보다 간접정범의 성립범위가 좁아진다.
> ㉦ 피이용자에게 고의가 있고 유책한 경우는 이를 이용한 자가 간접정범이 되는 경우는 생각할 수 없다.

① 2개   ② 3개   ③ 4개   ④ 5개

해설 ㉠ × : 의사지배 ⇨ 간접정범, 실행지배 ⇨ 직접정범 ㉤ ○ : 제34조

☑ **간접정범은 정범인가? 공범인가?**

구 분		내 용
정범설	확장적 정범개념이론	구성요건적 결과발생에 조건을 준 자는 모두 정범이므로 간접정범은 당연히 정범이며, 간접정범의 개념을 특별히 인정할 필요가 없다는 견해이다. ⇨ ㉣
	공범종속성설	이 설에 따르면 정범이 성립되어야 종속적으로 공범이 성립되는데, 간접정범에 있어서 피이용자는 직접정범의 물적 도구와 비슷하게 인적 도구에 지나지 않으므로 피이용자가 정범이 될 수는 없다. 따라서 간접정범은 공범이 될 수 없고 정범이라는 견해이다.
공범설	제한적 정범개념이론	구성요건적 행위를 직접 실행한 자만이 정범이므로 간접정범은 정범이 아니라 공범(교사범)이라는 견해이다. ⇨ ㉢
	공범독립성설	자기의 범죄수행을 위해 타인의 행위를 이용하는 모든 경우를 공범으로 본다. 즉, 공범의 행위(교사·방조행위)가 있는 이상 공범은 성립하므로 간접정범에 있어서 이용자는 정범이 아니라 공범(교사범)이라는 설이다. ⇨ ㉡

㉥ ○ : { 제한적 종속형식 : 정범이 구성요건해당 ×, 위법 × ⇨ 간접정범
{ 극단적 종속형식 : 정범이 구성요건해당 ×, 위법 ×, 책임 × ⇨ 간접정범

㉦ × : 다수설·판례인 제한종속형식에 의하더라도 정범개념의 우위성에 의하여 고의 있고, 책임 있는 경우에 의사지배가 인정되면 이용자는 간접정범이 될 수 있다. 정범 배후의 정범이론에 따르더라도 간접정범이 될 수 있다.

Answer   1. ①

THEMA 21 '간접정범' 총정리

1. 제34조 제1항의 어느 행위로 처벌되지 아니한 자란 범죄의 3가지 성립요건(즉, 구성요건해당성, 위법성, 책임성) 중 어느 하나라도 없어 범죄가 성립되지 않는 경우를 말한다.

⚖ **관련판례**

1. **피이용자의 행위가 객관적 구성요건에 해당하지 않은 경우**(자상 또는 자살을 이용한 경우)

① 甲이 A에게 면도칼을 주면서 "네가 네 코를 자르지 않으면 돌로 죽인다."는 등 위협을 하자, 자신의 생명에 위험을 느낀 A가 자신의 생명을 보존하기 위해 위 면도칼로 콧등을 절단하여 중상해를 입은 경우 ⇨ **중상해죄의 간접정범**(대판 1970.9.22, 70도1638). 15. 사시, 16. 9급 검찰 · 마약수사 · 철도경찰, 24. 9급 철도경찰

② 피고인이 자살의 의미를 이해할 능력이 없고 피고인의 말이라면 무엇이나 복종하는 **어린 자식들(7세, 3세)을 함께 죽자고 권유하여** 물속에 따라 들어오게 하여 **익사하게** 한 이상 살인죄의 **범의는 있었음이 분명하다**(대판 1987.1.20, 86도2395 ∴ 살인죄 ○, 자살교사죄 ×, 위계에 의한 살인죄 ×). 18. 9급 검찰 · 철도경찰

2. **피이용자의 고의가 조각되는 경우**(고의 없는 도구를 이용한 경우)

① **공무원 아닌 자가 관공서에 허위 내용의 증명원을 제출하여** 그 내용이 허위인 정을 모르는 담당 공무원으로부터 그 증명원 내용과 같은 **증명서를 발급받은 경우 공문서위조죄의 간접정범으로 의율할 수는 없다**(대판 2001.3.9, 2000도938). 15. 사시 · 경찰간부, 17. 변호사시험, 18. 법원행시 · 경찰승진 · 순경 1차

② 자기에게 유리한 판결을 얻기 위하여 소송상의 주장이 사실과 다름이 객관적으로 명백하거나 증거가 조작되어 있다는 **정을 인식하지 못하는 제3자를 이용하여** 그로 하여금 소송의 당사자가 되게 하고 법원을 기망하여 소송 상대방의 재물 또는 재산상 이익을 취득하려 하였다면 **간접정범의 형태에 의한 소송사기죄가 성립하게 된다**(대판 2007.9.6, 2006도3591 ☞ 甲이 존재하지 않는 약정이자에 관한 내용을 부가하여 위조한 乙명의 차용증을 바탕으로 乙에 대한 차용금채권을 丙에게 양도하고, 이러한 사정을 모르는 丙으로 하여금 乙을 상대로 양수금 청구소송을 제기하게 한 경우 甲은 소송사기죄의 간접정범이 된다). 18. 경찰승진, 19. 7급 검찰 · 철도경찰, 20. 순경 2차, 21. 해경 2차, 24. 법원행시, 25. 9급 검찰 · 마약수사 · 철도경찰

③ 회사 경영자가 **내막을 알지 못하는** 소속 직원들로 하여금 회사 소재지 지역구 국회의원의 담당사무에 대한 청탁과 관련하여 그 국회의원이 사실상 지배 · 장악하고 있던 후원회에 후원금을 기부하게 한 경우 국회의원에게는 정치자금법 제32조 제3호 위반죄가, 경영자에게는 정치자금법 위반죄의 **간접정범이** 성립한다(대판 2008.9.11, 2007도7204). 13. 순경 2차, 18. 경찰승진

④ **경찰서 보안과장이** 甲의 음주운전을 눈감아주기 위하여 그에 대한 음주운전자 적발보고서를 찢어버리고, **부하로 하여금** 일련번호가 동일한 **가짜** 음주운전 적발보고서에 乙에 대한 음주운전 사실을 기재케 하여 **그 정을 모르는 담당 경찰관**으로 하여금 주취운전자 음주측정처리부에 乙에 대한 음주운전 사실을 **기재하도록 한 경우** ⇨ 허위공문서작성 및 동 행사죄의 간접정범 ○(대판 1996.10.11, 95도1706) 10. 사시, 15. 경찰간부, 16. 7급 검찰 · 철도경찰, 18. 경찰승진

⑤ 축산업협동조합이 점유하고 있는 A 소유의 창고 패널을 절취할 의사를 가진 甲이 위 조합으로부터 허락을 받지 않은 채 **그 정을 모르는** A로 하여금 창고의 패널을 취거하게 하여 영득한 경우 소유자를 도구로 이용한 절도죄의 간접정범이 성립될 수 있다(대판 2006.9.28, 2006도2963). 11. 사시, 15. 경찰간부

⑥ 신용카드를 제시받은 상점점원이 그 카드의 금액란을 정정기재하였다 하더라도 그것이 카드소지인이 위 점원에게 자신이 위 금액을 정정기재 할 수 있는 **권리가 있는 양 기망**하여 이루어졌다면 이는 간접정범에 의한 유가증권변조로 봄이 상당하다(대판 1984.11.27, 84도1862). 13. 7급 검찰, 18. 순경 1차, 21. 해경승진

⑦ 튀김용 기름의 제조허가 없이 튀김용 기름을 제조할 범의하에 식용유제조의 **범의 없는 자를 이용**하여 튀김용 기름을 제조케 한 자는 보건범죄단속에 관한 특별조치법 제2조 제1항, 식품위생법 제23조 제1항 위반죄의 간접정범에 해당한다(대판 1983.5.24, 83도200). 08. 경찰승진

⑧ 보증인이 아닌 자가 허위 보증서 작성의 **고의 없는** 보증인들을 이용하여 허위의 보증서를 작성하게 한 경우, 부동산소유권 이전등기 등에 관한 특별조치법 제13조 제1항 제3호에 정한 '**허위보증서작성죄'의 간접정범**이 성립한다(대판 2009.12.24, 2009도7815). 13. 법원행시

⑨ 공무원이 아닌 자는 허위공문서작성죄의 간접정범이 될 수 없으나〔대판 1976.8.24, 76도151 ⓔ 공무원 아닌 자가 허위공문서작성의 간접정범일 때에는 **형법 제228조(공정증서원본부실기재죄)의 경우를 제외하고는** 이를 처단하지 못하므로 면장의 거주확인증 발급을 위한 허위사실의 신고는 죄가 되지 않는다 : 대판 1971.1.26, 70도2598〕, 공문서 작성에 있어서 **보조직무에 종사하는 공무원이 허위공문서를 기안하여 그 정을 모르는 상사(작성권자)의 결재(서명 · 날인)를 받아 공문서를 완성한 경우에는 허위공문서작성죄의 간접정범이 성립한다(대판 1981.7.28, 81도898). 면의 호적계장이 **정을 모르는 면장의 결재를 받아** 허위내용의 호적부를 작성한 경우 허위공문서작성죄의 간접정범이 성립한다(대판 1990.10.30, 90도1912). 이러한 **결재를 거치지 않고 임의로 허위내용의 공문서를 완성한 때에는 공문서위조죄가** 성립한다(대판 1981.7.28, 81도898 ⓔ 호적계장인 甲이 행사할 목적으로 A의 부탁을 받고 **면장 모르게 호적계에 보관 중인** 면장의 **고무인과 직인을 이용**하여 인감증명서 용지에 날인하여 A의 인감증명서를 **작성한 경우** ⇨ 허위공문서작성죄의 간접정범 ×, 공문서위조죄 ○). 17. 순경 2차, 19. 9급 검찰 · 철도경찰, 22. 경찰간부 · 경찰승진, 23. 변호사시험, 24. 해경간부 · 법원행시 · 순경 1차

▶ **참고판례**

1. **공무원 아닌 甲이** 공문서의 작성권한이 있는 공무원 乙의 직무를 보좌하는 자인 丙을 교사하여 丙으로 하여금 그 직위를 이용하여 행사할 목적으로 허위의 내용이 기재된 문서 초안을 그 정을 모르는 乙에게 제출하여 결재하도록 함으로써 乙로 하여금 허위의 공문서를 작성하게 한 경우 甲은 **허위공문서작성죄의 간접정범의 교사범으로서의 죄책을 진다**(대판 1992.1.17, 91도2837). 16. 사시, 24. 법원행시 · 9급 철도경찰 · 순경 1차, 25. 경찰승진

2. 공문서 작성권자로부터 일정한 요건이 구비되었는지 여부를 심사하여 그 요건이 구비되었음이 확인될 경우에 한하여 작성권자의 직인을 사용하여 작성권자 명의의 공문서를 작성하라는 **포괄적인 권한을 수여받은 업무보조자인 공무원이, 그 위임의 취지에 반하여** 공문서 용지에 허위내용을 기재하고 그 위에 보관하고 있던 작성권자의 직인을 날인하였다면, 그 업무보조자인 공무원에게 **공문서위조죄가** 성립할 것이다(대판 1996.4.23, 96도424). 11. 사시

3. **목적범에서 '목적 없는 도구'를 이용한 경우**

① 출판물에 의한 명예훼손죄는 간접정범에 의하여 범하여질 수도 있으므로 타인을 비방할 목적으로 **허위의 기사 재료를 그 정을 모르는 기자에게 제공**하여 신문 등에 보도되게 한 경우에도 성립할 수 있다(대판 2002.6.28, 2000도3045). 15. 사시, 22. 경찰간부 · 변호사시험 · 경찰승진, 23. 7급 검찰 · 순경 2차, 24. 해경간부

② 비상계엄 전국확대가 국무회의의 의결을 거쳐 대통령이 선포함으로써 외형상 적법하였다고 하더라도, 이는 피고인들에 의하여 **국헌문란의 목적을 달성하기 위하여 그러한 목적이 없는 대통령을**

이용하여 이루어진 것이므로 피고인들이 간접정범의 방법으로 내란죄를 실행한 것으로 보아야 할 것이다(대판 1997.4.17, 96도3376 전원합의체). 15. 사시·9급 검찰, 21. 순경 1차, 22·23. 순경 2차

4. 위법성이 없는 행위(정당행위)를 이용한 경우

사법경찰관 甲이 乙을 구속하기 위하여 진술조서 등을 허위로 작성한 후 이를 기록에 첨부하여 구속영장을 신청하고, 진술조서 등이 허위로 작성된 정을 모르는 검사와 영장전담판사를 기망하여 구속영장을 발부받은 후 그 영장에 의하여 乙을 구금하였다면 甲에게는 직권남용감금죄의 간접정범이 성립한다(대판 2006.5.25, 2003도3945). 15. 사시, 16. 7급 검찰·철도경찰, 18. 순경 1차, 22. 경찰간부·경찰승진, 25. 9급 검찰·마약수사·철도경찰

2. 기 타

① 간접정범을 통한 범행에서 피이용자는 간접정범의 의사를 실현하는 수단으로서의 지위를 가질 뿐이므로, 피해자에 대한 사기범행을 실현하는 수단으로서 타인을 기망하여 그를 피해자로부터 편취한 재물이나 재산상 이익을 전달하는 도구로서만 이용한 경우에는 편취의 대상인 재물 또는 재산상 이익에 관하여 피해자에 대한 사기죄가 성립할 뿐 도구로 이용된 타인에 대한 사기죄가 별도로 성립한다고 할 수 없다(대판 2017.5.31, 2017도3894). 22. 변호사시험, 23. 순경 1차, 24. 법원행시

② 처벌되지 아니하는 타인의 행위를 적극적으로 유발하고 이를 이용하여 자신의 범죄를 실현한 자는 형법 제34조 제1항이 정하는 간접정범의 죄책을 지게 되고, 그 과정에서 타인의 의사를 부당하게 억압하여야만 간접정범에 해당하는 것은 아니다(대판 2008.9.11, 2007도7204). 19. 변호사시험·9급 검찰·마약수사·철도경찰, 22. 법원행시·순경 2차, 23. 7급 검찰, 24. 해경간부·9급 철도경찰

③ 간접정범으로 공소가 제기된 공소사실에 대하여 이를 유죄로 인정하면서도 그 법령의 적용에 있어서 이를 공동정범에 해당한다고 보아 이에 해당하는 형법 제30조를 적용한 경우, 그 판결에는 판결 결과에 영향을 미친 위법이 없다(대판 1997.7.11, 97도1180 ∵ 간접정범에 대하여는 어차피 형법 제34조 제1항, 제31조 제1항에 의하여 죄를 실행한 자와 동일한 형으로 처벌하는 것이어서 결국 그 판결에는 판결 결과에 영향을 미친 위법이 있다고 할 수 없다). 13. 법원행시

④ 수표발행인이 아닌 자는 부정수표단속법 제4조의 허위신고죄의 주체가 될 수 없고, 허위신고의 고의 없는 발행인을 이용하여 간접정범의 형태로 허위신고죄를 범할 수도 없다(대판 1992.11.10, 92도1342). 13. 7급 검찰, 18. 변호사시험, 24. 법원행시·순경 1차

▶ **유사판례** : 타인으로부터 명의를 차용하여 수표를 발행한 경우에 명의차용인은 부정수표단속법 제4조가 정한 허위신고죄의 주체가 될 수 없으므로 간접정범의 형태로 허위신고죄를 범할 수 없다(대판 2003.1.24, 2002도5939). 16. 법원행시

▶ **비교판례** : 타인으로부터 명의를 차용하여 수표를 발행한 자라 하더라도 수표의 발행명의인과 공모하여 부정수표단속법 제4조 소정의 허위신고죄의 주체가 될 수 있다(대판 2007.5.11, 2005도6360 ∵ 제33조의 본문에 의해 공동정범 ○). 08. 경찰승진

⑤ 甲이 자신의 형사사건을 심리하는 법정에서 범죄현장을 목격하지도 않은 선서무능력자 乙로 하여금 범죄현장을 목격한 것처럼 위증하게 한 경우 ⇨ 증거위조죄 ×(대판 1998.2.10, 97도2961), 위증죄의 교사범 ×(∵ 선서무능력자 ⇨ 위증죄의 주체 × ⇨ 정범(乙)에게 구성요건해당성 × ⇨ 공범 × : 제한종속형식), 위증죄 ⇨ 자수범으로 간접정범 × ∴ 무죄 10. 경찰승진, 11. 사시

⑥ 강제추행죄는 정범 자신이 직접 범죄를 실행하여야 성립하는 자수범이라고 볼 수 없으므로, 처벌되지 아니하는 타인을 도구로 삼아 피해자를 강제로 추행하는 간접정범의 형태로도 범할 수 있다. 여기서 강제추행에 관한 간접정범의 의사를 실현하는 도구로서의 타인에는 피해자도 포함될 수 있으므로, 피해자를 도구로 삼아 피해자의 신체를 이용하여 추행행위를 한 경우에도 강제추행죄

의 간접정범에 해당할 수 있다(대판 2018.2.8, 2016도17733 **예** 피해자들을 협박하여 겁을 먹은 피해자들로 하여금 스스로 가슴 사진, 성기 사진, 가슴을 만지거나 자위하는 동영상 등을 촬영하게 하고 촬영된 사진과 동영상을 전송받은 경우 ⇨ 강제추행죄의 간접정범). 19. 경찰간부 · 순경 1차, 121. 해경 2차, 22. 변호사시험, 23. 7급 검찰 · 순경 2차, 24. 해경간부 · 법원행시, 25. 경찰승진

▶ **유사판례** : 피고인이 아동 · 청소년인 피해자를 협박하여 스스로 성적 행위에 해당하는 아동 · 청소년 자신의 행위를 내용으로 하는 화상 · 영상 등을 생성하게 하고 이를 인터넷 사이트 운영자의 서버에 저장시켜 피고인의 휴대전화기에서 재생할 수 있도록 하였다면, 아동 · 청소년이용음란물제작죄의 간접정범에 해당한다(대판 2018.1.25, 2017도18443). 22. 경찰간부

3. 특수교사 · 방조

> **제34조 제2항 【특수한 교사, 방조에 대한 형의 가중】** 자기의 지휘, 감독을 받는 자를 교사 또는 방조하여 전항의 결과를 발생하게 한 자는 교사인 때에는 정범에 정한 형의 장기 또는 다액에 그 2분의 1까지 가중하고 방조인 때에는 정범의 형으로 처벌한다. 15. 변호사시험, 17. 경찰승진, 19. 경찰간부 · 순경 1차, 21. 9급 검찰 · 마약수사 · 철도경찰, 22. 해경간부 · 순경 2차

01 간접정범에 대한 설명으로 가장 적절하지 않은 것은?(다툼이 있는 경우 판례에 의함)

22. 경찰승진

① 인신구속에 관한 직무를 행하는 자 또는 이를 보조하는 자가 피해자를 구속하기 위하여 진술조서 등을 허위로 작성한 후 이를 기록에 첨부하여 구속영장을 신청하고, 진술조서 등이 허위로 작성된 정을 모르는 검사와 영장전담판사를 기망하여 구속영장을 발부받은 후 그 영장에 의하여 피해자를 구금한 경우, 직권남용감금죄의 간접정범이 성립한다.

② 공문서의 작성권한이 있는 공무원의 직무를 보좌하는 사람이 그 직위를 이용하여 행사할 목적으로 허위의 내용이 기재된 문서초안을 그 정을 모르는 상사에게 제출하여 결재하도록 하는 등의 방법으로 작성권한이 있는 공무원으로 하여금 허위의 공문서를 작성하게 한 경우, 허위공문서작성죄의 간접정범이 성립한다.

③ 작성권한 있는 공무원의 직무를 보조하는 공무원이 임의로 작성권자의 직인 등을 부정사용함으로써 공문서를 완성한 경우, 허위공문서작성죄의 간접정범이 성립한다.

④ 타인을 비방할 목적으로 허위의 기사재료를 그 정을 모르는 기자에게 제공하여 신문 등에 보도하게 한 경우, 출판물에 의한 명예훼손죄의 간접정범이 성립할 수 있다.

해설 ① 대판 2006.5.25, 2003도3945

② 대판 1981.7.28, 81도898

③ × : 공문서위조죄 ○, 허위공문서작성죄의 간접정범 ×(대판 1981.7.28, 81도898)

④ 대판 2002.6.28, 2000도3045

Answer 1. ③

02 간접정범에 관한 설명 중 옳은 것을 모두 고른 것은?(다툼이 있는 경우 판례에 의함)

22. 변호사시험

> ㉠ 甲이 A회사의 전문건설업등록증 등의 이미지 파일을 위조하여 공사 수주에 사용하기 위해 발주업체 직원 B에게 이메일로 송부하여 위조 사실을 모르는 B로 하여금 위 이미지 파일을 출력하게 한 경우, 간접정범을 통한 위조문서행사 범행의 피이용자인 B는 甲과 동일시할 수 있는 자와 마찬가지이므로 甲에게는 위조문서행사죄의 간접정범이 성립하지 아니한다.
> ㉡ 甲이 A에 대한 사기범행을 실현하는 수단으로서 B를 기망하여 B를 A로부터 편취한 재물이나 재산상 이익을 전달하는 도구로서만 이용한 경우에는 편취의 대상인 재물 또는 재산상 이익에 관하여 A에 대한 사기죄가 성립할 뿐 도구로 이용된 B에 대한 사기죄가 별도로 성립하는 것은 아니다.
> ㉢ 타인을 비방할 목적으로 허위의 기사 재료를 그 정을 모르는 기자에게 제공하여 신문 등에 보도하게 한 경우 출판물에 의한 명예훼손죄의 간접정범이 성립할 수 있다.
> ㉣ 강제추행에 관한 간접정범의 의사를 실현하는 도구로서의 타인에는 피해자도 포함될 수 있으므로 피해자를 도구로 삼아 피해자의 신체를 이용하여 추행행위를 한 경우에도 강제추행죄의 간접정범에 해당할 수 있다.

① ㉠, ㉡　　　　　　② ㉢, ㉣　　　　　　③ ㉠, ㉡, ㉢
④ ㉡, ㉢, ㉣　　　　　⑤ ㉠, ㉡, ㉢, ㉣

[해설] ㉠ × : ~ 이미지 파일을 출력하게 한 경우, 위조문서행사죄가 성립한다(대판 2012.2.23, 2011도14441 ∵ 간접정범을 통한 위조문서행사 범행에 있어 도구로 이용된 자라고 하더라도 문서가 위조된 것임을 알지 못하는 자에게 행사한 경우에는 위조문서행사죄가 성립한다).
㉡ ○ : 대판 2017.5.31, 2017도3894　㉢ ○ : 대판 2001.6.28, 2000도3045
㉣ ○ : 대판 2018.2.8, 2016도17733

03 간접정범에 관한 설명 중 가장 적절하지 않은 것은?(다툼이 있는 경우 판례에 의함)

22. 순경 2차, 25. 해경경위

① 국헌문란의 목적을 달성하기 위해 그러한 목적이 없는 대통령을 이용하여 비상계엄 전국확대조치를 한 것은 간접정범의 방법으로 내란죄를 실행한 것이다.
② 처벌되지 아니하는 타인의 행위를 적극적으로 유발하고 이를 이용하여 자신의 범죄를 실현한 자는 간접정범의 죄책을 지게 되고, 그 과정에서 타인의 의사를 부당하게 억압하여야만 간접정범에 해당하는 것은 아니다.
③ 자기의 지휘·감독을 받는 자를 교사하여 범죄를 실행하게 한 때에는 정범에 정한 형의 장기 또는 다액의 2분의 1까지 가중한다.
④ 간접정범의 실행의 착수시기를 이용자의 이용행위시로 보는 경우, 이용자의 이용의사가 외부로 표현되기만 하면 실행의 착수가 인정되어 미수범의 처벌 범위가 축소될 수 있다.

[해설] ① 대판 1997.4.17, 96도3376 전원합의체 ② 대판 2008.9.11, 2007도7204 ③ 제34조 제2항
④ × : ~ 처벌범위가 확대(축소 ×)될 수 있다.

04 다음 중 甲에게 ( ) 범죄의 간접정범이 성립하는 경우로 볼 수 없는 것은?(다툼이 있는 경우 판례에 의함)

① 甲이 아동·청소년인 피해자를 협박하여 스스로 아동·청소년의 성보호에 관한 법률 제2조 제4호의 어느 하나에 해당하는 행위 또는 그 밖의 성적 행위에 해당하는 아동·청소년 자신의 행위를 내용으로 하는 화상·영상 등을 생성하게 하고 이를 인터넷사이트 운영자의 서버에 저장시켜 甲의 휴대전화기에서 재생할 수 있도록 한 경우(아동·청소년의 성보호에 관한 법률 위반죄)

② 사법경찰관 甲이 상해죄만으로는 구속되기 어려운 A에 대하여 허위의 진술조서를 작성하고, A의 혐의없음이 입증될 수 있는 유리한 사실의 확인결과, 참고자료 및 공용서류인 B에 대한 참고인 진술조서 등을 구속영장신청기록에 누락시키는 한편, A에게 혐의가 인정된다는 허위내용의 범죄인지보고서를 작성한 다음, 구속영장을 신청하여 그 정을 모르는 담당 검사로 하여금 구속영장을 청구하게 하고, 수사서류 등이 허위작성되거나 누락된 사실을 모르는 영장전담판사로부터 구속영장을 발부받아 A가 구속·수감되게 한 경우(직권남용감금죄)

③ 전투비행단 체력단련장 관리사장인 甲이 부대복지위원회의 심의의결 없이, 공사업체인 B와 체결한 기존의 합의서에서 시설투자비를 증액한 허위의 내용이 기재된 이 사건 수정합의서를 기안하여 작성권자인 이 사건 전투비행단장의 결재를 받지 않고 이를 모르는 단장 명의 직인 담당자 C로부터 단장의 직인을 날인받아 이 사건 수정합의서를 완성한 행위(허위공문서작성죄)

④ D정당의 시당위원장인 甲은 비방의 목적으로 허위의 기사자료를 그 정을 모르는 평소에 안면이 있던 기자 E에게 제공하여 그 허위의 사실이 신문에 보도되게 한 경우(출판물에 의한 명예훼손죄)

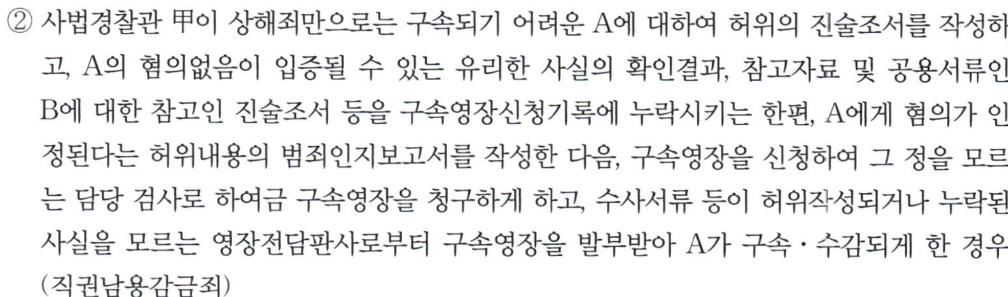

해설 • **간접정범** ○ : ① 대판 2018.1.25, 2017도18443 ② 대판 2006.5.25, 2003도3945 ④ 대판 2002.6.28, 2000도3045
• **간접정범** × : ③ 공문서의 작성권한 없는 사람이 허위공문서를 기안하여 작성권자의 결재를 받지 않았는데도 결재를 받은 것처럼 직인을 보관하는 담당자를 기망하여 작성권자의 직인을 날인하도록 하여 공문서를 완성한 때에도 공문서위조죄(허위공문서작성죄의 간접정범 ×)가 성립한다(대판 2017.5.17, 2016도13912).

05 간접정범에 대한 설명으로 옳지 않은 것은?(다툼이 있는 경우 판례에 의함)

① 타인을 비방할 목적으로 허위의 기사 재료를 그 정을 모르는 기자에게 제공하여 신문 등에 보도되게 한 경우, 출판물에 의한 명예훼손죄의 간접정범이 성립할 수 있다.

② 피고인이 피해자를 도구로 삼아 피해자의 신체를 이용하여 추행행위를 한 경우, 강제추행죄의 간접정범에 해당할 수 있다.

Answer 4.③ 5.④

③ 처벌되지 아니하는 타인의 행위를 적극적으로 유발하고 이를 이용하여 자신의 범죄를 실현한 자는 형법 제34조 제1항이 정하는 간접정범의 죄책을 지게 되고, 그 과정에서 타인의 의사를 부당하게 억압하여야만 간접정범에 해당하는 것은 아니다.

④ 공문서작성권자의 문서작성을 보조하는 직무에 종사하는 공무원이 허위공문서를 기안하여 작성권자의 결재를 거치지 않고 임의로 작성권자의 직인 등을 부정 사용함으로써 공문서를 완성한 경우, 허위공문서작성죄의 간접정범이 성립한다.

해설 ① 대판 2002.6.28, 2000도3045 ② 대판 2018.2.8, 2016도17733 ③ 대판 2008.9.11, 2007도7204 ④ × : 보조 공무원이 허위공문서를 기안하여 그 정을 모르는 작성권자의 결재를 받아 공문서를 완성한 때에는 허위공문서작성죄의 간접정범이 되고, 이러한 결재를 거치지 않고 임의로 허위내용의 공문서를 완성한 때에는 공문서위조죄가 성립한다(대판 1981.7.28, 81도898).

06 간접정범에 대한 설명으로 옳지 않은 것은?(다툼이 있는 경우 판례에 의함)　　24. 9급 철도경찰

① 甲이 A를 협박하여 A로 하여금 자상(自傷)케 하여 상해가 발생한 경우, 甲에게 상해의 결과에 대한 인식이 있고 그 협박의 정도가 A의 의사결정의 자유를 상실케 함에 족한 것인 이상 甲에게 상해죄가 성립한다.

② 처벌되지 아니하는 타인의 행위를 적극적으로 유발하고 이를 이용하여 자신의 범죄를 실현한 자는 간접정범으로서의 죄책을 지게 되고, 그 과정에서 타인의 의사를 부당하게 억압하여야만 간접정범에 해당하게 되는 것은 아니다.

③ 형법 제34조의 '어느 행위로 인하여 처벌되지 아니하는 자'에는 책임무능력자, 범죄사실의 인식이 없는 자뿐만 아니라, 목적범 또는 신분범인 경우 그 목적 또는 신분이 없는 자도 포함된다.

④ 공무원이 아닌 甲이 공문서의 작성권한이 있는 공무원 A의 직무를 보좌하는 자인 乙과 공모하여 허위의 내용이 기재된 문서 초안을 그 정을 모르는 A에게 제출하여 결재하도록 하는 등의 방법으로 A로 하여금 허위의 공문서를 작성하게 한 경우, 乙만이 간접정범에 해당하고, 甲에게는 간접정범의 공범으로서의 죄책을 물을 수 없다.

해설 ① 대판 1970.9.22, 70도1638 ② 대판 2008.9.11, 2007도7204 ③ 대판 1983.6.14, 83도515 전원합의체 ④ × : ～ (4줄) 죄책을 물을 수 있다(대판 1992.1.17, 91도2837).

07 간접정범에 대한 설명으로 옳지 않은 것은?(다툼이 있는 경우 판례에 의함)

25. 9급 검찰 · 마약수사 · 철도경찰

① 간접정범을 통한 범행에서 피이용자는 간접정범의 의사를 실현하는 수단으로서의 지위를 가질 뿐이므로, 피해자에 대한 사기범행을 실현하는 수단으로서 타인을 기망하여 그를 피해자로부터 편취한 재물이나 재산상 이익을 전달하는 도구로서만 이용한 경우에는 편취의 대상인 재물 또는 재산상 이익에 관하여 피해자에 대한 사기죄가 성립할 뿐 도구로 이용된 타인에 대한 사기죄가 별도로 성립한다고 할 수 없다.

② 감금죄는 간접정범의 형태로도 행하여질 수 있는 것이므로, 인신구속에 관한 직무를 행하는 자 또는 이를 보조하는 자가 피해자를 구속하기 위하여 진술조서 등을 허위로 작성한 후 이를 기록에 첨부하여 구속영장을 신청하고, 진술조서 등이 허위로 작성된 정을 모르는 검사와 영장전담판사를 기망하여 구속영장을 발부받은 후, 그 영장에 의하여 피해자를 구금하였다면 형법 제124조 제1항의 직권남용감금죄가 성립한다.

③ 자기에게 유리한 판결을 얻기 위해 소송상의 주장이 사실과 다름이 객관적으로 명백하거나 증거가 조작되어 있다는 정을 인식하지 못하는 제3자를 이용하여 그로 하여금 소송의 당사자가 되게 하고, 법원을 기망하여 소송 상대방의 재물 또는 재산상 이익을 취득하려 하였다면 간접정범의 형태에 의한 소송사기죄가 성립한다.

④ '정범배후의 정범' 긍정설은 형법 제34조 제1항이 어느 행위로 처벌되지 않는 자 또는 과실범으로 처벌되는 자를 이용한 경우 간접정범이 성립한다고 규정하여 간접정범 피이용자 범위를 명시적으로 제한하고 있다는 것을 중요한 논거로 한다.

해설 ① 대판 2017.5.31, 2017도3894 ② 대판 2006.5.25, 2003도3945 ③ 대판 2007.9.6, 2006도3591
④ × : '정범배후의 정범'이란 고의의 정범으로 처벌되는 자(구성요건해당성·위법성·책임이 인정된 자)를 이용한 때에도 간접정범이 성립할 수 있다는 이론이다.
• 긍정설 : 정범개념의 우위성에 따라 배후자(이용자)에게 우월한 지위에서의 행위지배가 인정될 경우에는 간접정범이 성립할 수 있다는 견해이다.
• 부정설 : 간접정범 피이용자 범위를 명시적으로 규정한 형법 제34조 제1항(어느 행위로 처벌되지 않는 자 또는 과실범으로 처벌되는 자를 이용)의 문언에 반하므로 배후자에게 간접정범을 인정할 수 없다는 견해이다.

08 공동정범과 간접정범에 관한 설명으로 가장 적절하지 않은 것은?(다툼이 있는 경우 판례에 의함)
24. 순경 1차

① 포괄일죄의 범행 도중에 공동정범으로 범행에 가담한 자는 그 가담 이후의 범행에 대해서만 공동정범으로 책임을 지고, 그 가담 이전에 이미 이루어진 종전의 범행을 인식하고 범행에 가담한 경우라도 그 가담 이전의 범행에 대해서는 공동정범으로 책임을 지지 않는다.

② 수표금액의 지급 또는 거래정지처분을 면할 목적으로 금융기관에 허위신고한 자를 처벌하는 구 부정수표단속법 제4조의 허위신고죄와 관련하여, 발행인이 아닌 자는 허위신고의 고의가 없는 발행인을 이용하여 간접정범의 형태로 구 부정수표단속법 제4조의 허위신고죄를 범할 수 없다.

③ 비공무원 甲이 소속 예비군동대 방위병 乙에게 '자신이 예비군훈련에 불참했으나 예비군훈련 참가 확인서를 발급해 달라'는 취지의 부탁을 하자, 확인서 작성권자인 동대장 A의 직무를 보좌하는 乙은 이를 A에게 보고하여 甲의 불참 사실을 모르는 A로부터 甲의 예비군훈련 참가 여부를 확인하여 확인서를 발급하도록 지시받았으나 미리 A의 직인을 찍어 보관하고 있던 용지를 이용하여 확인서를 발급해 준 경우, 甲에게는 허위공문서작성죄의 간접정범의 공범이 성립하지 않는다.

Answer 8.③

④ 공동정범의 본질에 관한 범죄공동설에 따르면, 고의범과 과실범 상호간에는 공동정범이 인정되지 않는다.

해설 ① 대판 2007.11.15, 2007도6336 ② 대판 1992.11.10, 92도1342
③ × : ~ 간접정범의 공범이 성립된다(대판 1992.1.17, 91도2837). ④ 옳다.

09 공범에 관한 다음 설명 중 가장 옳지 않은 것은?(다툼이 있는 경우 판례에 의함) 24. 법원행시

① 공무원이 아닌 사람이 공무원과 공동가공의 의사와 이를 기초로 한 기능적 행위지배를 통하여 공무원의 직무에 관하여 뇌물을 수수하는 범죄를 실행하였다면 공무원과 비공무원에게 형법 제129조 제1항에서 정한 뇌물수수죄의 공동정범이 성립한다.

② 2인 이상의 서로 대향된 행위의 존재를 필요로 하는 대향범에 대하여 공범에 관한 형법 총칙 규정이 적용될 수 없는데, 이러한 법리는 해당 처벌규정의 구성요건 자체에서 2인 이상의 서로 대향적 행위의 존재를 필요로 하는 필요적 공범인 대향범을 전제로 하고, 구성요건상으로는 단독으로 실행할 수 있는 형식으로 되어 있는데 단지 구성요건이 대향범의 형태로 실행되는 경우에도 대향범에 관한 법리가 적용된다고 볼 수는 없다.

③ 피고인이 공문서 위조행위 자체에는 관여한 바 없다고 하더라도 타인에게 위조를 부탁하여 의사연락이 되고 그로 하여금 범행을 하게 하였다면 공모공동정범에 의한 공문서위조죄가 성립된다.

④ 여러 사람이 함께 폭행의 범행을 공모하고 그중 1인이 범행 장소에서 범죄를 실행하였다면 범행 장소에 없었던 나머지 공모자에게도 폭력행위 등 처벌에 관한 법률 제2조 제2항 제1호의 공동폭행죄의 공모공동정범이 성립한다.

⑤ 간접정범을 통한 범행에서 피이용자는 간접정범의 의사를 실현하는 수단으로서의 지위를 가질 뿐이므로 피해자에 대한 사기범행을 실현하는 수단으로서 타인을 기망하여 그를 피해자로부터 편취한 재물이나 재산상 이익을 전달하는 도구로서만 이용한 경우에는 편취의 대상인 재물 또는 재산상 이익에 관하여 피해자에 대한 사기죄가 성립할 뿐 도구로 이용된 타인에 대한 사기죄가 별도로 성립한다고 할 수 없다.

해설 ① 대판 2019.8.29, 2018도2738 전원합의체
② 대판 2022.6.30, 2020도7866
③ 대판 1980.5.27, 80도907
④ × : 폭력행위 등 처벌에 관한 법률 제2조 제2항 제1호의 '2명 이상이 공동하여 폭행의 죄를 범한 때'란 수인 사이에 공범관계가 존재하고, 수인이 동일 장소에서 동일 기회에 상호 다른 자의 범행을 인식하고 이를 이용하여 폭행의 범행을 한 경우임을 요한다. 따라서 폭행 실행범과의 공모사실이 인정되더라도 그와 공동하여 범행에 가담하였거나 범행장소에 있었다고 인정되지 아니하는 경우에는 공동하여 죄를 범한 때에 해당하지 않고, 여러 사람이 공동하여 범행을 공모하였다면 그중 2인 이상(1인 ×)이 범행장소에서 실제 범죄의 실행에 이르렀어야 나머지 공모자에게도 공모공동정범이 성립할 수 있을 뿐이다(대판 2023.8.31, 2023도6355).
⑤ 대판 2017.5.31, 2017도3894

제4절) 교사범

관련조문

제31조【교사범】 ① 타인을 교사하여 죄를 범하게 한 자는 죄를 실행한 자와 동일한 형으로 처벌한다.
② 교사를 받은 자가 범죄의 실행을 승낙하고 실행의 착수에 이르지 아니한 때에는 교사자와 피교사자를 음모 또는 예비에 준하여 처벌한다.
③ 교사를 받은 자가 범죄의 실행을 승낙하지 아니한 때에도 교사자에 대하여는 전항과 같다.

01 교사범에 대한 다음 기술 중 옳은 것은 몇 개인가?(통설·판례에 의함)

> ㉠ 정범이 범죄를 결의하고 있는가는 문제되지 않는다.
> ㉡ 과실에 의한 교사, 부작위에 의한 교사도 가능하다.
> ㉢ 교사는 피교사자에게 범행의 결의를 낳게 하는 것이므로 묵시적인 방법으로는 부족하다.
> ㉣ 교사 당시에 범죄실행자가 지정되어 있어야 하며, 범죄실행의 행위를 구체적으로 지시하여야 한다.
> ㉤ 막연히 범죄하라고 부추기는 것도 교사이다.
> ㉥ 미수의 교사(처음부터 피교사자의 실행행위가 미수에 그칠 것을 예견하면서 교사한 경우)도 처벌된다.
> ㉦ 피교사자가 타인을 다시 교사한 것은 교사가 아니다.
> ㉧ 피교사자가 범죄실행에 착수하여야 교사범이 성립된다.
> ㉨ 피교사자는 원칙적으로 책임능력자이어야 한다.
> ㉩ 교사범은 정범과 동일한 선고형으로 처벌한다.

① 1개　　　　② 2개　　　　③ 3개　　　　④ 4개

해설 ㉠ ×：교사범이란 타인(피교사자, 정범)에게 범죄를 결의하게 하여 실행하게 하는 자이므로 그 타인이 이미 범죄를 결의하고 있을 때에는 교사범이 성립될 수 없다.
㉡ ×：따라서 과실이나 부작위에 의한 교사는 불가능하다(통설).
㉢ ×：교사행위의 수단·방법에는 제한이 없다(명시적·묵시적 방법 불문).
㉣ ×：교사자의 고의는 특정한 범죄와 특정한 피교사자에 대한 인식이 있어야 하나 피교사자가 구체적으로 누구인가를 알고 있을 필요도 없고 범죄의 일시·장소·실행방법에 대한 인식을 요하지 않는다.
㉤ ×：특정한 범죄에 대한 것이어야 하므로 교사가 아니다.
㉥ ×：교사자의 고의는 기수의 고의이어야 하므로 미수의 교사(함정수사)는 불가벌이다(통설·판례).
㉦ ×：교사의 교사(간접교사와 연쇄교사)도 교사범으로 처벌된다(통설·판례).
㉧ ○：공범종속성설(통설·판례)에 따를 경우 타당하다.
㉨ ×：제한종속형식(통설·판례)에 의하면 피교사자의 실행행위는 구성요건에 해당하고 위법해야 하지만 유책할 필요는 없다.
㉩ ×：법정형이 동일하다는 의미이지 선고형은 얼마든지 달라질 수 있다.
따라서 옳은 것은 ㉧ 1개이다.

THEMA 22

아래에 제시된 [보기]들이 올바르게 연결된 것은?

〈보기 1〉
㉠ 실패한 교사
㉡ 효과 없는 교사
㉢ 협의의 교사의 미수

〈보기 2〉
ⓐ 피교사자가 범죄의 실행을 승낙하지 않은 경우
ⓑ 피교사자가 범죄의 실행을 승낙했지만 실행의 착수에 이르지 아니한 경우
ⓒ 피교사자가 교사받은 범죄의 실행에 착수하였으나 범죄를 완성하지 못한 경우

〈보기 3〉
㉮ 교사자·피교사자 모두 미수범으로 처벌
㉯ 교사자만 예비·음모에 준하여 처벌
㉰ 교사자·피교사자 모두 예비·음모에 준하여 처벌

① ㉠-ⓑ-㉰ ② ㉡-ⓑ-㉮
③ ㉢-ⓒ-㉯ ④ ㉠-ⓐ-㉯

도움말 **미수의 교사와 교사의 미수**

1. **미수의 교사**(함정수사) : 애당초 미수에 그칠 것을 예견하면서 교사한 경우 ⇨ 교사자는 불가벌, 피교사자는 미수범으로 처벌한다. 현행 형법에는 규정이 없다.

2. **교사의 미수** 15. 사시, 16. 순경 1차, 20. 9급 검찰·철도경찰, 21. 변호사시험·9급 검찰, 22. 경찰승진·법원직, 23. 경찰간부

　㉠ 협의의 교사의 미수 : 피교사자가 실행에 착수했으나 미수에 그친 경우 ⇨ 교사자·피교사자 모두 미수범으로 처벌한다(제29조, 제25조 제1항). ⇨ ㉢-ⓒ-㉮

　㉡ 기도된 교사
　　• 효과 없는 교사 : 피교사자가 범죄의 실행은 승낙하였으나 실행의 착수에 나아가지 않은 경우 ⇨ 교사자·피교사자 모두를 예비·음모에 준해 처벌(제31조 제2항) ⇨ ㉡-ⓑ-㉰
　　• 실패한 교사 : ⓐ 교사를 하였으나 피교사자가 범죄의 실행을 승낙하지 아니한 경우(제31조 제3항), 또는 ⓑ 이미 범죄의 실행을 피교사자가 결의하고 있었던 경우 ⇨ 교사자를 예비·음모에 준해 처벌(제31조 제3항) ⇨ ㉠-ⓐ-㉯　　　　　　　　》④

01 다음 중 형법 제31조 제2항(이른바 '효과 없는 교사')에 따라 **甲과 乙이 예비 · 음모에 준하여 처벌되는 경우는?**
19. 9급 철도경찰

① 甲이 乙에게 강도를 교사하였으나 乙이 이를 거부한 경우

② 甲이 乙에게 강도를 교사하고 乙이 이를 승낙하였으나 강도의 실행으로 나아가지 않은 경우

③ 甲이 乙에게 절도를 교사하였으나 乙이 이를 거부한 경우

④ 甲이 乙에게 절도를 교사하고 乙이 이를 승낙하였으나 절도의 실행으로 나아가지 않은 경우

해설 ① 실패한 교사(제31조 제3항) ⇨ 甲 : 강도예비 · 음모로 처벌, 乙 : 불벌
② 효과 없는 교사(제31조 제2항) ⇨ 甲 · 乙 : 강도예비 · 음모로 처벌
③ 실패한 교사(제31조 제3항) ⇨ 甲 : 절도예비 · 음모(처벌규정 × ∴ 불벌), 乙 : 불벌
④ 효과 없는 교사(제31조 제2항) ⇨ 甲 · 乙 : 절도예비 · 음모(처벌규정 × ∴ 불벌)

02 다음 〈사례〉를 읽고, 甲의 죄책에 대한 〈보기〉의 설명으로 옳은 것만을 모두 고르면?
19. 7급 검찰

> **〈사 례〉**
> 甲은 상속을 빨리 받기 위하여 乙을 찾아가 자신의 父인 A의 살해를 교사하였으나, 乙은 이를 거절하였다. 그때 乙과 함께 있던 乙의 친구가 甲에게 살인청부업자인 丙의 전화번호를 알려주면서 한번 찾아가 보라고 하였다. 이에 따라 甲은 丙을 찾아가 A를 살해하라고 교사하였고, 丙은 1억 원의 사례금을 받고 이를 승낙한 후 자취를 감추어 버렸다.

> **〈보 기〉**
> ㉠ 甲의 乙에 대한 행위는 효과 없는 교사(형법 제31조 제2항)에 해당한다.
> ㉡ 甲의 丙에 대한 행위는 실패한 교사(형법 제31조 제3항)에 해당한다.
> ㉢ 甲의 乙에 대한 행위는 존속살해예비죄로도 처벌할 수 없다.
> ㉢ 甲의 丙에 대한 행위는 존속살해예비죄로 처벌된다.

① ㉢   ② ㉠, ㉡   ③ ㉢, ㉢   ④ ㉠, ㉡, ㉢, ㉢

해설 ㉠ × : 실패한 교사(제31조 제3항) ○, 효과 없는 교사(제31조 제2항) ×
㉡ × : 실패한 교사(제31조 제3항) ×, 효과 없는 교사(제31조 제2항) ○
㉢ × : 존속살해예비죄 ○(제31조 제3항)
㉢ ○ : 존속살해예비죄 ○(제31조 제2항)

THEMA 23 '교사의 착오' 총정리

착오유형			사례와 효과
구체적 사실의 착오			1. 법정적 부합설 : 피교사자의 방법·객체의 착오 ⇨ 교사자에게도 방법·객체의 착오 2. 구체적 부합설 : 피교사자의 방법·객체의 착오 ⇨ 교사자에게는 둘다 방법의 착오 ◉ 甲이 乙에게 A를 살해하라고 교사하였으나 乙이 B를 A로 오인하고 B를 살해한 경우 (객체의 착오) ⇨ 법정적 부합설 : B에 대한 살인기수죄의 교사범, 구체적 부합설 : A에 대한 살인미수죄의 교사범과 B에 대한 과실치사죄의 교사범의 상상적 경합 17. 변호사시험, 19. 9급 철도경찰, 22. 순경 1차
추상적 사실의 착오	**피교사자 (정범)의 행위가 교사내용 보다 적게 실행된 경우**		1. 원칙 : 공범종속성의 원칙상 교사자는 피교사자가 실행한 범위 내에서만 책임을 진다. ◉ **특수강도**를 교사하였으나, **강도**를 범한 경우 ⇨ **강도죄**의 교사범 2. 예외 : 그러나 교사한 범죄의 예비·음모가 처벌되는 경우에는 제31조 제2항의 교사의 미수 중 효과 없는 교사에 해당되어 교사한 범죄의 예비·음모와 실행한 범죄의 교사범(공범종속성)의 상상적 경합이 된다. 이때 예비·음모의 죄의 형이 중한 때에는 예비·음모로 처벌받게 된다. ◉ • **강도**를 교사하였으나, **절도**를 실행한 경우 ⇨ 절도죄의 교사범과 강도의 예비·음모와의 상상적 경합 ⇨ 결국 **강도예비·음모**로 처벌됨 15. 경찰간부, 16. 9급 검찰·마약수사·철도경찰, 18. 9급 철도경찰, 24. 해경승진, 25. 해경경사 • **살인**을 교사하였으나, 살인의 고의 없이 **상해**만 실행한 경우 ⇨ 살인의 예비·음모와 상해죄의 교사범의 상상적 경합 ⇨ 결국 **살인예비·음모**로 처벌됨 • 강간을 교사하였으나 강제추행에 그친 경우 ⇨ 강간의 예비·음모죄와 음모죄(3년 이하의 징역)와 강제추행죄(10년 이하의 징역)의 교사범의 상상적 경합 ⇨ 결국 **강제추행죄의 교사범**으로 처벌됨
	정범의 행위가 교사 내용을 초과한 경우	**질적 초과**	1. 실행된 범죄가 교사된 범죄와 전혀 다른 범죄인 경우를 질적 초과라 한다. 이때 교사자에게는 교사책임이 없고, 단지 제31조 제2항에 의해 교사한 범죄의 예비·음모에 준하여 처벌될 수 있다. ◉ • **상해**를 교사받고 **절도**를 행한 경우 ⇨ 상해죄의 예비·음모 ⇨ 결국은 **불벌** • **강도**를 교사받고 **강간**을 범한 경우 ⇨ **강도죄의 예비·음모** 17. 변호사시험, 18. 9급 철도경찰 2. 질적 차이가 본질적이 아닌 경우에는 양적 초과의 경우와 동일하게 취급한다. ⇨ 교사한 범죄에 대한 교사범이 성립한다. ◉ • 사기를 교사하였는데, 기망을 근거로 공갈을 한 경우 ⇨ 사기죄의 교사범 • 공갈을 교사하였는데, 공갈을 근거로 강도를 범한 경우 ⇨ 공갈죄의 교사범
		양적 초과	1. 실행된 범죄가 교사된 범죄와 구성요건을 달리하나 공통적 요소를 지니고 있되 그 정도를 초과한 경우를 양적 초과라 한다. 이 경우에 실행된 범죄의 초과부분에 대해서는 책임이 없고, 단지 교사한 범죄의 교사범으로 처벌된다. ◉ • **절도**를 교사했는데, **강도**를 실행한 경우 ⇨ **절도죄**의 교사범 • **상해**를 교사했는데, **살인**을 한 경우 ⇨ **상해죄**의 교사범 2. 피교사자(정범)가 교사내용을 초과하여 결과적 가중범을 발생시킨 경우 ⇨ 교사자에게 중한 결과에 대한 과실이 있는 때에 결과적 가중범의 교사범이 성립된다. ◉ 상해를 교사하였는데 피교사자가 이를 넘어 살인을 실행한 경우 ⇨ 교사자에게 사망에 대한 예견가능성이 있는 경우에 상해치사죄의 교사범

> **⚖ 관련판례**
>
> 피사자가 피교사자에게 상해 또는 중상해를 교사하였는데 피교사자가 살인을 행한 경우 일반적으로 교사자는 상해죄 또는 중상해죄의 교사범이 되지만 교사자(피교사자 ×)에게 결과(사망)에 대해 과실 내지 예견가능성이 있으면 상해치사죄의 교사범이 될 수 있다(대판 2002.10.25, 2002도4089). 20. 9급 철도경찰, 21. 순경 1차, 22. 경찰승진 · 법원직, 23. 법원행시 · 7급 검찰 · 경력채용, 24. 해경승진 · 경위공채

01 교사의 착오에 관한 설명으로 가장 적절하지 않은 것은?(다툼이 있는 경우 판례에 의함)

24. 경찰간부

① 甲이 乙에게 강도를 교사하였는데 乙이 절도를 실행한 경우, 甲은 강도의 예비 · 음모죄와 절도죄의 교사범이 성립하는데, 양죄는 상상적 경합관계에 있으므로 甲은 형이 더 무거운 강도예비 · 음모죄로 처벌된다.

② 甲이 乙에게 절도를 교사하였는데 乙이 강간을 실행한 경우, 甲은 절도죄의 예비 · 음모에 준하여 처벌될 수 있는데, 절도죄의 예비 · 음모는 처벌규정이 없으므로 무죄가 된다.

③ 甲이 乙에게 사기를 교사하였는데 乙이 공갈을 실행한 경우, 교사내용과 실행행위의 질적 차이가 본질적이지 않으므로 甲은 교사한 범죄에 대한 교사범의 책임을 지지 않는다.

④ 甲이 乙에게 상해를 교사하였는데 乙이 살인을 실행한 경우, 甲에게 사망이라는 결과에 대하여 예견가능성이 있다면 甲을 상해치사죄의 교사범으로 처벌할 수 있다

[해설] ① 옳다.

② 교사의 착오 중 질적 초과로 옳다.

③ × : ~ (2줄) 교사한 범죄에 대하여 교사범의 책임을 진다(∴ 사기죄의 교사범 ○).

④ 대판 2002.10.25, 2002도4089

THEMA 24 '교사범' 관련판례 총정리

1. • 자기의 형사피고사건에 관한 증거를 인멸(위조, 은닉)하기 위하여 타인을 교사하여 죄를 범하게 한 자는 증거인멸죄(증거위조죄, 증거은닉죄)의 교사범이다(대판 2000.3.24, 99도5275 ; 대판 2011.2.10, 2010도15986 ; 대판 2016.7.29, 2016도5596). 18. 법원직·경찰승진, 20. 경찰간부, 23. 7급 검찰
   • 범인이 자신을 위하여 타인으로 하여금 허위의 자백을 하게 하여 범인도피죄를 범하게 하는 행위는 방어권의 남용으로 범인도피교사죄에 해당하고, 그 타인이 형법 제151조 제2항에 의하여 처벌을 받지 아니하는 친족 또는 동거 가족에 해당하는 경우에도 마찬가지이다(대판 2006.12.7, 2005도3707 ⓔ 무면허 운전으로 사고를 낸 사람이 동생을 경찰서에 대신 출두시켜 피의자로 조사받도록 한 행위 ⇨ 범인도피교사죄 ○). 16. 사시·법원행시, 17. 경찰승진, 18. 9급 검찰·철도경찰, 21. 경찰간부·해경간부·해경 1차, 23. 변호사시험
   • 자기의 형사사건에 관하여 타인을 교사하여 위증죄를 범하게 하는 것은 방어권을 남용하는 것으로 위증죄의 교사범이 성립한다(대판 2004.1.27, 2003도5114). 13. 사시, 17. 변호사시험
   • 피무고자의 교사 혹은 방조하에 제3자가 피무고자에 대한 허위의 사실을 신고한 경우 피무고자에게 무고의 교사죄 혹은 방조죄가 성립한다(대판 2008.10.23, 2008도4852). 15. 경찰간부, 16. 사시, 17. 변호사시험·순경 1차·2차, 19. 법원행시, 22. 법원직, 24. 해경경위
   • 甲이 乙을 모해할 목적으로 丙에게 위증을 교사하였다면, 정범인 丙이 모해의 목적 없이 위증하였더라도 甲은 모해위증교사죄의 죄책을 진다(대판 1994.12.23, 93도1002). 14. 사시, 16. 변호사시험, 18. 경찰간부·경찰승진

2. 교사범의 교사가 정범이 그 죄를 범한 유일한 조건일 필요는 없으므로 교사행위에 의하여 피교사자가 범죄실행을 결의하였다면, 피교사자에게 다른 원인이 있어 범죄를 실행한 경우에도 교사범이 성립한다. 따라서 비록 정범에게 범죄의 습벽이 있어 그 습벽과 함께 교사행위가 원인이 되어 정범이 범죄를 실행한 경우에도 교사범의 성립에 영향이 없다(대판 1991.5.14, 91도542 ⓔ 절도의 습벽이 있던 자에게 드라이버를 사주면서 절도를 하라고 교사한 경우 ⇨ 절도죄의 교사범 ○). 16. 9급 검찰·마약수사, 21. 해경간부·해경 1차, 22. 법원직·순경 1차, 23. 법원행시·경찰승진, 24. 순경 1차

3. 치과의사가 환자의 대량유치를 위해 치과기공사들에게 내원환자들에게 진료행위를 하도록 지시하여 동인들이 각 단독으로 전항과 같은 진료행위를 하였다면 무면허의료행위의 교사범에 해당한다(대판 1986.7.8, 86도749). 11·15. 경찰승진

4. 피해자를 정신차릴 정도로 때려 주라고 한 것은 상해죄의 교사에 해당한다(대판 1997.6.24, 97도1075). 15·16. 경찰승진, 17. 순경 1차, 21. 법원직

5. 교사범이 그 공범관계로부터 이탈하기 위해서는 피교사자가 범죄의 실행행위에 나아가기 전에 교사범에 의하여 형성된 피교사자의 범죄 실행의 결의를 해소하는 것이 필요하다(대판 2012.11.15, 2012도7407 ⓔ 교사자인 피고인이 피교사자에게 피해자의 불륜관계를 이용하여 공갈할 것을 교사하였는데, 그 후 피교사자가 피해자를 미행하여 동영상을 촬영한 후 그 촬영 결과를 알리자, 피교사자에게 전화를 걸어 돈을 줄테니 동영상을 넘기고 피해자를 공갈하는 것을 단념하라고 만류하였으나 피교사자가 피고인의 제안을 거절하고 동영상을 이용하여 피해자를 공갈한 경우 ⇨ 공갈죄의 교사범 ○ ∵ 피고인의 교사행위와 공소외인이 공갈행위 사이에 상당인과관계 인정 ○, 피고인이 공범관계에서 이탈 ×). 19. 7급 검찰, 20. 해경승진, 21. 해경간부, 22. 9급 검찰·마약수사·철도경찰, 23. 경찰승진, 24. 순경 1차

6. ① 교사범이란 정범인 피교사자로 하여금 범죄를 결의하게 하여 그 죄를 범하게 한 때에 성립하므로, 교사자의 교사행위에도 불구하고 피교사자가 범행을 승낙하지 아니하거나 피교사자의 범행결의가 교사자의 교사행위에 의하여 생긴 것으로 보기 어려운 경우에는 이른바 실패한 교사로서 형법

제31조 제3항에 의하여 교사자를 음모 또는 예비에 준하여 처벌할 수 있을 뿐이다(대판 2013.9.12, 2012도2744). 21. 법원직·경찰간부, 23. 법원행시·경찰승진·9급 검찰·마약수사·철도경찰·순경 1차

② 피교사자가 교사자의 교사행위 당시에는 일응 범행을 승낙하지 아니한 것으로 보여진다 하더라도 이후 그 교사행위에 의하여 범행을 결의한 것으로 인정되는 이상 교사범의 성립에는 영향이 없다(대판 2013.9.12, 2012도2744). 17. 순경 2차, 18. 7급 검찰, 19. 경찰간부, 22. 경찰승진·순경 1차, 23. 법원행시·9급 검찰·마약수사·철도경찰, 24. 해경경위

③ 피고인이 결혼을 전제로 교제하던 甲의 임신 사실을 알고 수회에 걸쳐 낙태를 권유하였다가 거부당하자, 甲에게 출산 여부는 알아서 하되 아이에 대한 친권을 행사할 의사가 없다고 하면서 낙태할 병원을 물색해 주기도 하였는데, 그 후 甲이 피고인에게 알리지 아니한 채 자신이 알아본 병원에서 낙태시술을 받은 경우, 피고인의 낙태교사행위와 甲의 낙태결의 사이에 인과관계가 단절되는 것은 아니므로 피고인에게 낙태교사죄가 성립한다(대판 2013.9.12, 2012도2744). 14. 사시, 15. 법원행시·순경 3차, 17. 경찰승진

7. 甲이 乙을 교사하여 자기의 형사사건에 관한 증거를 변조하도록 하였더라도, 乙이 甲과 공범관계에 있는 형사사건에 관한 증거를 변조한 것에 해당하여 乙이 증거변조죄로 처벌되지 않는 경우, 증거변조죄의 간접정범은 물론 교사범도 성립하지 않는다(대판 2011.7.14, 2009도13151). 17. 변호사시험, 21. 경찰간부

8. 甲은 乙에게 절도를 교사하였던바, 乙은 다시 丙을 교사하여 절도케 한 경우 甲은 절도의 교사범이다(대판 1974.1.29, 73도3104). ⇨ 간접교사의 가벌성 인정 05. 법원행시

9. 피고인이 지방행정서기를 교사하여 무허가건물을 허가받은 건축물인 것처럼 가옥대장 등에 등재케 하였다면 허위공문서작성죄의 교사범이 성립한다(대판 1983.12.13, 83도1458). 09. 경찰승진

10. 소년에게 단순히 밥값을 구해 오라고 말한 것이 절도범행을 교사한 것이라고는 볼 수 없다(대판 1984.5.15, 84도418). 08. 경찰승진

11. 대리응시자를 시험장에 입장하도록 교사한 행위는 주거침입교사죄가 성립된다(대판 1967.12.19, 67도1281). 09. 경찰승진, 21. 법원직

12. 의사가 아닌 甲이 丙을 교사하여 丙으로 하여금 의사인 乙과 공모하여 허위진단서를 작성케 한 경우 허위진단서작성죄의 교사범이다(대판 1967.1.24, 66도1586). 11. 경찰승진, 14. 9급 철도경찰

13. (위법한) 함정수사란 본래 범의를 가지고 있지 않는 자에 대해 수사기관이 사술이나 계략 등을 써서 범죄를 유발케 하여 범죄인을 검거하는 수사방식을 말한다(대판 1987.6.9, 87도915). 따라서 범의를 가진 자에게 범행기회를 주거나 범행을 용이하게 한 것에 불과한 경우는 위법한 함정수사라 할 수 없다(대판 1992.10.27, 92도1377). 14. 법원직

14. 피고인이 甲을 시켜서 乙에게 군무를 기피하게 하기 위하여 부대를 이탈하도록 권유하여 乙은 이러한 권유를 받고서 부대를 이탈할 생각이 나서 소속부대를 이탈한 것이라면 피고인은 乙의 군무이탈에 대하여 교사죄의 책임이 있다(대판 1967.3.21, 67도123).

15. 부정임산물의 제재를 업으로 하는 자에게 백송을 도벌하여 해태상자를 만들어 달라고 하면서 도벌자금을 제공한 때에는 산림법 위반죄의 교사가 된다(대판 1969.4.22, 69도255).

16. 관세법 제198조 제3항은 몰수할 물품의 전부 또는 일부를 몰수할 수 없을 때에는 그 몰수할 수 없는 물품의 범칙 당시의 국내 도매가격에 상당한 금액을 범인으로부터 추징한다라고 규정하고 있는바 여기서 말하는 범인의 범위는 공동정범자뿐만 아니라 종범 또는 교사범도 포함된다(대판 1985.6.25, 85도652). 21. 법원행시

17. 공범 중 1인이 그 범행에 관한 수사절차에서 참고인 또는 피의자로 조사받으면서 자기의 범행을 구성하는 사실관계에 관하여 허위로 진술하고 허위 자료를 제출하는 것은 자신의 범행에 대한 방어권 행사의 범위를 벗어난 것으로 볼 수 없어, 이러한 행위가 다른 공범을 도피하게 하는 결과가 된다고 하더라도 범인도피죄로 처벌할 수 없다. 이때 공범이 이러한 행위를 교사하였더라도 범죄가 될 수 없는 행위를 교사한 것에 불과하여 범인도피교사죄가 성립하지 않는다(대판 2018.8.1, 2015도20396).
20. 변호사시험·경찰승진

---

01 교사범에 대한 설명으로 옳지 않은 것은?(다툼이 있는 경우 판례에 의함) 20. 9급 철도경찰

① 정범의 성립은 교사범의 구성요건의 일부를 형성하고 교사범이 성립함에는 정범의 범죄행위가 인정되는 것이 그 전제요건이 된다.

② A가 B에게 범죄를 저지르도록 요청한다는 것을 알고 있는 甲이 A의 부탁을 받고 A의 요청을 B에게 전달하여 B로 하여금 범의를 야기케 하는 것은 교사에 해당되지 않는다.

③ 중상해를 교사하였으나 피교사자가 살인을 실행한 경우, 교사자가 피해자의 사망이라는 결과를 예견할 수 있었던 때에는 교사자에게 상해치사죄의 교사범으로서의 죄책을 지울 수 있다.

④ 교사를 받은 자가 범죄의 실행을 승낙하지 아니하였더라도 교사한 범죄의 예비·음모를 처벌하는 규정이 있다면 교사자를 예비 또는 음모에 준하여 처벌한다.

> **해설** ① 대판 2000.2.25, 99도1252
> ② × : ~ 교사에 해당한다(대판 1974.1.29, 73도3104 ∵ 간접교사도 교사에 해당).
> ③ 대판 2002.10.25, 2002도4089
> ④ 실패한 교사(제31조 제3항)

---

02 교사범에 대한 설명 중 가장 적절한 것은?(다툼이 있는 경우 판례에 의함) 20. 경찰승진

① 고의에 의한 교사행위뿐만 아니라 과실에 의한 교사행위도 가능하다.

② 피교사자가 이미 범죄의 결의를 가지고 있는 경우에도 교사범이 성립할 수 있다.

③ 교사를 받은 자가 범죄의 실행을 승낙조차 하지 않은 이른바 실패한 교사의 경우 교사자와 피교사자를 음모 또는 예비에 준하여 처벌한다.

④ 교사범이 공범관계로부터 이탈하기 위해서는 피교사자가 범죄의 실행행위에 나아가기 전에 교사범에 의하여 형성된 피교사자의 범죄 실행의 결의를 해소하여야 한다.

> **해설** ① × : 과실에 의한 교사 ×
> ② × : 교사범 ×(대판 1991.5.14, 91도542)
> ③ × : 실패한 교사 ⇨ 교사자만 예비·음모에 준해 처벌(제31조 제3항)
> ④ ○ : 대판 2012.11.15, 2012도7407

03 **교사범에 대한 설명으로 옳지 않은 것은?**(다툼이 있는 경우 판례에 의함)　　21. 9급 철도경찰

① 피교사자가 이미 교사한 범죄와 동일한 범죄의 결의를 가지고 있을 때에는 교사범이 성립할 여지가 없다.

② 甲이 乙에게 A를 살해할 것을 교사하고 乙이 이를 승낙하고도 실행의 착수에 이르지 아니하였다면 甲은 처벌되지 아니한다.

③ 甲이 乙에게 乙의 어머니 물건을 훔치도록 교사한 경우 정범인 乙이 처벌되지 아니하더라도 甲은 절도죄의 교사범으로 처벌된다.

④ 자기의 지휘·감독을 받는 자를 교사하여 범죄행위의 결과를 발생하게 한 때에는 정범에 정한 형의 장기 또는 다액의 2분의 1까지 가중한다.

> **해설**　① 대판 1991.5.14, 91도542
> ② × : ~ 甲은 살인의 예비·음모에 준하여 처벌된다(제31조 제2항).
> ③ 신분관계가 없는 공범에 대하여는 친족상도례의 규정을 적용하지 아니한다(제328조 제3항).
> ④ 제34조 제2항

04 **다음 설명 중 가장 옳은 것은?**(다툼이 있는 경우 판례에 의함)　　21. 법원직

① 교사범이란 정범인 피교사자로 하여금 범죄를 결의하게 하여 그 죄를 범하게 한 때에 성립하므로, 교사자의 교사행위에도 불구하고 피교사자가 범행을 승낙하지 아니하거나 피교사자의 범행결의가 교사자의 교사행위에 의하여 생긴 것으로 보기 어려운 경우에는 이른바 실패한 교사로서 형법 제31조 제3항에 의하여 교사자를 음모 또는 예비에 준하여 처벌할 수 있을 뿐이다.

② 교사자가 피교사자에게 피해자를 "정신차릴 정도로 때려 주라."고 교사하였다는 사정만으로는 상해에 대한 교사로 보기까지는 어렵다.

③ 막연히 "범죄를 하라."거나 "절도를 하라."고 하는 등의 행위만으로는 교사행위가 되기에 부족하므로, 교사범이 성립하기 위해서는 범행의 일시, 장소, 방법 등의 사항을 특정하여 교사하여야 한다.

④ 대리응시자들의 시험장 입장이 시험관리자의 승낙 또는 그 추정된 의사에 반한 불법침입이라 하더라도, 이와 같은 침입을 교사한 사람에게 주거침입교사죄가 성립된다고 볼 수는 없다.

> **해설**　① ○ : 대판 2013.9.12, 2012도2744
> ② × : 교사자가 피교사자에게 피해자를 "정신차릴 정도로 때려 주라."고 교사하였다면 이는 상해에 대한 교사로 봄이 상당하다(대판 1997.6.24, 97도1075).
> ③ × : ~ 되기에 부족하나, 교사범이 교사범이 성립하기 위해서는 범행의 일시, 장소, 방법 등의 사항을 특정하여 교사할 필요는 없다(대판 1991.5.14, 91도542).
> ④ × : 대리응시자를 시험장에 입장하도록 교사한 행위는 주거침입교사죄가 성립된다(대판 1967.12.19, 67도1281).

05 다음 중 교사범에 관한 설명으로 옳지 않은 것은 모두 몇 개인가?(다툼이 있는 경우 판례에 의함)

21. 해경간부

> ㉠ 교사를 받은 자가 범죄의 실행을 승낙하고 실행의 착수에 이르지 아니한 때 교사자의 경우 음모 또는 예비에 준하여 처벌한다.
> ㉡ 교사행위에 의하여 피교사자가 범죄 실행을 결의하게 되었다고 하더라도 피교사자에게 다른 원인이 있어 범죄를 실행한 경우에는 교사범이 성립하지 않는다.
> ㉢ 甲은 乙에게 A를 공갈할 것을 교사하였으나, 이후 乙에게 범행에 나아갈 것을 만류하였다. 그럼에도 乙은 甲의 제안을 거절하고 A를 공갈하여 재물을 교부받은 경우, 비록 甲의 만류행위가 있었으나, 乙이 명시적으로 거절하고 당초와 같은 범죄실행의 결의를 그대로 유지한 것이므로 甲이 공범관계에서 이탈한 것으로 볼 수 없다.
> ㉣ 甲이 乙에게 A의 자전거를 절취할 것을 교사했는데 乙은 A의 승낙을 얻어 자전거를 임차한 경우 공범종속성설 중 제한적 종속형식에 의하면 甲은 절도죄의 교사범이 성립하지 않는다.
> ㉤ 甲이 乙에게 허위의 자백을 하게 하여 자신을 도피시킨 경우 범인 자신을 도피시키는 행위는 처벌되지 않으므로 甲을 범인도피죄의 교사범으로 처벌할 수 없다.
> ㉥ 甲은 乙에게 절도를 교사한 후, 乙은 다시 丙을 교사하여 절도의 범행에 나아가게 한 경우 甲은 절도의 교사범에 해당한다.
> ㉦ 甲이 이미 흉기휴대 특수강도를 결심하고 있는 乙을 설득하여 단순강도를 범하도록 한 경우 甲은 단순강도죄의 교사범으로 처벌된다.
> ㉧ A가 B에게 범죄를 저지르도록 요청한다는 것을 알고 있는 甲이 A의 부탁을 받고 A의 요청을 B에게 전달하여 B로 하여금 범의를 야기케 하는 것은 교사에 해당되지 않는다.

① 2개 　　　　② 3개 　　　　③ 4개 　　　　④ 5개

해설 ㉠ ○ : 제31조 제2항
㉡ × : ~ 성립한다(대판 1991.5.14, 91도542).
㉢ ○ : 대판 2012.11.15, 2012도7407
㉣ ○ : 乙의 행위는 구성요건에 해당하지 않아〔∵ A의 승낙 ⇨ 구성요건해당성 조각(양해)〕 제한적 종속형식에 의하면 甲은 절도죄의 교사범이 성립하지 않는다.
㉤ × : 범인도피죄의 교사범 ○(대판 2000.3.24, 2000도20 ∵ 방어권의 남용 ○)
㉥ ○ : 연쇄교사도 교사범에 해당한다.
㉦ × : 이미 중한 범죄(특수강도)의 결의를 가지고 있는 자에게 그 결의보다 경미한 죄(단순강도)를 범하도록 교사한 경우에는 교사범은 성립되지 않고 방조범이 성립될 뿐이다.
㉧ × : ~ 교사에 해당한다(대판 1974.1.29, 73도3104 ∵ 간접교사도 교사에 해당).

06 교사범에 관한 설명 중 가장 옳지 않은 것은?(다툼이 있는 경우 판례에 의함)　　22. 법원직

① 교사자의 교사행위에도 불구하고 피교사자가 범행을 승낙하지 아니한 경우에는 이른바 실패한 교사로서 형법 제31조 제3항에 의하여 교사자를 음모 또는 예비에 준하여 처벌할 수 있을 뿐이다.

Answer　5. ③　6. ③

② 교사자가 피교사자에 대하여 상해를 교사하였는데 피교사자가 살인을 실행한 경우, 일반적으로 교사자는 상해죄에 대한 교사범이 되는 것이고, 다만 교사자에게 피해자의 사망이라는 결과에 대하여 과실 내지 예견가능성이 있는 때에는 상해치사죄의 교사범으로서의 죄책을 지울 수 있다.

③ 교사범이란 타인(정범)으로 하여금 범죄를 결의하게 하여 그 죄를 범하게 한 때에 성립하는 것이므로, 피교사자가 이미 범죄의 결의를 가지고 있을 때에는 교사범이 성립할 여지가 없고, 교사범의 교사가 정범이 그 죄를 범한 유일한 조건이어야 한다.

④ 스스로 본인을 무고하는 자기무고는 형법 제156조 무고죄의 구성요건에 해당하지 아니하여 무고죄를 구성하지 않는다. 그러나 피무고자의 교사·방조하에 제3자가 피무고자에 대한 허위의 사실을 신고한 경우에는 제3자의 행위는 무고죄의 구성요건에 해당하여 무고죄를 구성하므로, 제3자를 교사·방조한 피무고자도 교사·방조범으로서의 죄책을 부담한다.

[해설] ① 옳다. ② 대판 2002.10.25, 2002도4089
③ × : ~ 성립할 여지가 없으나, 교사범의 교사가 정범이 죄를 범한 유일한 조건일 필요는 없으므로, 교사행위에 의하여 정범이 실행을 결의하게 된 이상 비록 정범에게 범죄의 습벽이 있어 그 습벽과 함께 교사행위가 원인이 되어 정범이 범죄를 실행한 경우에도 교사범의 성립에 영향이 없다(대판 1991.5.14, 91도542).
④ 대판 2008.10.23, 2008도4852

07 **교사범에 대한 설명 중 가장 적절하지 않은 것은?**(다툼이 있는 경우 판례에 의함) 23. 경찰승진

① 교사범이 그 공범관계로부터 이탈하기 위해서는 피교사자가 범죄의 실행행위에 나아가기 전에 교사범에 의하여 형성된 피교사자의 범죄 실행의 결의를 해소하는 것이 필요하다.

② 교사범이 성립하기 위해서는 교사자의 교사행위와 정범의 실행행위가 있어야 하는 것이므로, 정범의 성립은 교사범의 구성요건의 일부를 형성하고 교사범이 성립함에는 정범의 범죄행위가 인정되는 것이 그 전제요건이 된다.

③ 교사범의 교사가 정범이 죄를 범한 유일한 조건일 필요는 없으므로, 교사행위에 의하여 정범이 실행을 결의하게 된 이상 비록 정범에게 범죄의 습벽이 있어 그 습벽과 함께 교사행위가 원인이 되어 정범이 범죄를 실행한 경우에도 교사범의 성립에 영향이 없다.

④ 교사자의 교사행위에도 불구하고 피교사자가 범행을 승낙하지 아니하거나 피교사자의 범행결의가 교사자의 교사행위에 의하여 생긴 것으로 보기 어려운 경우에는 이른바 효과없는 교사로서 형법 제31조 제2항에 의하여 교사자와 피교사자 모두 음모 또는 예비에 준하여 처벌할 수 있다.

[해설] ① 대판 2012.11.15, 2012도7407
② 대판 2000.2.25, 99도1252 ③ 대판 1991.5.14, 91도542
④ × : ~ (2줄) 어려운 경우에는 이른바 실패한 교사(효과 없는 교사 ×)로서 형법 제31조 제3항(제2항 ×)에 의하여 교사자를 음모 또는 예비에 준하여 처벌할 수 있다(대판 2013.9.12, 2012도2744).

Answer 7.④

제5절 | 종범(방조범)

관련조문

제32조 【종범】 ① 타인의 범죄를 방조한 자는 종범으로 처벌한다.
  ② 종범의 형은 정범의 형보다 **감경한다**(감경할 수 있다 ×). 23. 순경 1차
제34조 제2항 【특수방조】 자기의 지휘, 감독을 받는 자를 방조하여 범죄의 결과를 발생하게 한 자는
정범의 형으로 처벌한다(정범에 정한 형의 장기 또는 다액에 그 2분의 1까지 가중한 형으로 처벌한
다 ×). 15. 변호사시험, 17. 경찰승진, 19. 순경 1차, 20. 경찰간부 · 해경 1차, 22. 해경간부

THEMA 25 '종범(방조범)의 성립요건' 총정리

1. **종범의 고의**(2중의 고의) : 형법상 방조행위는 정범이 범행을 한다는 정을 알면서 그 실행행위를 용이
   하게 하는 직접 · 간접의 행위를 말하므로, 방조범은 정범의 실행을 방조한다는 이른바 **방조의 고의**와
   정범의 행위가 구성요건에 해당하는 행위인 점에 대한 **정범의 고의**가 있어야 하나, 방조범에 있어서
   정범의 고의는 정범에 의하여 실현되는 범죄의 구체적 내용을 인식할 것을 요하는 것은 아니고 **미필적
   인식 또는 예견으로** 족하다(대판 2005.4.29, 2003도6056). 정범이 범하는 범죄의 일시, 장소, 객체 등을
   구체적으로 인식할 필요가 없으며, 나아가 정범이 누구인지 확정적으로 인식할 필요도 없다(대판
   2007.12.14, 2005도872). 14. 경찰승진, 17. 법원행시, 19. 경력채용, 20. 9급 검찰 · 철도경찰, 21. 법원직, 22. 변호사시
   험 · 해경간부 · 순경 1차 · 7급 검찰, 25. 9급 철도경찰 또한 초과주관적 위법요소로서 목적범의 목적의 경우
   방조범에게도 정범이 어떤 목적으로 행위를 한다는 점에 대한 고의가 있어야 하나, 그 목적의 구체적인
   내용까지 인식할 것을 요하는 것은 아니다(대판 2022.10.27, 2020도12563). 23. 순경 1차
   방조범에게 요구되는 정범 등의 고의는 정범에 의하여 실현되는 범죄의 구체적 내용을 인식해야
   하는 것은 아니고 미필적 인식이나 예견으로 충분하지만, 이는 정범의 범행 등의 불법성에 대한 인식
   이 필요하다는 점과 모순되지 않는다(대판 2022.6.30, 2020도7866). 24. 변호사시험
   ① 방조는 고의에 의한 것이어야 하므로 **과실에 의한 방조**는 불가능하나, **과실범에 대한 방조**는 간
      접정범으로 처벌될 수 있다(제34조 제1항). 16. 경찰간부, 19. 경찰승진, 20. 해경승진, 21. 해경 1차
   ② 편면적 방조 : 종범이 성립하기 위하여 종범(방조자)과 정범(피방조자) 사이에 의사의 연락을 요
      하지 아니한다. 따라서 **정범이 방조행위를 인식하지 못하는 소위 '편면적 종범'은 인정된다**(통설,
      대판 1974.5.28, 74도509 ▶ 주의 : 편면적 종범에서도 정범의 범죄행위 없이 방조범만이 성립될
      수 없다). 15. 사시, 16. 7급 검찰 · 철도경찰, 21. 변호사시험, 22. 해경간부

2. **방조행위** : 방조란 정범의 구체적인 범행준비나 범행사실을 알고 그 실행행위를 가능 · 촉진 · 용이
   하게 하는 **지원행위** 또는 정범의 **범죄행위가 종료하기 전에** 정범에 의한 법익 침해를 강화 · 증대시
   키는 행위로서, 정범의 범죄 실현과 밀접한 관련이 있는 행위를 말한다(대판 2022.6.30, 2020도7866).
   ① 방조행위의 수단 · 방법 : 방조의 수단 · 방법에는 제한이 없다. 형법상 방조행위는 정범이 범행을
      한다는 정을 알면서 그 실행행위를 용이하게 하는 직접 · 간접의 모든 행위를 가리키는 것으로서
      그 방조는 **유형적 · 물질적인 방조**뿐만 아니라 정범에게 범행의 결의를 강화하도록 하는 것과 같
      은 **무형적 · 정신적 방조행위**까지도 이에 해당한다(대판 1997.1.24, 96도2427). 또한 형법상 방조는
      작위에 의하여 정범의 실행을 용이하게 하는 경우는 물론, 직무상의 의무가 있는 자가 정범의

범죄행위를 인식하면서도 그것을 방지하여야 할 제반 조치를 취하지 아니하는 **부작위**로 인하여 정범의 실행행위를 용이하게 하는 경우에도 성립된다(대판 1984.11.27, 84도1906). 17. 9급 **철도경찰**, 21. 해경 1차, 22. 변호사시험 · 법원행시 · 순경 1차 **예** 백화점에서 검품 등 상품관리를 담당하는 백화점 직원이 자신이 관리하는 백화점 입점점포의 위조상표 부착 상품 판매사실을 **알고도 방치한** 행위는 **부작위에** 의한 상표법위반과 부정경쟁방지 및 영업비밀보호에 관한 법률 위반의 **방조**(공동정범 ×)에 해당한다(대판 1997.3.14, 96도1639). 16. 사시, 21. 경찰간부

② 방조행위의 시기 : 예비로부터 범행의 **실질적 종료시까지** 방조가 가능하다.

㉠ 방조범은 정범의 실행행위 중에 이를 방조하는 경우뿐만 아니라, **실행의 착수 전에 장래의 실행행위를 예상하고 이를 용이하게 하는 행위를 하여 방조한 경우에도 정범이 그 실행행위에 나아갔다면 성립한다**(대판 1997.4.17, 96도3377). 17. 경찰간부 · 순경 2차, 21. 법원직, 23. 법원행시 · 9급 검찰 · 철도경찰, 25. 경찰승진 · 순경 1차 ㉡ 따라서 정범의 범죄종료 후의 이른바 사후방조를 종범이라고 볼 수는 없다(대판 2009.6.11, 2009도1518). 20. 법원직, 21. 9급 검찰 · 마약수사 · 철도경찰, 24. 경력채용 ㉢ 그러나 **간호보조원의 무면허진료행위가 있은 후에** 이를 의사가 그 환자의 계속진료에 참고하기 위해 작성되는 **진료부에 기재하는 행위**는 정범의 실행행위 종료 후의 단순한 사후행위에 불과하다고 볼 수는 없으므로 무면허의료행위의 **방조**에 해당한다(대판 1982.4.27, 82도122). 20. 9급 검찰 · 마약수사 · 철도경찰 · 법원직, 21. 경찰간부, 22. 경찰승진 ㉣ 甲은 보이스피싱 사기 범행에 사용된다는 사정을 알면서도 유령법인 설립, 그 법인 명의 계좌 개설 후 그 접근매체를 乙에게 **전달 · 유통**하는 등의 행위(유형적 · 물질적 방조행위)를 계속하였고, 보이스피싱 조직원의 제안에 따라 이른바 '**전달책**' 역할을 승낙(무형적 · 정신적 방조행위)하였다면, 甲은 '전달책'으로서 **실행행위를 한 시기에 관계없이 사기죄의 종범에 해당한다**(대판 2022.4.14, 2022도649). 23. 순경 2차

③ 방조행위의 인과관계 : 방조범은 **정범에 종속하여 성립하는 범죄**이므로 방조행위와 정범의 범죄 실현 사이에는 **인과관계가 필요**하다. 방조범이 성립하려면 **방조행위가** 정범의 범죄 실현과 밀접한 관련이 있고 정범으로 하여금 구체적 위험을 실현시키거나 범죄결과를 발생시킬 기회를 높이는 등으로 **정범의 범죄 실현에 현실적인 기여를 하였다고 평가할 수 있어야 한다. 정범의 범죄 실현과 밀접한 관련이 없는 행위를 도와준** 데 지나지 않는 경우에는 **방조범이 성립하지 않는다**(대판 2021.9.16, 2015도12632). 23. 해경간부, 24. 변호사시험 · 9급 검찰 · 마약수사 · 철도경찰 · 경력채용

정범의 실행행위 중에 이를 용이하게 하는 경우뿐만 아니라 정범의 **실행착수 전에** 장래의 실행행위를 예상하고 이를 용이하게 하는 경우에도 방조행위로서 정범의 실행행위에 대한 **인과관계를 인정할 수 있다**(대판 2021.9.9, 2017도19025 전원합의체). 16. 사시, 19. 7급 검찰, 23. 경찰승진, 24. 9급 검찰 · 마약수사 · 철도경찰

⚖ 관련판례

1. 입영기피를 결심한 자에게 "잘 되겠지, 몸조심해라."고 악수를 나누는 정도의 행위는 입영기피의 범죄의사를 강화시킨 방조행위로 볼 수 없다(대판 1983.4.12, 82도43). 14. 9급 철도경찰, 16. 사시 · 경찰승진

2. 웨이터가 미성년자를 홀 출입구까지 안내한 행위는 미성년자를 클럽에 출입시킨 행위 또는 그 방조행위로 볼 수 없다(대판 1984.8.21, 84도781 ∵ 미성년자인 여부의 판단과 출입허용 여부는 2층 출입구에서 주인이 결정함). 14. 9급 철도경찰, 16. 경찰승진, 21. 법원행시

3. 간첩이란 정을 알면서 숙식을 제공하거나, 간첩의 심부름으로 안부편지나 사진을 전달하거나, 무전기를 매몰하는 데 망을 보아 준 것만으로는 간첩방조죄가 될 수 없다(대판 1965.8.17, 65도383 ; 대판 1966.7.12, 66도470 ; 대판 1983.4.26, 83도416). 16. 사시, 22. 해경간부

4. 피고인이 박사방 운영진의 지시에 따라 4회에 걸쳐 검색어를 입력하고 미션방과 박사방 관련 채널에 검색사실을 올려 인증한 경우 ▷ 아동·청소년 이용 음란물 배포죄의 방조범 ×(대판 2023.10.18, 2022도15537 ∵ 피고인이 미션방에 참여하여 박사방 운영진의 지시 및 공지 내용을 인식하였다거나 검색어 자체만으로 '아동·청소년 이용 음란물 배포'의 범죄행위를 위한 것임을 알았다고 보기 어려운 이상 방조의 고의는 물론 정범의 고의가 있었다고 단정하기 어렵고, 피고인의 각 행위와 정범의 범죄 실현 사이에 밀접한 관련성 등 인과관계를 인정하거나 피고인의 각 행위가 정범의 범죄 실현에 현실적인 기여를 하였다고 단정하기 어렵다).

5. 철도노조 조합원들이 서울차량사업소에 설치된 높이 15m 가량의 조명탑 중간 대기 장소에 올라가 농성을 하자 철도노조 간부들이 위 농성을 지지하고자 조명탑 아래 천막을 설치하고, 지지 집회를 개최하고, 음식물·책 등 乙과 丙이 필요로 하는 물품을 제공하거나 조명탑에 올라가 이들을 위로한 경우, 업무방해죄를 구성한다고 볼 수 없다〔대판 2023.6.29, 2017도9835 ∵ 조명탑 본연의 기능을 사용할 수 없게 함으로써 야간 입환 업무를 방해한다는 정범들(철도노조 조합원들)의 범죄에 대한 지원행위 또는 그 법익 침해를 강화·증대시키는 행위로서 정범들의 범죄 실현과 밀접한 관련이 있는 행위에 해당한다고 단정하기 어렵다. 따라서 피고인들의 행위는 방조범의 성립을 인정할 정도로 업무방해 행위와 인과관계가 있다고 볼 수 없다〕.

3. **정범의 실행행위** : 종범이 성립하기 위해서는 공범종속성설(다수설·판례)에 따를 때 정범의 실행행위가 있어야 한다.

⚖️ **관련판례**

1. 방조죄는 정범의 범죄에 종속하여 성립하는 것으로서 방조의 대상이 되는 정범의 실행행위의 착수가 없는 이상 방조죄만이 독립하여 성립될 수 없다(대판 1979.2.27, 78도3113). 21. 9급 검찰·마약수사

   📖 정범이 강도의 예비행위를 할 때 방조행위가 행해졌고 그 후에 정범이 강도의 실행에 착수하지 못했다면 방조자는 강도예비죄의 종범으로 처벌할 수 없다(대판 1976.5.25, 75도1549). 15. 변호사시험, 19. 경찰간부, 20. 9급 검찰·마약수사·철도경찰

2. 종범의 범죄는 정범의 범죄에 종속하여 성립하는 것이므로 사기방조죄는 정범인 본범의 사기 또는 사기미수의 증명이 없으면 사기방조죄가 성립할 수 없다(대판 1970.3.10, 69도2492).

3. 인터넷 게임사이트의 온라인게임에서 통용되는 사이버머니를 구입하고자 하는 사람을 유인하여 돈을 받고 위 게임사이트에 접속하여 일부러 패하는 방법으로 사이버머니를 판매한 사람에 대하여, 정범인 위 게임사이트 개설자의 도박개장행위를 인정할 수 없는 이상 종범인 도박개장방조죄도 성립하지 않는다(대판 2007.11.29, 2007도8050). 11. 사시

4. 병원 원장인 피고인 甲 등이 乙 등에게 허위의 입·퇴원확인서를 작성한 후 교부하여, 乙 등이 보험회사로부터 보험금을 편취하는 것을 방조하였다는 내용으로 기소된 경우, 정범인 乙 등의 범죄가 성립되지 않는 이상 방조범에 불과한 피고인 甲 등의 범죄도 성립될 수 없다(대판 2017.5.31, 2016도12865). 21. 7급 검찰

THEMA 26 '종범' 관련판례 총정리

1. 방조자의 인식과 정범의 실행행위 사이에 착오가 있고 양자의 구성요건이 다른 경우에는 원칙적으로 방조자의 고의가 조각되는 것이나, 양자의 구성요건이 중첩되는 부분이 있는 경우에는 그 중복되는 한도 내에서는 방조자의 죄책이 인정된다〔대판 1985.2.26, 84도2987 예 甲으로서는 정범인 乙이 특정범죄 가중처벌 등에 관한 법률 제6조(관세법위반행위의 가중처벌)에 해당하는 범죄행위를 한 것을 전연 인식하지 못하고 오로지 관세법 제270조에 해당하는 관세포탈 범죄를 방조하는 것으로만 인식하였다면 甲은 구성요건이 중복되는 관세법 제270조의 종범으로서만 처벌되어야 한다〕. 19. 경력채용, 21. 7급 검찰, 24. 법원행시 · 법원직

2. 甲이 사기 범행에 이용되리라는 사정을 알고서도 A에게 자신의 명의로 된 은행 예금계좌의 접근매체를 양도함으로써 A가 B를 속여 B로 하여금 현금을 위 계좌로 송금하게 한 경우, 甲은 사기죄의 방조범이 된다(대판 2017.5.31, 2017도3894). 17. 법원행시, 21. 9급 검찰 · 마약수사

3. 은행지점장 甲이 정범인 부하직원들의 은행에 대한 배임행위를 인식하면서도 이를 방치한 경우 업무상 배임죄의 방조범이 성립한다(대판 1984.11.27, 84도1906). 16. 경찰승진, 21. 9급 검찰 · 마약수사

4. 제3자뇌물수수죄에서 제3자란 행위자와 공동정범 이외의 사람을 말하고, 교사자나 방조자도 포함될 수 있다. 그러므로 공무원 또는 중재인이 부정한 청탁을 받고 제3자에게 뇌물을 제공하게 하고 제3자가 그러한 공무원 또는 중재인의 범죄행위를 알면서 방조한 경우에는 그에 대한 별도의 처벌규정이 없더라도 방조범에 관한 형법 총칙의 규정이 적용되어 제3자뇌물수수방조죄가 인정될 수 있다(대판 2017.3.15, 2016도19659 예 공무원 甲이 부정한 청탁을 받고 물품구매자들로 하여금 乙이 판매하는 물품을 구입하게 하고 그 대금을 丙명의의 계좌 등으로 지급하게 한 경우 ⇨ 甲 : 제3자뇌물수수죄, 乙 : 제3자뇌물수수방조죄). 17. 순경 2차 · 법원행시, 20. 변호사시험, 23. 7급 검찰

5. 인터넷 카페의 대표 甲이 기자회견을 열어 A회사에 대하여 불매운동을 하겠다고 하면서 공갈행위를 하였는데, 위 카페의 회원 乙이 그러한 사정을 알면서도 그 자리에서 지지의 의사로 공감을 표시하거나 甲의 부탁을 받고 사진을 찍어주는 행위는 공갈죄의 방조에 해당한다(대판 2013.4.11, 2010도13774). 16. 사시, 19. 경찰간부

6. 자신들이 개설한 인터넷 사이트를 통해 회원들로 하여금 음란한 동영상을 게시하도록 하고 다른 회원들로 하여금 이를 다운받을 수 있도록 하는 방법으로 정보통신망을 통한 음란한 영상의 배포 · 전시를 방조한 행위가 단일하고 계속된 범의 아래 일정기간 계속하여 이루어졌고 피해법익도 동일한 경우, 방조행위는 포괄일죄의 관계에 있다(대판 2010.11.25, 2010도1588). 17. 7급 검찰, 19. 경찰승진

01 다음 중 방조에 대한 설명으로 적절한 것은?(다툼이 있는 경우 판례에 의함) 20. 해경 1차

> ㉠ 정범이 실행에 착수하기 전에 방조한 경우에는 그 이후 정범이 실행에 착수하였더라도 방조범이 성립할 수 없다.
>
> ㉡ 정범의 강도예비행위를 방조하였으나 정범이 실행의 착수에 이르지 못한 경우 방조자는 강도예비죄의 종범에 해당한다.
>
> ㉢ 방조행위와 정범의 실행행위 사이에 인과관계가 필요하다는 견해는 공범의 처벌근거가 타인의 불법을 야기·촉진시키는 데 있으므로 방조행위가 피방조자의 실행에 아무런 영향을 끼치지 못한 경우에는 처벌근거가 상실된다는 점을 논거로 한다.
>
> ㉣ 방조행위와 정범의 실행행위 사이에 인과관계가 필요하지 않다는 견해에 따르면, 공범종속설에 따라 기도된 방조의 가벌성을 인정하기 때문에 방조범의 처벌범위가 부당하게 확대된다는 비판이 있다.
>
> ㉤ 甲이 허위자백을 하여 진범에 대한 범인도피죄의 기수에 이르고 나서야 비로소 甲의 범행을 인식한 A가 기왕의 범인도피상태를 이용하여 甲이 허위자백을 유지하도록 도운 경우 그 이후 甲이 진범을 밝혔다고 하더라도 A의 범인도피방조죄는 성립한다.
>
> ㉥ 자기의 지휘, 감독을 받는 자를 방조하여 범죄의 결과를 발생하게 한 자는 정범의 형으로 처벌한다.

① ㉡, ㉣, ㉥ ② ㉢, ㉣, ㉥
③ ㉠, ㉢, ㉤ ④ ㉢, ㉤, ㉥

해설 ㉠ × : 방조범은 정범의 실행행위 중에 이를 방조하는 경우뿐만 아니라, 실행의 착수 전에 장래의 실행행위를 예상하고 이를 용이하게 하는 행위를 하여 방조한 경우에도 정범이 그 실행행위에 나아갔다면 성립한다(대판 1997.4.17, 96도3377).
㉡ × : 예비죄의 종범 ×(대판 1976.5.25, 75도1549) ㉢ ○ : 적절하다.
㉣ × : ~ 따르면, 공범독립성설(공범종속성설 ×)에 따라 기도된 방조의 가벌성을 인정하기 때문에 방조범의 처벌범위가 부당하게 확대된다는 비판이 있다.
㉤ ○ : 대판 2012.8.30, 2012도6027
㉥ ○ : 제34조 제2항

02 방조범에 대한 설명으로 옳지 않은 것은?(다툼이 있는 경우 판례에 의함) 17. 7급 검찰

① 간호조무사의 무면허 진료행위가 있은 후에 이를 의사가 진료부에 기재한 행위는 무면허 의료행위의 방조에 해당한다.

② 자신들이 개설한 인터넷 사이트를 통해 회원들로 하여금 음란한 동영상을 게시하도록 하고 다른 회원들로 하여금 이를 다운받을 수 있도록 하는 방법으로 정보통신망을 통한 음란한 영상의 배포·전시를 방조한 행위가 단일하고 계속된 범의 아래 일정기간 계속하여 이루어졌고 피해법익도 동일한 경우, 방조행위는 포괄일죄의 관계에 있다.

③ 방조행위와 정범의 실행행위 사이에 인과관계가 필요하지 않다는 견해에 따르면, 공범종속성설에 따라 기도된 방조의 가벌성을 인정하기 때문에 방조범의 처벌범위가 부당하게 확대된다는 비판이 있다.

④ 방조행위와 정범의 실행행위 사이에 인과관계가 필요하다는 견해는 공범의 처벌근거가 타인의 불법을 야기·촉진시키는 데 있으므로 방조행위가 피방조자의 실행에 아무런 영향을 끼치지 못한 경우에는 처벌근거가 상실된다는 점을 논거로 한다.

해설 ① 대판 1982.4.27, 82도122 ② 대판 2010.11.25, 2010도1588
③ × : ~ 따르면, 공범독립성설(공범종속성설 ×)에 따라 기도된 방조의 가벌성을 인정하기 때문에 방조범의 처벌범위가 부당하게 확대된다는 비판이 있다. ④ 타당하다.

03 **종범에 관한 다음 설명 중 가장 옳지 않은 것은?**(다툼이 있는 경우 판례에 의함)　　17. 법원행시
① 방조는 정범이 범행을 한다는 것을 알면서 그 실행행위를 용이하게 하는 종범의 행위이므로 종범은 정범의 실행을 방조한다는 방조의 고의와 정범의 행위가 구성요건에 해당한다는 점에 대한 정범의 고의가 있어야 한다.
② 저작권 침해물 링크 사이트에서 침해 게시물에 연결되는 링크를 제공하는 경우 등과 같이, 링크 행위자가 정범이 공중송신권을 침해한다는 사실을 충분히 인식하면서 그러한 침해 게시물 등에 연결되는 링크를 인터넷 사이트에 영리적·계속적으로 게시하는 등으로 공중의 구성원이 개별적으로 선택한 시간과 장소에서 침해 게시물에 쉽게 접근할 수 있도록 하는 정도의 링크 행위를 한 경우에는 침해 게시물을 공중의 이용에 제공하는 정범의 범죄를 용이하게 하므로 공중송신권 침해의 방조범이 성립한다.
③ 형법 제98조 제1항 간첩방조죄의 경우 형법 제32조에 따라 종범감경을 할 수 없다.
④ 甲이 허위자백을 하여 진범에 대한 범인도피죄의 기수에 이르고 나서야 비로소 甲의 범행을 인식한 A가 기왕의 범인도피상태를 이용하여 甲이 허위자백을 유지하도록 도운 경우 그 이후 甲이 진범을 밝혔다고 하더라도 A의 범인도피방조죄는 성립하지 아니한다.
⑤ 뇌물수수자가 공동수수자 아닌 종범에게 뇌물 중 일부를 사례금 등의 명목으로 교부한 경우 뇌물수수자에게서 수뢰액 전부를 추징하여야 한다.

해설 ① 대판 2007.12.14, 2005도872 ② 대판 2021.9.9, 2017도19025 전원합의체
③ 대판 1986.9.23, 86도1429 ④ × : 범인도피방조죄 ○(대판 2012.8.30, 2012도6027 ∵ 정범인 甲에게 결의를 강화하게 한 방조행위로 평가될 수 있음) ⑤ 대판 2011.11.24, 2011도9585

04 **종범에 대한 설명으로 가장 적절하지 않은 것은?**(다툼이 있는 경우 판례에 의함)　　19. 경찰승진
① 종범은 정범이 실행행위에 착수하여 범행을 하는 과정에서 이를 방조한 경우뿐 아니라, 정범의 실행의 착수 이전에 장래의 실행행위를 미필적으로나마 예상하고 이를 용이하게 하기 위하여 방조한 경우에도 그 후 정범이 실행행위에 나아갔다면 성립할 수 있다.
② 의사인 피고인이 입원치료를 받을 필요가 없는 환자들이 보험금 수령을 위하여 입원치료를 받으려고 하는 사실을 알면서도 입원을 허가하여 형식상으로 입원치료를 받도록 한 후 입원확인서를 발급하여 준 경우, 사기방조죄가 성립한다.

Answer　3.④　4.④

③ 피고인들이, 자신들이 개설한 인터넷 사이트를 통해 회원들로 하여금 음란한 동영상을 게시하도록 하고, 다른 회원들로 하여금 이를 다운받을 수 있도록 하는 방법으로 정보통신망을 통한 음란한 영상의 배포·전시를 방조한 행위가 단일하고 계속된 범의 아래 일정기간 계속하여 이루어졌고 피해법익도 동일한 경우, 방조행위는 포괄일죄의 관계에 있다.

④ 과실범에 대한 교사범은 성립할 수 있으나 과실범에 대한 방조범은 성립할 수 없다.

해설 ① 대판 2018.9.13, 2018도7658 ② 대판 2006.1.12, 2004도6557 ③ 대판 2010.11.25, 2010도1588 ④ × : 과실범에 대한 교사범 ×, 과실범에 대한 방조범 ×(∵ 과실범에 대한 교사·방조 ⇨ 간접정범 ○ : 제34조 제1항)

05 방조범에 대한 설명으로 옳지 않은 것은?(다툼이 있는 경우 판례에 의함)

21. 9급 검찰·마약수사·철도경찰

① 甲이 사기 범행에 이용되리라는 사정을 알고서도 A에게 자신의 명의로 된 은행 예금계좌의 접근매체를 양도함으로써 A가 B를 속여 B로 하여금 현금을 위 계좌로 송금하게 한 경우, 甲은 사기죄의 방조범이 된다.

② 은행지점장 甲이 정범인 부하직원들의 은행에 대한 배임행위를 인식하면서도 이를 방치한 경우 업무상 배임죄의 방조범이 성립한다.

③ 방조죄는 정범의 범죄에 종속하여 성립하는 것으로서, 방조의 대상이 되는 정범의 실행행위의 착수가 없으면 방조죄만 독립하여 성립할 수 없다.

④ 정범의 실행행위 전이나 실행행위 중에 정범을 방조하여 그 실행행위를 용이하게 하는 것뿐만 아니라 정범의 범죄종료 후의 이른바 사후방조도 방조범으로 볼 수 있다.

해설 ① 대판 2017.5.31, 2017도3894 ② 대판 1984.11.27, 84도1906 ③ 대판 1979.2.27, 78도3113 ④ × : 종범은 정범의 실행행위 중에 이를 방조하는 경우뿐만 아니라, 실행 착수 전에 장래의 실행행위를 예상하고 이를 용이하게 하는 것을 말한다. 따라서 정범의 범죄종료 후의 이른바 사후방조를 종범이라고 볼 수는 없다(대판 2009.6.11, 2009도1518).

06 다음 설명 중 가장 옳은 것은?(다툼이 있는 경우 판례에 의함)

21. 법원직

① 매도, 매수와 같이 2인 이상의 서로 대향된 행위의 존재를 필요로 하는 관계에 있어서는 공범이나 방조범에 관한 형법 총칙 규정의 적용이 있을 수 없고, 따라서 매도인에게 따로 처벌규정이 없는 이상 매도인의 매도행위는 그와 대향적 행위의 존재를 필요로 하는 상대방의 매수범행에 대하여 공범이나 방조범관계가 성립되지 아니한다.

② 종범은 정범의 실행행위 중에 이를 방조하는 경우에 성립하므로, 실행 착수 전에 장래의 실행행위를 예상하고 이를 용이하게 하는 행위를 한 경우에는 방조범이 성립하지 않는다.

③ 방조범은 정범의 실행을 방조한다는 이른바 방조의 고의가 필요하고, 정범의 행위가 구성요건에 해당하는 행위인 점에 대한 정범의 고의가 있어야 하는 것은 아니다.

④ 종범은 임의적 감경사유에 해당한다.

Answer   5.④ 6.①

해설 ① ○ : 대판 2001.12.28, 2001도5158
② × : 방조범은 정범의 실행행위 중에 이를 방조하는 경우뿐만 아니라, 실행의 착수 전에 장래의 실행행위를 예상하고 이를 용이하게 하는 행위를 하여 방조한 경우에도 정범이 그 실행행위에 나아갔다면 성립한다 (대판 1997.4.17, 96도3377).
③ × : ~ 정범의 고의가 있어야 한다(대판 2005.4.29, 2003도6056).
④ × : ~ 필요적 감경사유에 해당한다(제32조 제2항).

07 다음 사례에서 甲의 죄책에 관한 설명으로 가장 적절하지 않은 것은?(다툼이 있는 경우 판례에 의함)
23. 순경 2차

> 甲은 2022. 12. 21. 경부터 보이스피싱 사기범행에 사용된다는 사정을 알면서도 유령법인 설립, 그 법인 명의 계좌 개설 후 그 접근매체를 채팅 애플리케이션을 통해 대화명 A에게 전달 유통하는 행위를 계속하였다. 그 후 2023. 1. 15. 경 보이스피싱 조직원의 제안에 따라 이른바 '전달책' 역할을 승낙하고 2023. 1. 28.부터 '전달책'에 해당하는 실행행위를 하였다.

① 형법상 방조행위는 정범이 범행을 한다는 정을 알면서 그 실행행위를 용이하게 하는 직·간접의 모든 행위를 가리킨다.
② 甲의 이러한 접근매체 전달 유통행위는 보이스피싱 사기 범행에 사용된다는 정을 알면서도 정범이 실행에 착수하기 이전부터 장래의 실행행위를 예상하고서 이를 용이하게 하는 유형적·물질적 방조행위이다.
③ 甲이 '전달책' 역할까지 승낙한 행위 역시 정범의 범행 결의를 강화시키는 무형적·정신적 방조행위이다.
④ 甲이 '전달책'으로서의 행위를 한 때부터 비로소 피해자들에 대한 사기죄의 종범에 해당한다.

해설 정범의 범죄종료 후의 이른바 사후방조를 종범으로 볼 수는 없지만(대판 1982.4.27, 82도122 참조), 형법상 방조행위는 정범이 범행을 한다는 정을 알면서 그 실행행위를 용이하게 하는 직·간접의 모든 행위를 가리키는 것으로서 유형적·물질적인 방조뿐만 아니라 정범에게 범행의 결의를 강화하도록 하는 것과 같은 무형적·정신적 방조행위도 포함되고(대판 2007.4.27, 2007도1303 참조), 정범의 실행행위 중은 물론 실행 착수 전에 장래의 실행행위를 예상하고 이를 용이하게 하는 행위도 이에 해당한다〔대판 2022.4.14, 2022도649 **예** 甲은 보이스피싱 사기 범행에 사용된다는 사정을 알면서도 유령법인 설립, 그 법인 명의 계좌 개설 후 그 접근매체를 乙에게 전달·유통하는 등의 행위(유형적·물질적 방조행위)를 계속하였고, 보이스피싱 조직원의 제안에 따라 이른바 '전달책' 역할을 승낙(무형적·정신적 방조행위)하였으며, 甲은 '전달책'으로서 실행행위를 한 시기에 관계없이 종범에 해당한다〕.

Answer 7.④

01 교사범과 방조범의 차이점을 설명한 것에 대하여 옳고 그름의 표시(○, ×)가 바르게 된 것은?

(다툼이 있는 경우 판례에 의함)　　　　　　　　16. 경찰간부, 22. 해경간부, 25. 해경경위

> ⊙ 편면적 교사범은 성립할 수 없으나, 편면적 방조범은 성립할 수 있다.
> ⓒ 부작위에 의한 교사범은 성립할 수 없으나, 부작위에 의한 방조범은 성립할 수 있다.
> ⓒ 과실범에 대한 교사범은 성립할 수 있으나, 과실범에 대한 방조범은 성립할 수 없다.
> ② 효과 없는 교사는 교사자와 피교사자 모두가 예비·음모에 준하여 처벌되지만, 효과 없는 방조는 처벌되지 않는다.
> ⑩ 과실에 의한 교사범은 성립할 수 없으나, 과실에 의한 방조범은 성립할 수 있다.

① ⊙(○), ⓒ(○), ⓒ(×), ②(○), ⑩(×)
② ⊙(○), ⓒ(×), ⓒ(×), ②(○), ⑩(×)
③ ⊙(×), ⓒ(○), ⓒ(×), ②(×), ⑩(○)
④ ⊙(○), ⓒ(×), ⓒ(○), ②(○), ⑩(×)

해설 ⊙ ○ : 타당하다(대판 1974.5.28, 74도509).
ⓒ ○ : 타당하다(대판 1984.11.27, 84도1906).
ⓒ × : 과실범에 대한 교사·방조 ⇨ 간접정범 ○(제34조 제1항)
② ○ : 타당하다(효과 없는 교사 : 제31조 제2항, 효과 없는 방조 : 처벌규정 ×).
⑩ × : 과실에 대한 교사범·방조범 ×(∵ 교사범·방조범은 교사·방조의 고의가 성립요건의 하나임)

02 교사·방조에 대한 설명 중 가장 옳은 것은?(다툼이 있는 경우 판례에 의함)　　20. 경찰간부

① 정범의 강도예비행위를 방조하였으나 정범이 실행의 착수에 이르지 못한 경우 방조자는 강도예비죄의 종범으로 처벌할 수 있다.
② 자기의 지휘·감독을 받는 자를 방조하여 범죄의 결과를 발생하게 한 자는 정범에 정한 형의 장기 또는 다액에 그 2분의 1까지 가중한 형으로 처벌한다.
③ 피교사자가 범죄의 실행을 승낙하고 실행의 착수에 이르지 아니한 경우 교사자와 피교사자를 예비·음모에 준하여 처벌한다.
④ 자기의 형사사건에 관한 증거를 인멸하기 위하여 타인을 교사하여 죄를 범하게 한 자에 대하여는 증거인멸교사죄가 성립하지 않는다.

해설 ① × : 강도예비죄의 종범 ×(대판 1976.5.25, 75도1549)
② × : ~ 발생하게 한 자는 정범의 형으로 처벌한다(제34조 제2항).
③ ○ : 제31조 제2항
④ × : 증거인멸교사죄 ○(대판 2000.3.24, 99도5275)

03 교사와 방조에 대한 설명 중 옳은 것은 모두 몇 개인가?(다툼이 있는 경우 판례에 의함)

21. 경찰간부

> ㉠ 간호보조원이 무면허 진료를 했다고 하더라도 그 내용을 의사가 진료부에 기재하는 행위는 정범의 실행행위 종료 후의 사후행위에 불과하여 의사는 무면허 진료행위의 방조 책임을 지지 않는다.
>
> ㉡ 교사자의 교사행위에도 불구하고 피교사자가 범행을 승낙하지 아니하거나 피교사자의 범행결의가 교사자의 교사행위에 의하여 생긴 것으로 보기 어려운 경우에는 교사자를 음모 또는 예비에 준하여 처벌한다.
>
> ㉢ 甲이 무면허운전을 하던 중 교통사고를 내자 동거하던 동생 乙을 경찰서에 대신 출석시키고 자신을 위하여 허위자백을 하게 한 경우, 甲에게 범인도피죄의 교사범의 죄책을 물을 수 없다.
>
> ㉣ 백화점 직원이 자신이 관리하는 점포에 가짜 상표가 새겨진 상품이 진열·판매되는 사실을 발견하고도 적절한 조치를 취하지 않아 계속 판매되도록 방치한 행위는 상표법위반 및 부정경쟁방지법위반행위를 방조한 것에 해당한다.
>
> ㉤ 甲이 고발을 당하자 乙에게 증거를 변조하도록 교사하였는데 乙이 甲과 공범관계에 있는 형사사건의 증거를 변조한 것에 해당하여 乙이 증거변조로 처벌되지 않는 경우, 甲도 증거변조죄의 교사범으로 처벌받지 않는다.

① 1개 　　　　② 2개 　　　　③ 3개 　　　　④ 4개

해설 ㉠ × : 범죄종료 후의 사후행위 ×, 무면허의료행위의 방조 ○(대판 1982.4.27, 82도122)
㉡ ○ : 대판 2013.9.12, 2012도2744
㉢ × : 지문의 경우 범인도피죄의 교사범 ○(대판 2006.12.7, 2005도3707)
㉣ ○ : 대판 1997.3.14, 96도1639
㉤ ○ : 대판 2011.7.14, 2009도13151

04 다음 설명 중 옳지 않은 것은?(다툼이 있는 경우 판례에 의함)

21. 7급 검찰

① 병원 원장인 甲은 A가 정상적으로 입원한 것으로 작성된 허위의 입·퇴원확인서를 작성한 후 A에게 교부하여 A가 보험회사에 보험금을 청구하여 보험금을 받도록 방조하였더라도, A에 대한 공소장에 있어서 검사가 제출한 증거만으로는 A가 보험금을 부당하게 편취하였다고 인정하기 어려운 경우라면, 甲은 사기죄의 방조범이 성립하지 않는다.

② 甲이 乙에게 평소 사용하는 칼로 A의 다리를 못 쓰게 하라고 교사하여 乙이 칼로 A의 허벅지 등을 20여 회 힘껏 찔러 과다출혈로 사망에 이른 경우, 甲은 상해치사죄의 교사범이 성립한다.

③ 甲이 상해의 고의로 A를 폭행하여 A가 길에서 쓰러지게 되었고, 2시간쯤 지나 평소 A와 사이가 좋지 않았던 乙이 때마침 지나가던 길에 A를 발견하여 폭행의 고의로 A를 발로 구타하였고, 이후 A는 사망하게 되었으나 누구의 행위로 사망하게 된 것인지 밝혀지지 않았다면 甲은 상해치사죄가 성립하고, 乙은 폭행치사죄가 성립한다.

④ 甲이 친구 乙을 교사하여 乙의 부모님의 지갑을 가져오게 한 경우, 乙은 절도죄로 처벌되지 않으므로 甲도 절도죄의 교사범이 성립되지 않는다.

[해설] ① 대판 2017.5.31, 2016도12865(∵ 정범인 A의 범죄가 성립되지 않는 이상 甲은 사기죄의 방조범 ×)
② 대판 2002.10.25, 2002도4089
③ 대판 2000.7.28, 2000도2466
④ × : 乙은 친족상도례가 적용되어 처벌되지 않으나(제328조 제1항), 甲은 절도죄의 교사범이 성립되고 절도죄의 교사범으로 처벌된다(제328조 제3항).

05 교사범 등에 관한 설명 중 옳은 것은 모두 몇 개인가?(다툼이 있는 경우 판례에 의함)

21. 법원행시

> ㉠ 구 관세법(1984. 8. 7. 법률 제3746호로 개정되기 전의 것) 제198조 제3항은 "몰수할 물품의 전부 또는 일부를 몰수할 수 없을 때에는 그 몰수할 수 없는 물품의 범칙 당시의 국내 도매가격에 상당한 금액을 범인으로부터 추징한다."라고 규정하고 있는바 여기서 말하는 범인의 범위는 공동정범자 및 교사범을 포함하나 종범은 제외된다.
> ㉡ 방조의 대상이 되는 정범의 실행행위의 착수가 없는 이상 방조죄만이 독립하여 성립될 수 없다.
> ㉢ 형법 제98조 제1항에 따른 간첩방조죄를 저지른 경우, 형법상 간첩죄의 법정형에서 형법 제32조에 따른 종범감경을 하여 처단하여야 한다.
> ㉣ 종범에 대한 선고형이 정범보다 가볍지 않다 하더라도 위법이라 할 수 없다.
> ㉤ 범인이 자신을 위하여 타인으로 하여금 허위의 자백을 하게 하여 범인도피죄를 범하게 하는 행위는 범인도피교사죄에 해당한다.

① 1개　　　② 2개　　　③ 3개　　　④ 4개　　　⑤ 5개

[해설] ㉠ × : ~ (3줄) 범인의 범위는 공동정범자뿐만 아니라 종범 또는 교사범도 포함된다(대판 1985.6.25, 85도652). ㉡ ○ : 대판 1979.2.27, 78도3113
㉢ × : ~ 종범감경을 할 수 없다(대판 1986.9.23, 86도1429).
㉣ ○ : 대판 2015.8.27, 2015도8408
㉤ ○ : 대판 2006.12.7, 2005도3707

06 다음 설명 중 가장 적절하지 않은 것은?(다툼이 있는 경우 판례에 의함)　　　22. 경찰승진

① 乙이 甲의 교사행위 당시에는 범행을 승낙하지 않았으나 이후 그 교사행위에 의하여 범행을 결의한 것으로 인정되는 경우, 甲에게는 교사범이 성립한다.
② 甲이 乙에게 A를 살해할 것을 제의하였는데 乙이 그 제의를 거절한 경우 甲은 살인죄의 예비·음모에 준하여 처벌된다.
③ 간호보조원의 무면허 진료행위가 있은 후에 이를 의사가 환자의 계속적인 진료에 참고되는 진료부에 기재하는 행위는 불가벌적 사후행위가 아니라 무면허 의료행위의 방조에 해당한다.

Answer　5.③　6.④

④ 甲이 乙에게 A를 상해할 것을 교사하였는데 乙이 이를 넘어 살인을 실행한 경우, 甲에게 A의 사망이라는 결과에 대하여 과실 내지 예견가능성이 있는 때에는 살인죄의 교사범으로서의 죄책을 지울 수 있다.

해설 ① 대판 2013.9.12, 2012도2744
② 실패한 교사(제31조 제3항)
③ 대판 1982.4.27, 82도122
④ × : ~ (2줄) 때에는 상해치사죄(살인죄 ×)의 교사범으로서의 죄책을 지울 수 있다(대판 2002.10.25, 2002도4089).

07 공범에 대한 설명으로 옳지 않은 것은?(다툼이 있는 경우 판례에 의함)

23. 9급 검찰 · 마약수사 · 철도경찰

① 피교사자의 범행이 당초의 교사행위와 무관한 새로운 범죄 실행의 결의에 따른 것이라면, 교사자는 예비·음모에 준하는 죄책을 부담함은 별론으로 피교사자에 대한 교사범으로서의 죄책을 부담하지는 않는다.
② 피교사자가 교사자의 교사행위 당시에는 범행을 승낙하지 아니한 것으로 보여진다 하더라도 이후 그 교사행위에 의하여 범행을 결의한 것으로 인정된다면, 교사범의 성립에 영향이 없다.
③ 형법상 방조행위는 정범이 범행을 한다는 정을 알면서 그 실행행위를 용이하게 하는 직접·간접의 모든 행위를 가리키는 점에서 방조행위와 정범의 범죄 실현 사이에 반드시 인과관계를 필요로 하는 것은 아니다.
④ 정범의 실행의 착수 이전에 장래의 실행행위를 예상하고 이를 용이하게 하기 위하여 방조한 경우에도 그 후 정범이 실행행위에 나아갔다면 종범이 성립할 수 있다.

해설 ①② 대판 2013.9.12, 2012도2744
③ × : 방조범은 정범에 종속하여 성립하는 범죄이므로 방조행위와 정범의 범죄 실현 사이에는 인과관계가 필요하다. 방조범이 성립하려면 방조행위가 정범의 범죄 실현과 밀접한 관련이 있고 정범으로 하여금 구체적 위험을 실현시키거나 범죄결과를 발생시킬 기회를 높이는 등으로 정범의 범죄 실현에 현실적인 기여를 하였다고 평가할 수 있어야 한다. 정범의 범죄 실현과 밀접한 관련이 없는 행위를 도와준 데 지나지 않는 경우에는 방조범이 성립하지 않는다(대판 2021.9.16, 2015도12632).
④ 대판 1997.4.17, 96도3377

08 교사범과 방조범에 관한 설명으로 가장 적절하지 않은 것은?(다툼이 있는 경우 판례에 의함)

24. 순경 1차

① 교사자의 교사행위에 의해 정범이 범죄의 실행을 결의하게 되었다면, 비록 정범에게 범죄의 습벽이 있어 그 습벽과 함께 교사행위가 원인이 되어 정범이 범죄를 실행하게 되었다고 하더라도 교사범이 성립한다.

Answer   7.③   8.④

② 甲이 乙에게 A의 주거에 침입할 것을 교사하였으나 乙은 A의 승낙을 얻어 정당하게 A의 주거에 들어간 경우, 공범종속성설 중 제한종속형식에 의하면 甲에게는 주거침입죄의 교사범이 성립하지 않는다.

③ 도박의 습벽이 있는 甲이 도박의 습벽이 없는 乙의 도박을 방조한 경우, 甲에게는 상습도박죄의 방조범이 성립한다.

④ 甲으로부터 A의 불륜관계를 이용해 A를 공갈할 것을 교사받은 乙은 A의 불륜 현장을 촬영한 후 그 사실을 甲에게 알렸으나, 甲이 乙에게 수고비를 줄테니 촬영물을 넘기고 공갈을 단념하라고 만류하였음에도, 乙이 甲의 제안을 명시적으로 거절하고 돈을 주지 않으면 촬영물을 유포하겠다고 A에게 겁을 주어 돈을 받아낸 경우, 甲은 공갈죄의 공범관계에서 이탈한 것으로 볼 수 있다.

[해설] ① 대판 1991.5.14, 91도542
② 옳다〔∵ 제한종속형식에 의하면 정범(乙)의 행위가 구성요건에 해당하고 위법성까지 갖추어야 교사범이 성립하는데, 乙의 행위는 애초에 구성요건에도 해당 ×〕.
③ 대판 1984.4.24, 84도195
④ × : ~ 이탈한 것으로 볼 수 없다(대판 2012.11.15, 2012도7407 ∴ 공갈죄의 교사범 ○).

09 인과관계에 대한 설명으로 옳지 않은 것은?(다툼이 있는 경우 판례에 의함)

24. 9급 검찰 · 마약수사 · 철도경찰

① 방조범이 성립하려면 방조행위가 정범의 범죄실현과 밀접한 관련이 있고 정범으로 하여금 구체적 위험을 실현시키거나 범죄결과를 발생시킬 가능성을 높이는 등으로 현실적 기여를 하였다고 평가할 수 있는 인과관계가 필요하다.

② 실화죄에 있어서 공동의 과실이 경합되어 화재가 발생하여 적어도 각 과실이 화재의 발생에 대하여 하나의 조건이 된 경우라도, 원인된 행위가 밝혀지지 않았다면 그 원인을 제공한 사람들은 실화죄의 미수로 불가벌에 해당한다.

③ 정범의 실행행위 중에 이를 용이하게 하는 경우뿐만 아니라 정범의 실행착수 전에 장래의 실행행위를 예상하고 이를 용이하게 하는 경우에도 방조행위로서 정범의 실행행위에 대한 인과관계를 인정할 수 있다.

④ 교사자가 전화로 범행을 만류하는 취지의 말을 한 것만으로는 교사자의 교사행위와 정범의 실행행위 사이에 인과관계가 단절되었다거나 교사자가 공범관계에서 이탈한 것으로 볼 수 없다.

[해설] ① 대판 2021.9.16, 2015도12632
② × : ~ (2줄) 하나의 조건이 된 이상은 원인된 행위가 밝혀지지 않았더라도 그 원인을 제공한 사람들은 각자 실화죄의 책임을 면할 수 없다(대판 2023.3.9, 2022도16120).
③ 대판 2021.9.9, 2017도19025 전원합의체
④ 대판 2012.11.15, 2012도7407

Answer　9.②

10 교사범 또는 방조범에 관한 설명 중 가장 옳지 않은 것은?(다툼이 있는 경우 판례에 의함)

① 방조자의 인식과 정범의 실행 간에 착오가 있고 양자의 구성요건을 달리한 경우에는 원칙적으로 방조자의 고의는 조각되는 것이나 그 구성요건이 중첩되는 부분이 있는 경우에는 그 중복되는 한도 내에서는 방조자의 죄책을 인정하여야 한다.

② 방조범이 성립하려면 방조행위가 정범의 범죄 실현과 밀접한 관련이 있고 정범으로 하여금 구체적 위험을 실현시키거나 범죄 결과를 발생시킬 기회를 높이는 등으로 정범의 범죄 실현에 현실적인 기여를 하였다고 평가할 수 있어야 하므로, 정범의 범죄 실현과 밀접한 관련이 없는 행위를 도와준 경우에는 방조범이 성립하지 않는다.

③ 교사행위에 의하여 피교사자가 범죄 실행을 결의하게 된 이상 피교사자에게 다른 원인이 있어 범죄를 실행한 경우에도 교사범의 성립에는 영향이 없다.

④ 피교사자는 반드시 특정한 타인이어야 할 필요는 없고, 불특정인에 대한 교사도 범죄의 교사행위가 될 수 있다.

[해설] ① 대판 1985.2.26, 84도2987

② 대판 2021.9.16, 2015도12632

③ 대판 1991.5.14, 91도542

④ × : 교사자의 고의는 특정성이 있어야 한다. 즉, 특정한 정범(피교사자)과 특정한 범죄에 대한 고의(인식과 의사)여야 한다. 따라서 피교사자는 반드시 특정한 타인이어야 하고, 불특정인에 대한 교사는 범죄의 교사행위가 될 수 없다. 그러나 피교사자가 구체적으로 누구인가를 알고 있을 필요는 없고 범죄의 일시·장소·실행방법이나 정범의 가벌성에 대한 인식을 요하지 않는다.

11 교사범과 종범에 관한 설명으로 옳지 않은 것은?(다툼이 있는 경우 판례에 의함)　24. 경위공채

① 교사자의 고의는 기수의 고의여야 하며, 피교사자의 행위가 미수에 그칠 것을 예견하고 교사한 경우에는 교사범이 성립하지 않는다.

② 피교사자에게 폭행을 교사하였는데 피해자가 그 폭행으로 인하여 사망한 경우에 교사자에게 사망이라는 결과에 대하여 과실 내지 예견가능성이 있다 하더라도 책임주의 원칙상 초과부분에 대해서는 책임을 지지 않는다.

③ 은행 지점장이 정범인 부하직원들의 배임행위를 인식하였으나 그대로 방치한 경우 부작위에 의한 방조가 성립할 수 있다.

④ 종범이 성립하기 위해서는 정범의 행위가 기수에 이르렀거나 적어도 처벌되는 미수단계에 이르러야 하며, 효과 없는 방조와 실패한 방조는 교사범의 경우와 달리 처벌 규정이 없어 불가벌이다.

[해설] ① 통설·판례

② × : ~ (2줄) 예견가능성이 있으면 폭행치사죄의 교사범이 될 수 있다(대판 2002.10.25, 2002도4089)

③ 대판 1984.11.27, 84도1906　④ 옳다.

12 **교사범과 방조범에 관한 설명으로 가장 적절하지 않은 것은?**(다툼이 있는 경우 판례에 의함)

25. 순경 1차

① 공범독립성설에 따르면 교사행위에 대하여 피교사자가 범죄의 실행을 승낙하였지만 실행행위에 나아가지 아니한 경우, 교사자의 미수범 성립을 부정한다.

② 정범의 실행행위가 구성요건에 해당하고 위법·유책한 경우에 공범이 성립될 수 있다고 보는 극단적 종속형식에 따르면 책임무능력자의 위법행위를 교사·방조한 경우에는 교사범이나 방조범이 성립될 수 없다.

③ 교사행위에 의하여 피교사자가 범죄 실행을 결의하게 된 이상 피교사자에게 다른 원인이 있어 범죄를 실행한 경우에도 교사범의 성립에는 영향이 없다.

④ 방조범은 정범의 실행행위 중에 이를 방조하는 경우뿐만 아니라, 실행 착수 전에 장래의 실행행위를 예상하고 이를 용이하게 하는 행위를 하여 그 정범이 실행행위로 나아간 경우에도 성립할 수 있다.

[해설] ① × : 공범독립성설에 따르면 교사행위·방조행위 그 자체가 범죄 실행행위이므로, 교사행위에 대하여 피교사자가 범죄의 실행을 승낙하였지만 실행행위에 나아가지 아니한 경우(효과 없는 교사), 교사자의 미수범 성립을 인정한다.
② 옳다(간접정범이 성립됨).
③ 대판 1991.5.14, 91도542
④ 대판 1997.4.17, 96도3377

Answer 　12. ①

제6절 │ 공범과 신분

THEMA 27 '공범과 신분' 총정리

> **제33조 【공범과 신분】** 신분이 있어야 성립되는 범죄(진정신분범)에 신분 없는 사람이 가담한 경우에는 그 신분 없는 사람에게도 제30조부터 제32조까지의 규정(공동정범·교사범·종범)을 적용한다(본문). 다만, 신분 때문에 형의 경중이 달라지는 경우(부진정신분범)에 신분이 없는 사람은 무거운 형으로 벌하지 아니한다(단서).

신분의 개념에 관해 형법상 규정은 없으나, 신분이란 남녀의 성별, 내·외국인의 구별, 친족관계, 공무원의 자격 등 널리 일정한 범죄행위에 대한 범인의 인적 관계인 특수한 지위나 상태를 말한다(대판 1994.12.23, 93도1002). 18. 순경 3차, 21. 경찰승진, 22. 경찰간부, 23. 해경승진·9급 검찰·마약수사·철도경찰

1. 진정신분범(제33조 본문) 예 수뢰죄

① 甲(비신분자 : 공무원 ×) ──가공──▶ 乙(신분자 : 공무원 ○) ⇨ 뇌물수수
   ↓   ↓
   수뢰죄의 공동정범·교사범·종범   수뢰죄 ○

② 乙(신분자 : 공무원 ○) ──교사·방조──▶ 甲(비신분자 : 공무원 ×) ⇨ 뇌물수수
   ↓   ↓
   수뢰죄의 간접정범   수뢰죄 ×(∵ 주체 ×)

2. 부진정신분범(제33조 단서) 예 존속살해죄

① A ──────가공──────▶ B ⇨ B의 父 살해
   ↓   ↓
   보통살인죄의 공동정범·교사범·종범   존속살해죄

② A ──────가공──────▶ B ⇨ A의 父 살해
   ↓   ↓
   존속살해죄의 공동정범·교사범·종범   보통살인죄

3. • **통설** ┌ 제33조 본문 : 진정신분범의 성립과 처벌(과형)의 근거규정
          └ 제33조 단서 : 부진정신분범의 성립과 처벌(과형)의 근거규정〔예 2. ① ⇨ A : 보통살인죄가 성립하고(단서), 보통살인죄로 처벌(단서)〕13. 경찰승진

  • **판례** ┌ 제33조 본문 : 진정·부진정신분범의 성립근거규정
          └ 제33조 단서 : 부진정신분범의 처벌근거규정〔예 2. ① ⇨ A : 존속살해죄가 성립하고(본문), 보통살인죄로 처벌(단서)〕14. 순경 2차, 20. 경찰승진

4. 제33조 ┌ 임의적 공범에만 적용 ○
           └ 필요적 공범 : 내부 참가자 사이에 적용 ×, 외부 가담자(교사·방조)에게는 적용 ○

5. 제33조의 본문(진정신분범) 관련판례

① 공무원이 아닌 자는 형법 제228조(공정증서원본 등의 부실기재)의 경우를 제외하고는 허위공문서작성죄의 간접정범으로 처벌할 수 없으나, 공무원과 공동하여 허위공문서작성죄를 범한 때에는 허위공문서작성죄의 공동정범의 죄책을 진다(대판 2006.5.11, 2006도1663). 17. 7급 검찰, 18. 순경 3차, 20. 법원직, 23. 경찰간부 · 경찰승진

② 병가 중인 공무원(직무유기죄의 주체 ×)이 다른 공무원의 직무유기죄(진정신분범)에 공모 가담한 경우 ⇨ 직무유기죄의 공동정범 ○(대판 1997.4.22, 95도748 ∵ 제33조 본문) 17. 7급 검찰, 25. 9급 철도경찰

③ 甲은 여당의 유력 정치가인 乙이 기업인들로부터 뇌물을 수수하기 전에 乙과 기업인들의 면담을 주선하였고, 그 후 乙이 기업인들로부터 뇌물을 받았다면 甲은 수뢰죄의 종범에 해당한다(대판 1977.4.17, 96도3377 ∵ 제33조 본문). 18. 경찰간부

④ 피고인이 지방행정서기를 교사하여 무허가 건물을 허가받은 건축물인 것처럼 가옥대장 등에 등재케하여 허위공문서 등을 작성케 한 경우 ⇨ 허위공문서작성죄의 교사범(대판 1983.12.13, 83도1458)

⑤ 지방공무원의 신분을 가지지 아니하는 사람도 구 지방공무원법 제58조 제1항을 위반하여 같은 법 제82조에 따라 처벌되는 지방공무원의 범행에 가공한다면 형법 제33조 본문에 의해서 공범으로 처벌받을 수 있다(대판 2012.6.14, 2010도14409). 20. 경찰승진, 22. 법원행시

⑥ 대판 2019.8.29, 2018도2738 전원합의체

  ㉠ 비공무원이 공무원과 공동가공의 의사와 이를 기초로 한 기능적 행위지배를 통하여 공무원의 직무에 관하여 뇌물을 수수하는 범죄를 실행하였다면 공무원이 직접 뇌물을 받은 것과 동일하게 평가할 수 있으므로 공무원과 비공무원에게 뇌물수수죄의 공동정범이 성립한다. 20. 변호사시험 · 해경승진, 21. 경력채용 · 순경 1차, 22. 법원행시, 23. 경찰간부, 24. 해경간부 · 법원직

  ㉡ 공무원이 뇌물공여자로 하여금 공무원과 뇌물수수죄의 공동정범 관계에 있는 비공무원에게 뇌물을 공여하게 하여 비공무원이 뇌물을 받은 경우 비공무원은 공무원과 함께 뇌물수수죄의 공동정범이 성립하고 제3자뇌물수수죄는 성립하지 않는다. 20. 법원행시 · 경찰승진 · 순경 1차, 21. 경력채용

⑦ 피해아동 甲의 친모인 피고인 乙이 자신과 연인관계인 피고인 丙과 공모하여 甲을 지속적으로 학대함으로써 사망에 이르게 한 경우, 구 아동학대범죄의 처벌 등에 관한 특례법은 보호자가 아동학대범죄를 범하여 그 아동을 사망에 이르게 한 경우를 처벌하는 규정으로 형법 제33조 본문의 '신분관계로 인하여 성립될 범죄'에 해당하므로, 피고인 丙에 대해 형법 제33조 본문에 따라 구 아동학대범죄의 처벌 등에 관한 특례법 위반(아동학대치사)죄의 공동정범이 성립하고 같은 법 제4조에서 정한 형에 따라 과형이 이루어져야 한다(대판 2021.9.16, 2021도5000 ∵ 피고인 丙에 대하여 형법 제33조 단서를 적용하여 형법 제259조 제1항의 상해치사죄에서 정한 형으로 처단한 원심판단에 법리오해의 위법이 있다).

6. 제33조의 단서(부진정신분범) 관련판례

① 업무상 타인의 사무를 처리하는 자가 그러한 신분관계가 없는 자와 공모하여 업무상 배임죄를 저질렀다면 그러한 신분관계가 없는 자에 대하여는 형법 제33조 본문에 의하여 업무상 배임죄(단순배임죄 ×)가 성립하고, 형법 제33조 단서에 의하여 단순배임죄(업무상 배임죄 ×)에 정한 형으로 처벌한다(대판 1986.10.28, 86도1517). 19. 순경 2차, 20. 경찰간부 · 법원직 · 7급 검찰, 21. 경력채용 · 순경 1차, 23. 법원행시, 24. 해경간부 · 변호사시험, 25. 경찰승진 · 9급 검찰 · 마약수사 · 철도경찰

② 타인의 재물을 업무상 보관하는 신분관계가 없는 자가 신분관계가 있는 자와 공모하여 업무상 횡령죄를 저질렀다면 신분관계가 없는 자에 대하여는 형법 제33조 단서에 의하여 단순횡령죄에 정한 형으로 처단하여야 한다(대판 1965.8.24, 65도493). 18. 9급 검찰 · 철도경찰 · 순경 3차, 23. 해경승진

⚖️ **비교판례** : 군용물횡령죄에 있어서는 업무상 횡령이던 단순횡령이던 간에 본조에 의하여 그 법정형이 동일하게 되어 **양죄 사이에 형의 경중이 없게 되었으므로** 법률적용에 있어서 형법 제33조 단서의 적용을 받지 않는다(대판 1965.8.24, 65도493). **09. 경찰승진**

③ 비신분자인 아내와 신분자인 아들이 공동하여 아버지를 살해한 경우 비신분자인 아내는 제33조 **본문**에 따라 **존속살해죄**의 공동정범이 **성립**하고, 제33조 **단서**에 따라 **보통살인죄**로 **처벌**된다(대판 1961.8.2, 4294형상284). **20. 경찰승진·순경 1차·해경 3차, 23. 경찰간부·경력채용, 24. 경위공채, 25. 변호사시험**

④ 상호신용금고의 임원이 아닌 자가 신분관계 있는 임원과 공모하여 상호신용금고법 위반죄를 저질렀다면 비신분자에게도 상호신용금고법 위반죄가 성립하고, 다만 제33조 단서에 의해 중한 형이 아닌 형법 제355조 제2항(단순배임죄)의 형으로 처벌한다(대판 1997.12.26, 97도2609).

⑤ **피고인이 국가정보원장 등과 공모하여** 국가정보원장 특별사업비에 대한 국고손실 범행을 저질러 그에게 **특정범죄 가중처벌 등에 관한 법률 위반(국고 등 손실)죄가 성립한다고 하더라도**, 피고인은 회계관계직원 또는 국가정보원장 특별사업비의 업무상 보관자가 아니므로 **형법 제355조 제1항의 횡령죄에 정한 형으로 처벌된다**(대판 2020.10.29, 2020도3972).

⑥ 형법 제31조 제1항은 협의의 공범의 일종인 교사범이 그 성립과 처벌에 있어서 정범에 종속한다는 일반적인 원칙을 선언한 것에 불과하고, **신분관계로 인하여 형의 경중이 있는 경우**에 신분이 있는 자가 신분이 없는 자를 교사하여 죄를 범하게 한 때에는 **형법 제33조 단서가 형법 제31조 제1항에** 우선하여 적용됨으로써 신분이 있는 교사범이 신분이 없는 정범보다 중하게 처벌된다(대판 1994. 12.23, 93도1002). **21. 경찰간부·법원직, 22. 순경 1차, 24. 7급 검찰·경위공채, 25. 변호사시험·경찰승진**

⑦ **도박의 습벽이 있는 자가 타인의 도박을 방조하면 상습도박방조의 죄(도박방조죄 ×)에 해당하는 것이며, 23. 경력채용, 24. 순경 1차** 도박의 습벽이 있는 자가 도박을 하고 또 도박방조를 하였을 경우 상습도박방조의 죄는 무거운 **상습도박의 죄에 포괄시켜 1죄로서** 처단하여야 한다(대판 1984.4.24, 84도195). **16. 변호사시험, 20. 9급 검찰·철도경찰·해경 3차, 21. 순경 1차, 23. 경찰간부, 24. 해경간부·경찰승진**

⑧ 판례는 모해위증죄(제152조 제2항)의 '모해할 목적'은 범인의 특수한 상태이므로 형법 제33조 단서의 '신분관계로 인하여 형의 경중이 있는 경우'에 해당한다고 하여 목적범의 목적(초과주관적 구성요건요소)을 신분의 개념에 포함시켰다(대판 1994.12.23, 93도1002). **21. 9급 검찰·마약수사·철도경찰, 22. 경찰간부, 24. 순경 2차, 25. 경찰승진**

🔵 모해의 목적을 가진 甲이 이러한 목적이 없는 乙을 교사하여 위증하게 한 경우 ⇨ 乙은 위증죄, 甲은 **모해위증교사죄로 처단**(∵ 제33조 단서 적용) **18. 경찰간부, 19. 순경 1차·법원행시, 20. 법원직·해경 3차·7급 검찰, 23. 경찰승진·경력채용, 25. 변호사시험·9급 철도경찰**

그러나 모해위증죄에서 모해할 목적을 신분관계가 아니라 초과주관적 불법요소로 보면, 공범 종속성의 원칙이 적용되어 甲은 단순위증죄의 교사범으로 처벌된다. **15. 사시, 22. 경찰간부**

7. 소극적 신분(불구성적 신분 🔵 무면허의료행위에 있어서 의사)**과 공범** : 명문규정 ×

의료인이 비의료인의 의료행위에 가공한 경우 ⇨ 의료인 : 무면허의료행위의 공동정범·교사범·종범 ○ **21. 경력채용**

⚖️ **관련판례**

1. 의료인일지라도 의료인 아닌 자의 의료행위에 공모하여 가공하면 **무면허의료행위의 공동정범으**로서의 책임을 진다(대판 1986.2.11, 85도448). **18. 9급 검찰·철도경찰·순경 3차, 20. 7급 검찰·법원직, 21. 순경 1차, 23. 경찰승진, 24. 해경간부, 25. 9급 철도경찰**

2. 치과의사가 환자의 대량유치를 위해 **치과기공사들에게** 진료행위를 **지시하여** 이들이 단독으로 진료행위를 한 경우 ⇨ 무면허의료행위의 **교사범**(대판 1986.7.8, 86도749) **21. 변호사시험, 24. 법원직·순경 2차**

3. **간호보조원의 무면허진료행위**가 있은 후에 이를 **의사가 진료부에다 기재한 행위**는 정범의 실행행위 종료 후의 단순한 사후행위에 불과하다고 볼 수 없고, 무면허의료행위의 방조에 해당한다(대판 1982.4.27, 82도122). 11. 사시, 20. 법원직

4. 의료인이 의료인의 자격이 없는 일반인의 의료기관 개설행위에 공모하여 가공한 경우 ⇨ 의료법 위반죄의 공동정범(대판 2001.11.30, 2001도2015) 18. 법원행시, 21. 경찰승진

5. 간호사가 주도적으로 실시한 무면허의료행위에 의사가 간호사와 함께 공모하여 그 공동의사에 의한 기능적 행위지배가 있었다면, 의사도 무면허의료행위의 공동정범으로서의 죄책을 진다(대판 2012.5.10, 2010도5964). 13. 경찰승진, 16. 변호사시험, 23. 9급 검찰·마약수사·철도경찰

6. 의사 등이 간호사에게 의료행위의 실시를 개별적으로 지시하거나 위임한 적이 없음에도 **간호사가 그의 주도 아래 전반적인 의료행위의 실시 여부를 결정하고 간호사에 의한 의료행위의 실시과정에 도 의사 등이 지시·관여하지 아니한 경우라면, 이는 구 의료법 제27조 제1항이 금지하는 무면허 의료행위에 해당한다**(대판 2022.12.29, 2017도10007).

7. 사망의 진단은 의사 등이 환자의 사망 당시 또는 사후에라도 현장에 입회해서 직접 환자를 대면하여 수행하여야 하는 의료행위이고, **간호사는 의사 등의 개별적 지도·감독이 있더라도 사망의 진단을 할 수 없다**(대판 2022.12.29, 2017도10007 예 호스피스 의료기관에서 근무하는 간호사 乙은 의사 甲의 부재중에 환자가 사망하자 甲에게 전화로 이 사실을 알렸고, **의사 甲의 지시에 따라 간호사 乙은 의사 甲이 입회하지 아니한 채 환자의 사망의 징후를 확인하고, 이를 바탕으로 환자의 유족들에게 사망진단서를 작성·발급한 경우** ⇨ 乙 : 무면허 의료행위 ○, 甲 : 무면허 의료행위의 교사범 ○).

8. 기 타

⚖️ 관련판례

1. **공직선거법상의 각 기부행위의 주체로 인정되지 아니하는 자가 기부행위의 주체자 등과 공모하여 기부행위를 하였다 하더라도 그 신분에 따라 각 해당법조로 처벌하여야지 기부행위 주체자에 해당하는 법조 위반의 공동정범으로 처벌할 수는 없다**(대판 2008.3.13, 2007도9507). 14. 순경 2차, 17. 경찰승진, 18. 순경 1차

2. 변호사 아닌 자에게 고용되어 법률사무소의 개설·운영에 관여한 변호사의 행위가 일반적인 형법 총칙상의 공모, 교사 또는 방조에 해당된다고 하더라도 **변호사를 변호사 아닌 자의 공범으로서 처벌할 수는 없다**(대판 2004.10.28, 2004도3994). 20. 경찰간부·7급 검찰·철도경찰, 21. 경찰승진, 24. 순경 2차

3. 세무사 자격이 없는 자가 작성하여 온 세무조정계산서에 자기 **자신의 기명날인을 한 세무사**에 대하여는 형이 보다 가벼운 **명의대여 금지규정 위반죄**의 적용만이 문제될 뿐이고, 형이 무거운 **무자격 세무대리행위의 공동정범이 성립될 여지는 없다**(세무사는 명의대여 금지규정 위반죄, 세무사 아닌 자는 세무대리행위에 해당 : 대판 1996.9.24, 96도1278). 15. 법원행시

4. 농업협동조합법 제50조 제2항 소정의 **호별방문죄**는 '임원이 되고자 하는 자'라는 신분자가 스스로 호별방문을 한 경우만을 처벌하는 것으로 보아야 하고, 비록 신분자가 비신분자와 통모하였거나 신분자가 비신분자를 시켜 방문케 하였다고 하더라도 **비신분자만이 호별방문을 한 경우에는 신분자는 물론 비신분자도 같은 죄로 의율하여 처벌할 수는 없다**(대판 2003.6.13, 2003도889). 18. 7급 검찰

5. **물건의 소유자가 아닌 사람**은 형법 제33조 본문에 따라 소유자의 **권리행사방해** 범행에 가담한 경우에 한하여 그의 공범이 될 수 있을 뿐이다. 그러나 권리행사방해죄의 공범으로 기소된 **물건의 소유자에게 고의가 없는 등으로 범죄가 성립하지 않는다면 공동정범이 성립할 여지가 없다**(대판 2017.5.30, 2017도4578). 20. 변호사시험·경찰간부, 23. 9급 검찰·마약수사·철도경찰, 24. 7급 검찰

01 공범과 신분에 대한 설명 중 가장 적절하지 않은 것은?(다툼이 있는 경우 판례에 의함)

20. 경찰승진

① 형법 제33조 본문의 신분관계로 인하여 성립될 범죄에는 진정신분범뿐만 아니라 부진정 신분범도 포함되며, 단서는 비신분자와 신분자의 과형의 개별화에 관한 규정으로 본다.

② 비신분자인 아내와 신분자인 아들이 공동하여 아버지를 살해한 경우 비신분자인 아내는 존속살해죄가 아닌 보통살인죄로 성립·처벌된다.

③ 공무원이 뇌물공여자로 하여금 공무원과 뇌물수수죄의 공동정범 관계에 있는 비공무원에게 뇌물을 공여하게 하여 비공무원이 뇌물을 받은 경우 비공무원은 공무원과 함께 뇌물수수죄의 공동정범이 성립하고 제3자뇌물수수죄는 성립하지 않는다.

④ 지방공무원의 신분을 가지지 아니하는 사람이 구 지방공무원법에 따라 처벌되는 지방공무원의 범행에 가공한다면 형법 제33조 본문에 의해서 공범으로 처벌받을 수 있다.

> **해설** ① 대판 2018.8.30, 2018도10047
> ② × : 제33조 본문에 따라 존속살해죄의 공동정범이 성립하고, 제33조 단서에 따라 보통살인죄로 처벌된다 (대판 1961.8.2, 4294형상284).
> ③ 대판 2019.8.29, 2018도2738 전원합의체 ④ 대판 2012.6.14, 2010도14409

02 공범과 신분에 관한 설명 중 옳은 것은 모두 몇 개인가?(다툼이 있는 경우 단례에 의함)

20. 경찰간부

> ㉠ 신분관계로 인하여 형의 경중이 있는 경우에 신분이 있는 자가 신분이 없는 자를 교사하여 죄를 범하게 한 때에는 형법 제33조 단서가 형법 제31조 제1항에 우선하여 적용된다.
> ㉡ 변호사가 변호사 아닌 자에게 고용되어 법률사무소의 개설·운영에 관여하는 행위는 변호사법위반죄의 방조범으로 처벌할 수 없다.
> ㉢ 업무상의 임무라는 신분관계가 없는 자가 신분관계 있는 자와 공모하여 업무상 배임죄를 범한 경우, 신분관계가 없는 공범에 대하여는 업무상 배임죄가 성립한다.
> ㉣ 형법 제33조 소정의 이른바 신분관계라 함은 남녀의 성별, 내·외국인의 구별, 친족관계, 공무원인 자격과 같은 관계뿐만 아니라 널리 일정한 범죄행위에 관련된 범인의 인적 관계인 특수한 지위 또는 상태를 지칭하는 것이다.
> ㉤ 물건의 소유자가 아닌 사람은 형법 제33조 본문에 따라 소유자의 권리행사방해죄의 범행에 가담한 경우에 한하여 그의 공범이 될 수 있을 뿐이다. 그러나 권리행사방해죄의 공범으로 기소된 물건의 소유자에게 고의가 없는 등으로 범죄가 성립하지 않는다면 공동정범이 성립할 여지가 없다.

① 2개   ② 3개   ③ 4개   ④ 5개

> **해설** ㉠ ○ : 대판 1994.12.23, 93도1002
> ㉡ ○ : 대판 2004.10.28, 2004도3994 ㉢ ○ : 대판 1986.10.28, 86도1517
> ㉣ ○ : 대판 1994.12.23, 93도1002 ㉤ ○ : 대판 2017.5.30, 2017도4578

Answer   1.②   2.④

03 공범과 신분에 관한 설명으로 가장 적절하지 않은 것은?(다툼이 있는 경우 판례에 의함)

20. 순경 1차

① 甲이 증인 乙을 사주하여 법정에서 위증하게 한 경우 甲은 위증죄의 교사범이 성립한다.

② 공무원 甲이 뇌물공여자로 하여금 뇌물수수죄의 공동정범 관계에 있는 생계를 같이 하는 아내 乙에게 뇌물을 공여하게 한 경우 甲은 뇌물수수죄의 공동정범이 성립한다.

③ 비신분자인 아내 甲과 신분자인 아들 乙이 공동하여 남편을 살해한 경우 아내 甲과 아들 乙에게는 존속살해죄의 공동정범이 성립하고, 아내 甲은 보통살인죄의 형으로 처벌된다.

④ 도박의 습벽이 있는 甲이 도박을 하고 또 상습성 없는 乙의 도박을 방조한 경우 甲은 도박죄로 처벌된다.

> **해설** ① 비신분자(甲)가 신분자(증인 乙)의 위증을 교사한 경우 위증죄의 교사범이 성립한다(제33조 본문).
> ② 대판 2019.8.29, 2018도2738 전원합의체 ③ 대판 1961.8.2, 4294형상284
> ④ × : ~ 경우 甲은 상습도박죄(도박죄 ×)로 처벌된다(대판 1984.4.24, 84도195).

04 공범과 신분에 대한 설명으로 옳은 것은?(다툼이 있는 경우 판례에 의함) 20. 7급 검찰, 21. 경찰승진

① 甲이 A를 모해할 목적으로 그러한 목적이 없는 乙에게 위증을 교사한 경우, 甲은 공범종속성의 원칙에 따라 단순위증죄의 교사범으로 처벌된다.

② 의료인 甲이 의료인 아닌 乙의 무면허의료행위에 공모하여 가공한 경우, 의료인의 신분을 가진 甲을 乙의 의료법위반행위의 공범으로 처벌할 수 없다.

③ 신분관계 없는 甲이 신분관계 있는 乙과 공모하여 업무상 배임죄를 저질렀다면, 甲에게는 형법 제33조 단서에 의하여 단순배임죄가 성립하고 이에 정한 형으로 처벌된다.

④ 변호사 甲이 변호사 아닌 乙에게 고용되어 법률사무소의 개설·운영에 관여한 경우, 이를 처벌하는 규정이 없는 이상 甲을 乙의 변호사법위반행위의 공범으로 처벌할 수 없다.

> **해설** ① × : ~ 경우, 甲은 형법 제33조 단서에 따라 모해위증죄의 교사범으로 처벌된다(대판 1994.12.23, 93도1002). ② × : ~ 처벌할 수 있다(대판 1986.2.11, 85도448).
> ③ × : ~ 형법 제33조 본문에 의하여 업무상 배임죄가 성립하고, 단서에 의하여 단순배임죄에 정한 형으로 처벌된다(대판 1986.10.28, 86도1517).
> ④ ○ : 대판 2004.10.28, 2004도3994

05 공범과 신분에 대한 설명 중 가장 적절하지 않은 것은?(다툼이 있는 경우 판례에 의함)

23. 경찰승진

① 신분관계라 함은 널리 일정한 범죄행위에 관련된 범인의 인적 관계인 특수한 지위 또는 상태를 지칭하는 것이므로, 고의나 목적과 같이 행위 관련적 요소는 이에 포함되지 않는다.

② 신분관계로 인하여 형의 경중이 있는 경우에 신분이 있는 자가 신분이 없는 자를 교사하여 죄를 범하게 한 때에는 형법 제33조 단서가 형법 제31조 제1항에 우선하여 적용됨으로써 신분이 있는 교사범이 신분이 없는 정범보다 중하게 처벌된다.

Answer 　3.④　4.④　5.①

③ 공무원 아닌 자가 공무원과 공동하여 허위공문서작성죄를 범한 때에는 허위공문서작성죄의 공동정범이 된다.

④ 업무상 배임죄에 있어서 업무상 임무라는 신분관계가 없는 자가 그러한 신분관계 있는 자와 공모하여 업무상 배임죄를 저지르는 경우 신분관계 없는 공범은 신분범인 업무상 배임죄가 성립하고, 다만 과형에서만 무거운 형이 아닌 단순배임죄의 법정형이 적용된다.

해설 ① × : ~ (2줄) 지칭하는 것이므로, 행위자와 관련된 요소가 아닌 행위 관련적 요소(고의나 목적)는 이에 포함되지 않는다고 보는 것이 다수설이나, 행위 관련적 요소도 이에 포함된다는 것이 판례의 태도이다(위증을 한 범인이 형사사건의 피고인 등을 '모해할 목적'을 가지고 있었는가 아니면 그러한 목적이 없었는가 하는 범인의 특수한 상태의 차이에 따라 범인에게 과할 형의 경중을 구별하고 있으므로, 이는 바로 형법 제33조 단서 소정의 "신분관계로 인하여 형의 경중이 있는 경우"에 해당한다 ; 대판 1994.12.23, 93도1002). ② 대판 1994.12.23, 93도1002 ③ 대판 2006.5.11, 2006도1663 ④ 대판 1986.10.28, 86도1517

06 공범과 신분에 대한 설명 중 옳은 것만을 고른 것은?(다툼이 있는 경우 판례에 의함) 23. 경찰간부

> ㉠ 비신분자가 신분관계로 인하여 성립될 범죄에 가공한 경우 비신분자에게 공동가공의 의사와 이에 기초한 기능적 행위지배를 통한 범죄의 실행이라는 주관적·객관적 요건이 충족되면 신분자와 공동정범이 성립한다.
> ㉡ 甲이 친구 乙과 공모하여 자신의 아버지를 살해한 경우, 乙은 존속살해죄의 공동정범이 성립하나 보통살인죄에 정한 형으로 처단된다.
> ㉢ 도박의 습벽이 있는 甲이 도박을 하고 또한 도박의 습벽이 없는 A의 도박을 방조한 경우, 甲은 상습도박죄와 도박방조죄가 성립하고 양죄는 실체적 경합관계에 있다.
> ㉣ 甲이 공무원인 자신의 남편 A에게 채무변제로 받는 돈이라고 속여 A로 하여금 뇌물을 받게 한 경우, 甲은 형법 제33조에 의해 수뢰죄의 간접정범으로 처벌된다.

① ㉠, ㉡　　　　② ㉡, ㉣　　　　③ ㉢, ㉣　　　　④ ㉠, ㉡, ㉣

해설 ㉠ ○ : 대판 2019.8.29, 2018도2738 전원합의체 ㉡ ○ : 대판 1961.8.2, 4294형상284
㉢ × : 도박의 습벽이 있는 자가 타인의 도박을 방조하면 상습도박방조의 죄에 해당하는 것이며, 도박의 습벽이 있는 자가 도박을 하고 또 도박방조를 하였을 경우 상습도박방조의 죄는 무거운 상습도박의 죄에 포괄시켜 1죄로서 처단하여야 한다(대판 1984.4.24, 84도195).
㉣ × : 비신분자(수뢰죄에 있어서 공무원이 아닌 자 : 甲)가 진정신분범(수뢰죄에 있어서 공무원 : A)에 가공한 경우 형법 제33조(본문)에 의해 수뢰죄의 공범(교사범·종범)은 물론 공동정범으로 처벌될 수 있으나 간접정범으로 처벌할 수 없다(대판 2006.5.11, 2006도1663 참조).

07 공범과 신분에 대한 설명으로 옳지 않은 것은?(다툼이 있는 경우 판례에 의함)
23. 9급 검찰·마약수사·철도경찰

① 업무자라는 신분관계가 없는 자가 그러한 신분관계 있는 자와 공모하여 업무상 배임죄를 저질렀다면, 그러한 신분관계가 없는 공범에 대하여는 단순배임죄에서 정한 형으로 처단하여야 한다.

② 물건의 소유자가 아닌 사람이 소유자의 권리행사방해 범행에 가담한 경우에는 절도죄가 성립할 뿐, 권리행사방해죄의 공범이 성립할 여지가 없다.

③ 간호사가 주도적으로 실시한 무면허의료행위에 의사가 간호사와 함께 공모하여 그 공동의사에 의한 기능적 행위지배가 있었다면, 의사도 무면허의료행위의 공동정범으로서의 죄책을 진다.

④ 형법 제33조 소정의 신분이라 함은 남녀의 성별, 내ㆍ외국인의 구별, 친족관계, 공무원인 자격과 같은 관계뿐만 아니라 널리 일정한 범죄행위에 관련된 범인의 인적관계인 특수한 지위 또는 상태를 지칭한다.

해설 ① 대판 1986.10.28, 86도1517 ② × : 물건의 소유자가 아닌 사람은 형법 제33조 본문에 따라 소유자의 권리행사방해죄의 범행에 가담한 경우에 한하여 그의 공범이 될 수 있을 뿐이다. 그러나 권리행사방해죄의 공범으로 기소된 물건의 소유자에게 고의가 없는 등으로 범죄가 성립하지 않는다면 공동정범이 성립할 여지가 없다(대판 2017.5.30, 2017도4578). ③ 대판 2012.5.10, 2010도5964 ④ 대판 1994.12.23, 93도1002

08 공범과 신분에 관한 설명으로 옳은 것을 모두 고른 것은?(다툼이 있는 경우 판례에 의함)

24. 순경 2차

> ㉠ 허위공문서작성죄 및 그 행사죄는 '공무원'만이 그 주체가 될 수 있는 신분범이라 할 것이므로, 신분상 공무원이 아님이 분명한 피고인들을 허위공문서작성죄 및 그 행사죄로 처벌하려면 그에 관한 특별규정이 있어야 한다.
>
> ㉡ 형법 제152조 제1항과 제2항은 위증을 한 범인이 형사사건의 피고인 등을 '모해할 목적'을 가지고 있었는가 아니면 그러한 목적이 없었는가 하는 범인의 특수한 상태의 차이에 따라 범인에게 과할 형의 경중을 구별하고 있으므로, 이는 바로 형법 제33조 단서의 "신분 때문에 형의 경중이 달라지는 경우"에 해당한다.
>
> ㉢ 업무상의 임무라는 신분관계가 없는 자가 신분관계 있는 자와 공모하여 업무상 배임죄를 범한 경우, 신분관계가 없는 공범에 대하여는 형법 제33조 본문에 따라 업무상 배임죄의 공동정범이 성립하고 업무상 배임죄에서 정한 형으로 처단한다.
>
> ㉣ 치과의사가 환자의 대량유치를 위해 치과기공사들에게 내원 환자들에게 진료행위를 하도록 지시하여 그들이 각 단독으로 진료행위를 한 경우 치과의사는 무면허의료행위의 교사범이 성립한다.
>
> ㉤ 변호사가 변호사 아닌 자에게 고용되어 법률사무소의 개설ㆍ운영에 관여하여 변호사법위반죄가 문제된 경우, 변호사의 행위가 형법 총칙상의 공모, 교사 또는 방조에 해당된다고 하더라도 변호사를 변호사 아닌 자의 공범으로 처벌할 수 없다.

① ㉠, ㉢, ㉤　　　② ㉡, ㉣, ㉤　　　③ ㉠, ㉡, ㉢, ㉣　　　④ ㉠, ㉡, ㉣, ㉤

해설 ㉠ ○ : 대판 2009.3.26, 2008도93　㉡ ○ : 대판 1994.12.23, 93도1002
㉢ × : ~ (2줄) 업무상 배임죄의 공동정범이 성립하고, 형법 제33조 단서에 의하여 단순배임죄(업무상 배임죄 ×)에 정한 형으로 처단한다(대판 1986.10.28, 86도1517).
㉣ ○ : 대판 1986.7.8, 86도749　㉤ ○ : 대판 2004.10.28, 2004도3994

Answer　8.④

THEMA 28 '공범' 법조문 총정리

제30조【공동정범】 2인 이상이 공동하여 죄를 범한 때에는 각자를 그 죄의 정범으로 처벌한다.

제31조【교사범】 ① 타인을 교사하여 죄를 범하게 한 자는 죄를 실행한 자와 동일한 형으로 처벌한다.

② 교사를 받은 자가 범죄의 실행을 승낙하고 실행의 착수에 이르지 아니한 때에는 교사자와 피교사자를 음모 또는 예비에 준하여 처벌한다.

③ 교사를 받은 자가 범죄의 실행을 승낙하지 아니한 때에도 교사자에 대하여는 전항과 같다.

제32조【종범】 ① 타인의 범죄를 방조한 자는 종범으로 처벌한다.

② 종범의 형은 정범의 형보다 감경한다.

제33조【공범과 신분】 신분이 있어야 성립되는 범죄에 신분 없는 사람이 가담한 경우에는 그 신분 없는 사람에게도 제30조부터 제32조까지의 규정을 적용한다. 다만, 신분 때문에 형의 경중이 달라지는 경우에 신분이 없는 사람은 무거운 형으로 벌하지 아니한다.

제34조【간접정범, 특수한 교사, 방조에 대한 형의 가중】 ① 어느 행위로 인하여 처벌되지 아니하는 자 또는 과실범으로 처벌되는 자를 교사 또는 방조하여 범죄행위의 결과를 발생하게 한 자는 교사 또는 방조의 예에 의하여 처벌한다.

② 자기의 지휘, 감독을 받는 자를 교사 또는 방조하여 전항의 결과를 발생하게 한 자는 교사인 때에는 정범에 정한 형의 장기 또는 다액에 그 2분의 1까지 가중하고 방조인 때에는 정범의 형으로 처벌한다.

☑ 공범관련 처벌규정 비교

구 분	처벌 내용
공동정범	각자를 정범으로 처벌한다.
교사범	정범(실행한 자)의 형으로 처벌한다. ▶ 기도된 교사 • 효과 없는 교사 ⇨ 교사자와 피교사자를 음모 또는 예비에 준하여 처벌(교사를 받은 자가 범죄의 실행을 승낙하고 착수에 이르지 아니한 경우) • 실패한 교사 ⇨ 교사자를 음모 또는 예비에 준하여 처벌(교사를 받은 자가 범죄의 실행을 승낙하지 아니한 경우)
종범(방조범)	정범의 형보다 감경한다(필요적 감경).
공범과 신분	부진정신분범(신분관계로 인하여 형의 경중이 있는 경우) ⇨ 비신분자(신분 없는 자)는 중한 형으로 벌하지 아니한다.
간접정범	교사 또는 방조의 예에 의하여 처벌한다.
특수교사	정범에 정한 형의 장기 또는 다액에 그 2분의 1까지 가중처벌한다(자기의 지휘·감독을 받는 자를 교사한 경우).
특수방조	정범의 형으로 처벌한다(자기의 지휘·감독을 받는 자를 방조한 경우).
동시범 (독립행위의 경합)	원인된 행위가 판명되지 아니한 때에 각 행위를 미수범으로 처벌한다. ▶ 예외 : 상해죄 ⇨ 공동정범의 예에 의한다. ⇨ 각자를 정범으로 처벌한다.

---

01 다음 중 판례가 긍정하는 것만을 모두 고른 것은? 18. 9급 검찰·마약수사·철도경찰

> ㉠ 편면적 방조에 있어서 공범종속성 ㉡ 예비단계에 있어서 방조범 성립
> ㉢ 합동절도의 공동정범 성립 ㉣ 허위공문서작성죄의 간접정범 성립
> ㉤ 강간치상죄의 동시범특례규정 적용

① ㉠, ㉢, ㉣ ② ㉠, ㉢, ㉤ ③ ㉡, ㉢, ㉣ ④ ㉡, ㉣, ㉤

해설 • **판례가 긍정 ○**: ㉠ 평면적 종범에서도 정범의 범죄행위 없이 방조범만이 성립될 수 없다(대판 1974.5.28, 74도509 ∴ 공범종속성 긍정). ㉢ 대판 2011.5.13, 2011도2021 ㉣ 보조공무원이 허위공 문서를 기안하여 그 정을 모르는 작성권자의 결재를 받아 공문서를 완성한 경우 허위공문서작성죄 의 간접정범이 성립한다(대판 1981.7.28, 81도898).
• **판례가 긍정 ×**: ㉡ 정범이 실행의 착수에 이르지 아니한 예비의 단계에 그친 경우에는 이에 가공한 행위가 예비의 공동정범이 될 때를 제외하고는 이를 방조범으로 처벌할 수 없다(대판 1976.5.25, 75도1549). ㉤ 강간치상죄에 대하여는 상해죄의 동시범 처벌에 관한 특례를 인정한 형법 제263조 가 적용되지 아니한다(대판 1984.4.24, 84도372).

02 공범에 관한 설명 중 옳은 것(○)과 옳지 않은 것(×)을 올바르게 조합한 것은?(다툼이 있는 경우 판례에 의함) 20. 변호사시험

> ㉠ 공무원이 부정한 청탁을 받고 제3자에게 뇌물을 제공하게 하고 제3자가 그러한 공무원의 범죄 행위를 알면서 방조한 경우, 그에 대한 별도의 처벌규정이 없더라도 제3자에게는 방조범에 관 한 형법 총칙의 규정이 적용되어 제3자뇌물수수방조죄가 인정될 수 있다.
> ㉡ 물건의 소유자가 아닌 사람이 소유자의 권리행사방해범행에 가담한 경우에는 형법 제33조 본 문에 따라 권리행사방해죄의 공범이 될 수 있으며, 공범으로 기소된 물건의 소유자에게 고의 가 없어 범죄가 성립하지 않더라도 권리행사방해범행을 공동으로 하였음이 인정되는 한 공동 정범의 죄책을 진다.
> ㉢ 공범 중 1인이 그 범행에 관한 수사절차에서 참고인 또는 피의자로 조사받으면서 자기의 범행 을 구성하는 사실관계에 관하여 허위로 진술하고 허위 자료를 제출하는 것이 다른 공범을 도 피하게 하는 결과가 된다고 하더라도 범인도피죄로 처벌되지 않으나, 공범이 이러한 행위를 교사하였다면 범인도피교사의 죄책을 면할 수 없다.
> ㉣ 신분관계가 없는 사람이 신분관계로 인하여 성립될 범죄에 가공한 경우, 신분관계가 없는 사 람에게 공동가공의 의사와 이에 기초한 기능적 행위지배를 통한 범죄의 실행이라는 주관적· 객관적 요건이 충족되면 공동정범으로 처벌된다.

① ㉠(×), ㉡(×), ㉢(×), ㉣(○) ② ㉠(○), ㉡(×), ㉢(○), ㉣(×)
③ ㉠(○), ㉡(×), ㉢(×), ㉣(○) ④ ㉠(×), ㉡(○), ㉢(○), ㉣(×)
⑤ ㉠(×), ㉡(○), ㉢(×), ㉣(○)

해설 ㉠ ○ : 대판 2017.3.15, 2016도19659
㉡ × : ~ (3줄) 성립하지 않는다면 공동정범이 성립할 여지가 없다(대판 2017.5.30, 2017도4578).
㉢ × : ~ (3줄) 범인도피죄로 처벌할 수 없다. 이때 공범이 이러한 행위를 교사하였더라도 범죄가 될 수 없는 행위를 교사한 것에 불과하여 범인도피교사죄가 성립하지 않는다(대판 2018.8.1, 2015도20396).
㉣ ○ : 대판 2019.8.29, 2018도2738 전원합의체

03 대법원 판례가 인정하고 있지 않는 것만을 모두 고르면?　　20. 9급 검찰 · 마약수사 · 철도경찰

㉠ 예비죄의 중지범	㉡ 진정결과적 가중범의 공동정범
㉢ 부작위범 사이의 공동정범	㉣ 사후방조로서의 종범
㉤ 편면적 종범	㉥ 예비죄의 공동정범

① ㉠, ㉣　　　　② ㉠, ㉡, ㉥　　　　③ ㉠, ㉣, ㉥　　　　④ ㉡, ㉢, ㉤

해설 • 인정 ○ : ㉡ 대판 2000.5.12, 2000도745 ㉢ 대판 2008.3.27, 2008도89 ㉤ 대판 1974.5.28, 74도509 ㉥ 대판 1979.11.27, 79도2201
　　• 인정 × : ㉠ 대판 1999.4.9, 99도424 ㉣ 대판 2009.6.11, 2009도1518

04 공범에 관한 설명 중 옳은 것은?(다툼이 있는 경우 판례에 의함)　　21. 변호사시험

① 업무상 배임죄에서 업무상 임무라는 신분 관계 없는 甲이 신분 있는 乙과 공모하여 업무상 배임죄를 범한 경우 甲에게는 단순배임죄가 성립한다.

② 2인 이상의 서로 대향된 행위의 존재를 요구하는 관계인 금품 수수에서 금품 공여자에 대한 처벌규정이 없다면, 금품 공여자의 행위에만 관여하여 그 공여 행위를 교사 · 방조한 자는 금품 수수자의 범행에 대하여 공범이 되지 않는다.

③ 치과의사 甲이 치과의사면허가 없는 치과기공사 乙에게 치과진료행위를 하도록 교사한 경우 甲은 소극적 신분을 이유로 처벌되지 않는다.

④ 방조범이 성립하기 위하여 방조범과 정범 사이의 의사연락을 요하지는 않지만, 정범이 누구인지와 범행 일시, 장소, 객체 등에 대한 구체적 인식과 이러한 정범의 실행을 방조한다는 인식이 필요하다.

⑤ 甲이 범죄를 교사하였고 피교사자 乙이 실행을 승낙하고도 이후 실행의 착수를 하지 않은 경우 교사자인 甲만 예비 · 음모에 준하여 처벌된다.

해설 ① × : ~ 甲에게는 업무상 배임죄(단순배임죄 ×)가 성립한다(대판 1986.10.28, 86도1517).
② ○ : 대판 2014.1.16, 2013도6969
③ × : ~ 甲은 무면허의료행위의 교사범으로 처벌된다(대판 1986.7.8, 86도749).
④ × : ~ 않지만(편면적 종범 인정 : 대판 1974.5.28, 74도509), 정범이 누구인지와 범행 일시, 장소, 객체 등에 대해 구체적으로 인식할 필요가 없으나(대판 2007.12.14, 2005도872) 정범의 실행을 방조한다는 인식(방조의 고의)은 필요하다(대판 2005.4.29, 2003도6056).
⑤ × : ~ 甲과 乙 모두 예비 · 음모에 준하여 처벌한다(효과 없는 교사 : 제31조 제2항).

05 다음 중 공범에 관한 설명으로 가장 옳지 않은 것은?(다툼이 있는 경우 판례에 의함) 21. 해경간부

① 단일정범개념에 대해서는 가벌성의 확대를 초래한다는 비판이 있다.

② 구성요건 행위의 일부를 직접 분담하여 실행하지 않은 공모자에게 공모공동정범으로서의 죄책을 물을 수 있으려면 전체 범죄에서 그가 차지하는 지위나 역할 등에 비추어 범죄에 대한 본질적 기여를 통한 기능적 행위지배가 존재하여야 한다.

③ 甲이 A중공업 직원 乙이 영업비밀인 선박부품 설계도면을 해외로 유출하기 위하여 무단 반출하였다는 사실을 알고 몇 개월 후 乙에게 접근하여 설계도면을 취득하려고 하였다면 업무상 배임죄의 공동정범이 될 수 없다.

④ 甲은 乙에게 A의 도자기를 강취해 올 것을 교사하였고 乙은 이를 승낙하였으나 차일피일 미루고 있는 경우, 甲이 乙을 교사한 행위에 대하여 처벌하는 것은 공범종속성설의 논리적 결과이다.

해설 ① 옳다.
② 대판 2009.2.12, 2008도6551
③ 대판 2003.10.30, 2003도4382
④ × : ~ 것은 공범독립성설(공범종속성설 ×)의 논리적 결과이다.

06 공범에 대한 설명으로 가장 적절한 것은?(다툼이 있는 경우 판례에 의함)　　　　21. 경찰승진

① 형법 제30조의 공동정범이 성립하기 위하여는 공동가공의 의사가 필요한데, 여기서 공동가공의 의사란 타인의 범행을 인식하면서도 이를 제지하지 않고 용인하는 심리상태만으로도 충분하다.

② 형법 제31조 제2항은 기도된 교사 중 효과 없는 교사를 규정하고 있는데, 효과 없는 교사는 교사자만을 음모 또는 예비에 준하여 처벌한다.

③ 타인의 범죄를 방조한 자는 종범으로 처벌하는데, 종범의 형은 정범의 형보다 임의적 감경한다.

④ 공모에 의한 범죄의 공동실행은 모든 공범자가 스스로 범죄의 구성요건을 실현하는 것을 전제로 하지 아니하고, 그 실현행위를 하는 공범자에게 그 행위결정을 강화하도록 협력하는 것으로도 가능하다.

해설 ① × : 공동가공의 의사는 타인의 범행을 인식하면서도 이를 제지하지 아니하고 용인하는 것만으로는 부족하고 공동의 의사로 특정한 범죄행위를 하기 위하여 일체가 되어 서로 다른 사람의 행위를 이용하여 자기의 의사를 실행에 옮기는 것을 내용으로 하는 것이어야 한다(대판 2001.11.9, 2001도4792).
② × : ~ (2줄) 교사자와 피교사자를 음모 또는 예비에 준하여 처벌한다(제31조 제2항).
③ × : ~ 정범의 형보다 필요적(임의적 ×) 감경한다(제32조 제2항).
④ ○ : 대판 2006.12.22, 2006도1623

07 정범과 공범에 대한 아래 ㉠부터 ㉤까지의 설명 중 옳고 그름의 표시(○, ×)가 모두 바르게 된 것은?(다툼이 있는 경우 판례에 의함) 　21. 순경 1차

> ㉠ 제한적 종속형식의 입장을 취하게 되면, 정범의 책임이 조각되는 경우 공범이 성립할 수 없다는 결론에 이른다.
> ㉡ 교사자가 피교사자에 대하여 상해 또는 중상해를 교사하였는데 피교사자가 이를 넘어 살인을 한 경우, 교사자에게 피해자의 사망이라는 결과에 대하여 고의가 없더라도 살인죄의 교사범이 된다.
> ㉢ 공범관계에 있어 공모는 공범자 상호간에 직접 또는 간접으로 범죄의 공동실행에 관한 암묵적인 의사의 연락이 있으면 족하고, 비록 전체의 모의과정이 없었다고 하더라도 수인 사이에 의사의 연락이 있으면 공동정범이 성립될 수 있다.
> ㉣ 실행의 착수 전에 장래의 실행행위를 예상하고 이를 용이하게 하는 행위를 하여 방조한 경우, 정범이 그 실행행위에 나아갔다면 종범이 성립할 수 있다.
> ㉤ 목적범에 있어서 목적 없는 고의 있는 도구를 이용한 경우, 피이용자에 대한 의사지배가 인정되지 않으므로 간접정범이 성립할 수 없다.

① ㉠(○), ㉡(×), ㉢(×), ㉣(×), ㉤(×)
② ㉠(×), ㉡(○), ㉢(○), ㉣(○), ㉤(×)
③ ㉠(×), ㉡(×), ㉢(○), ㉣(○), ㉤(×)
④ ㉠(×), ㉡(×), ㉢(○), ㉣(○), ㉤(○)

해설 ㉠ × : ~ 성립할 수 있다는 결론에 이른다.
㉡ × : 교사자가 피교사자에게 상해 또는 중상해를 교사하였는데 피교사자가 살인을 행한 경우 일반적으로 교사자는 상해죄 또는 중상해죄의 교사범이 되지만 교사자(피교사자 ×)에게 결과(사망)에 대해 과실 내지 예견가능성이 있으면 상해치사죄의 교사범이 될 수 있다(대판 2002.10.25, 2002도4C89).
㉢ ○ : 대판 2003.1.24, 2002도6103 ㉣ ○ : 대판 1997.4.17, 96도3377
㉤ × : ~ 의사지배가 인정되어 간접정범이 성립할 수 있다(대판 1997.4.17, 96도3376 전원합의체).

08 공범의 착오에 대한 설명으로 옳은 것은?(다툼이 있는 경우 판례에 의함) 　21. 7급 검찰
① 방조자의 인식과 정범의 실행 간에 착오가 있고 양자의 구성요건을 달리한 경우, 그 구성요건이 중첩되는 부분뿐만 아니라 정범의 초과부분에 대해서도 방조자의 죄책을 인정하여야 한다.
② 공범종속성설에 의하면 공범의 가벌성은 교사자 자신의 행위에 의해 결정되기 때문에 교사자의 교사행위가 있는 이상 피교사자의 범죄실행이 없어도 교사한 범죄의 미수범으로 처벌받게 된다.
③ 甲과 乙이 A를 강도하기로 공모하였음에도 불구하고 乙이 공모한 내용과 전혀 다른 강도강간을 한 경우, 직접 실행행위에 관여하지 않았더라도 甲은 강도강간죄의 죄책을 진다.
④ 피교사자가 교사자의 교사내용과 전혀 다른 범죄를 실현한 경우 교사범이 성립하지 않는다는 견해에 따르면, 甲이 乙에게 A에 대한 강간을 교사하였는데 乙이 강도를 한 경우 甲은 강간의 예비·음모에 준하여 처벌된다.

Answer　7. ③　8. ④

해설 ① × : ~ 중첩되는 부분 한도 내에서만 방조자의 죄책이 인정된다(대판 1985.2.26, 84도2987).
② × : 교사범이 성립하기 위해서는 교사자의 교사행위와 정범(피교사자)의 실행행위가 있어야 하는 것이므로, 정범의 성립은 교사범의 구성요건의 일부를 형성하고 교사범이 성립함에는 정범의 범죄행위가 인정되는 것이 그 전제요건이 된다(대판 2000.2.25, 99도1252).
③ × : 공모사실(강도)과 발생사실(강간)이 전혀 별개의 구성요건에 속하는 질적 초과의 경우로서 그 초과부분에 대해서는 공동정범이 성립하지 않으므로, 甲에게는 강도강간죄의 공동정범이 성립하지 않고 특수강도죄(제334조)만 성립한다(대판 1988.9.13, 88도1114).
④ ○ : 교사의 착오 중 질적 초과의 경우로 제31조 제2항에 의해 강간죄의 예비·음모에 준하여 처벌된다.

09 정범 및 공범에 관한 설명으로 가장 적절하지 않은 것은?(다툼이 있는 경우 판례에 의함)

22. 순경 1차

① 공모공동정범에 있어서 공모자가 공모에 주도적으로 참여하여 다른 공모자의 실행에 영향을 미친 때에는 범행을 저지하기 위하여 적극적으로 노력하는 등 실행에 미친 영향력을 제거하지 아니하는 한 공모관계에서 이탈하였다고 할 수 없다.
② 피교사자가 교사자의 교사행위 당시에는 일응 범행을 승낙하지 아니한 것으로 보여진다 하더라도 이후 그 교사행위에 의하여 범행을 결의한 것으로 인정되는 이상 교사범의 성립에는 영향이 없다.
③ 甲이 책임무능력자를 이용하여 범행한 사례에 있어서 공범의 종속정도와 관련하여 제한종속형식설을 취하는 경우, 공범의 우위성에 따라 甲에게는 교사범이 성립하므로 간접정범이 성립할 여지가 없다.
④ 어느 행위로 인하여 과실범으로 처벌되는 자를 교사 또는 방조하여 범죄행위의 결과를 발생하게 한 자는 교사 또는 방조의 예에 의하여 처벌한다.

해설 ① 대판 2008.4.10, 2008도1274 ② 대판 2013.9.12, 2012도2744 ③ × : 다수설·판례인 제한종속형식에 의하더라도 정범개념의 우위성에 의하여 고의 있고, 책임 있는 경우에 의사지배가 인정되면 이용자는 간접정범이 될 수 있다. 정범 배후의 정범이론에 따르더라도 간접정범이 될 수 있다. ④ 제34조 제1항

10 甲의 죄책에 관한 설명으로 옳은 것은?(다툼이 있는 경우 판례에 의함)　　22. 7급 검찰
① 乙의 행위가 범죄구성요건에 해당하지만 위법하지 않은 경우, 甲이 乙의 행위를 방조하였더라도 공범의 종속성에 관해 제한종속형식을 취하는 때에는 종범(형법 제32조 제1항)이 성립하지 않는다.
② 甲의 행위가 범죄구성요건에 해당하고 위법하더라도 甲이 듣거나 말하는 데 모두 장애가 있는 사람이라면 甲의 행위에 대해서는 형을 면제한다.
③ 甲의 행위가 범죄구성요건에 해당하고 위법하더라도 甲이 심신상실자(형법 제10조 제1항)라면 甲에게 보안처분을 과할 수 없다.
④ 乙의 행위가 범죄구성요건에 해당하지만 위법하지 않은 경우, 乙의 행위를 교사한 甲을 간접정범(형법 제34조 제1항)으로는 처벌할 수 없다.

Answer　9. ③　10. ①

해설 ① ○ : 제한종속형식설에 따르면 정범(乙)의 행위가 구성요건에 해당하고 위법해야만 공범(甲 : 종범)이 성립하므로 ①은 옳다.
② × : ~ 형을 감경한다(제11조 : 청각 및 언어 장애인).
③ × : 심신상실자는 책임능력이 없어 책임이 조각되나 보안처분은 가능하다(치료감호법에 의한 치료감호처분). ④ × : ~ 간접정범으로 처벌할 수 있다(대판 2006.5.25, 2003도3945).

11 공범에 관한 설명 중 옳은 것은?(다툼이 있는 경우 판례에 의함)　　　　23. 변호사시험

① 공무원이 아닌 사람이 공무원과 공동가공의 의사와 이를 기초로 한 기능적 행위지배를 통하여 공무원의 직무에 관하여 뇌물을 수수하는 범죄를 실행하였다 하더라도 공무원이 아닌 사람은 뇌물수수죄의 공동정범이 될 수 없다.

② 모해의 목적을 가진 甲이 모해의 목적이 없는 乙에게 위증을 교사하여 乙이 위증죄를 범한 경우, 공범종속성에 따라 甲에게는 모해위증교사죄가 성립할 수 없다.

③ 공문서 작성권자의 직무를 보조하는 공무원이 그 직위를 이용하여 행사할 목적으로 허위 내용의 공문서의 초안을 작성한 후 문서에 기재된 내용의 허위사실을 모르는 작성권자에게 제출하여 결재하도록 하는 방법으로 작성권자로 하여금 허위의 공문서를 작성하게 한 경우, 그 보조공무원에게는 허위공문서작성죄의 간접정범이 성립하지 않는다.

④ 비신분자가 업무상 타인의 사무를 처리하는 자의 배임행위를 교사한 경우, 그 비신분자는 타인의 사무처리자에 해당하지 않으므로 업무상 배임죄의 교사범이 성립하지 않는다.

⑤ 벌금 이상의 형에 해당하는 죄를 범한 甲이 자신의 동거가족 乙에게 자신을 도피시켜 달라고 교사한 경우, 乙이 甲과의 신분관계로 인해 범인도피죄로 처벌될 수 없다 하더라도 甲에게는 범인도피죄의 교사범이 성립한다.

해설 ① × : ~ (2줄) 실행하였다면 공무원이 아닌 사람은 뇌물수수죄의 공동정범이 될 수 있다(대판 2019.8.29, 2018도2738 전원합의체).
② × : ~ (2줄) 범한 경우, 제33조 단서가 적용되어 모해위증교사죄로 처단할 수 있다(다판 1994.12.23, 93도1002).　③ × : ~ 간접정범이 성립한다(대판 1990.10.30, 90도1912).
④ × : ~ 교사한 경우, 형법 제33조 본문에 의하여 업무상 배임죄의 교사범이 성립하고, 형법 제33조 단서에 의하여 단순배임죄의 교사범으로 처벌한다(대판 1986.10.28, 86도1517).
⑤ ○ : 대판 2006.12.7, 2005도3707

12 공범에 관한 설명 중 옳지 않은 것은?(다툼이 있는 경우 판례에 의함)　　　　24. 변호사시험

① 방조범에게 요구되는 정범 등의 고의는 정범에 의하여 실현되는 범죄의 구체적 내용을 인식해야 하는 것은 아니고 미필적 인식이나 예견으로 충분하지만, 이는 정범의 범행 등의 불법성에 대한 인식이 필요하다는 점과 모순되지 않는다.

② 대향범에 대하여 공범에 관한 형법 총칙 규정이 적용될 수 없다는 법리는 필요적 공범인 대향범뿐만 아니라 구성요건상으로는 단독으로 실행할 수 있는 형식으로 되어 있는데 단지 구성요건이 대향범의 형태로 실행되는 경우에도 적용된다.

③ 업무라는 신분관계가 없는 자가 그러한 신분관계 있는 자와 공모하여 업무상 배임죄를 저질렀다면, 그러한 신분관계가 없는 공범에 대하여는 형법 제33조 단서에 따라 단순배임죄에서 정한 형으로 처단하여야 한다.

④ 공동정범의 성립을 위한 공동가공의 의사는 타인의 범행을 인식하면서도 이를 제지하지 아니하고 용인하는 것만으로는 부족하고, 공동의 의사로 특정한 범죄행위를 하기 위해 일체가 되어 서로 다른 사람의 행위를 이용하여 자기 의사를 실행에 옮기는 것을 내용으로 하는 것이어야 한다.

⑤ 방조범이 성립하려면 방조행위가 정범의 범죄 실현과 밀접한 관련이 있어야 하므로, 정범의 범죄 실현과 밀접한 관련이 없는 행위를 도와준 데 지나지 않는 경우에는 방조범이 성립하지 않는다.

해설 ① 대판 2022.6.30, 2020도7866

② × : 대향범에 대하여는 공범에 관한 형법 총칙 규정을 적용할 수 없다는 법리는 해당 처벌규정의 구성요건 자체에서 2인 이상의 서로 대향적 행위의 존재를 필요로 하는 필요적 공범인 대향범을 전제로 한다. 구성요건상으로는 단독으로 실행할 수 있는 형식으로 되어 있는데 단지 구성요건이 대향범의 형태로 실행되는 경우에도 대향범에 관한 법리가 적용된다고 볼 수는 없다(대판 2022.6.30, 2020도7866).

③ 대판 1986.10.28, 86도1517 ④ 대판 2001.11.9, 2001도4792 ⑤ 대판 2021.9.16, 2015도12632

13 공범에 관한 설명으로 가장 적절하지 않은 것은?(다툼이 있는 경우 판례에 의함) 24. 경찰승진

① 매도, 매수와 같이 2인 이상의 서로 대향된 행위의 존재를 필요로 하는 관계에 있어서는 공범이나 방조범에 관한 형법 총칙 규정의 적용이 있을 수 없고, 따라서 매도인에게 따로 처벌규정이 없는 이상 매도인의 매도행위는 그와 대향적 행위의 존재를 필요로 하는 상대방의 매수 범행에 대하여 공범이나 방조범관계가 성립되지 아니한다.

② 도박의 습벽이 있는 자가 타인의 도박을 방조하면 상습도박방조의 죄에 해당하는 것이며, 도박의 습벽이 있는 자가 도박을 하고 또 도박방조를 하였을 경우 상습도박죄와 상습도박방조죄가 성립하고 두 범죄는 실체적 경합의 관계에 있다.

③ 변호사 아닌 자에게 고용되어 법률사무소의 개설 운영에 관여한 변호사의 행위가 일반적인 형법 총칙상의 공모, 교사 또는 방조에 해당된다고 하더라도 변호사를 변호사 아닌 자의 공범으로서 처벌할 수는 없다.

④ 필요적 공범이라는 것은 법률상 범죄의 실행이 다수인의 협력을 필요로 하는 것을 가리키는 것으로서 이러한 범죄의 성립에는 행위의 공동을 필요로 하는 것에 불과하고 반드시 협력자 전부가 책임이 있음을 필요로 하는 것은 아니다.

해설 ① 대판 2001.12.28, 2001도5158

② × : ~ (2줄) 하였을 경우, 상습도박방조의 죄는 무거운 상습도박의 죄에 포괄시켜 1죄로서 처단하여야 한다(대판 1984.4.24, 84도195).

③ 대판 2004.10.28, 2004도3994 ④ 대판 2008.3.13, 2007도10804

Answer 13. ②

제1절 일죄(一罪)

죄수론

1. **일죄(一罪) : 단순일죄**
   • 1개의 자연적 의미의 행위로 1개의 구성요건을 실현한 경우
   • 법조경합 : 1개의 행위가 외관상 수개의 구성요건에 해당하는 것처럼 보이나 실질적으로 일죄만을 구성하는 경우 ⇨ 특별관계, 보충관계, 흡수관계(불가벌적 수반행위, 불가벌적 사후행위)
   • 포괄일죄 : 수개의 행위가 포괄적으로 1개의 구성요건에 해당하여 일죄를 구성하는 경우 ⇨ 결합범, 계속범, 집합범, 연속범, 접속범, 협의의 포괄일죄
2. **수죄(數罪)**
   • 상상적 경합(관념적 경합) : 1개의 행위가 수개의 구성요건에 해당하는 경우 ⇨ 실질적으로 수죄이나 과형상 일죄로 취급
   • 실체적 경합(경합범) : 수개의 행위가 수개의 구성요건에 해당하는 경우

01 죄수(罪數)결정 기준에 관한 설명으로 가장 적절한 것은?(다툼이 있는 경우 판례에 의함)

20. 순경 1차

① 행위표준설은 죄수의 판단을 위한 기본요소를 행위자의 행위에서 구하여 행위가 하나일 때 하나의 죄를, 행위가 다수일 때 수개의 죄를 인정하는 견해로 판례는 연속범의 경우 이 견해를 취하고 있다.

② 법익표준설은 한 사람의 행위자가 실현시킨 범죄실현의 과정에서 몇 개의 보호법익이 침해 또는 위태롭게 되었는가를 기준으로 죄의 개수를 인정하는 견해로 판례는 강간, 공갈죄의 경우 이 견해를 취하고 있다.

③ 의사표준설은 행위자가 실현하려는 범죄의사의 개수에 따라서 죄의 개수를 결정하려는 견해로 행위자에게 1개의 범죄의사가 있으면 1죄를, 수개의 범죄의사가 있으면 수개의 죄를 각각 인정하게 되며, 판례는 연속범의 경우를 제외하고는 원칙적으로 이 견해를 취하고 있다.

④ 구성요건표준설은 구성요건에 해당하는 회수를 기준으로 죄수를 결정하는 견해로 죄수의 결정은 법률적인 구성요건충족의 문제로 해석하여 구성요건을 1회 충족하면 일죄이고, 수개의 구성요건에 해당하면 수죄를 인정하게 되며, 판례는 조세포탈범의 죄수는 위반사실의 구성요건 충족 회수를 기준으로 1죄가 성립하는 것이 원칙이라고 하여 이 견해를 따르는 경우도 있다.

Answer ▶ 1. ④

해설 ① × : 행위표준설에 의하면 연속범(연속하여 행하여진 수개의 행위가 동종의 범죄에 해당하는 경우)은 수죄이지만, 상상적 경합은 일죄가 된다. 판례는 강간죄(대판 1982.12.14, 82도2442)나 공갈죄(대판 1958.4.11, 4291형상370)의 경우 이 견해를 취하고 있다.
② × : 법익표준설에 의하면 상상적 경합은 실질상은 수죄이지만 처벌상 일죄로 취급하는 것이 된다. 판례는 연속범의 경우를 제외하고는 원칙적으로 이 견해를 취하고 있다.
③ × : 판례는 연속범의 경우 이 견해를 취하고 있다(대판 1982.10.26, 81도1409 ; 대판 1987.5.12, 87도694).
④ ○ : 대판 2001.3.13, 2000도4880

02 (가)와 (나) 사례에 관한 죄수의 기초이론에 따른 설명 중 가장 적절하지 않은 것은?

22. 순경 2차

> (가) 공무원 甲은 직무와 관련하여 乙로부터 매월 1일 100만원씩 10회에 걸쳐 뇌물을 수수하였다.
> (나) 甲이 A를 살해하기 위하여 A의 음료수에 치사량의 독약을 한 번 넣고 가버린 후 그 음료수를 나누어 마신 A와 그의 비서가 사망하였다.

① 자연적 행위표준설에 따르면 (가)는 수죄, (나)는 일죄가 된다.
② 법익표준설에 따르면 (나)는 전속적 법익인 생명을 침해한 것으로 법익주체마다 1개의 죄가 성립한다.
③ (가)에서 구성요건표준설로는 甲의 10회에 걸친 뇌물수수 행위가 일죄인지, 수죄인지 명확하게 결정할 수 없다는 비판이 있다.
④ 의사표준설에 따르면 (가)의 경우 甲이 10회의 뇌물수수 과정에서 단일한 범의를 가졌는지를 불문하고 일죄가 된다.

해설 ① ○ : (자연적) 행위표준설에 따르면 (가)는 수개의 행위(10회)로 수죄, (나)는 1개의 행위(한 번 넣고)로 일죄가 된다.
② ○ : 법익표준설에 따르면 전속적 법익(생명, 신체, 자유, 명예)은 법익주체(피해자)마다 1개의 죄가 성립하므로 ②는 옳다.
③ ○ : 구성요건표준설에 대해서는 반복된 행위(甲의 10회에 걸친 뇌물수수 행위)가 동일한 구성요건(수뢰죄)을 수회 충족한 경우에 일죄인가 수죄인가를 명확하게 결정할 수 없다는 비판이 있다.
④ × : 의사표준설(행위자의 범죄의사의 수를 기준으로 죄수를 결정하는 견해)에 따르면 (가)의 경우(연속범) 의사의 단일성(단일한 범의)이 인정되어야만 일죄가 된다.

Answer 2.④

THEMA 29 '법조경합'〔흡수관계(불가벌적 사후행위)〕 총정리

불가벌적 사후행위란 범죄에 의하여 획득한 위법한 이익 또는 상태를 확보하거나 사용·처분하는 사후행위가 다른 구성요건에 해당하더라도 이미 주된 범죄에 의하여 완전히 평가되었기 때문에 별죄를 구성하지 않는 경우를 말한다〔◐ 절도범이 절취한 물건을 손괴한 행위 ⇨ 절도죄(주된 범죄) 이외에 손괴죄(불가벌적 사후행위)를 구성하지 않는다〕. 따라서 사후행위는 주된 범죄와 보호법익을 같이 하거나 그 침해의 양을 초과하지 않아야 한다.

① 타인의 새로운 법익을 침해해서는 안 된다.

② 사후행위가 침해한 피해자의 법익을 초과해서는 안 된다. ◐ 갈취한 재물을 피해자에게 매각·담보 제공하여 돈을 교부받은 경우 ⇨ 공갈죄와 사기죄의 실체적 경합

⚖ 관련판례

● 불가벌적 사후행위가 인정되는 경우

1. • 절취한 자기앞수표를 음식대금으로 교부하고 거스름돈을 환불받은 경우(대판 1987.1.20, 86도1728) ⇨ 절도죄 ○, 사기죄 × 17. 법원직, 20. 순경 2차, 25. 9급 검찰·마약수사·철도경찰
   • 금융기관 발행의 자기앞수표는 그 액면금을 즉시 지급받을 수 있는 점에서 현금에 대신하는 기능을 가지고 있어서, 장물인 자기앞수표를 취득한 후 이를 현금 대신 교부한 행위는 장물취득에 대한 가벌적 평가에 당연히 포함되는 불가벌적 사후행위로서 별도의 범죄를 구성하지 아니한다(대판 1993.11.23, 93도213). 19. 법원직, 21. 변호사시험·해경승진, 24. 7급 검찰, 25. 순경 1차

2. (업무상 과실) 장물보관을 의뢰받고 그 정을 알면서 보관한 후 임의로 처분하는 경우 ⇨ (업무상 과실) 장물보관죄 ○, 횡령죄 ×(대판 2004.4.9, 2003도8219) 18. 경력채용, 19. 법원행시·9급 검찰·철도경찰, 21. 해경승진, 22. 경찰승진, 24. 변호사시험·법원직·순경 2차

3. 공동상속인 중 1인이 상속재산인 임야를 보관 중 다른 상속인들로부터 매도 후 분배 드는 소유권이전등기를 요구받고도 그 반환을 거부한 경우 이때 이미 횡령죄가 성립하고, 그 후 그 임야에 관하여 다시 제3자 앞으로 근저당권설정등기를 경료해 준 행위는 불가벌적 사후행위로서 별도의 횡령죄를 구성하지 않는다(대판 2010.2.25, 2010도93 ∵ 일단 횡령을 한 이후에 다시 그 재물을 처분하는 것은 불가벌적 사후행위 ○). 18. 경찰간부·경력채용, 21. 7급 검찰, 24. 법원직·해경경위

   ▶ **유사판례** : 미등기건물의 관리를 위임받아 보관하고 있는 자가 임의로 건물을 자신의 명의로 보존등기를 한(횡령죄 완성) 후, 다시 타인에게 근저당권설정등기를 해 준 경우(불가벌적 사후행위 : 대판 1993.3.9, 92도2999) 19. 법원직, 20. 해경 1차, 21. 해경승진·순경 3차

4. 전기통신금융사기(이른바 보이스피싱 범죄)의 범인이 피해자를 기망하여 피해자의 자금을 사기이용계좌로 송금·이체받으면 사기죄는 기수에 이르고, 그 후 범인이 사기이용계좌에서 현금을 인출한 경우 ⇨ 사기죄 ○, 별도의 횡령죄 ×(대판 2017.5.31, 2017도3894 ∵ 새로운 법익침해 ×, 사기범행에 이용되리라는 사정을 알고서 자신 명의 계좌의 접근매체를 양도함으로써 사기범행을 방조한 종범이 사기이용계좌로 송금된 피해자의 자금을 임의로 인출한 경우에도 동일함) 18. 7급 검찰, 19. 법원행시, 20. 순경 2차, 24. 해경승진, 25. 순경 1차

5. 甲주식회사 대표이사인 피고인이 자신의 채권자 乙에게 차용금에 대한 담보로 甲회사 명의 정기예금에 질권을 설정하여 주었는데, 그 후 乙이 피고인의 동의하에 정기예금 계좌에 입금되어 있던 甲회사 자금을 전액 인출하였다면, 위와 같은 예금인출동의행위는 이미 배임행위로써 이루어진 질권설정행위의 불가벌적 사후행위에 해당하므로, 배임죄와 별도로 횡령죄까지 성립한다고 볼 수 없다(대판 2012.11.29, 2012도10980). 14. 법원직, 17. 법원행시·순경 3차, 23. 해경승진

6. 약속어음을 할인하여 줄 의사가 없으면서 있는 것처럼 피해자를 기망하여 약속어음을 교부받은 후 이를 피해자에 대한 채권의 변제에 충당한 경우 ⇨ 사기죄 ○, 횡령죄 ✕(대판 1983.4.26, 82도3079) 15. 순경 3차, 18. 경찰승진

7. 열차승차권을 절취하여 대금을 역 직원으로부터 환불받은 경우(대판 1975.8.29, 75도1996) ⇨ 절도죄 ○, 사기죄 ✕ 18. 경력채용·순경 1차, 21. 해경승진, 24. 법원직

8. 甲종친회 회장인 피고인이 위조한 종친회 규약 등을 공탁관에게 제출하는 방법으로 甲종친회를 피공탁자로 하여 공탁된 수용보상금을 출급받아 편취하고, 이를 종친회를 위하여 업무상 보관하던 중 반환을 거부한 경우 ⇨ 사문서위조죄 및 동행사죄, 사기죄(반환을 거부한 행위는 불가벌적 사후행위 ○ ⇨ 별도의 횡령죄 ✕ : 대판 2015.9.10, 2015도8592) 17. 7급 검찰, 24. 법원행시

9. 타인을 공갈하여 취득한 임야를 매각한 경우 ⇨ 공갈죄 ○, 횡령죄 ✕(대판 1986.2.11, 85도2513 ∵ 위탁관계 ✕) 17. 법원직, 24. 해경경위

10. 장물죄는 타인(본범)이 불법하게 영득한 재물의 처분에 관여하는 범죄이므로, 자기의 범죄[정범자(공동정범과 합동범 포함)에 한정됨]에 의하여 영득한 물건에 대하여는 성립되지 아니하고 이는 불가벌적 사후행위에 해당한다고 할 것이지만, 평소 본범과 공동하여 수차 상습으로 절도 등 범행을 함으로써 실질적인 범죄집단을 이루고 있었던 甲이 본범으로부터 장물을 취득하였다면, 본범이 범한 당해 절도범행에 있어서 정범자(공동정범이나 합동범)로 되지 아니한 이상 이를 자기의 범죄라 할 수 없고, 따라서 甲의 장물취득행위는 불가벌적 사후행위라고 할 수 없다(대판 1986.9.9, 86도1273). 14. 경찰간부, 17. 경찰승진, 20. 변호사시험·해경 1차

　▶ **비교판례** : 횡령을 교사한 후 횡령한 물건을 취득한 경우 ⇨ 횡령교사죄와 장물취득죄의 경합범 (대판 1969.6.24, 69도692) 12. 경찰승진, 14. 사시, 20. 법원직, 25. 변호사시험

　▶ **참고판례** : 장물에 관한 죄에 있어서의 '장물'이라 함은 재산범죄로 인하여 취득한 물건 그 자체를 말하므로, 재산범죄를 저지른 이후에 별도의 재산범죄의 구성요건에 해당하는 사후행위가 있었다면 비록 그 행위가 불가벌적 사후행위로서 처벌의 대상이 되지 않는다 할지라도 그 사후행위로 인하여 취득한 물건은 재산범죄로 인하여 취득한 물건으로서 장물이 될 수 있다(대판 2004.4.16, 2004도353). 16. 사시, 24. 경찰승진·법원행시·9급 검찰·마약수사

11. 부동산에 피해자 명의의 근저당권을 설정하여 줄 의사가 없음에도 피해자를 속이고 근저당권설정을 약정하여 금원을 편취한 다음, 그 부동산에 관하여 제3자 명의로 근저당권설정등기를 마친 경우 ⇨ 사기죄 ○, 배임죄 ✕(대판 2020.6.18, 2019도14340 전원합의체 ∵ 채무자가 저당권설정계약에 따라 채권자에 대하여 부담하는 저당권을 설정할 의무는 계약에 따라 부담하게 된 채무자 자신의 의무이다. 채무자가 위와 같은 의무를 이행하는 것은 채무자 자신의 사무에 해당할 뿐이므로, 채무자를 채권자에 대한 관계에서 '타인의 사무를 처리하는 자'라고 할 수 없다.) 12. 순경 2차, 13. 경찰간부, 14. 법원직, 15. 법원행시, 18. 경력채용, 20. 변호사시험

12. 관세법에 따른 신고 없이 물품을 수입한 본범이 그 물품에 대한 취득, 양여 등의 행위를 하는 경우 밀수입행위에 의하여 이미 침해되어 버린 것으로 평가되는 적정한 통관절차의 이행과 관세수입의 확보라는 보호법익 외에 새로운 법익의 침해를 수반한다고 보기 어려우므로, 이는 불가벌적 사후행위로서 별개의 범죄를 구성하지 않는다(대판 2008.1.17, 2006도455). 22. 법원행시, 24. 7급 검찰

13. 甲이 乙과 공동으로 불하받은 부동산을 丙에게 자의로 매도하여 乙에 대한 배임행위로 처벌받은 후 丙에 대한 소유권이전등기 의무를 지닌 채 다시 丙에 대한 재매도행위는 이미 배임행위로서 이루어진 甲의 丙에 대한 매도행위의 불가벌적 사후행위이다(대판 1970.11.24, 70도1998). 11. 경찰승진

14. 원목을 절취한 후 합법적으로 생산된 것처럼 관계당국을 기망하여 산림법 소정의 연고권자로 인정 받아 수의계약의 방법으로 이를 매수한 경우, 이는 새로운 법익의 침해가 있는 것이라고 할 수 없고, 상태범인 산림절도죄의 성질상 하나의 불가벌적 사후행위로서 별도로 사기죄가 구성되지 않는다 (대판 1974.10.22, 74도2441). 08. 순경, 09. 경찰승진

● **불가벌적 사후행위를 부정하는 경우** ⇨ **일죄 ×, (실체적) 경합범 ○**

1. 절취한 대마를 흡입할 목적으로 소지하는 경우 ⇨ 절도죄와 무허가대마소지죄의 경합범(대판 1999.4. 13, 98도3619) 13. 경찰간부, 18 · 21. 경력채용

   ▶ **유사판례** : 흡연을 목적으로 매입한 대마를 흡연할 기회를 포착하기 위하여 2일 이상 하의 주머니에 넣고 다닌 경우 대마매매죄와는 별도로 대마소지죄를 구성한다(대판 1990.7.27, 90도543). 17. 순경 1차, 23. 해경승진

2. 사람을 살해한 자가 그 사체를 다른 장소로 옮겨 유기하였을 때에는 살인죄와 사체유기죄의 경합범 이 성립하고, 사체유기를 불가벌적 사후행위로 볼 수는 없다(대판 1997.7.25, 97도1142). 14. 순경 1차, 15. 경찰승진, 17. 법원행시 · 순경 2차, 19. 법원직

3. 부동산 명의신탁의 경우

   ① 종중 소유의 부동산을 명의신탁 받아 보관 중이던 부동산 명의수탁자가 명의신탁자의 승낙 없이 제3자에게 근저당설정등기를 경료한 후에 다시 피해자의 승낙 없이 같은 부동산에 별개의 근저당 권을 설정하거나 해당부동산을 매각(매도)한 경우에 후행행위는 불가벌적 사후행위로 볼 수 없고, 별도로 횡령죄를 구성한다(대판 2013.2.21, 2010도10500 전원합의체 ⓓ 피해자 甲종중으로부터 종 중 소유의 토지를 명의신탁 받아 보관 중이던 피고인 乙이 자신의 개인 채무 변제에 사용할 돈을 차용하기 위해 위 토지에 근저당권을 설정하였는데, 그 후 피고인 乙, 丙이 공모하여 위 토지를 丁에게 매도한 경우 ⇨ 횡령죄 ○ + 횡령죄 ○). 17. 법원행시, 18. 경찰간부 · 순경 1차, 20. 법원직 · 7급 검찰, 21. 경찰승진, 25. 변호사시험

      ▶ **비교판례** : 종중으로부터 명의신탁 받아 보관 중이던 토지를 임의로 매각하여 이를 횡령한 후 그 매각대금을 이용하여 다른 토지를 취득하였다가 이를 제3자에게 담보로 제공한 경우 ⇨ 명의신탁 토지에 대한 횡령죄와 별개의 횡령죄 구성 ×(대판 2006.10.13, 2006도4034 ∵ 후의 행위는 횡령한 물건을 처분한 대가로 취득한 물건을 이용한 것에 불과함) 15. 사시

   ② 중간생략등기형 명의신탁의 경우 명의수탁된 부동산에 대한 토지수용보상금의 일부를 소비하고 (횡령죄 ×), 수용되지 않은 나머지 부동산 전체에 대한 반환을 거부한 경우(횡령죄 ×)(대판 2016. 5.19, 2014도6992 전원합의체) 12. 변호사시험, 16. 사시

4. 자동차를 절취한 후 자동차등록번호판을 떼어내는 행위는 새로운 법익의 침해로 보아야 하므로 위와 같은 번호판을 떼어내는 행위가 절도범행의 불가벌적 사후행위가 되는 것은 아니다(대판 2007.9.6, 2007도4739). 17. 순경 1차, 18. 경찰간부 · 경력채용, 20. 변호사시험 · 7급 검찰, 24. 해경승진

5. 부정한 이익을 얻을 목적으로 타인의 영업비밀이 담긴 CD를 절취하여 그 영업비밀을 부정사용한 경우 절도죄와 별도로 부정경쟁방지 및 영업비밀보호에 관한 법률상 영업비밀부정사용죄가 성립한다 (대판 2008.9.11, 2008도5364 ∵ 부정사용행위가 절도범행의 불가벌적 사후행위 ×). 17. 순경 1차, 18. 법원직 · 법원행시, 21. 해경 2차, 24. 해경승진 · 7급 검찰

6. 예금통장을 강취(갈취)하고 예금자 명의의 예금청구서를 위조한 다음 이를 은행원에게 제출 · 행사 하여 예금인출금을 교부받은 경우 ⇨ 강도죄(공갈죄), 사문서위조 및 동행사죄와 사기죄의 실체적 경합(대판 1991.9.10, 91도1722 ; 대판 1979.10.30, 79도489) 12 · 15. 순경 2차

7. 신용카드를 절취한 후 이를 사용한 경우 ⇨ 절도죄＋신용카드부정사용죄(부정사용행위가 절도범행의 불가벌적 사후행위 × : 대판 1996.7.12, 96도1181) 16. 경찰간부, 20. 순경 2차

8. 편취한 약속어음을 그와 같은 사실을 모르는 제3자에게 편취사실을 숨기고 할인받은 경우 그 약속어음을 취득한 제3자가 선의이고 약속어음의 발행인이나 배서인이 어음금을 지급할 의사와 능력이 있었다 하더라도 새로운 사기죄를 구성한다(대판 2005.9.30, 2005도5236). 17. 순경 1차, 18. 경찰간부, 19. 경찰승진, 24. 해경경위

9. 대표이사가 대표기관으로서 타인을 기망하여 교부받은 금원을 보관 중 소비한 경우 ⇨ 사기죄와 업무상 횡령죄(불가벌적 사후행위 ×)의 경합범(대판 1989.10.24, 89도1605) 11. 경찰승진, 24. 법원행시

▶ 유사판례

① 대표이사가 회사의 상가분양 사업을 수행하면서 수분양자들을 기망하여 분양대금을 편취한 후, 사적인 용도로 그 분양대금을 임의로 지출한 행위 ⇨ 사기죄와 횡령죄의 경합범(대판 2005.4.29, 2005도741) 14. 사시, 20. 법원행시

② 단체의 대표자 등이 그 단체가 체결한 계약을 이행하는 과정에서 계약의 상대방을 기망하여 교부받은 돈은 그 단체에 귀속되는 것인데, 그 후 단체의 대표자 등이 이를 보관하고 있으면서 횡령하였다면 이는 사기범행과는 침해법익을 달리하므로 횡령죄가 성립하고, 이를 단순한 불가벌적 사후행위로 볼 수는 없다(대판 1989.10.24, 89도1605). 24. 법원행시

10. 주식회사의 대표이사가 타인을 기망하여 회사가 발행하는 신주를 인수하게 한 다음, 그로부터 납입받은 신주인수대금을 보관하던 중 횡령한 행위는 사기죄와는 전혀 다른 새로운 보호법익을 침해하는 행위로서 별죄를 구성한다(대판 2006.10.27, 2004도6503). 18. 법원행시, 20. 법원직, 24. 순경 1차

11. 1인 회사의 주주가 자신의 개인채무를 담보하기 위하여 회사 소유의 부동산에 대하여 근저당권설정등기를 마쳐 주어 배임죄가 성립한 이후에 그 부동산에 대하여 새로운 담보권을 설정해 주는 행위는 선순위 근저당권의 담보가치를 공제한 나머지 담보가치 상당의 재산상 이익을 침해하는 행위로서 별도의 배임죄가 성립한다(대판 2005.10.28, 2005도4915). 12. 법원행시, 20. 해경 1차

12. 절취한 재물의 처분행위

① 절취한 전당표로 전당포에 가서 기망하여 전당물을 편취한 경우 ⇨ 절도죄＋사기죄(대판 1980.10.14, 80도2155) 14. 순경 1차

② 절취한 장물을 자기의 소유물인 것처럼 속여서 제3자에게 팔거나 담보로 제공하고 돈을 교부받은 경우 ⇨ 절도죄＋사기죄(대판 1980.11.25, 80도2310) 13. 사시, 17. 경찰간부

13. 법원을 기망하여 승소판결을 받고 그 확정판결에 의하여 소유권이전등기를 경료한 경우 ⇨ 사기죄와 공정증서원본부실기재죄의 실체적 경합(대판 1983.4.26, 83도188) 17. 법원직, 20. 해경승진, 24. 법원행시

14. 회사에 대한 관계에서 타인의 사무를 처리하는 자가 임무에 위배하는 행위로써 회사로 하여금 회사가 펀드 운영사에 지급하여야 할 펀드출자금을 정해진 시점보다 선지급하도록 하여 배임죄를 범한 다음, 그와 같이 선지급된 펀드출자금을 보관하는 자와 공모하여 펀드출자금을 임의로 인출한 후 자신의 투자금으로 사용하기 위하여 임의로 송금하도록 한 행위 ⇨ 배임죄 ○＋횡령죄 ○(대판 2014.12.11, 2014도10036 ∵ 새로운 보호법익 침해 ○) 17. 순경 2차

15. 채무자가 자신의 부동산에 甲명의로 허위의 금전채권에 기한 담보가등기를 설정하여 강제집행면탈죄가 성립된 후, 그 부동산을 乙에게 양도하여 乙명의로 이루어진 가등기양도 및 본등기를 경료한 행위 ⇨ 불가벌적 사후행위 ×(대판 2008.5.8, 2008도198 ∵ 가등기를 양도하여 본등기를 경료하게 함으로써 소유권을 상실케 하는 행위는 법익침해의 정도가 훨씬 중함) 17. 7급 검찰, 20. 해경 1차

16. 무역거래자가 외화도피의 목적으로 물품 등의 수입 가격을 조작하는 방법으로 피해은행을 기망하여 피해은행으로 하여금 신용장을 개설하게 한 후 그 신용장대금을 수령한 경우에, 이러한 외화도피 목적의 수입 가격 조작행위는 사기범행과는 별도로 대외무역법 제43조가 보호하는 새로운 법익을 침해한 것으로 보아야 하므로, 위와 같은 수입 가격 조작행위가 사기범행의 불가벌적 사후행위가 되는 것은 아니다(대판 2012.9.27, 2010도16946). 15. 법원행시

17. 甲주식회사의 대표이사와 실질적 운영자인 피고인들이 공모하여, 자신들이 乙에 대해 부담하는 개인채무 지급을 위하여 甲회사로 하여금 약속어음을 공동발행하게 하고 위 채무에 대하여 연대보증하게 한(배임죄) 후에 甲회사를 위하여 보관 중인 돈을 임의로 인출하여 乙에게 지급하여 위 채무를 변제한 경우(새로운 법익침해 ○, 배임 범행의 불가벌적 사후행위 ×, 횡령죄 ○) ⇨ 배임죄＋횡령죄 ○(대판 2011.4.14, 2011도277) 12. 법원직, 17 · 20. 법원행시

18. 유사수신행위의 규제에 관한 법률(이하 '유사수신행위법'이라 한다) 제6조 제1항, 제3조를 위반한 행위는 그 자체가 사기행위에 해당한다거나 사기행위를 반드시 포함한다고 할 수 없고, 유사수신행위법 위반죄가 형법 제347조 제1항의 사기죄와 구성요건을 달리하는 별개의 범죄로서 서로 보호법익이 다른 이상, 유사수신행위를 한 자가 출자자에게 별도의 기망행위를 하여 유사수신행위로 조달받은 자금의 전부 또는 일부를 다시 투자받는 행위는 유사수신행위법 위반죄와 다른 새로운 보호법익을 침해하는 것으로서 유사수신행위법 위반죄의 불가벌적 사후행위가 되는 것이 아니라 별죄인 사기죄를 구성한다(대판 2023.11.16, 2023도12424).

19. 부동산에 피해자 명의의 근저당권을 설정하여 줄 의사가 없음에도 피해자를 속이고 근저당권설정을 약정하여 금원을 편취한 다음, 그 부동산에 관하여 제3자 명의로 근저당권설정등기를 마친 경우 ⇨ 사기죄 ○, 배임죄 ×(대판 2020.6.18, 2019도14340 전원합의체 ∵ 채무자가 저당권설정계약에 따라 채권자에 대하여 부담하는 저당권을 설정할 의무는 계약에 따라 부담하게 된 채무자 자신의 의무이다. 채무자가 위와 같은 의무를 이행하는 것은 채무자 자신의 사무에 해당할 뿐이므로, 채무자를 채권자에 대한 관계에서 '타인의 사무를 처리하는 자'라고 할 수 없다.) 13. 경찰간부, 14. 법원직, 15. 법원행시, 18. 경력채용, 20. 변호사시험

01 다음 중 피고인 甲의 후행행위가 불가벌적 사후행위에 해당하는 것은 모두 몇 개인가?(다툼이 있으면 판례에 의함) 15. 순경 3차

> ㉠ A주식회사 대표이사인 피고인 甲이 자신의 채권자 乙에게 차용금에 대한 담보로 A회사 명의 정기예금에 질권을 설정하여 주었는데, 그 후 乙이 피고인 甲의 동의하에 위 정기예금계좌에 입금되어 있던 A회사 자금을 전액 인출한 경우(후행 예금인출등의 행위의 횡령죄 성립 여부)
>
> ㉡ 피해자 乙종중으로부터 토지를 명의신탁 받아 보관 중이던 피고인 甲이 丙에 대한 개인채무 변제에 사용할 돈을 차용하기 위해 乙종중의 승낙없이 위 토지에 근저당권설정등기를 경료해 준 후 다시 乙종중의 승낙없이 丁에게 위 토지를 매도한 경우(후행 매도행위의 횡령죄 성립 여부)
>
> ㉢ 피고인 甲이 당초부터 약속어음을 할인하여 줄 의사가 없으면서 있는 것처럼 피해자를 기망하여 약속어음을 교부받은 후 이를 피해자에 대한 채권의 변제에 충당한 경우(후행 채권 변제 행위의 횡령죄 성립 여부)
>
> ㉣ 피고인 甲이 부정한 이익을 얻을 목적으로 타인의 영업비밀이 담긴 CD를 절취하여 그 영업비밀을 부정사용한 경우(후행 부정사용행위의 영업비밀부정사용죄 성립 여부)
>
> ㉤ 1인 회사의 주주가 자신의 개인채무를 담보하기 위하여 회사 소유의 부동산에 대하여 근저당권설정등기를 마쳐 준 이후에 그 부동산에 대하여 선순위 근저당권의 담보가치를 넘는 새로운 담보권을 설정해 준 경우(후행 담보권설정행위의 배임죄 성립 여부)

① 1개   ② 2개   ③ 3개   ④ 4개

해설
- **불가벌적 사후행위 ○** : ㉠ 대판 2012.11.29, 2012도10980 ㉢ 대판 1983.4.26, 82도3079
- **불가벌적 사후행위 ×** : ㉡ 대판 2013.2.21, 2010도10500 전원합의체(∵ 명의신탁 받아 보관 중이던 토지를 피해자의 승낙 없이 제3자에게 근저당권설정등기를 경료해 준 경우 횡령죄가 성립하고, 그 후 또 다시 다른 사람에게 근저당권설정등기를 경료해 준 것이라면 이는 새로운 법익을 침해하는 행위에 해당하므로 별도의 횡령죄를 구성한다.) ㉣ 대판 2008.9.11, 2008도5364(∵ 영업비밀의 부정사용행위는 새로운 법익의 침해로 보아야 하므로 위와 같은 부정사용행위가 절도범행의 불가벌적 사후행위가 되는 것은 아니다.) ㉤ 대판 2005.10.28, 2005도4915(후행 담보권설정행위 ⇨ 배임죄 ○)

02 불가벌적 사후행위에 대한 설명으로 옳지 않은 것은?(다툼이 있는 경우 판례에 의함) 17. 7급 검찰

① 종친회 회장이 위조한 종친회 규약 등을 공탁관에게 제출하는 방법으로 종친회를 피공탁자로 하여 공탁된 수용보상금을 출급받아 편취한 후, 이를 보관하던 중 종친회의 요구에 대하여 정당한 이유 없이 반환을 거부한 행위는 사기범행의 불가벌적 사후행위에 해당한다.

② 채무자가 자신의 부동산에 甲명의로 허위의 금전채권에 기한 담보가등기를 설정하여 강제집행면탈죄가 성립된 후, 그 부동산을 乙에게 양도하여 乙명의로 이루어진 가등기양도 및 본등기를 경료한 행위는 강제집행면탈범행의 불가벌적 사후행위에 해당한다.

③ 부정한 이익을 얻거나 기업에 손해를 가할 목적으로 그 기업에 유용한 영업비밀이 담겨 있는 타인의 재물을 절취한 후, 그 영업비밀을 부정사용한 행위는 절도범행의 불가벌적 사후행위에 해당하지 아니한다.

Answer   1.② 2.②

④ 자동차를 절취한 후, 훔친 자동차의 번호판을 떼어 내 다른 자동차에 임의로 부착하여 운행한 행위는 자동차절도범행의 불가벌적 사후행위에 해당하지 아니한다.

해설 ① 대판 2015.9.10, 2015도8592
② × : 불가벌적 사후행위 ×(대판 2008.5.8, 2008도198 ∵ 가등기를 양도하여 본등기를 경료하게 함으로써 소유권을 상실케 하는 행위는 법익침해의 정도가 훨씬 중함)
③ 대판 2008.9.11, 2008도5364
④ 대판 2007.9.6, 2007도4739

03 불가벌적 사후행위에 관한 설명 중 옳지 않은 것은?(다툼이 있는 경우 판례에 의함)

20. 변호사시험

① 재산범죄를 저지른 이후에 별도의 재산범죄의 구성요건에 해당하는 사후행위가 있었다면 비록 그 행위가 불가벌적 사후행위로서 처벌의 대상이 되지 않는다 할지라도 그 사후행위로 인하여 취득한 물건은 재산범죄로 인하여 취득한 물건으로서 장물이 될 수 있다.
② 종중의 부동산을 명의신탁 받아 보관 중인 자가 그 부동산에 근저당권설정등기를 마침으로써 횡령행위가 기수에 이른 후 해당 부동산을 매각함으로써 기존의 근저당권과 관계없이 법익침해의 결과를 발생시켰다면, 특별한 사정이 없는 한 불가벌적 사후행위가 아니라 별도의 횡령죄가 성립한다.
③ 부동산에 피해자 명의의 근저당권을 설정하여 줄 의사가 없음에도 피해자를 속이고 근저당권설정을 약정하여 금원을 편취하고 그 약정이 사기 등을 이유로 취소되지 않은 상황에서 다시 그 부동산에 관하여 제3자 명의로 근저당권설정등기를 마친 경우, 사기죄 이외에 별도의 배임죄가 성립한다.
④ 평소 본범과 공동하여 수차 상습으로 절도 등 범행을 함으로써 실질적인 범죄집단을 이루고 있었던 甲이 본범으로부터 장물을 취득하였다면, 본범이 범한 당해 절도범행에 있어서 정범자(공동정범이나 합동범)가 되지 아니하더라도 甲의 장물취득행위는 불가벌적 사후행위에 해당한다.
⑤ 자동차를 절취한 후 자동차등록번호판을 떼어내는 자동차관리법위반행위는 절도범행의 불가벌적 사후행위에 해당하지 않는다.

해설 ① 대판 2004.4.16, 2004도353
② 대판 2013.2.21, 2010도10500 전원합의체
③ × : 사기죄 ○, 배임죄 ×(대판 2020.6.18, 2019도14340 전원합의체)
④ × : ~ (3줄) 정범자(공동정범이나 합동범)로 되지 아니한 이상 이를 자기의 범죄라 할 수 없고, 따라서 甲의 장물취득행위는 불가벌적 사후행위라고 할 수 없다(대판 1986.9.9, 86도1273).
⑤ 대판 2007.9.6, 2007도4739

Answer 3. ③④

04 죄수에 대한 설명이다. 아래 ㉠부터 ㉣까지의 설명 중 옳고 그름의 표시(○, ×)가 바르게 된 것은?
(다툼이 있는 경우 판례에 의함) 22. 경찰승진

> ㉠ 보이스피싱 범죄의 범인 甲이 A를 기망하여 A의 돈을 사기 이용계좌로 이체받아 인출한 경우
> － 사기죄는 성립하나 이체받은 돈의 인출행위는 불가벌적 사후행위로 횡령죄 불성립
> ㉡ 절도 범인으로부터 장물보관 의뢰를 받은 甲이 이후에 해당 장물을 임의처분한 경우 － 장물
> 보관죄는 성립하나 장물의 임의처분행위는 불가벌적 사후행위로 횡령죄 불성립
> ㉢ 컴퓨터로 음란 동영상을 제공한 제1범죄행위로 서버컴퓨터가 압수된 이후 다시 장비를 갖추어
> 동종의 제2범죄행위를 한 경우 － 제1행위(음란 동영상 제공)에 대한 범죄는 성립하나 제2행위
> (음란 동영상 제공)는 불가벌적 사후행위로 범죄 불성립
> ㉣ 열차승차권을 절취한 甲이 그 승차권을 자기의 것인 양 속여 창구직원으로부터 환불받은 경우
> － 절도죄는 성립하나 기망하여 환불받은 행위는 불가벌적 사후행위로 사기죄 불성립

① ㉠(○), ㉡(○), ㉢(×), ㉣(○)
② ㉠(×), ㉡(○), ㉢(×), ㉣(×)
③ ㉠(○), ㉡(○), ㉢(×), ㉣(×)
④ ㉠(×), ㉡(×), ㉢(○), ㉣(○)

[해설] ㉠ ○ : 대판 2017.5.31, 2017도3894(∵ 새로운 법익침해 ×)
㉡ ○ : 대판 2004.4.9, 2003도8219
㉢ × : 제1범죄행위와 제2범죄행위는 실체적 경합관계에 있다(대판 2005.9.30, 2005도4051).
㉣ ○ : 대판 1975.8.29, 75도1996

05 다음 중 피고인 甲의 불가벌적 사후행위에 해당하는 것으로 가장 옳은 것은?(다툼이 있는 경우
판례에 의함) 23. 해경승진

① A주식회사 대표이사인 피고인 甲이 자신의 채권자 乙에게 차용금에 대한 담보로 A회사
명의 정기예금에 질권을 설정하여 주었는데, 그 후 乙이 피고인 甲의 동의하에 위 정기예
금계좌에 입금되어 있던 A회사 자금을 전액 인출한 경우
② 피고인 甲이 흡연할 목적으로 대마를 매입한 후 흡연할 기회를 포착하기 위하여 2일 이
상 하의 주머니에 넣고 다님으로써 매입한 대마를 소지한 경우
③ 피고인 甲이 부정한 이익을 얻을 목적으로 타인의 영업비밀이 담긴 CD를 절취하여 그
영업비밀을 부정사용한 경우
④ 피고인 甲이 자동차를 절취한 후, 훔친 자동차의 번호판을 떼어 내 다른 자동차에 임의로
부착하여 운행한 경우

[해설] • 불가벌적 사후행위 ○ : ① 대판 2012.11.29, 2012도10980
• 불가벌적 사후행위 × : ② 대판 1990.7.27, 90도543 ③ 대판 2008.9.11, 2008도5364 ④ 대판
2007.9.6, 2007도4739

06 불가벌적 사후행위에 관한 설명 중 가장 옳지 않은 것은?(다툼이 있는 경우 판례에 의함)

24. 법원직

① 피고인이 열차승차권을 절취한 후 역직원에게 자기의 소유인 것처럼 속여 현금과 교환한 경우 이를 절도행위의 불가벌적 사후행위로 볼 수 없으므로 별도로 사기죄가 성립한다.

② 절도범인으로부터 장물보관 의뢰를 받은 피고인이 이를 인도받아 보관하고 있다가 임의로 처분한 경우 이는 불가벌적 사후행위에 해당하여 별도로 횡령죄가 성립하지 않는다.

③ 행사의 목적으로 타인의 인장을 위조하고 그 위조한 인장을 사용하여 권리의무 또는 사실증명에 관한 타인의 사문서를 위조한 경우에는 인장위조죄는 사문서위조죄에 흡수되고 따로 인장위조죄가 성립하지 않는다.

④ 공동상속인 중 1인인 피고인이 상속재산인 임야를 보관하던 중 다른 상속인들로부터 임야를 처분하여 상속지분대로 분배를 하거나 상속지분 비율대로 소유권이전등기를 경료해 달라는 요구를 받고도 그 반환을 거부한 후 그 임야에 관하여 제3자 앞으로 근저당권설정등기를 경료해 준 경우 제3자에게 근저당권설정등기를 경료해 준 행위는 불가벌적 사후행위로서 별도의 횡령죄를 구성하지 않는다.

해설 ① × : ~ 교환한 경우 이는 절도행위의 불가벌적 사후행위로 볼 수 있어 비록 기망행위가 수반한다 하더라도 절도죄 외에 따로 사기죄가 성립하지 아니한다(대판 1975.8.29, 75도1996).
② 대판 2004.4.9, 2003도8219
③ 대판 1978.9.26, 78도1787
④ 대판 2010.2.25, 2010도93

07 불가벌적 사후행위에 대한 설명으로 옳지 않은 것은?(다툼이 있는 경우 판례에 의함)

24. 7급 검찰

① 종친회장이 종친회를 피공탁자로 하여 공탁된 수용보상금을 출급받아 편취하고 이를 보관하던 중 종친회에 대하여 공탁금 반환을 거부한 경우, 종친회를 피해자로 한 사기죄가 성립한 이후의 반환거부행위는 새로운 법익침해를 수반하지 않는 불가벌적 사후행위로서 별도의 횡령죄를 구성하지 아니한다.

② 부정한 이익을 얻거나 기업에 손해를 가할 목적으로 그 기업에 유용한 영업비밀이 담겨 있는 타인의 재물을 절취한 후 그 영업비밀을 사용하는 경우, 영업비밀의 부정사용행위는 새로운 법익의 침해로 볼 수 없으므로 절도범행의 불가벌적 사후행위로서 별도의 범죄를 구성하지 아니한다.

③ 금융기관 발행의 자기앞수표는 그 액면금을 즉시 지급받을 수 있는 점에서 현금에 대신하는 기능을 가지고 있어서, 장물인 자기앞수표를 취득한 후 이를 현금 대신 교부한 행위는 장물취득에 대한 가벌적 평가에 당연히 포함되는 불가벌적 사후행위로서 별도의 범죄를 구성하지 아니한다.

④ 관세법에 따른 신고 없이 물품을 수입한 본범이 그 물품에 대한 취득, 양여 등의 행위를 하는 경우 밀수입행위에 의하여 이미 침해되어 버린 것으로 평가되는 적정한 통관절차의 이행과 관세수입의 확보라는 보호법익 외에 새로운 법익의 침해를 수반한다고 보기 어려우므로, 이는 불가벌적 사후행위로서 별개의 범죄를 구성하지 않는다.

[해설] ① 대판 2015.9.10, 2015도8592
② × : ~ (3줄) 볼 수 있으므로 절도범행의 불가벌적 사후행위가 되는 것은 아니고 별도의 범죄(영업비밀부정사용죄)를 구성한다(대판 2008.9.11, 2008도5364).
③ 대판 1993.11.23, 93도213
④ 대판 2008.1.17, 2006도455

THEMA 30 '법조경합'〔특별관계, 흡수관계(불가벌적 수반행위)〕 총정리

1. 특별관계 : 법조경합의 한 형태인 특별관계란 어느 구성요건이 다른 구성요건의 모든 요소를 포함하는 이외에 다른 요소를 구비하여야 성립하는 경우로서 특별관계에 있어서는 특별법(일반법 ×)의 구성요건을 충족하는 행위는 일반법(특별법 ×)의 구성요건을 충족하지만, 반대로 일반법(특별법 ×)의 구성요건을 충족하는 행위는 특별법(일반법 ×)의 구성요건을 충족하지 못한다(대판 2003.4.8, 2002도6033). 11. 9급 검찰, 12. 사시

2. 흡수관계(불가벌적 수반행위) : 이른바 '불가벌적 수반행위'란 법조경합의 한 형태인 흡수관계에 속하는 것으로서, 행위자가 특정한 죄를 범하면 비록 논리 필연적인 것은 아니지만 일반적·전형적으로 다른 구성요건을 충족하고 이때 그 구성요건의 불법이나 책임 내용이 주된 범죄에 비하여 경미하기 때문에 처벌이 별도로 고려되지 않는 경우를 말한다(대판 2012.10.11, 2012도1895). 14. 9급 검찰·철도경찰, 16. 순경 2차, 24. 법원행시

⚖ 관련판례

● **불가벌적 수반행위를 인정한 경우**

1. 강간의 수단으로 사용된 폭행·협박이 형법상의 폭행죄나 협박죄를 구성한다고는 볼 수 없으며, 강간죄와 이들 각 죄는 이른바 법조경합(불가벌적 수반행위)의 관계일 뿐이다(대판 2002.5.16, 2002도51 전원합의체). 12. 사시, 22. 법원행시
   - ▶ **유사판례** : 공갈죄의 수단으로서 한 협박은 공갈죄에 흡수될 뿐 별도로 협박죄를 구성하지 않는다(대판 1996.9.24, 96도2151). 13. 9급 검찰·철도경찰, 21. 9급 검찰·마약수사
   - ▶ **비교판례** : 공갈죄와 도박죄는 그 구성요건과 보호법익을 달리하고 있고, 공갈죄의 성립에 일반적·전형적으로 도박행위를 수반하는 것은 아니며, 도박행위가 공갈죄에 비하여 별도로 고려되지 않을 만큼 경미한 것이라고 할 수도 없으므로, 도박행위가 공갈죄의 수단이 되었다 하여 그 도박행위가 공갈죄에 흡수되어 별도의 범죄를 구성하지 않는다고 할 수 없다(대판 2014.3.13, 2014도212). 15. 법원행시

2. 향정신성의약품수수의 죄가 성립되는 경우에는 그 수수행위의 결과로서 그에 당연히 수반되는 향정신성의약품의 소지행위는 수수죄의 불가벌적 수반행위로서 수수죄에 흡수되고 별도의 범죄를 구성하지 않는다(대판 1990.1.25, 89도1211). 11. 9급 검찰
   - ▶ **유사판례** : 수인이 각자 구입자금을 갹출하여 향정신성의약품을 매수한 다음 갹출한 금액에 상응하는 향정신성의약품을 분배하기로 공모하여 향정신성의약품을 매매하고 이를 자신이 갹출한 금액에 상응하여 분배한 경우, 향정신성의약품수수죄는 향정신성의약품매매죄에 흡수되어 별도의 범죄를 구성하지 않는다(대판 1998.10.13, 98도2584). 22. 법원행시

3. 음주로 인한 특정범죄 가중처벌 등에 관한 법률 위반(위험운전치사상)죄가 성립하는 때에는 차의 운전자가 형법 제268조의 죄를 범한 것을 내용으로 하는 교통사고처리특례법 위반죄는 그 죄에 흡수되어 별죄를 구성하지 아니한다(대판 2008.12.11, 2008도9182). 12. 7급 검찰

4. 유세품에 대하여 수입면허 없이 수입함으로써 관세를 포탈한 경우 무면허수입죄는 관세포탈죄에 흡수되어 오로지 관세포탈죄만이 성립한다(대판 1984.6.26, 84도782). 09. 법원행시

5. 아동·청소년이용음란물을 제작한 자가 그 음란물을 소지하게 되는 경우 청소년성보호법 위반(음란물소지)죄는 청소년성보호법 위반(음란물제작·배포 등)죄에 흡수된다고 봄이 타당하다. 다만, 아동·청소년이용음란물을 제작한 자가 제작에 수반된 소지행위를 벗어나 사회통념상 새로운 소지가 있었다고 평가할 수 있는 별도의 소지행위를 개시하였다면 이는 청소년성보호법 위반(음란물제작·배포 등)죄와 별개의 청소년성보호법 위반(음란물소지)죄에 해당한다(대판 2021.7.8, 2021도2993). 22. 법원행시

6. 경범죄처벌법 제3조 제3항 제2호의 **거짓신고가 '위계'의 수단·방법·태양의 하나가 된 경우에는** 거짓신고로 인한 **경범죄처벌법 위반죄가 위계에 의한 공무집행방해죄에 흡수되는 법조경합 관계에** 있으므로, 위계에 의한 공무집행방해죄만 성립할 뿐 이와 별도로 거짓신고로 인한 경범죄처벌법 위반죄가 성립하지는 않는다(대판 2022.10.27, 2022도10402).

● **불가벌적 수반행위를 부정한 경우**

1. 타인의 위탁에 의하여 사무를 처리하는 자가 그 **사무처리상 임무에 위배하여 본인을 기망하고 착오에** 빠진 본인으로부터 재물을 교부받은 경우에는 **배임죄와 사기죄는** 법조경합관계가 아니라 **상상적 경합관계에** 있다(대판 2002.7.18, 2002도669 전원합의체 ∵ **단순배임죄와 사기죄는 그 구성요건을 달리하는 별개의 범죄**이고 형법상으로도 각각 별개의 장에 규정되어 있으므로, **1개의 행위에 관하여** 사기죄와 단순배임죄의 각 구성요건이 모두 구비된 때에는 양 죄를 **상상적 경합관계로 보아야 한다**). 19. 경찰간부, 20. 7급 검찰, 23. 법원직, 24. 법원행시, 25. 해경경사

2. 설령 피해자에 대한 **폭행행위가** 동일한 피해자에 대한 **업무방해죄의 수단**이 되었다고 하더라도 그러한 폭행행위가 이른바 '불가벌적 수반행위'에 해당하여 업무방해죄에 대하여 **흡수관계에 있다고 볼 수는 없다**(대판 2012.10.11, 2012도1895). 18. 경찰승진·법원직·순경 3차, 19. 경찰간부, 20. 7급 검찰, 21. 순경 2차·9급 검찰·마약수사, 23. 법원행시·법원직, 24. 해경승진, 25. 변호사시험·순경 1차

3. 국회의원 선거에서 정당의 공천을 받게 하여 줄 의사나 능력이 없음에도 이를 해 줄 수 있는 것처럼 기망하여 공천과 관련하여 금품을 받은 경우, 공직선거법상 **공천 관련 금품수수죄와 사기죄가** 모두 성립하고 양자는 법조경합관계가 아니라 **상상적 경합의 관계에** 있다(대판 2009.4.23, 2009도834). 12. 법원행시, 16. 순경 2차

4. 흡연을 목적으로 매입한 대마를 흡연할 기회를 포착하기 위하여 **2일 이상 하의 주머니에 넣고 다닌** 경우 대마매매죄와는 별도로 대마소지죄를 구성한다(대판 1990.7.27, 90도543). 17. 순경 1차

5. 수수한 메스암페타민을 장소를 이동하여 투약하고서 **잔량을 은닉하는 방법으로 소지한 경우** ⇨ 향정신성의약품수수죄와 소지죄의 경합범(대판 1999.8.20, 99도1744) 16. 7급 검찰·순경 2차, 18. 법원직, 19. 경찰간부, 23. 경찰승진, 25. 해경경사

6. 피고인의 금지된 야간시위 참가로 인하여 교통이 방해된 경우, 집회 및 시위에 관한 법률위반죄와 **일반교통방해죄는** 구성요건과 보호법익을 달리하고 집회 및 시위에 관한 법률 위반죄의 성립에 교통방해행위가 일반적·전형적으로 수반되는 것도 아니므로, 양죄는 **상상적 경합관계**(실체적 경합관계 ×)에 있다(대판 2011.8.25, 2008도10960). 19. 법원행시

7. 형법 제330조에 규정된 **야간주거침입절도죄** 및 형법 제331조 제1항에 규정된 특수절도(야간손괴침입절도)죄를 제외하고 일반적으로 주거침입은 절도죄의 구성요건이 아니므로 절도범인이 그 범행수단으로 주거침입을 한 경우에 그 주거침입행위는 절도죄에 흡수되지 아니하고 별개로 주거침입죄를 구성하여 절도죄와는 실체적 경합의 관계에 서는 것이 원칙이다. 그러므로 형법 제332조에 규정된 상습절도죄를 범한 범인이 그 범행의 수단으로 주간에 주거침입을 한 경우 그 주간 주거침입행위는 상습절도죄와 별개로 주거침입죄를 구성한다(대판 2015.10.15, 2015도8169). 20. 해경 3차, 21. 법원행시, 24. 법원직

▶ **비교판례** : 특정범죄 가중처벌 등에 관한 법률 제5조의 4 제6항에 규정된 상습절도 등 죄를 범한 범인이 그 범행 외에 상습적인 절도의 목적으로 주거침입을 하였다가 절도에 이르지 아니하고 주거침입에 그친 경우에도 그것이 절도상습성의 발현이라고 보이는 이상 주거침입행위는 다른 상습절도 등 죄에 흡수되어 위 조문에 규정된 상습절도 등 죄의 1죄만을 구성하고 상습절도 등 죄와 별개로 주거침입죄를 구성하지 않는다(대판 2017.7.11, 2017도4044). 16. 경찰간부, 19. 법원행시, 22. 변호사시험

8. 피고인이 **보이스피싱 사기 범죄단체에 가입**한 후 사기범죄의 피해자들로부터 돈을 편취하는 등 그 구성원으로서 **활동**한 경우, 범죄단체 가입행위 또는 범죄단체 구성원으로서 활동하는 행위와 **사기행위**는 각각 별개의 범죄구성요건을 충족하는 독립된 행위이고 서로 보호법익도 달라 **법조경합 관계로** 목적된 범죄인 사기죄만 성립하는 것은 **아니다**(대판 2017.10.26, 2017도8600). 20. 순경 1차, 21. 경찰승진, 24. 순경 2차

   ▶ 유사판례

   1. '甲이 보이스피싱 범죄를 목적으로 범죄단체를 조직하고, 乙·丙이 이 범죄단체에 가입하였으며, 甲과 乙·丙은 범죄단체 조직 내 역할을 수행하면서 체크카드 등 접근매체를 편취하거나 대량 문자 발송 사이트를 개설하는 등의 방법으로 **범죄단체 활동**(전기통신금융**사기죄**를 범한 경우)을 한 경우에는 **실체적 경합범**(상상적 경합범 ×) 관계에 있다(대판 2020.12.24, 2020도10814). 22. 법원행시

   2. 범죄단체 등에 소속된 조직원이 저지른 **폭력행위 등 처벌에 관한 법률 위반(단체 등의 공동강요)죄 등의 개별적 범행과 폭력행위처벌법 위반(단체 등의 활동)죄**는 범행의 목적이나 행위 등 측면에서 일부 중첩되는 부분이 있더라도, 일반적으로 구성요건을 달리하는 별개의 범죄로서 범행의 상대방, 범행 수단 내지 방법, 결과 등이 다를 뿐만 아니라 그 보호법익이 일치한다고 볼 수 없다. 또한 폭력행위처벌법 위반(단체 등의 구성·활동)죄와 위 개별적 범행은 특별한 사정이 없는 한 법률상 1개의 행위로 평가되는 경우로 보기 어려워 **상상적 경합이 아닌 실체적 경합관계에 있다고 보아야 한다**(대판 2022.9.7, 2022도6993). 23. 순경 2차

9. 공직선거법의 선거의 자유방해죄가 성립할 경우 형법의 업무방해죄가 이에 흡수되는 법조경합관계라고 볼 수는 없다(대판 2006.6.15, 2006도1667). 14. 법원행시

10. 피고인이 피해자의 주거에 침입하여 강간하려다 미수에 그침과 **동시에** 자기의 형사사건의 수사 또는 재판과 관련하여 수사단서를 제공하고 진술한 것에 대한 보복 목적으로 그를 폭행한 경우, 특정범죄 가중처벌 등에 관한 법률 위반(보복범죄 등)죄가 성폭력범죄의 처벌 등에 관한 특례법 위반**(주거침입강간 등)**죄에 흡수되는 법조경합의 관계에 있다고 볼 수 없고 양죄는 **상상적 경합관계에** 있다(대판 2012.3.15, 2012도544). 14. 사시, 24. 순경 2차

11. 폭력행위 등 처벌에 관한 법률상 범죄단체 구성원으로서 활동하는 행위와 집단감금 또는 집단상해행위는 각각 별개의 범죄구성요건을 충족하는 독립된 행위라고 보아야 할 것이므로, **집단감금 또는 집단상해 행위가 범죄단체활동에 흡수된다고** 보아 양자가 단순일죄의 관계에 해당한다고 볼 수 없다(대판 2008.5.29, 2008도1857).

01 법조경합의 한 형태로서 '행위자가 특정한 죄를 범하면 비록 논리 필연적인 것은 아니지만 일반적·전형적으로 다른 구성요건을 충족하고 이때 그 구성요건의 불법이나 책임 내용이 주된 범죄에 비하여 경미하기 때문에 처벌이 별도로 고려되지 않는 경우'에 해당하는 것은?(다툼이 있는 경우 판례에 의함)　　　　　　　　　　　13. 9급 검찰·마약수사·철도경찰

① 동일한 피해자에 대한 폭행행위가 업무방해의 수단이 된 경우의 폭행죄와 업무방해죄
② 공갈의 수단으로 협박을 한 경우의 공갈죄와 협박죄
③ 감금행위가 강간의 수단이 된 경우의 감금죄와 강간죄
④ 강취한 신용카드를 자기의 신용카드인 양 가맹점의 점주를 기망하여 점주로부터 주류 등을 제공받아 취득한 경우의 사기죄와 신용카드부정사용죄

해설 설문은 법조경합의 한 형태인 흡수관계에 속한 '불가벌적 수반행위'를 의미함(대판 2012.10.11, 2012도1895).
① 설령 피해자에 대한 폭행행위가 동일한 피해자에 대한 업무방해죄의 수단이 되었다고 하더라도 그러한 폭행행위가 이른바 '불가벌적 수반행위'에 해당하여 업무방해죄에 대하여 흡수관계에 있다고 볼 수는 없다(대판 2012.10.11, 2012도1895).
② 공갈죄의 수단으로서 한 협박은 공갈죄에 흡수될 뿐 별도로 협박죄를 구성하지 않는다(대판 1996.9.24, 96도2151).
③ 상상적 경합(대판 1983.4.26, 83도323)
④ (실체적) 경합범(대판 1997.1.21, 96도2715)

02 다음 설명 중 가장 적절하지 않은 것은?(다툼이 있으면 판례에 의함)　　　　　　16. 순경 2차

① 불가벌적 수반행위란 법조경합의 한 형태인 흡수관계에 속하는 것으로서, 행위자가 특정한 죄를 범하면 비록 논리 필연적인 것은 아니지만 일반적·전형적으로 다른 구성요건을 충족하고 이때 그 구성요건의 불법이나 책임 내용이 주된 범죄에 비하여 경미하기 때문에 처벌이 별도로 고려되지 않는 경우를 말한다.
② 피해자에 대한 폭행행위가 동일한 피해자에 대한 업무방해죄의 수단이 되었다면, 그러한 폭행행위는 이른바 불가벌적 수반행위에 해당하여 업무방해죄에 대하여 흡수관계에 있다.
③ 수수한 메스암페타민을 장소를 이동하여 투약하고서 잔량을 은닉하는 방법으로 소지한 행위는 사회통념상 수수행위와는 독립한 별개의 행위를 구성한다고 보아야 한다.
④ 국회의원 선거에서 정당의 공천을 받게 하여 줄 의사나 능력이 없음에도 이를 해줄 수 있는 것처럼 기망하여 공천과 관련하여 금품을 받은 경우, 공직선거법상 공천 관련 금품수수죄와 사기죄가 모두 성립하고 양자는 상상적 경합의 관계에 있다.

해설 ① 대판 2012.10.11, 2012도1895
② ×：설령 피해자에 대한 폭행행위가 동일한 피해자에 대한 업무방해죄의 수단이 되었다고 하더라도 그러한 폭행행위가 이른바 '불가벌적 수반행위'에 해당하여 업무방해죄에 대하여 흡수관계에 있다고 볼 수는 없다(대판 2012.10.11, 2012도1895).
③ 대판 1999.8.20, 99도1744　④ 대판 2009.4.23, 2009도834

Answer　1.②　2.②

03 다음 중 법조경합에 해당하여 처벌되지 않는 행위는?

18. 법원직

① 부정한 이익을 얻거나 기업에 손해를 가할 목적으로 그 기업에 유용한 영업비밀이 담겨 있는 타인의 재물을 절취한 후, 그 영업비밀을 사용하는 행위

② 필로폰을 받아 장소를 옮겨 투약한 다음, 남은 필로폰을 숨겨 소지하는 행위

③ 피해자의 택시 운행업무를 방해하기 위하여 이루어진 폭행행위

④ 공동상속인 중 1인이 상속재산인 임야를 보관 중 다른 상속인들로부터 그들 지분을 나눠 달라는 요구를 받고도 거부한 다음, 제3자에게 근저당권설정등기를 경료해 준 행위

> **해설** · **법조경합** ○ : ④ 별도의 횡령죄 ×(대판 2010.2.25, 2010도93 ∵ 불가벌적 사후행위 ○)
> · **법조경합** × : ① 절도죄와 영업비밀부정사용죄의 경합범(대판 2008.9.11, 2008도5364 ∵ 불가벌적 사후행위 ×) ② 향정신성약품수수죄와 소지죄의 경합범(대판 1999.8.20, 99도1744 ∵ 불가벌적 수반행위 ×) ③ 업무방해죄와 폭행죄의 상상적 경합(대판 2012.10.11, 2012도1895 ∵ 불가벌적 수반행위 ×)

04 각 사례에서 甲의 죄책으로 옳은 것만을 모두 고르면?(다툼이 있는 경우 판례에 의함)

21. 9급 검찰 · 마약수사 · 철도경찰

> ㉠ 골동품상 甲이 주의의무를 게을리하여 절도품인 줄 모르고 절도범이 매각해 달라고 부탁한 고려청자를 보관하던 중 친구로부터 금원을 차용하면서 이를 담보로 제공하였다. - 업무상 과실장물보관죄와 횡령죄
> ㉡ 甲은 피해자가 사망한 다음 날 마치 피해자가 작성한 것처럼 피해자 명의의 예금청구서 1통을 위조하고, 이를 은행에 제출하였다. - 사문서위조죄와 동행사죄(사기죄는 제외)
> ㉢ 甲은 피해자에 대하여 채권이 있다는 이유로 권리행사를 빙자하여 사회통념상 용인되기 어려운 정도를 넘는 협박을 수단으로 피해자를 외포케 하여 채권을 변제받았다. - 협박죄와 공갈죄
> ㉣ 甲은 타인에게 폭행을 행사하여 그의 업무를 방해하였다. - 폭행죄와 업무방해죄

① ㉠, ㉢   ② ㉡, ㉣   ③ ㉠, ㉡, ㉣   ④ ㉡, ㉢, ㉣

> **해설** ㉠ × : 업무상 과실장물보관죄 ○, 횡령죄 ×(대판 2004.4.9, 2003도8219 ∵ 불가벌적 사후행위 ○)
> ㉡ ○ : 대판 2005.2.24, 2002도18 전원합의체(∵ 문서의 명의인이 문서의 작성일자 전에 이미 사망하였다고 하더라도 문서위조죄가 성립함)
> ㉢ × : 공갈죄의 수단으로서 한 협박은 공갈죄에 흡수될 뿐 별도로 협박죄를 구성하지 않는다(대판 1996.9.24, 96도2151).
> ㉣ ○ : 대판 2012.10.11, 2012도1895〔∵ 폭행행위 ⇨ 흡수관계(불가벌적 수반행위) ×〕

Answer 3. ④ 4. ②

05 다음 설명 중 가장 옳지 않은 것은?(다툼이 있는 경우 판례에 의함)　　　**24. 법원행시**

① '불가벌적 수반행위'란 법조경합의 한 형태인 흡수관계에 속하는 것으로서, 행위자가 특정한 죄를 범하면 비록 논리 필연적인 것은 아니지만 일반적·전형적으로 다른 구성요건을 충족하고 이때 그 구성요건의 불법이나 책임 내용이 주된 범죄에 비하여 경미하기 때문에 처벌이 별도로 고려되지 않는 경우를 말한다.

② 법원을 기망하여 승소판결을 받고 그 확정판결에 의하여 소유권이전등기를 경료한 경우, 소송사기 범행 이후 그 확정판결에 의하여 소유권이전등기를 경료하였다고 하여 새로운 법익을 침해하였다고 평가할 수는 없으므로, 사기죄와 별도로 공정증서원본부실기재죄가 성립하지는 않는다.

③ 단체의 대표자 등이 그 단체가 체결한 계약을 이행하는 과정에서 계약의 상대방을 기망하여 교부받은 돈은 그 단체에 귀속되는 것인데, 그 후 단체의 대표자 등이 이를 보관하고 있으면서 횡령하였다면 이는 사기범행과는 침해법익을 달리하므로 횡령죄가 성립하고, 이를 단순한 불가벌적 사후행위로 볼 수는 없다.

④ 장물에 관한 죄에 있어서의 '장물'이라 함은 재산범죄로 인하여 취득한 물건 그 자체를 말하므로, 재산범죄를 저지른 이후에 별도의 재산범죄의 구성요건에 해당하는 사후행위가 있었다면 비록 그 행위가 불가벌적 사후행위로서 처벌의 대상이 되지 않는다 할지라도 그 사후행위로 인하여 취득한 물건은 재산범죄로 인하여 취득한 물건으로서 장물이 될 수 있다.

⑤ 甲종친회 회장인 피고인이 위조한 종친회 규약 등을 공탁관에게 제출하는 방법으로 甲종친회를 피공탁자로 하여 공탁된 수용보상금을 출급받아 편취하고, 이를 甲종친회를 위하여 업무상 보관하던 중 반환을 거부하여 횡령하였다는 내용으로 기소된 경우, 피고인이 공탁관을 기망하여 공탁금을 출급받음으로써 甲종친회를 피해자로 한 사기죄가 성립하고, 그 후 甲종친회에 대하여 공탁금 반환을 거부한 행위는 새로운 법익의 침해를 수반하지 않는 불가벌적 사후행위에 해당할 뿐 별도의 횡령죄가 성립하지 않는다.

해설 ① 대판 2012.10.11, 2012도1895

② × : ~ (1줄) 소유권이전등기를 경료한 경우에는 사기죄와 별도로 공정증서원본부실기재죄가 성립하고, 양죄는 실체적 경합범 관계에 있다(대판 1983.4.26, 83도188).

③ 대판 1989.10.24, 89도1605

④ 대판 2004.4.16, 2004도353

⑤ 대판 2015.9.10, 2015도8592

THEMA 31 '포괄일죄' 관련판례 총정리

포괄일죄는 수개의 행위가 포괄적으로 1개의 구성요건에 해당하여 일죄를 구성하는 경우로, 본래 일죄라는 점에서 과형상 일죄와 구별된다(대판 2007.11.15, 2007도6336). 10. 사시

> 동일 죄명에 해당하는 수개의 행위 또는 연속된 행위를 ① 단일하고 계속된 범의하에 ② 일정 기간 계속하여 행하고 ③ 그 피해법익도 동일한 경우에는 이들 각 행위를 통틀어 포괄일죄로 처단하여야 하지만, 범의의 단일성과 계속성이 인정되지 아니하거나 범행방법 및 장소가 동일하지 않은 경우에는 각 범행은 실체적 경합범에 해당한다(대판 2006.9.8, 2006도3172). 12. 법원직, 24. 법원행시

● 포괄일죄를 인정한 경우

1. 하나의 사건에 관하여 한 번 선서한 증인이 같은 기일에 여러 가지 사실에 관하여 허위의 진술을 한 경우 ⇨ 포괄하여 하나의 위증죄(대판 1998.4.14, 97도3340) 20. 법원행시·경찰승진, 24. 순경 1차, 25. 9급 검찰·마약수사·철도경찰 같은 심급에서 1회 선서한 이후 그 선서의 효력이 유지된 상태에서 변론기일을 달리하여 수차 증인으로 출석하여 수개의 허위진술을 한 경우 1개의 위증죄가 성립한다(대판 2007.3.15, 2006도9463). 18. 법원직, 21. 경찰간부, 25. 9급 검찰·마약수사·철도경찰

   🔖 **유사판례** : 하나의 소송 사건에서 동일한 선서하에 수차례에 걸쳐 허위의 감정보고서를 제출하는 경우 ⇨ 포괄하여 1개의 허위감정죄(대판 2000.11.28, 2000도1089). 10. 사시, 19. 법원행시

2. 음주상태로 자동차를 운전하여 가다가 제1차 사고를 내고 그대로 진행하여 제2차 사고를 낸 경우 제1차 사고 당시의 음주운전으로 인한 도로교통법 위반죄는 제2차 사고 당시의 음주운전으로 인한 도로교통법 위반죄와 포괄일죄의 관계에 있다(대판 2007.7.26, 2007도4404). 14. 경찰간부, 20. 법원행시, 22. 해경간부, 23. 경찰승진

3. 뇌물을 여러 차례에 걸쳐 수수함으로써 그 행위가 여러 개이더라도 그것이 단일하고 계속적 범의에 의하여 이루어지고 동일법익을 침해한 때에는 포괄일죄로 처벌함이 상당하다(대판 1985.9.24, 85도1502). 16. 7급 검찰·철도경찰, 18. 법원직, 20·22. 법원행시

   🔖 **유사판례** : 은행장인 피고인이 甲으로부터 정식 이사가 될 수 있도록 도와달라는 부탁을 받고 1년 동안 12회에 걸쳐 그 사례금 명목으로 합계 1억 2,000만원을 교부받은 경우 ⇨ 포괄일죄 ○(대판 2000.6.27, 2000도1155 ∵ 금융기관 임직원이 그 직무에 관하여 여러 차례 금품을 수수한 경우에 그것이 단일하고도 계속된 범의 아래 일정 기간 반복하여 이루어진 것이고 그 피해법익도 동일한 경우에는 각 범행을 통틀어 포괄일죄로 볼 것임) 16. 법원행시, 20. 경찰승진, 22. 해경간부

4. 수개의 업무상 배임행위가 있더라도 피해법익이 단일하고 범죄의 태양이 동일할 뿐만 아니라 그 수개의 배임행위가 단일한 범의에 기한 일련의 행위라고 볼 수 있을 경우에는 포괄하여 1개의 업무상 배임죄가 성립한다(대판 2004.7.9, 2004도810). 10. 7급 검찰, 15. 법원직, 17. 경찰간부

5. 범죄단체를 구성하거나 이에 가입한 자가 더 나아가 구성원으로 활동하는 경우 이는 포괄일죄의 관계에 있다고 봄이 타당하므로, 피고인의 범죄단체 가입의 점에 대한 공소시효는 이와 포괄일죄의 관계에 있는 후행 범죄단체 활동의 범죄행위가 종료한 때로부터 진행한다(대판 2015.9.10, 2015도7081). 17. 경찰간부, 21. 법원행시·법원직·9급 검찰·해경 2차, 23. 해경승진·순경 1차, 25. 해경경사

6. 피고인이 수개의 선거비용 항목을 허위기재한 하나의 선거비용 보전청구서를 제출하여 대한민국으로부터 선거비용을 과다 보전받아 이를 편취하였다면 이는 일죄로 평가되어야 하고, 각 선거비용 항목에 따라 별개의 사기죄가 성립하는 것은 아니다(대판 2017.5.30, 2016도21713). 17. 순경 2차

7. 죽인다고 협박하여 1회 간음하고 200m쯤 가다가 다시 1회 간음한 경우 ⇨ 포괄일죄(접속범 : 대판 1970.9.29, 70도1516) 16. 9급 검찰·마약수사·철도경찰

⚖ **유사판례** : 동일한 폭행·협박으로 항거가 불가능하거나 현저히 곤란한 상태가 계속되는 상태에서 수회에 걸쳐서 간음하였고, 피고인의 의사 및 범행 시각과 장소로 보아 하나의 계속된 행위로 볼 수 있는 경우 실체적 경합범이 아니라 단순일죄가 성립할 뿐이다(대판 2002.9.4, 2002도2581). 20. 법원행시

⚖ **비교판례** : 피해자를 1회 강간하여 상처를 입게 한 후 약 1시간 후에 장소를 옮겨 다시 1회 강간한 경우 ⇨ 강간치상죄와 강간죄의 실체적 경합(대판 1987.5.12, 87도694) 13. 법원직

8. 현금카드소유자를 공갈하여 예금인출 승낙과 함께 카드를 교부받은 후 이를 사용하여 현금자동지급기에서 예금을 여러번 인출한 경우 ⇨ 포괄하여 하나의 공갈죄(대판 1996.9.20, 95도1728) 13. 사시, 22. 순경 1차

　⚖ **비교판례** : 강취한 현금카드를 이용하여 현금자동지급기에서 예금을 인출한 경우(대판 2007.5.10, 2007도1375) ⇨ 강도죄와 절도죄의 실체적 경합 18. 순경 1차, 20. 순경 2차, 21. 변호사시험

9. 대금결제할 의사나 능력이 없이 신용카드를 발급받은 후 현금서비스를 받거나 가맹점으로부터 물품을 구입한 경우 ⇨ 포괄하여 하나의 사기죄(대판 1996.4.9, 95도2466) 03. 사시

10. 영리를 목적으로 무면허 의료행위를 업으로 하는 자가 일부 돈을 받지 아니하고 무면허 의료행위를 한 경우에도 보건범죄단속에 관한 특별조치법 위반죄의 1죄만이 성립하고, 별개로 의료법 위반죄를 구성하지 않는다고 보아야 한다(대판 2010.5.13, 2010도2468).

　⚖ **유사판례** : 영리를 목적으로 무면허 의료행위를 업으로 하는 자가 반복적으로 여러 개의 무면허 의료행위를 단일하고 계속된 범의 아래 일정 기간 계속하여 행하고 그 피해법익도 동일하다면 이들 각 행위를 포괄일죄로 처단하여야 한다(대판 1966.9.20, 66도928). 15. 법원직

11. 살해의 목적으로 동일인에게 일시 장소를 달리하고 수차에 걸쳐 단순한 예비행위를 하거나 또는 공격을 가하였으나 미수에 그치다가 드디어 그 목적을 달성한 경우 ⇨ 포괄하여 살인기수죄 일죄(대판 1965.9.28, 65도695 ∴ 살인예비 내지 미수죄와 기수죄의 경합범 ×) 13. 순경 1차, 23. 경찰간부

12. 사람을 강요해서 지불각서(물품대금을 횡령했다는 자인서)를 쓰게 한 뒤 이를 근거로 돈을 갈취한 경우 ⇨ 포괄하여 공갈죄 일죄(대판 1985.6.25, 84도2083)

13. 약국개설자가 처방전 알선의 대가로 일정 기간 동안 동일한 의료기관개설자에게 수회에 걸쳐 금원을 제공한 행위 ⇨ 약사법 위반죄의 포괄일죄(대판 2003.12.26, 2003도6288)

　⚖ **유사판례** : 약국개설자가 아님에도 단일하고 계속된 범의하에 일정 기간 계속하여 의약품을 판매하거나 판매의 목적으로 취득함으로써 약사법 제35조 제1항에 위반된 행위를 한 경우 모두 포괄하여 일죄를 구성한다(대판 2001.8.21, 2001도3312).

14. 상습범

　① 상습범을 별도의 범죄유형으로 처벌하는 규정이 없는 한 각 죄는 원칙적으로 별개의 범죄로서 경합범으로 처단할 것이다(대판 2012.5.10, 2011도12131 ⓔ 저작권법은 상습으로 제136조 제1항의 죄를 저지른 경우를 가중처벌한다는 규정을 따로 두고 있지 않으므로, 수회에 걸쳐 제136조 제1항의 죄를 범한 것이 상습성의 발현에 따른 것이라고 하더라도, 이는 원칙적으로 경합범으로 보아야 하는 것이지 하나의 죄로 처벌되는 상습범으로 볼 것은 아니다). 17. 순경 1차, 18. 경찰간부, 20. 변호사시험, 21. 해경승진·해경 1차, 22. 해경간부, 24. 법원행시

　② 직계존속인 피해자를 폭행하고 상해를 가한 것이 존속에 대한 동일한 폭력습벽의 발현에 의한 것으로 인정되는 경우 상습존속상해죄의 포괄일죄가 성립한다(대판 2003.2.28, 2002도7335). 10. 7급 검찰, 15. 순경 2차, 17. 9급 철도경찰

유사판례 : 피고인이 상습으로 甲을 폭행하고, 어머니 乙을 존속폭행한 경우, 습벽에 의하여 단순폭행, 존속폭행 범행을 저지른 사실이 인정된다면 상습존속폭행죄만 성립할 여지가 있다 (대판 2018.4.24, 2017도10956). 21. 7급 검찰, 22. 법원행시

③ 상습절도 등의 범행을 한 자가 추가로 자동차등불법사용의 범행을 한 경우에 그것이 절도 습벽의 발현이라고 보이는 이상, 상습절도 등의 죄만 성립하고 이와 별개로 자동차 등 불법사용죄는 성립하지 않는다(대판 2002.4.26, 2002도429). 10. 사시, 22. 해경간부, 23. 법원행시

④ 도박의 습벽이 있는 자가 도박을 하고 또 도박방조를 하였을 경우 상습도박방조의 죄는 무거운 상습도박의 죄에 포괄시켜 1죄로서 처단하여야 한다(대판 1984.4.24, 84도195). 08. 사시

⑤ 상습강도죄를 범한 범인이 그 범행 외에 상습적인 강도의 목적으로 강도예비를 하였다가 강도에 이르지 아니하고 강도예비에 그친 경우 상습강도죄의 1죄만을 구성하고 이 상습강도죄와 별개로 강도예비죄를 구성하지 아니한다(대판 2003.3.28, 2003도665). 08. 사시

⑥ 상해죄 및 폭행죄의 상습범에 관한 형법 제264조에서 말하는 '상습'이란 위 규정에 열거된 상해 내지 폭행행위의 습벽을 말하는 것이므로, 위 규정에 열거되지 아니한 다른 유형의 범죄(⑩ 재물손괴와 주거침입)까지 고려하여 상습성의 유무를 결정하여서는 아니 된다(대판 2018.4.24, 2017도21663).

⑦ 상습사기죄에 있어서의 사기행위의 습벽은 행위자의 사기 습벽의 발현으로 인정되는 한, 동종의 수법에 의한 사기범행의 습벽만을 의미하는 것이 아니라 이종의 수법에 의한 사기 범행을 포괄하는 사기의 습벽도 포함한다(대판 1999.11.26, 99도3929). 24. 경찰승진

15. 사기죄에 있어서 동일한 피해자에 대하여 수회에 걸쳐 기망행위를 하여 금원을 편취한 경우, 그 범의가 단일하고 범행방법이 동일하다면 사기죄의 포괄일죄만이 성립한다(대판 2000.2.11, 99도4862). 18. 법원직, 22. 해경간부

16. 형법 제131조 제1항 수뢰 후 부정처사죄에 있어서 단일하고도 계속된 범의 아래 일정 기간 반복하여 일련의 뇌물수수 행위와 부정한 행위가 행하여졌고 뇌물수수 행위와 부정한 행위 사이에 인과관계가 인정되며 피해법익도 동일한 경우에는 최후의 부정한 행위 이후에 저질러진 뇌물수수 행위도 최후의 부정한 행위 이전의 뇌물수수 행위 및 부정한 행위와 함께 수뢰 후 부정처사죄의 포괄일죄가 된다(대판 2021.2.4, 2020도12103). 21. 순경 2차

17. 피고인들이 개설한 인터넷사이트를 통해 회원들로 하여금 음란한 동영상을 게시하도록 하고, 다른 회원들로 하여금 이를 다운받을 수 있도록 하는 방법으로 정보통신망을 통한 음란한 영상의 배포, 전시를 방조한 행위가 단일하고 계속된 범의 아래 일정기간 계속하여 이루어졌고 피해법익이 동일하다면 포괄일죄의 관계에 있다(대판 2010.11.25, 2010도1588). 21. 해경승진

18. 여러 해 동안 수회에 걸쳐 이루어진 부정의약품 제조·판매행위 등을 포괄일죄에 해당한다고 보는 이상, 그 기간 중 어느 일정 연도의 연간 소매가격이 보건범죄단속법 제3조 제1항 제2호에서 정한 1천만원을 넘은 경우에는 다른 연도의 연간 소매가격이 위 금액에 미달한다고 하더라도 그 전체를 보건범죄단속법 제3조 제1항 제2호 위반의 포괄일죄로 처단함이 타당하다. 이러한 법리는 여러 해 동안 수회에 걸쳐 이루어진 부정의약품 제조·판매행위 등의 연간 소매가격이 모두 1천만원을 넘는 경우에도 마찬가지이다(대판 2021.1.14, 2020도10979). 22. 법원행시

19. 국가정보원 직원이 동일한 사안에 관한 일련의 직무집행 과정에서 단일하고 계속된 범의로 일정 기간 계속하여 저지른 직권남용행위에 대하여는 설령 그 상대방이 수인이라고 하더라도 포괄일죄가 성립할 수 있다고 봄이 타당하다(대판 2021.3.11, 2020도12583). 22. 법원행시, 24. 9급 검찰·마약수사·철도경찰

● 포괄일죄를 부정한 경우

1. 포괄일죄라 함은 각기 따로 존재하는 수개의 행위가 한 개의 구성요건을 한 번 충족하는 경우를 말하므로 구성요건을 달리하고 있는 횡령, 배임 등의 행위와 사기의 행위는 포괄1죄를 구성할 수 없다(대판 1988.2.9, 87도58). 15. 사시, 23. 순경 1차, 24. 해경승진

2. ① 무면허운전으로 인한 도로교통법 위반죄에 관해서는 어느 날에 운전을 시작하여 다음 날까지 동일한 기회에 일련의 과정에서 계속 운전을 한 경우 등 특별한 경우를 제외하고는 사회통념상 운전한 날을 기준으로 운전한 날마다 1개의 운전행위가 있다고 보는 것이 상당하므로 운전한 날마다 무면허운전으로 인한 도로교통법 위반의 1죄가 성립한다고 보아야 한다(대판 2022.10.27, 2022도8806). 16. 순경 1차 · 9급 검찰, 18. 법원행시, 21. 해경 2차, 23. 경찰간부, 24. 7급 검찰, 25. 경찰승진

   ② 한편 같은 날 무면허운전 행위를 여러 차례 반복한 경우라도 그 범의의 단일성 내지 계속성이 인정되지 않거나 범행 방법 등이 동일하지 않은 경우 각 무면허운전 범행은 실체적 경합관계에 있다고 볼 수 있으나, 23. 법원행시, 24. 순경 1차 · 9급 검찰 · 마약수사 · 철도경찰 그와 같은 특별한 사정이 없다면 각 무면허운전 행위는 동일 죄명에 해당하는 수개의 동종 행위가 동일한 의사에 의하여 반복되거나 접속 · 연속하여 행하여진 것으로 봄이 상당하고 그로 인한 피해법익도 동일한 이상, 각 무면허운전 행위를 통틀어 포괄일죄로 처단하여야 한다(대판 2022.10.27, 2022도8806).

3. 컴퓨터로 음란 동영상을 제공한 제1범죄행위로 서버컴퓨터가 압수된 이후 다시 장비를 갖추어 동종의 제2범죄행위를 하고 제2범죄행위로 인하여 약식명령을 받아 확정된 사안에서, 피고인에게 범의의 갱신이 있어 제1범죄행위는 약식명령이 확정된 제2범죄행위와 실체적 경합관계에 있다(대판 2005. 9.30, 2005도4051). 14. 경찰간부, 16. 법원행시, 20. 경찰승진

4. 저작재산권 침해행위는 저작권자가 같더라도 저작물별로 침해되는 법익이 다르므로, 각각의 저작물에 대한 침해행위는 원칙적으로 각 별개의 죄를 구성한다. 다만 단일하고도 계속된 범의 아래 동일한 저작물에 대한 침해행위가 일정 기간 반복하여 행하여진 경우에는 포괄하여 하나의 범죄가 성립한다고 볼 수 있다(대판 2012.5.10, 2011도12131). 17. 경찰간부, 18. 순경 3차, 21. 9급 검찰 · 마약수사 · 철도경찰, 23. 해경승진

5. 타인의 사무를 처리하는 자가 여러 사람으로부터 각각 부정한 청탁을 받고 그들로부터 각각 금품을 수수한 경우에는 비록 그 청탁이 동종의 것이라고 하더라도 단일하고 계속된 범의 아래 이루어진 범행으로 보기 어려워 그 전체를 포괄일죄로 볼 수 없다(대판 2008.12.11, 2008도6987). 10. 사시, 15. 법원직, 17. 경찰승진, 24. 법원행시

6. 1개의 기망행위에 의하여 다수의 피해자로부터 각각 재산상 이익을 편취한 경우 ⇨ 포괄일죄 ×, 상상적 경합 ○(대판 2015.4.23, 2014도16980). 18. 경찰간부, 20. 경찰승진

   ⚖ **비교판례**
   ① 단일한 범의하에 동일한 방법으로 수인의 피해자에 대하여 각 피해자별로 기망행위를 하여 재물을 편취한 경우 ⇨ 포괄일죄 ×, 사기죄의 실체적 경합범 ○(대판 2003.4.8, 2003도382) 18. 순경 2차, 19. 법원행시, 21. 경찰간부 · 9급 검찰 · 마약수사 · 철도경찰, 23. 해경승진

   ② 불특정 다수의 피해자들을 상대로 동일한 방식으로 사기분양을 하여 그들로부터 분양대금을 편취한 경우의 사기죄 ⇨ 포괄일죄 ×, 피해자별로 독립한 사기죄 성립(대판 2005.4.29, 2005도741) 20. 법원행시, 23. 경찰간부

   ③ 다수의 피해자에 대하여 각각 기망행위를 하여 각 피해자로부터 재물을 편취한 경우에는 범의가 단일하고 범행방법이 동일하더라도 각 피해자의 피해법익은 독립한 것이므로 이를 포괄일죄로 파악할 수 없고 피해자별로 독립한 사기죄가 성립된다. 다만, 피해자들의 피해법익이 동일하다고 볼 수 있는 사정이 있는 경우에는 이들에 대한 사기죄를 포괄하여 일죄로 볼 수 있다(대판

2023.12.21, 2023도13514 **예** 피고인이 부부인 피해자 甲과 乙에게 '토지를 매수하여 분필한 후 이를 분해서 원금 및 수익금을 지급하겠다.'면서 기망한 후, 이에 속아 피고인에게 투자하기 위해 공동재산인 건물을 매도하여 돈을 마련한 피해자들로부터 피해자 甲명의 예금계좌에서 1억원, 피해자 乙명의 예금계좌에서 4억 7,500만원, 합계 5억 7,500만원을 송금받아 이를 편취한 경우, 피해자들에 대한 사기죄의 피해법익이 동일하다고 평가될 수 있어 이들에 대한 사기죄가 포괄일죄를 구성한다). 24. 순경 2차

7. 수개의 업무상 횡령행위라 하더라도 피해법익이 단일하고, 범죄의 태양이 동일하며, 단일 범의의 발현에 기인하는 일련의 행위로 인정되는 경우는 포괄하여 1개의 범죄라고 할 것이지만, 피해자가 수인인 경우는 피해법익이 단일하다고 할 수 없으므로 포괄일죄의 성립을 인정하기 어렵다(대판 2011.2.24, 2010도13801). 16. 9급 검찰 · 마약수사 · 철도경찰

8. 히로뽕 완제품을 제조하고, 그때 함께 만든 액체 히로뽕 반제품을 땅에 묻어 두었다가 약 1년 9개월 후, 이전에 제조를 요구했던 사람이 아닌 다른 사람들의 요구에 따라 그들과 함께 위 반제품으로 완제품을 제조한 경우 ⇨ 포괄일죄 ×, 실체적 경합(대판 1991.2.26, 90도2900) 13. 사시, 18. 경찰승진, 22. 해경간부

9. 같은 해에 3차례에 걸쳐 수입물품의 수입신고를 하면서 과세가격 또는 관세율 등을 허위로 신고하여 수입한 경우 각각의 허위 수입신고시마다 1개의 관세포탈죄가 성립한다(대판 2000.11.10, 99도782). 16. 7급 검찰 · 철도경찰, 19. 경찰간부

10. 작가협회 회원인 甲이 A의 명의를 도용하여 작가협회 교육원장을 비방하는 내용의 호소문을 작성한 후, 이를 작가협회 회원들에게 우편으로 송달한 경우 ⇨ 사문서위조죄와 명예훼손죄의 실체적 경합관계(대판 2009.4.23, 2008도8527) 16. 법원행시, 18. 경찰승진, 24. 해경수사

11. 변호사가 아닌 사람이 당사자와 내용을 달리하는 각기 다른 법률사건에 관한 법률사무를 취급하여 저지르는 변호사법 제109조 제1호 위반의 각 범행은 특별한 사정이 없는 한 실체적 경합범이 되는 것이지 포괄일죄가 되는 것이 아니다(대판 2015.1.15, 2011도14198 ∵ 당사자와 내용을 달리하는 법률사건에 관한 법률사무 취급은 각기 별개의 행위임). 16. 법원행시

12. 수개의 등록상표에 대하여 상표법 제93조에서 정한 상표권침해 행위가 계속하여 행하여진 경우에는 각 등록상표 1개마다 포괄하여 1개의 범죄가 성립하므로, 특별한 사정이 없는 한 상표권자 및 표장이 동일하다는 이유로 등록상표를 달리하는 수개의 상표권침해 행위를 포괄하여 하나의 죄가 성립하는 것으로 볼 수 없다(대판 2013.7.25, 2011도12482). 17 · 21. 경찰간부 그러나 하나의 유사상표 사용행위로 수개의 등록상표를 동시에 침해하였다면 각각의 상표법 위반죄는 상상적 경합의 관계에 있다(대판 2020.11.12, 2019도11688). 22. 순경 2차, 24. 해경경장

13. 구 성매매알선 등 행위의 처벌에 관한 법률상의 '영업으로 성매매를 알선한 행위'와 '영업으로 성매매에 제공되는 건물을 제공하는 행위'는 당해 행위 사이에서 각각 포괄일죄를 구성할 뿐, 서로 독립된 가벌적 행위로서 별개의 죄를 구성한다(대판 2011.5.26, 2010도6090). 19. 법원행시, 21. 경찰간부

14. 피고인이 부동산 공유자인 피해자 3명을 상대로 부동산을 매수할 것처럼 행세하며 근저당권을 먼저 설정하여 주면 이를 담보로 매매대금을 마련하여 지급하겠다고 기망하여, 이에 속은 위 피해자들이 공유하는 부동산의 각 공유지분에 관하여 근저당권을 설정하게 함으로써 재산상 이익을 편취한 경우 ⇨ 사기죄의 포괄일죄 ×, 상상적 경합 ○(대판 2015.4.23, 2014도16980) 16. 법원행시

15. 동일한 장소에서 동일한 방법으로 시간적으로 접착된 상황에서 권총으로 처와 자식들에게 각기 실탄 1발씩을 순차로 발사하여 살해한 경우 ⇨ 포괄일죄 ×, 살인죄의 경합범 ○(대판 1991.8.27, 91도1637) 17. 법원직

16. 피고인이 미성년자를 유인하여 금원을 취득할 마음을 먹고 甲으로 하여금 피해자 丙을 유인토록 하였으나 동인의 거절로 미수에 그치고, 같은 달 2차에 걸쳐 다시 피해자 丙을 유인하였으나 마음이 약해져 각 실행을 중지하여 미수에 그치고, 다음 달 드디어 피해자 丙을 인치, 살해하고 금원을 요구하는 내용의 협박편지를 피해자 丙의 부모에게 전달하여 그 부모로부터 재물을 취득하려 했다면, 이를 각 미수죄와 기수죄의 경합범으로 처벌할 것이다(대판 1983.1.18, 82도2761 ∵ 그 간에 범의의 갱신이 있어 그 간의 범행위 단일한 의사발동에 의한 것 ×) 17. 법원행시

17. 상관으로부터 집총을 하고 군사교육을 받으라는 명령을 수회 받고도 그때마다 이를 거부한 경우에는 그 명령 횟수만큼의 항명죄가 즉시 성립하는 것이지, 집총거부의 의사가 단일하고 계속된 것이며 피해법익이 동일하다고 하여 수회의 명령거부행위에 대하여 하나의 항명죄만 성립한다고 할 수는 없다(대판 1992.9.14, 92도1534). 12. 경찰간부

18. 신용협동조합의 전무가 수개의 거래처로부터 각기 다른 일시에 조합정관상의 1인당 대출한도를 초과하여 대출을 하여 달라는 부탁을 받고 각기 다른 범의하에 부당대출을 하여 수개의 업무상 배임행위를 범한 경우 ⇨ 포괄일죄 ×(대판 1997.9.26, 97도1469) 13. 사시

19. 비의료인이 의료기관을 개설하여 운영하는 도중 개설자 명의를 다른 의료인 등으로 변경한 경우에는 그 범의가 단일하다거나 범행방법이 종전과 동일하다고 보기 어렵다. 따라서 개설자 명의별로 별개의 범죄가 성립하고 각 죄는 실체적 경합범의 관계에 있다고 보아야 한다(대판 2018.11.29, 2018도10779). 20. 법원행시 · 경찰간부 · 해경 3차, 21. 9급 검찰 · 마약수사 · 철도경찰 · 해경간부, 23. 해경승진

20. 공직선거법 제106조 제1항 소정의 호별방문죄에 있어서 각 집의 방문이 '연속적'인 것으로 인정되기 위해서는 반드시 집집을 중단 없이 방문하여야 하거나 동일한 일시 및 기회에 각 집을 방문하여야 하는 것은 아니지만, 각 방문행위 사이에는 어느 정도의 시간적 근접성이 있어야 할 것이고, 이러한 시간적 근접성이 없다면 '연속적'인 것으로 인정될 수는 없어 포괄일죄가 성립하지 않는다(대판 2007. 3.15, 2006도9042). 21. 경찰간부 · 해경승진

21. '가장거래에 의한 사기죄'와 '분식회계에 의한 사기죄'는 범행 방법이 동일하지 않아 그 피해자가 동일하더라도 포괄일죄가 성립한다고 할 수 없다(대판 2010.5.27, 2007도10056). 21. 해경승진

22. 피고인이 7개월여에 걸쳐 2개의 폐기물위탁처리업체로부터 사업장폐기물인 무기성 오니를 공급받아 4곳의 농경지에 불법매립한 경우 그 전체 범행을 포괄일죄로 볼 수 없다(대판 2013.5.24, 2011도95).

- **효과** : 포괄일죄는 실질적으로 일죄이므로 실체법상으로나 소송법상으로 일죄로 취급된다.
① 포괄일죄로 된 개개의 범죄행위가 법개정의 전후에 걸쳐서 행해진 경우에는 신 · 구법의 법정형에 대한 경중을 비교할 필요도 없이 범죄실행 종료시의 법이라고 할 수 있는 신법을 적용하여 포괄일죄로 처단하여야 한다(대판 1994.10.28, 93도1166). 18. 9급 철도경찰, 21. 법원직 · 해경 1차, 24. 법원행시 · 9급 검찰 · 마약수사 · 철도경찰
상습범과 같은 포괄일죄는 그 중간에 별종의 범죄에 대한 확정판결이 끼어 있어도 그 때문에 포괄적 범죄가 둘로 나뉘는 것은 아니라 할 것이고, 또 이 경우에는 그 확정판결 후의 범죄로서 다루어야 할 것이므로, 그 포괄일죄와 판결이 확정된 죄는 형법 제37조 후단에서 정한 경합범 관계에 있다고 할 수 없다(대판 1986.2.25, 85도2767). 18. 9급 철도경찰, 21. 해경승진 · 법원직 · 해경 2차, 22. 변호사시험, 24. 법원행시 · 7급 검찰 다만, 상습성을 이유로 포괄일죄가 되는 범행의 중간에 동종의 죄에 대한 확정판결이 있을 때에는 포괄일죄는 확정판결 전후의 죄로 분리된다(대판 2000.2.11, 99도4797 ▶ **유사판례** : 계속적 혹은 간헐적으로 행해진 통산 8일 이상의 복무이탈행위 중간에 동종의 죄에 관한 확정판결이 있는 경우에는 일련의 복무이탈행위는 그 확정판결 전후로 분리된다 : 대판 2011.3.10, 2010도9317). 21. 법원직, 22 · 25. 변호사시험

② 포괄일죄의 범행 도중에 공동정범으로 범행에 가담한 자는 범행에 가담할 때에 종전의 범행을 알았다 하더라도 그 가담 이후의 범행에 대하여만 공동정범으로 책임을 진다(대판 2007.11.15, 2007도6336). 10. 사시·법원직, 18. 9급 철도경찰, 21. 해경 2차

③ 포괄일죄 관계인 범행의 일부에 대하여 판결이 확정된 경우에는 사실심 판결선고시를 기준으로, 약식명령이 확정된 경우에는 약식명령 발령시를 기준으로, 그 이전에 이루어진 범행에 대하여는 확정판결의 기판력이 미친다. 또한 상상적 경합범 중 1죄에 대한 확정판결의 기판력은 다른 죄에 대하여도 미친다. 따라서 포괄일죄 관계인 범행의 일부에 대하여 판결이 확정되거나 약식명령이 확정되었는데 그 사실심 판결선고시 또는 약식명령 발령시를 기준으로 그 이전에 이루어진 범행이 포괄일죄의 일부에 해당할 뿐만 아니라 그와 상상적 경합관계에 있는 다른 죄에도 해당하는 경우에는 확정된 판결 내지 약식명령의 기판력은 위와 같이 상상적 경합관계에 있는 다른 죄에 대하여도 미쳐 면소의 판결을 선고하여야 한다(대판 2023.6.29, 2020도3705). 15. 법원직, 21. 경찰간부, 24. 법원행시

④ 동일 죄명에 해당하는 수개의 행위를 단일하고 계속된 범의로 일정 기간 계속하여 행하고 그 피해법익도 동일한 경우에는 이들 각 행위를 통틀어 포괄일죄로 처단하여야 하고, 그 경우 공소시효는 최종의 범죄행위가 종료한 때로부터 진행한다(대판 2021.3.11, 2020도12583).

---

01 포괄일죄가 성립하는 경우로 가장 적절한 것은?(다툼이 있는 경우 판례에 의함)

18. 경찰승진, 22. 해경간부

① 甲이 계속적으로 무면허로 운전할 의사를 가지고 여러 날에 걸쳐 무면허운전행위를 반복한 경우(어느 날에 운전을 시작하여 다음날까지 동일한 기회에 일련의 과정에서 계속 운전을 한 경우와 같은 특별한 경우 등은 제외함)

② 작가협회 회원인 甲이 A의 명의를 도용하여 작가협회 교육원장을 비방하는 내용의 호소문을 작성한 후, 이를 작가협회 회원들에게 우편으로 송달한 경우

③ 금융기관 임직원인 甲이 그 직무에 관하여 乙로부터 정식 이사가 될 수 있도록 도와달라는 부탁을 받고 1년 동안 12회에 걸쳐 그 사례금 명목으로 합계 1억 2,000만원을 교부받은 경우

④ 甲이 히로뽕 완제품을 제조하고, 그때 함께 만든 액체 히로뽕 반제품을 땅에 묻어 두었다가 약 1년 9개월 후, 이전에 제조를 요구했던 사람이 아닌 다른 사람들의 요구에 따라 그들과 함께 위 반제품을 완제품으로 제조한 경우

해설 • **포괄일죄 ○ :** ③ 대판 2000.6.27, 2000도1155
  • **포괄일죄 × :** ① 운전한 날마다 무면허운전죄 1죄 성립(대판 2002.7.23, 2001도6281) ② 사문서위조죄와 명예훼손죄의 실체적 경합관계(대판 2009.4.23, 2008도8527) ④ 실체적 경합관계(대판 1991.2.26, 90도2900)

02 다음 사례 중 포괄일죄에 해당하는 경우를 모두 고른 것은?(다툼이 있는 경우 판례에 의함)

20. 경찰승진

> ㉠ 甲이 컴퓨터로 음란 동영상을 제공하는 행위를 하였다가 동영상이 저장되어 있던 서버 컴퓨터 2대를 압수당한 이후 다시 장비를 갖추어 영업을 재개한 경우
> ㉡ 하나의 사건에 관하여 한 번 선서한 증인 甲이 같은 기일에 여러 가지 사실에 관하여 기억에 반하는 허위의 진술을 한 경우
> ㉢ 甲이 1개의 기망행위에 의하여 다수의 피해자로부터 각각 재산상 이익을 편취한 경우
> ㉣ 은행장 甲이 乙로부터 정식이사가 될 수 있도록 도와달라는 부탁을 받고 1년 동안 12회에 걸쳐 그 사례금 명목으로 합계 1억 2,000만원을 교부받은 경우

① ㉠, ㉡ ② ㉠, ㉢ ③ ㉡, ㉣ ④ ㉢, ㉣

해설 • **포괄일죄 ○** : ㉡ 대판 1998.4.14, 97도3340 ㉣ 대판 2000.6.27, 2000도1155
• **포괄일죄 ×** : ㉠ 대판 2005.9.30, 2005도4051 ㉢ 대판 2015.4.23, 2014도16980

03 다음 중 실체법상 일죄가 아닌 것은?(다툼이 있는 경우 판례에 의함)

20. 법원행시

① 하나의 사건에 관하여 한 번 선서한 증인이 같은 기일에 여러 가지 사실에 관하여 기억에 반하는 허위의 진술을 한 경우의 위증죄
② 불특정 다수의 피해자들을 상대로 동일한 방식으로 사기분양을 하여 그들로부터 분양대금을 편취한 경우의 사기죄
③ 혈중알콜농도 0.123%의 음주상태로 자동차를 운전하다가 제1차 사고를 내고 그대로 진행하여 제2차 사고를 낸 경우의 도로교통법 위반(음주운전)죄
④ 단일하고 계속된 범의 아래 동일한 뇌물공여자로부터 뇌물을 반복하여 수령하고 그 피해법익이 동일한 경우의 수뢰죄
⑤ 동일한 폭행·협박으로 피해자의 항거가 불능하거나 현저히 곤란한 상태가 계속되는 상태에서 피해자를 수회에 걸쳐 간음하였고, 피고인의 의사 및 범행 시각과 장소로 보아 수회의 간음행위를 하나의 계속된 행위로 볼 수 있는 경우의 강간죄

해설 • **실체법상 일죄 ×** : ② 포괄일죄 ×, 피해자별로 독립한 사기죄 성립(대판 2005.4.29, 2005도741)
• **실체법상 일죄 ○** : ① 포괄일죄(대판 1998.4.14, 97도3340) ③ 포괄일죄(대판 2007.7.26, 2007도4404) ④ 포괄일죄(대판 1985.9.24, 85도1502) ⑤ 실체적 경합범 ×, 단순일죄 ○(대판 2002.9.4, 2002도2581)

04 **포괄일죄에 대한 설명으로 옳은 것은?**(다툼이 있는 경우 판례에 의함) 21. 경찰간부

① 공직선거법 제106조 제1항이 규정하고 있는 호별방문죄는 집집을 중단 없이 방문하거나 동일한 일시 및 기회에 방문할 것을 요하지 않으므로, 선거운동이라는 단일한 범의하에 수인의 집을 방문한 경우 시간적 근접성 및 연속성에 대한 판단 없이 포괄일죄가 성립한다.

② 단일한 범의하에 동일한 방법으로 수인의 피해자에 대하여 각 피해자별로 기망행위를 하여 재물을 편취한 경우, 사기죄의 포괄일죄가 성립한다.

③ 같은 심급에서 1회 선서한 이후 그 선서의 효력이 유지된 상태에서 변론기일을 달리하여 수차 증인으로 출석하여 수개의 허위진술을 한 경우 1개의 위증죄가 성립한다.

④ 수개의 등록상표에 대하여 상표권 침해행위가 계속된 경우 등록상표를 달리하는 수개의 상표권 침해행위는 포괄하여 하나의 죄가 성립한다.

해설 ① × : 공직선거법 제106조 제1항 소정의 호별방문죄에 있어서 각 집의 방문이 '연속적'인 것으로 인정되기 위해서는 반드시 집집을 중단 없이 방문하여야 하거나 동일한 일시 및 기회에 각 집을 방문하여야 하는 것은 아니지만, 각 방문행위 사이에는 어느 정도의 시간적 근접성이 있어야 할 것이고, 이러한 시간적 근접성이 없다면 '연속적'인 것으로 인정될 수는 없어 포괄일죄가 성립하지 않는다(대판 2007.3.15, 2006도 9042).
② × : 포괄일죄 ×, 사기죄의 실체적 경합범 ○(대판 2003.4.8, 2003도382)
③ ○ : 대판 2007.3.15, 2006도9463
④ × : 포괄일죄 ×(대판 2013.7.25, 2011도12482 ∵ 각 등록상표 1개마다 포괄일죄 성립)

05 **포괄일죄에 관한 설명 중 가장 옳지 않은 것은?**(다툼이 있는 경우 판례에 의함) 21. 법원직

① 포괄일죄로 되는 개개의 범죄행위가 법 개정의 전후에 걸쳐서 행하여진 경우, 범죄 실행 종료시의 법이라고 할 수 있는 신법을 적용한다.

② 포괄일죄의 중간에 다른 종류의 확정판결이 끼어 있는 경우에는 그 확정판결 때문에 포괄적 범죄가 둘로 나뉘는 것이고, 이를 그 확정판결 후의 범죄로서 다룰 것은 아니다.

③ 범죄단체를 구성하거나 이에 가입한 자가 더 나아가 구성원으로 활동하는 경우 이는 포괄일죄의 관계에 있다.

④ 포괄일죄에 있어서는 그 죄의 일부를 구성하는 개개의 행위에 대하여 구체적으로 특정하지 않더라도 그 전체 범행의 시기와 종기, 범행방법, 범행횟수 또는 피해액의 합계 및 피해자나 상대방을 명시하면 이로써 그 범죄사실은 특정된다.

해설 ① 대판 1994.10.28, 93도1166
② × : 포괄일죄의 중간에 다른 종류의 죄의 확정판결이 끼어 있는 경우에도 그 죄는 2죄로 분리되지 않고 확정판결 후인 최종의 범행행위시에 완성된다(대판 2003.8.22, 2002도5341).
③ 대판 2015.9.10, 2015도7081
④ 대판 2002.6.20, 2002도807 전원합의체

06 포괄일죄에 대한 설명으로 옳은 것은?(다툼이 있는 경우 판례에 의함)

21. 9급 검찰·마약수사·철도경찰, 23. 해경승진

① 수인의 피해자에 대하여 각 피해자별로 기망행위를 하여 각각 재물을 편취한 경우에도 그 범의가 단일하고 범행방법이 동일한 경우에는 사기죄의 포괄일죄가 성립한다.

② 동일한 저작권자의 여러 개의 저작물에 대한 침해행위가 단일하고 동일한 범의 아래 행하여졌다면 저작권법 위반의 포괄일죄가 성립한다.

③ 폭력행위 등 처벌에 관한 법률 제4조 제1항에서는 그 법에 규정된 범죄행위를 목적으로 하는 단체를 구성하거나 이에 가입하는 행위 또는 구성원으로 활동하는 행위를 처벌하도록 규정하고 있으므로, 범죄단체를 구성하거나 이에 가입한 자가 나아가 구성원으로 활동하는 경우에는 폭력행위 등 처벌에 관한 법률 위반의 포괄일죄가 성립한다.

④ 비의료인이 의료기관을 개설하여 운영하는 도중 개설자 명의를 다른 의료인으로 변경한 경우에는 그 범의가 단일하고 범행방법이 종전과 동일하므로 의료법 위반의 포괄일죄가 성립한다.

> **해설** ① × : 포괄일죄 ×, 사기죄의 실체적 경합범 ○(대판 2003.4.8, 2003도382)
> ② × : 저작재산권 침해행위는 저작권자가 같더라도 저작물별로 침해되는 법익이 다르므로, 각각의 저작물에 대한 침해행위는 원칙적으로 각 별개의 죄를 구성한다. 다만 단일하고도 계속된 범의 아래 동일한 저작물에 대한 침해행위가 일정 기간 반복하여 행하여진 경우에는 포괄하여 하나의 범죄가 성립한다고 볼 수 있다(대판 2012.5.10, 2011도12131). ③ ○ : 대판 2015.9.10, 2015도7081
> ④ × : 비의료인이 의료기관을 개설하여 운영하는 도중 개설자 명의를 다른 의료인 등으로 변경한 경우에는 그 범의가 단일하다거나 범행방법이 종전과 동일하다고 보기 어렵다. 따라서 개설자 명의별로 별개의 범죄가 성립하고 각 죄는 실체적 경합범의 관계에 있다고 보아야 한다(대판 2018.11.29, 2018도10779).

07 포괄일죄에 대한 설명으로 옳지 않은 것은?(다툼이 있는 경우 판례에 의함)

18. 9급 철도경찰, 21. 해경 1차

① 포괄일죄로 되는 개개의 범죄행위가 '다른 종류의 죄'의 확정판결의 전후에 걸쳐서 행하여진 경우에는 그 죄는 2죄로 분리되지 않고 확정판결 후인 최종의 범죄행위시에 완성되는 것이다.

② 포괄일죄의 범행 도중에 공동정범으로 범행에 가담한 자는 비록 그가 그 범행에 가담할 때에 이미 이루어진 종전의 범행을 알았다 하더라도 그 가담 이후의 범행에 대하여만 공동정범으로 책임을 진다.

③ 포괄일죄로 된 개개의 범죄행위가 법 개정의 전후에 걸쳐서 행하여진 경우에는 신·구법의 법정형에 대한 경중을 비교하여 경한 법을 적용해야 한다.

④ 포괄일죄에 관한 기존 처벌법규에 대하여 그 표현이나 형량과 관련한 개정을 하는 경우가 아니라 애초에 죄가 되지 아니하던 행위를 구성요건의 신설로 포괄일죄의 처벌대상으로 삼는 경우에는 신설된 포괄일죄 처벌법규가 시행되기 이전의 행위에 대하여는 신설된 법규를 적용하여 처벌할 수 없다.

해설 ① 대판 2003.8.22, 2002도5341 ② 대판 2007.11.15, 2007도6336
③ × : ~ 경중을 비교할 필요도 없이 신법을 적용해야 한다(대판 1994.10.28, 93도1166).
④ 대판 2016.1.28, 2015도15669

08 **다음 중 포괄일죄에 대한 설명으로 가장 옳지 않은 것은?**(다툼이 있는 경우 판례에 의함)

22. 해경간부

① 불특정 다수의 피해자들을 상대로 동일한 방식으로 사기분양을 하여 그들로부터 분양대금을 편취한 경우에는 사기죄의 포괄일죄가 성립한다.

② 뇌물을 여러 차례에 걸쳐 수수하였더라도 그것이 단일하고도 계속된 범의 아래 일정기간 반복하여 이루어진 것이고 그 피해법익도 동일한 경우에는 각 범행을 통틀어 포괄일죄로 볼 것이다.

③ 저작권법은 상습으로 제136조 제1항의 죄를 저지른 경우를 가중처벌한다는 규정을 따로 두고 있지 않으므로, 수회에 걸쳐 제136조 제1항의 죄를 범한 것이 상습성의 발현에 따른 것이라고 하더라도, 이는 원칙적으로 경합범으로 보아야 하는 것이지 하나의 죄로 처벌되는 상습범으로 볼 것은 아니다.

④ 상습절도의 범행을 한 자가 절도 습벽의 발현으로 자동차 등 불법사용 범행을 함께 저질렀다면 자동차 불법사용죄는 상습절도죄에 흡수되어 따로 성립하지 않는다.

해설 ① × : 포괄일죄 ×, 피해자별로 독립한 사기죄 성립(대판 2005.4.29, 2005도741)
② 대판 1985.9.24, 85도1502 ③ 대판 2012.5.10, 2011도12131 ④ 대판 2002.4.26, 2002도429

09 **다음 중 죄수에 대한 설명으로 가장 옳지 않은 것은?**(다툼이 있는 경우 판례에 의함) 21. 해경승진

① 법조경합은 1개의 행위가 실질적으로 수개의 구성요건을 충족하는 경우를 말하고, 상상적 경합은 1개의 행위가 외관상 수개의 죄의 구성요건에 해당하는 것처럼 보이나 실질적으로 1죄만을 구성하는 경우를 말한다.

② 미성년자의제강간죄 또는 미성년자의제강제추행죄는 행위시마다 1개의 범죄가 성립한다.

③ 피해자에 대한 폭행행위가 동일한 피해자에 대한 업무방해죄의 수단이 되었다고 하더라도 그러한 폭행행위가 이른바 '불가벌적 수반행위'에 해당하여 업무방해죄에 대해 흡수관계에 있다고 볼 수는 없다.

④ '가장거래에 의한 사기죄'와 '분식회계에 의한 사기죄'는 범행 방법이 동일하지 않아, 그 피해자가 동일하더라도 포괄일죄가 성립한다고 할 수는 없다.

해설 ① × : 상상적 경합(법조경합 ×)은 1개의 행위가 실질적으로 수개의 구성요건을 충족하는 경우를 말하고, 법조경합(상상적 경합 ×)은 1개의 행위가 외관상 수개의 죄의 구성요건에 해당하는 것처럼 보이나 실질적으로 1죄만을 구성하는 경우를 말한다(대판 2011.11.24, 2010도8568).
② 대판 1982.12.14, 82도2442 ③ 대판 2012.10.11, 2012도1895 ④ 대판 2010.5.27, 2007도10056

Answer   8. ① 9. ①

10 포괄일죄에 관한 설명으로 가장 적절하지 않은 것은?(다툼이 있는 경우 다수설과 판례에 의함)

24. 경찰간부

① 연속범은 개별적인 행위가 범죄의 요소인 구성요건에 해당하고 위법·유책해야 하며, 동일한 법익의 침해가 있어야 성립되므로 피해법익의 동일성에 따라 보호법익을 같이 하는 횡령, 배임 등의 행위와 사기의 행위는 포괄일죄를 구성한다.

② 집합범은 다수의 동종의 행위가 동일한 의사에 의하여 반복될 것이 당해 구성요건에서 당연히 예상되는 범죄를 말하며, 집합범의 종류로는 영업범과 상습범이 있다.

③ 접속범은 동일한 법익에 대하여 수개의 구성요건적 행위가 불가분하게 접속하여 행하여지는 범행형태로 같은 기회에 하나의 행위로 여러 개의 영업비밀을 취득하였다면 이는 일죄로 평가된다.

④ 결합범은 개별적으로 독립된 범죄의 구성요건에 해당하는 수개의 행위가 결합하여 일죄를 구성하는 경우로 결합범 자체는 1개의 범죄완성을 위한 수개 행위의 결합이고, 수개 행위의 불법내용을 함께 평가하는 것이므로 포괄일죄가 된다.

> **해설** ① × : 포괄일죄라 함은 각기 따로 존재하는 수개의 행위가 한 개의 구성요건을 한 번 충족하는 경우를 말하므로 구성요건을 달리하고 있는 횡령, 배임 등의 행위와 사기의 행위는 포괄1죄를 구성할 수 없다(대판 1988.2.9, 87도58).
> ② 대판 2004.7.22, 2004도2390
> ③ 대판 2009.4.9, 2006도9022
> ④ 옳다.

11 포괄일죄에 대한 설명으로 옳은 것은?(다툼이 있는 경우 판례에 의함)

24. 9급 검찰·마약수사·철도경찰

① 국가정보원 직원이 동일한 사안에 관한 일련의 직무집행 과정에서 단일하고 계속된 범의로 일정 기간 계속하여 저지른 직권남용행위에 대하여는 설령 그 상대방이 수인이라고 하더라도 직권남용권리행사방해죄의 포괄일죄가 성립할 수 있다.

② 행정소송사건의 같은 심급이라도 변론기일을 달리하여 수차 증인으로 나가 수개의 허위진술을 하였다면, 최초에 한 선서의 효력을 유지시킨 후 증언하였다고 하더라도 수개의 위증죄가 성립한다.

③ 같은 날 무면허운전 행위를 여러 차례 반복하였다면 그 범의의 단일성 내지 계속성이 인정되지 않거나 범행 방법 등이 동일하지 않은 경우라도 각 무면허운전 행위를 통틀어 포괄일죄로 처단하여야 한다.

④ 포괄일죄로 되는 개개의 범죄행위가 법 개정의 전후에 걸쳐서 행하여진 경우에는 신·구법의 법정형의 경중을 비교하여 행위자에게 유리한 법을 적용하여 포괄일죄로 처단하여야 한다.

Answer **10.** ① **11.** ①

[해설] ① ○ : 대판 2021.3.11, 2020도12583

② × : 같은 심급에서 1회 선서한 이후 그 선서의 효력이 유지된 상태에서 변론기일을 달리하여 수차 증인으로 출석하여 수개의 허위진술을 한 경우 1개의 위증죄가 성립한다(대판 2007.3.15, 2006도9463).

③ × : 같은 날 무면허운전 행위를 여러 차례 반복한 경우라도 그 범의의 단일성 내지 계속성이 인정되지 않거나 범행 방법 등이 동일하지 않은 경우 각 무면허운전 범행은 실체적 경합관계에 있다고 볼 수 있으나, 그와 같은 특별한 사정이 없다면 각 무면허운전 행위는 동일 죄명에 해당하는 수개의 등종 행위가 동일한 의사에 의하여 반복되거나 접속·연속하여 행하여진 것으로 봄이 상당하고 그로 인한 피해법익도 동일한 이상, 각 무면허운전 행위를 통틀어 포괄일죄로 처단하여야 한다(대판 2022.10.27, 2022도8806).

④ × : 포괄일죄로 된 개개의 범죄행위가 법개정의 전후에 걸쳐서 행해진 경우에는 신·구법의 법정형에 대한 경중을 비교할 필요도 없이 범죄실행 종료시의 법이라고 할 수 있는 신법을 적용하여 포괄일죄로 처단하여야 한다(대판 1994.10.28, 93도1166).

12 다음 설명 중 가장 옳지 않은 것은?(다툼이 있는 경우 판례에 의함)　　　24. 법원행시

① 상습범과 같은 포괄일죄는 그 중간에 별종의 범죄에 대한 확정판결이 끼어 있어도 그 때문에 포괄적 범죄가 둘로 나뉘는 것은 아니라 할 것이고, 또 이 경우에는 그 확정판결 후의 범죄로서 다루어야 할 것이므로, 그 포괄일죄와 판결이 확정된 죄는 형법 제37조 후단에서 정한 경합범 관계에 있다고 할 수 없다.

② 유죄의 확정판결을 받은 사람이 그 후 별개의 후행범죄를 저질렀는데 유죄의 확정판결에 대하여 재심이 개시된 경우, 후행범죄가 그 재심대상판결에 대한 재심판결 확정 전에 범하여졌다 하더라도 아직 판결을 받지 아니한 후행범죄와 재심판결이 확정된 선행범죄 사이에는 형법 제37조 후단 경합범이 성립하지 않는다.

③ 포괄일죄로 되는 개개의 범죄행위가 법 개정의 전후에 걸쳐서 행하여진 경우 신·구법의 법정형에 대한 경중을 비교하여 그중 가장 피고인에게 유리한 법을 적용하여 포괄일죄로 처단하여야 한다.

④ 동일 죄명에 해당하는 수개의 행위를 단일하고 계속된 범의하에 일정기간 계속하여 행하고 그 피해법익도 동일한 경우에는 이들 각 행위를 통틀어 포괄일죄로 처단하여야 한다.

⑤ 포괄일죄 관계인 범행의 일부에 대하여 판결이 확정된 경우에는 사실심 판결선고시를 기준으로, 약식명령이 확정된 경우에는 약식명령 발령시를 기준으로, 그 이전에 이루어진 범행에 대하여는 확정판결의 기판력이 미친다.

[해설] ① 대판 1986.2.25, 85도2767

② 대판 2019.6.20, 2018도20698 전원합의체

③ × : ~ (2줄) 경중을 비교할 필요도 없이 신법을 적용해야 한다(대판 1994.10.28, 93도1166).

④ 대판 2002.6.14, 2002도1256

⑤ 대판 2023.6.29, 2020도3705

13 죄수 관계에 대한 설명으로 옳은 것은?(다툼이 있는 경우 판례에 의함) 20. 7급 검찰

① 자동차를 절취한 후 자동차등록번호판을 떼어낸 경우, 자동차에 대한 절도죄와 별개로 자동차관리법위반죄는 성립하지 않는다.

② 피해자에 대한 업무방해의 수단으로 피해자를 폭행한 경우, 폭행죄와 업무방해죄가 성립하고 양 죄는 상상적 경합의 관계에 있다.

③ 계속적으로 무면허운전을 할 의사를 가지고 여러 날에 걸쳐 수차례 무면허운전행위를 반복하였다면, 무면허운전으로 인한 도로교통법위반의 포괄일죄가 성립한다.

④ 甲이 종중 소유의 토지를 명의신탁받아 보관하다가 자신의 채무 변제에 사용할 돈을 차용하기 위해 위 토지에 근저당권을 설정하면 횡령죄가 성립하고, 그 후 위 토지를 제3자에게 매도한 행위는 불가벌적 사후행위에 해당한다.

해설 ① ✕ : ~ 위반죄가 성립한다(대판 2007.9.6, 2007도4739 ∵ 불가벌적 사후행위 ✕).

② ○ : 대판 2012.10.11, 2012도1895(∵ 불가벌적 수반행위 ✕)

③ ✕ : 운전한 날마다 도로교통위반의 1죄가 성립한다(대판 2002.7.23, 2001도6281 ∴ 포괄일죄 ✕).

④ ✕ : ~ 제3자에게 매도한 행위는 별도로 횡령죄를 구성한다(대판 2013.2.21, 2010도10500 전원합의체 ∵ 불가벌적 사후행위 ✕).

제2절 수죄(數罪)

관련조문

제40조【상상적 경합】 한 개의 행위가 여러 개의 죄에 해당하는 경우에는 가장 무거운 죄에 대하여 정한 형으로 처벌한다.

제37조【경합범】 판결이 확정되지 아니한 수개의 죄 또는 금고 이상의 형에 처한 판결이 확정된 죄와 그 판결 확정 전에 범한 죄를 경합범으로 한다.

THEMA 32 '죄수론' 관련판례 총정리

1. 판단기준

① 실질적으로 일죄인가, 수죄(상상적 경합, 실체적 경합)인가는 구성요건적 평가와 보호법익의 측면에서 고찰하여 판단해야 한다(대판 2000.7.7, 2000도1899). 13. 경찰승진, 21. 해경승진, 23. 7급 검찰

② 상상적 경합과 (실체적) 경합범은 법적 평가를 떠나서 사물 자연의 상태에서 사회통념상 행위가 1개인가 수개인가에 따라 결정된다(대판 1987.2.24, 86도2731).

2. 재산범죄

⑴ **절도죄와 강도죄**

① 절도범이 체포를 면탈할 목적으로 체포하려는 수명의 피해자에게 같은 기회에 폭행을 가하여 그 중 1인에게만 상해를 가할 경우 ⇨ (포괄하여) 1개의 (준)강도상해죄(대판 2001.8.21, 2001도3447)
16. 경찰간부, 17. 9급 철도경찰, 19. 9급 검찰·마약수사·철도경찰

   ⚖ **비교판례** : 강도가 한 개의 강도 범행을 하는 기회에 수명의 피해자에게 각각 폭행을 가하여 상해를 입힌 경우 ⇨ 강도상해죄의 실체적 경합(대판 1987.5.26, 87도527 ∵ 피해자별로 범죄 성립) 16. 경찰간부, 20. 변호사시험·법원직·해경승진, 21. 해경 1차, 23. 법원행시

② 단일범의로 절취한 시간·장소가 접착되어 있고 같은 관리인의 관리하에 있는 방안에서 소유자가 다른 두 사람의 물건을 절취한 경우 ⇨ 1개의 절도죄(대판 1970.7.21, 70도1133), 특수강도의 소위가 동일한 장소에서 동일한 방법에 의하여 시간적으로 접착된 상황에서 이루어진 경우에는 피해자가 여러 사람이더라도 단순일죄가 성립한다(대판 1979.10.10, 79도2093). 08. 사시, 10. 법원직

   ⚖ **유사판례** : 강도가 시간적으로 접착된 상황에서 수인의 가족에게 폭행·협박하여 집안의 재물을 강취한 경우(대판 1996.7.30, 96도1285 ∵ 가족의 공동점유, 소유자는 불문) ⇨ 포괄하여 1개의 강도죄 13·19. 법원행시

   ⚖ **비교판례** : 한 건물 안에 있는 서로 다른 세대에서 각 재물을 절취한 경우(⑩ 절도가 주인집의 방 안에서 재물을 절취하고 그 무렵 세 들어 사는 사람의 방 안에서 재물을 절취한 경우) ⇨ 2개의 절도죄의 경합범(대판 1989.8.8, 89도664 ∵ 범행장소와 재물의 관리자가 다름) 13. 법원직, 15. 사시, 17. 9급 철도경찰

③ 강도가 여관에서 칼로 종업원에게 상해를 가하고 여관 주인도 같은 방에 밀어넣은 후 금품을 강취한 후 종업원의 현금을 꺼내간 경우 ⇨ 강도상해죄와 특수강도죄의 상상적 경합(대판 1991.6.25, 91도643 ∵ 종업원과 주인을 폭행·협박한 행위는 법률상 1개의 행위) 13. 경찰승진, 23. 법원직

⚖ **비교판례** : 강도가 서로 다른 시기에 다른 장소에서 수인의 피해자들에게 각기 폭행 또는 협박을 하여 각 그 피해자들의 재물을 강취하고, 그 피해자들 중 1인을 상해한 경우에는, 각기 별도로 강도죄와 강도상해죄가 성립하는 것이므로 실체적 경합범의 관계에 있다(대판 1991.6.25, 91도643 **◐** 여관 1층 **안내실에서** 관리인을 찔러 **상해**를 가해 금품을 **강취**한 다음 각 객실에 들어가 **투숙객들로부터** 금품을 **강취**한 경우 ⇨ 피해자별로 강도상해죄와 강도죄의 **실체적 경합**).

④ **강도가 재물강취**에 **실패**하고 그 자리에서 항거불능한 상태의 피해자를 **간음**하려다가 **미수**에 그쳤으나 반항을 억압하기 위한 폭행으로 **상해**를 입힌 경우 ⇨ 강도강간미수죄와 **강도치상죄의** 상상적 경합(대판 1988.6.28, 88도820) 15. 경찰간부, 22. 해경간부·변호사시험, 23. 법원행시, 24. 9급 검찰·마약수사·철도경찰

(2) 사기죄와 공갈죄

〈신용카드·현금카드와 관련된 범죄〉

① 현금카드 소유자를 **공갈**(협박)하여 예금인출승낙과 함께 카드를 교부받은 후 현금자동지급기에서 현금(예금)을 여러 번 인출한 경우(대판 1996.9.20, 95도1728) ⇨ 포괄하여 1개의 공갈죄 13. 사시

　⚖ **비교판례 : 강취**한 현금카드를 이용하여 현금자동지급기에서 **예금을 인출**한 경우(대판 2007.5.10, 2007도1375) ⇨ 강도죄와 절도죄의 **실체적 경합** 18. 순경 1차, 20. 순경 2차, 21. 변호사시험

② 절취한 신용카드로 수개의 가맹점에서 매출전표에 서명·교부하고 물품을 구입한 경우(절도죄 제외) ⇨ 신용카드부정사용죄(포괄일죄 : 대판 1996.7.12, 96도1181, 사문서위조 및 동행사는 흡수됨 : 대판 1992.6.9, 92도77)와 사기죄의 경합범(대판 1996.7.12, 96도1181 **◐** 비씨카드 1매를 절취한 후 2시간 20분 동안에 가맹점 7곳에서 물품을 구입한 후 결제한 경우) 14. 법원행시, 16. 경찰간부

　⚖ **유사판례** : 이미 절취한(이 부분은 논외로 함) 피해자 명의의 신용카드를 부정사용하여 **현금자동인출기에서 현금서비스로 현금을 인출**한 경우 ⇨ 신용카드부정사용죄와 절도죄의 **실체적 경합**(대판 1995.7.28, 95도997) 19. 9급 검찰·마약수사·철도경찰, 21. 해경간부

③ 강취한 신용카드로 자신이 정당한 소지인인 양 가맹점 주인을 속여서 물품(주류) 등을 제공받은 경우(강도죄 제외) ⇨ 신용카드부정사용죄와 사기죄의 경합범(대판 1997.1.21, 96도2715) 13. 9급 검찰·철도경찰

〈기 타〉

① 단일한 범의와 단일한 범행방법으로 수인의 피해자에 대하여 각 피해자별로 기망행위를 하여 각각 재물을 편취한 경우, 불특정 다수의 피해자들을 상대로 동일한 방식으로 사기분양을 하여 그들로부터 분양대금을 편취한 경우 ⇨ 포괄일죄 ×, 피해자별로 독립한 사기죄가 성립됨(대판 2003.4.8, 2003도382 ; 대판 2005.4.29, 2005도741). 20. 법원행시, 21. 경찰간부, 25. 9급 검찰·마약수사·철도경찰 다만, 피해자들이 하나의 동업체를 구성하는 등으로 피해 법익이 동일하다고 볼 수 있는 사정이 있는 경우에는 피해자가 복수이더라도 이들에 대한 사기죄를 포괄하여 일죄로 볼 수도 있다(대판 2011.4.14, 2011도769). 12. 순경 2차

> • 수인의 피해자에 대하여 1개의 기망행위를 통해 각각 재물을 편취한 경우에는 범의가 단일하고 범행방법이 동일하더라도 피해자별로 독립한 사기죄가 성립하고 각 사기죄는 상상적 경합관계에 있다(대판 1990.1.25, 89도252). 13. 경찰승진, 20. 법원행시, 24. 변호사시험
> 다수의 계(契)를 조직하여 수인의 계원들을 개별적으로 기망하여 계불입금을 편취한 경우 각 피해자별로 독립하여 사기죄가 성립하고 그 사기죄 상호간은 실체적 경합범 관계에 있다(대판 2010.4.29, 2010도2810). 17. 법원직, 21. 법원행시

- • 도박에 참여한 수인의 피해자로부터 사기도박으로 도금을 편취한 경우 ⇨ 사기죄의 **상상적 경합**(대판 2011.1.13, 2010도9330 ∵ 사회관념상 1개의 행위로 평가하는 것이 타당하므로) 18. 수사경과, 22. 해경간부
  - ⚖ **비교판례** : 동일한 피해자에 대하여 수회에 걸쳐 기망행위를 하여 금원을 편취한 경우
- • 범의가 단일하고 계속된 범의하에 범행방법이 동일한 경우 ⇨ 사기죄의 **포괄일죄**(대판 2000. 2.11, 99도4862) 18. 법원직, 22. 해경간부
- • 범의의 단일성 · 계속성이 불인정되거나 범행방법이 다른 경우 ⇨ 사기죄의 **경합범**(대판 2000. 2.11, 99도4862)

② 예금통장을 **강취**(갈취)하고 예금자 명의의 예금청구서를 **위조**한 다음 이를 은행원에게 제출 · **행사**하여 예금인출금을 **교부받은 경우** ⇨ 강도죄(공갈죄), 사문서위조 및 동행사죄와 사기죄의 **실체적 경합**(대판 1991.9.10, 91도1722 ; 대판 1979.10.30, 79도489) 15. 순경 2차, 21. 법원행시

③ 타인의 사무를 처리하는 자가 **본인을 기망**하여 재물을 교부받은 경우(**예** 신용협동조합의 전무가 그 조합의 담당직원을 기망하여 예금인출금 또는 대출금 명목으로 금원을 교부받은 경우) ⇨ **법조경합** ×, 사기죄와 (업무상) 배임죄의 **상상적 경합** ○(대판 2002.7.18, 2002도669 전원합의체) 19. 경찰간부 · 순경 1차, 20. 법원행시 · 7급 검찰 · 철도경찰, 23. 법원직, 24. 해경간부

④ 사기의 수단으로 발행한 수표가 지급거절된 경우 부정수표 단속법위반죄와 사기죄는 그 행위의 태양과 보호법익을 달리하므로 실체적 경합범의 관계에 있다(대판 2004.6.25, 2004도1751). 15. 경찰간부, 17. 순경 1차, 22. 해경간부 · 법원행시, 24. 법원직 · 해경수사

⑤ 공무원이 직무에 관하여 기망수단으로 재물을 교부받은 경우 ⇨ 사기죄와 수뢰죄의 **상상적 경합**(대판 1977.6.7, 77도1069) 18. 7급 검찰, 22. 법원직, 23. 경찰승진

  - ⚖ **비교판례** : 공무원이 **직무집행의 의사 없이** 또는 직무처리와 대가적 관계없이 타인(피공갈자에게 뇌물공여죄 ×)을 **공갈**하여 재물을 교부하게 한 경우에는 **공갈죄만이 성립**하고 따로 뇌물수수죄는 성립하지 않는다(대판 1994.12.22, 94도2528). 15. 사시 · 경찰간부, 16. 경찰승진 · 수사경과, 18. 순경 3차, 21. 법원직, 22. 해경간부 · 해경 2차

(3) 기 타

① 대표이사가 상가 분양사업을 수행하면서 수분양자들을 **기망하여 분양대금을 편취**한 후, 분양대금을 사적인 용도로 **임의 지출**한 경우 ⇨ 사기죄와 횡령죄의 경합범(대판 2005.4.29, 2005도741) 11. 순경, 12. 7급 검찰

② 회사의 대표이사가 업무상 보관하던 회사 자금을 **빼돌려 횡령한 다음** 그중 일부를 더 많은 장비 납품 등의 계약을 체결할 수 있도록 해 달라는 취지의 묵시적 청탁과 함께 **배임증재에 공여한** 경우 ⇨ 횡령죄와 배임증재죄의 **실체적** 경합범(대판 2010.5.13, 2009도13463) 12. 9급 검찰 · 철도경찰

  - ⚖ **유사판례** : 회사의 이사 등이 업무상의 임무에 위배하여 **보관 중인 회사의 자금으로 뇌물을 공여한 경우**, 그 이사 등은 회사에 대하여 업무상 횡령죄의 죄책을 면하지 못한다(대판 2013. 4.25, 2011도9238 ∵ 뇌물공여죄와 업무상 횡령죄 성립).

③ **자기가 보관**하던 **타인소유**의 재물을 기망수단으로 영득한 경우 ⇨ 횡령죄 ○, 사기죄 ×(대판 1980.12.9, 80도1177) 19. 법원행시, 20. 해경 3차

④ **본인에 대한 배임행위가 본인 이외의 제3자에 대한 사기죄를 구성**한다 하더라도 그로 인하여 본인에게 손해가 생긴 때에는 사기죄와 함께 배임죄가 성립하고 두 죄는 **실체적 경합관계에 있다**(대판 2010.11.11, 2010도10690 **예** 건물관리인이 건물주로부터 월세임대차계약 체결업무를 위임받고도 임차인을 속여 전세임대차계약을 체결하고 그 보증금을 편취한 경우 ⇨ 사기죄와 업무상 배임죄의 **실체적 경합범**) 20. 변호사시험, 21. 해경 1차 · 7급 검찰, 24. 해경간부, 25. 순경 1차

⑤ 채권자들에 의한 복수의 강제집행이 예상되는 경우 재산을 은닉 또는 허위양도함으로써 채권자들을 해하였다면 **채권자별로 각각 강제집행면탈죄가** 성립하고, 상호 **상상적 경합범**의 관계에 있다(대판 2011.12.8, 2010도4129). 17. 법원행시, 18. 경찰간부, 19. 경찰승진, 24. 법원직

⑥ 甲이 A주식회사로부터 렌탈(임대차)하여 컴퓨터 본체, 모니터 등을 받아 보관하였고, B주식회사로부터 리스(임대차)하여 컴퓨터 본체, 모니터, 그래픽카드, 마우스 등을 보관하다가, 같은 날 성명불상의 업체에 한꺼번에 처분하여 횡령한 경우, 피해자들에 대한 각 횡령죄는 상상적 경합 관계에 있다(대판 2013.10.31, 2013도10020 ∵ 여러 개의 위탁관계에 의하여 보관하던 여러 개의 재물을 1개의 행위에 의하여 횡령한 경우 ⇨ 횡령죄의 상상적 경합범 ○) 16. 경찰간부, 17. 경찰승진, 18. 7급 검찰, 21. 해경 2차, 23. 법원직

⑦ 여러 사람의 권리의 목적이 된 자기의 물건을 취거, 은닉 또는 손괴함으로써 그 여러 사람의 권리행사를 방해하였다면 **권리자별로 각각 권리행사방해죄가 성립하고 각 죄는 서로 상상적 경합범의 관계에 있다**〔대판 2022.5.12, 2021도16876 **예** 甲은 유류분권리자인 乙과 丙이 각자의 유류분반환청구권을 보전하기 위하여 甲소유 부동산에 대한 가압류결정을 받아 가압류등기가 마쳐지자 그 부동산은 취거, 은닉 또는 손괴한 경우(단, 甲은 乙과 직계혈족의 관계 ○) ⇨ **권리행사방해죄의 상상적 경합범** ○(단, 乙에 대해서는 형법 제328조 제1항을 적용하여 형을 면제)〕. 24. 법원직, 25. 변호사시험

3. 기타 개인적 법익

① 살인 후 죄적을 은폐하기 위하여 시체를 다른 장소에 운반하여 유기한 경우 ⇨ 살인죄와 사체유기죄의 경합범(대판 1997.7.25, 97도1142) 12. 변호사시험, 13. 9급 철도경찰

  ⚖ **비교판례**
  1. 강간치상범이 자신의 범행으로 인하여 실신상태에 있는 피해자를 그대로 방치하고 도주한 경우 포괄적으로 단일의 강간치상죄만을 구성한다(대판 1980.6.24, 80도726). 13. 사시, 20. 해경 3차
  2. 甲이 A를 살해함에 있어 나중에 사체의 발견이 불가능 또는 심히 곤란하게 하려는 의사로 인적이 드문 장소로 A를 유인하여 그곳에서 살해하고 사체를 그대로 방치한 채 도주한 경우 ⇨ 살인죄 ○, 사체은닉죄 ×(대판 1986.6.24, 86도891) 12. 법원행시, 19. 변호사시험

② 감금행위가 강간 또는 강도의 수단이 된 경우 ⇨ 상상적 경합(대판 1997.1.21, 96도2715 **예** 피해자가 자동차에서 내릴 수 없는 상태에 있음을 이용하여 강간하려고 결의하고, 주행 중인 자동차에서 탈출불가능하게 하여 외포케 하고 50km를 운행하여 여관 앞까지 강제연행한 후 강간하려다 미수에 그친 경우 ⇨ 감금죄와 강간미수죄의 상상적 경합) 20. 해경 1차, 23. 법원행시

  ⚖ **비교판례** : 감금행위가 단순히 강도상해 범행의 수단에 그치지 아니하고 강도상해의 범행이 끝난 뒤에도 계속된 경우(**예** 피해자를 강제로 승용차에 태우고 가면서 주먹으로 피해자를 때려 반항을 억압한 후 현금 35만원을 빼앗고 피해자에게 안면부 타박상을 입힌 후, 계속하여 15km 정도를 진행하다 내려준 경우) ⇨ 감금죄와 강도상해죄의 경합범(대판 2003.1.10, 2002도4380) 15. 사시·9급 검찰·마약수사, 19. 순경 1차, 24. 해경간부

③ 피해자의 방안에 침입하여 식칼로 위협하여 반항을 억압한 다음 피해자를 강간하여 상해를 입힌 경우 ⇨ 포괄하여 특수강간치상죄(성폭력특례법) ○, 주거침입죄 ×(대판 1999.4.23, 99도354) 13. 법원행시

④ 비방의 목적으로 18회에 걸쳐서 출판물에 의하여 공연히 허위의 사실을 적시·유포함으로써 한국소비자보호원의 명예를 훼손하고 업무를 방해한 경우 ⇨ 출판물에 의한 명예훼손죄와 업무방해죄의 상상적 경합(대판 1993.4.13, 92도3035) 09. 9급 검찰, 21. 경력채용

　　🏛 **유사판례** : 甲이 치료받은 다음 날 오전 병원 앞에서 허위사실이 기재된 현수막을 설치하고 허위사실을 기재한 유인물을 불특정 다수에게 배포한 경우 ⇨ 허위사실 유포에 의한 업무방해죄와 허위사실적시에 의한 명예훼손죄의 상상적 경합(대판 2007.11.15, 2007도7140) 18. 경찰승진

⑤ 슈퍼마켓 사무실에서 식칼을 들고 피해자를 협박하고 매장을 돌아다니며 손님을 내쫓은 경우 ⇨ 협박죄와 업무방해죄의 실체적 경합(대판 1991.1.29, 90도2445) 07. 7급 검찰

⑥ 강도강간죄는 강도가 강간하는 것을 그 요건으로 하므로 부녀를 강간한 자가 강간행위 후에 강도의 범의를 일으켜 재물을 강취하는 경우에는 강간죄와 강도죄의 경합범이 성립될 수 있을 뿐이다(대판 1977.9.28, 77도1350).

⑦ 피해자를 2회 강간하여 질입구파열창을 입힌 자가 피해자에게 용서를 구하였으나 불응하면서 강간사실을 부모에게 알리겠다고 하자 피해자의 목을 졸라 질식 사망케 한 경우 ⇨ 강간치상죄와 살인죄의 경합범(대판 1987.1.20, 86도2360) 17. 법원직

⑧ 주거침입강간죄는 사람의 주거 등을 침입한 자가 피해자를 강간한 경우에 성립하는 것으로서, 주거침입죄를 범한 후에 사람을 강간하는 행위를 하여야 하는 일종의 신분범이고, 선후가 바뀌어 강간죄를 범한 자가 그 피해자의 주거에 침입한 경우에는 이에 해당하지 않고 강간죄와 주거침입죄의 실체적 경합범이 된다(대판 2021.8.12, 2020도17796). 22. 순경 2차, 24. 해경경장

4. 사회적 법익

① 위조된 통화(유가증권·문서)를 행사하여 재물이나 재산상의 이익을 편취한 경우 ⇨ 위조통화(유가증권·문서)행사죄와 사기죄의 경합범(대판 1979.7.10, 79도840 ; 대판 1981.7.28, 81도529) 15. 순경 2차, 17. 변호사시험·법원행시, 18. 경찰간부, 20. 7급 검찰, 21. 순경 1차, 22. 해경간부

② 행사의 목적으로 타인의 인장을 위조하고 그 위조한 인장을 사용하여 타인의 사문서를 위조한 경우 ⇨ 사문서위조죄(인장위조·동행사죄 × : 대판 1978.9.26, 78도1787 ∵ 인장위조죄는 사문서위조죄에 흡수됨) 12. 변호사시험, 14. 법원행시, 24. 법원직

③ 연결효과에 의한 상상적 경합 : 공무원이 수뢰 후 행한 부정행위(수뢰후부정처사죄 : A)가 허위공문서작성죄(B) 및 동행사죄(C) 또는 공도화변조죄(B) 및 동행사죄(C)와 각각(A·B, A·C) 상상적 경합관계에 있는 경우(이때 B·C는 실체적 경합) ⇨ A·B·C의 상상적 경합의 예에 따라 처벌(경합가중 × : 대판 1983.7.26, 83도1378 ; 대판 2001.2.9, 2000도1216) 17. 9급 검찰·마약수사·철도경찰, 22. 법원행시, 23. 순경 1차, 24. 해경승진

④ 공무원인 의사가 공무소의 명의로 허위진단서를 작성한 경우 ⇨ 허위공문서작성죄 ○, 허위진단서작성죄 ×(대판 2004.4.9, 2003도7762 ∵ 허위진단서작성죄의 대상은 공무원이 아닌 의사가 사문서로서 진단서를 작성한 경우에 한정됨) 18. 법원행시, 20. 법원직·7급 검찰, 22. 해경간부

⑤ 1개의 문서에 2인 이상의 연명으로 된 문서를 위조한 경우(🗂 금전소비대차계약서의 주채무자와 연대보증인의 명의를 연명으로 위조한 경우) ⇨ 문서위조죄의 상상적 경합(대판 1987.7.21, 87도564 ∵ 하나의 행위이고 작성명의인의 수를 기준으로 죄수 결정) 15. 사시, 23. 법원행시

　　🏛 **비교판례** : 피해자 명의의 약속어음 2매를 위조한 경우 ⇨ 유가증권위조죄의 경합범(대판 1983. 4.12, 82도2938 ∵ 위조된 유가증권의 매수를 기준으로 죄수 결정)

⑥ 공무원이 위법사실을 발견하고도 위법사실을 적극적으로 은폐할 목적으로 허위공문서를 작성·행사한 경우 ⇨ 허위공문서작성 및 동행사죄 ○, 직무유기죄 ×〔🗂 예비군중대장이 대원의 훈련불참사실을 은폐하기 위해 훈련에 참석하는 양 허위내용의 학급구성명부를 작성·행사(대판 1982. 12.28, 82도2210), 경찰관이 도박범행사실을 적발하고도 발견하지 못한 것처럼 근무일지를 허위로 작성하고 소장에게 허위보고한 경우(대판 1999.11.26, 99도1904)〕 13. 사시, 15. 9급 검찰·마약수사

　　⚖ **비교판례** : 공무원이 직무를 유기한 후 **다른 목적을 위하여** 허위공문서를 작성·행사한 경우
　　　⇨ 직무유기죄와 허위공문서작성 및 동행사죄의 실체적 경합(대판 1993.12.24, 92도3334 **예** 농
　　　지 일시전용허가를 내주기 위해 현장출장복명서와 심사의견서를 허위로 작성하여 제출한 경우)
　　　09. 경찰승진

⑦ 법원을 기망하여 **승소판결**을 받고 그 확정판결에 의하여 **소유권이전등기를 경료한 경우** ⇨ 사기
　죄와 공정증서원본부실기재죄의 실체적 경합(대판 1983.4.26, 83도188) 17. 법원직, 24. 법원행시

⑧ 피해자들의 재물 강취 후 그들을 살해할 목적으로 현주건조물에 방화하여 사망하게 한 경우 ⇨
　강도살인죄와 현주건조물방화치사죄의 상상적 경합(대판 1998.12.8, 98도3416) 19. 변호사시험, 21.
　해경간부, 23. 순경 2차

⑨ 현주건조물에 방화하여 기수에 이른 후, 이 건조물에서 **빠져나오려는** 자를 가로막아 불에 타서
　숨지게 한 경우 ⇨ 현주건조물방화죄와 살인죄의 실체적 경합범(대판 1983.1.18, 82도2341), 부진
　정결과적 가중범(현주건조물방화치사죄) 성립 ×

⑩ 회사 명의의 합의서를 임의로 작성·교부한 행위에 대하여 약식명령이 확정된 사문서위조 및
　그 행사죄의 범죄사실과 그로 인하여 회사에 재산상 손해를 가하였다는 업무상 배임의 공소사실
　은 그 객관적 사실관계가 하나의 행위이므로 1개의 행위가 수개의 죄에 해당하는 경우로서 형법
　제40조에 정해진 **상상적(실체적 ×) 경합관계**에 있다(대판 2009.4.9, 2008도5634). 24. 변호사시험

⑪ 업무상 과실로 교량을 손괴하여 자동차의 교통을 방해하고 자동차를 추락시킨 경우 ⇨ 업무상
　과실일반교통방해죄와 업무상 과실자동차추락의 상상적 경합(대판 1997.11.28, 97도1740) 04. 사시

5. 국가적 법익

① **절도범**이 체포를 면하려고 **경찰관에게 폭행**을 가한 경우 ⇨ 준강도죄와 공무집행방해죄의 **상상적**
　경합(대판 1992.7.28, 92도917), 강도범이 체포를 면하려고 경찰관에게 폭행을 가한 경우 ⇨ 강도죄
　와 공무집행방해죄의 실체적 경합(대판 1992.7.28, 92도917) 16. 7급·9급 검찰·마약수사·철도경찰, 18.
　순경 3차, 19. 경찰간부, 21. 경찰승진·해경간부·법원행시, 23. 해경승진·순경 2차, 25. 해경경사

② 동일한 공무를 집행하는 **여럿의 공무원**에 대하여 폭행·협박 행위가 이루어진 경우에는 공무를
　집행하는 **공무원의 수에 따라** 여럿의 공무집행방해죄가 **성립**하고, 폭행·협박 행위가 **동일한 장**
　소에서 동일한 기회에 이루어진 것으로서 사회관념상 1개의 행위로 평가되는 경우에는 여럿의
　공무집행방해죄는 상상적 경합의 관계에 있다(대판 2009.6.25, 2009도3505 **예** 피해신고를 받고
　출동한 경찰관 甲을 폭행하고, 곧이어 이를 제지하는 경찰관 乙을 폭행한 경우). 17. 법원행시·9급
　철도경찰, 18. 경찰간부, 20. 법원직, 21. 해경간부, 24. 경찰승진

③ 공무를 집행하고 있는 공무원을 폭행하여 상해를 가한 경우(폭행의사로) ⇨ 공무집행방해죄와
　폭행치상죄의 상상적 경합(대판 1984.2.28) 13. 경찰간부

④ 甲이 직무를 집행하는 공무원에 대하여 위험한 물건을 휴대하여 고의로 상해한 경우 특수공무집
　행방해치상죄와 별도로 폭력행위 등 처벌에 관한 법률 위반(집단·흉기 등 상해)죄는 성립하지
　않는다(대판 2008.11.27, 2008도7311). 15. 9급 검찰·마약수사, 16. 순경 1차, 19. 법원행시, 20. 법원직

⑤ **형사가** 검사로부터 범인을 검거하라는 지시를 받고서도 그 직무상의 의무에 따른 적절한 조치를
　취하지 않고 오히려 **범인에게 전화로 도피하라고 권유하여 그를 도피케 한 경우**, 직무위배의 위
　법상태가 범인도피행위 속에 포함되어 있는 것으로 보아야 할 것이므로, 작위범인 범인도피죄만
　이 성립하고 부작위범인 직무유기죄는 따로 성립하지 아니한다(대판 1996.5.10, 96도51). 17. 순경
　1차, 21. 경찰간부, 22. 법원행시

⚖ **유사판례** : 경찰공무원이 지명수배 중인 범인을 발견하고도 직무상 의무에 따른 적절한 조치를 취하지 아니하고 오히려 범인을 도피하게 한 경우 ⇨ 범인도피죄 ○, 직무유기죄 ×(대판 2017. 3.15, 2015도1456) 18. 7급 검찰·순경 3차, 19. 변호사시험, 23. 해경승진

⑥ 경찰관이 압수물을 범죄 혐의의 입증에 사용하도록 하는 등의 적절한 조치를 취하지 않은 채 피압수자에게 돌려준 경우 증거인멸죄만 성립하고 별도로 직무유기죄는 성립하지 않는다(대판 2006.10.19, 2005도3909). 19. 경찰승진, 20. 7급 검찰

⑦ 시험을 관리하는 공무원이 타인으로부터 돈을 받고 직무상 지득한 시험문제를 타인에게 알려준 경우 공무상 비밀누설죄와 수뢰후부정처사죄는 상상적 경합의 관계에 있다(대판 1970.6.30, 70도 562). 18. 경찰간부, 20. 7급 검찰, 21. 해경승진

⑧ 공무원이 직무관련자에게 제3자와 계약을 체결하도록 요구하여 계약 체결을 하게 한 행위가 제3자 뇌물수수죄의 구성요건과 직권남용권리행사방해죄의 구성요건에 모두 해당하는 경우에는, 제3자 뇌물수수죄와 직권남용권리행사방해죄가 각각 성립하되, 이는 사회 관념상 하나의 행위가 수개의 죄에 해당하는 경우이므로 두 죄는 형법 제40조의 상상적 경합관계에 있다(대판 2017.3.15, 2016도 19659). 19. 9급 검찰·마약수사·철도경찰, 20. 해경 1차, 21. 법원행시·7급 검찰, 22. 경찰간부, 23. 순경 1차, 24. 해경승진, 25. 변호사시험

6. 특별법

(1) 자동차운전과 관련된 판례 총정리

① 특정범죄 가중처벌 등에 관한 법률 위반(위험운전치사상)죄와 도로교통법 위반(음주운전)죄는 입법취지와 보호법익 및 적용영역을 달리하는 별개의 범죄로서 양 죄가 모두 성립하는 경우 두 죄는 실체적 경합관계에 있는 것으로 보아야 한다(대판 2008.11.13, 2008도7143). 20. 법원직·순경 2차, 22. 변호사시험·경찰간부·순경 1차, 21·25. 경찰승진

  ⚖ **비교판례** : 음주로 인한 특정범죄 가중처벌 등에 관한 법률 위반(위험운전치사상)죄가 성립하는 때에는 차의 운전자가 형법 제268조의 죄를 범한 것을 내용으로 하는 교통사고처리특례법 위반죄는 그 죄에 흡수되어 별죄를 구성하지 아니한다(대판 2008.12.11, 2008도9182). 12. 7급 검찰, 22·23. 변호사시험

② 무면허운전과 교통사고처리특례법위반죄(업무상 과실치사죄) ⇨ 실체적 경합범(대판 1972.10.31, 72도2001 : 운전면허 없이 운전을 하다가 두 사람을 한꺼번에 치어 사상케 한 경우에 이 업무상 과실치사상죄의 소위는 상상적 경합관계에 해당하고, 이와 무면허운전에 대한 도로교통법 위반 죄와는 실체적 경합관계에 있다.) 21. 변호사시험·법원행시

③ 무면허운전과 음주운전죄 ⇨ 상상적 경합(대판 1987.2.24, 86도2731) 17. 변호사시험, 23. 법원행시

④ 주취운전과 음주측정 거부의 각 도로교통법 위반죄 ⇨ 실체적 경합(대판 2004.11.12, 2004도5257) 25. 변호사시험

⑤ 음주 또는 약물의 영향으로 정상적인 운전이 곤란한 상태에서 자동차를 운전하여 사람을 상해에 이르게 함과 동시에 다른 사람의 재물을 손괴한 때에는 특정범죄 가중처벌 등에 관한 법률 위반(위험운전치사상)죄 외에 업무상 과실 재물손괴로 인한 도로교통법 위반죄가 성립하고, 위 두 죄는 1개의 운전행위로 인한 것으로서 상상적 경합관계에 있다(대판 2010.1.14, 2009도10845). 19. 경찰간부, 21·22. 법원행시, 23·25. 경찰승진·9급 검찰·마약수사·철도경찰

⑥ 甲이 사고 후 도로교통법 제54조 제1항의 조치를 취하지 아니하고 도주하여 특정범죄 가중처벌 등에 관한 법률위반(도주치상)죄와 도로교통법위반(사고 후 미조치)죄가 성립하는 경우, 위 두 죄는 상상적(실체적 ×) 경합관계에 있다(대판 2016.11.24, 2016도12407). 21. 변호사시험

⑦ 운행정지명령 위반으로 인한 **자동차관리법 위반죄**와 의무보험미가입자동차운행으로 인한 **자동차손해배상 보장법 위반죄**는 상상적 경합관계로 볼 것이 아니라 **실체적 경합관계**로 보는 것이 타당하다(대판 2023.4.27, 2020도17883). 25. 해경경사

(2) 상상적 경합이 인정되는 경우

① 공무원이 취급하는 사건에 관하여 청탁 또는 알선을 할 의사와 능력이 없음에도 청탁 또는 알선을 한다고 기망하고 금품을 교부받은 경우 ⇨ 사기죄와 변호사법 위반죄의 **상상적 경합**(대판 2006.1.27, 2005도8704 ; 대판 2007.5.10, 2007도2372) 21. 변호사시험·해경 1차, 22. 법원직, 23. 경찰승진, 24. 법원행시

② 국회의원 선거에서 정당의 공천을 받게 하여 줄 의사나 능력이 없음에도 이를 해 줄 수 있는 것처럼 기망하여 공천과 관련하여 금품을 받은 경우, 공직선거법상 **공천관련금품수수죄**와 **사기죄**가 모두 성립하고 양자는 **상상적 경합**의 관계에 있다(대판 2009.4.23, 2009도834). 22. 법원행시

③ 형법 제307조의 **명예훼손죄**와 공직선거 및 선거부정방지법 제251조의 **후보자비방죄**는 **상상적 경합**의 관계에 있다(대판 1998.3.24, 97도2956). 14. 법원행시

④ 금융회사 등의 임직원의 직무에 속하는 사항에 관하여 알선할 의사와 능력이 없음에도 알선을 한다고 **기망하고** 금품 등을 **수수**하였다면, 사기죄와 특정경제범죄 가중처벌 등에 관한 법률 제7조 위반죄의 **상상적 경합**의 관계에 있다(대판 2012.6.28, 2012도3927). 17. 법원행시, 22. 경찰간부

⑤ **부정수표단속법 위반죄**(당좌수표를 조합 이사장 명의로 발행하여 그 소지인이 지급제시기간 내에 지급제시하였으나 거래정지처분의 사유로 지급되지 아니한 경우)와 **업무상 배임죄**(동일한 수표를 발행하여 조합에 대하여 재산상 손해를 가한 경우)는 상상적 경합관계에 있다(대판 2004.5.13, 2004도1299). 05. 법무사, 11. 사시

⑥ 동일인 대출한도 초과대출 행위로 인하여 상호저축은행에 손해를 가함으로써 상호저축은행법 위반죄와 업무상 배임죄가 모두 성립한 경우, 위 두 죄는 형법 제40조 소정의 **상상적 경합관계**에 있다(대판 2012.6.28, 2012도2087).

⑦ 무허가 카지노영업으로 인한 **관광진흥법 위반죄**와 **도박개장죄**는 **상상적 경합범** 관계에 있다(대판 2009.12.10, 2009도11151). 11. 경찰승진

⑧ 공직선거기부행위제한기간 중 정당 내의 공직후보경선에서 당선될 목적으로 **선거권을 가진 당원들에게 금품을 제공**한 경우 ⇨ 정당법 위반죄(금품제공)와 공직선거 및 선거부정방지법(현 공직선거법) 위반죄(기부행위)의 **상상적 경합**(대판 2003.4.8, 2002도6033)

⑨ **수개의 접근매체를 한꺼번에 양도한 행위**는 하나의 행위로 수개의 전자금융거래법 위반죄를 범한 경우에 해당하여 각 죄는 **상상적 경합관계**에 있다(대판 2010.3.25, 2009도1530). 22. 법원직

⑩ 피해견인 로트와일러가 묶여 있던 자신의 진돗개를 공격하자, 진돗개 주인이 피해견을 쫓아버리기 위해 엔진톱으로 위협하다가 피해견의 등 쪽을 절단하여 죽게 한 행위는 구 **동물보호법 위반죄**(잔인한 방법으로 죽이는 행위)와 **재물손괴죄**가 성립하고, 양자는 **상상적 경합**의 관계에 있다(대판 2016.1.28, 2014도2477). 22. 순경 2차, 24. 해경경장

⑪ 甲주식회사의 대표이사로서 경영책임자이자 안전보건총괄책임자인 피고인 乙이, 산업재해 예방에 필요한 주의의무를 게을리하고 안전조치를 하지 아니함과 동시에, 재해예방을 위한 안전보건관리체계의 구축 및 그 이행에 관한 조치를 하지 아니하여 사업장의 종사자 丁이 사망하는 중대산업재해에 이른 경우, **중대재해 처벌 등에 관한 법률 위반**(산업재해치사)죄와 근로자 사망으로 인한 **산업안전보건법 위반죄 및 업무상 과실치사죄**는 상호간 사회관념상 1개의 행위가 수개의 죄에 해당하는 경우로서 **상상적 경합관계**에 있다(대판 2023.12.28, 2023도12316).

⑫ 甲이 A에게 접근하거나 전화를 건 행위가 스토킹범죄의 처벌 등에 관한 법률의 스토킹범죄를 구성하는 스토킹행위에 해당하고 같은 법의 잠정조치를 위반한 행위에도 해당하는 경우, 양죄는 상상적 경합관계에 있다(대판 2024.9.27, 2024도7832). 25. 9급 검찰·마약수사·철도경찰

(3) 실체적 경합이 인정되는 경우

① 사기의 수단으로 발행한 수표가 지급거절된 경우(◉ 甲은 A에게 수표금액을 지급할 의사나 능력이 없는 상태에서 부도가 예상되는 당좌수표를 발행하여 주고 A로부터 금원을 차용하였으며, 그 당좌수표가 지급기일에 부도처리된 경우) ⇨ 부정수표단속법 위반죄와 사기죄의 실체적 경합범 (대판 2004.6.25, 2004도1751) 16. 사시, 22. 법원행시·경찰간부

② 초병이 그 수소를 이탈한 후 별도로 군무를 기피할 목적을 일으켜 그 직무를 이탈한 경우 ⇨ 초병의 수소이탈죄와 군무이탈죄의 실체적 경합범(대판 1981.10.13, 81도2397) 12. 법원행시, 15. 경찰간부

③ 2개의 인터넷 파일공유 웹스토리지 사이트를 운영하는 피고인들이 이를 통해 저작재산권 대상인 디지털 콘텐츠가 불법 유통되고 있음을 알면서도 다수의 회원들로 하여금 수만 건에 이르는 불법 디지털 콘텐츠를 업로드하게 한 후 이를 수십만 회에 걸쳐 다운로드하게 함으로써 저작재산권 침해를 방조한 피고인들의 각 방조행위는 원칙적으로 서로 경합범 관계에 있다(대판 2012.5.10, 2011도12131). 13. 순경 1차

④ 甲은 미성년자인 A를 약취한 후 강간을 목적으로 A에게 상해를 가하고 나아가 A에 대한 강간 및 살인미수를 범한 경우, 상해의 결과가 A에 대한 강간 및 살인미수행위 과정에서 발생한 것이라 하더라도 甲에게는 A에 대한 상해 등으로 인한 특정범죄 가중처벌 등에 관한 법률 위반죄 및 A에 대한 강간 및 살인미수행위로 인한 성폭력범죄의 처벌 등에 관한 특례법 위반죄가 각 성립하고 두 죄는 실체적 경합관계가 있다(대판 2014.2.27, 2013도12301). 16. 경찰간부, 21·22. 순경 2차

⑤ 경찰서 생활질서계에 근무하는 피고인 甲이 피고인 乙로부터 뇌물을 수수하면서, 피고인 乙의 자녀 명의 은행 계좌에 관한 현금카드를 받은 뒤 피고인 乙이 위 계좌에 돈을 입금하면 피고인 甲이 현금카드로 돈을 인출하는 방법으로 범죄수익의 취득에 관한 사실을 가장한 경우, 범죄수익 은닉의 규제 및 처벌 등에 관한 법률 위반죄와 특정범죄 가중처벌 등에 관한 법률 위반(뇌물)죄가 성립하고 두 죄가 실체적 경합범 관계에 있다(대판 2012.9.27, 2012도6079). 17. 경찰승진

⑥ 형법상의 사기죄와 무허가 의약품제조행위를 처벌하는 보건범죄단속에 관한 특별조치법 위반죄의 관계 ⇨ 실체적 경합(대판 2004.1.15, 2001도1429)

⑦ 유사수신행위 금지규정에 위반한 유사수신행위가 별도로 사기죄의 구성요건도 충족하는 경우 유사수신행위의 규제에 관한 법률 위반죄와 사기죄는 별개의 범죄로 성립하고, 양 죄는 실체적 경합관계에 있다(대판 2001.3.27, 2000도5318). 20. 법원행시, 22. 경찰간부

⑧ 허위 또는 과장된 사실을 알리는 등 소비자를 유인하는 방법으로 기망하여 돈을 편취한 경우 사기죄와 방문판매업법 위반죄 ⇨ 실체적 경합관계 ○, 법조경합 ×, 상상적 경합 ×(대판 2010. 2.11, 2009도12627) 22. 법원직

⑨ 무역업자가 수차례에 걸쳐 물품을 수입할 때마다 허위신고를 하여 관세를 포탈한 경우 ⇨ 관세법상의 관세포탈죄의 경합범(대판 2000.11.10, 99도782 ∵ 각각의 허위수입신고시마다 1개의 죄가 성립됨) ▶ 조세포탈범의 죄수는 과세기간마다 일죄가 성립하는 것이 원칙이나 조세종류를 불문하고 연간포탈세액이 특정범죄 가중처벌 등에 관한 법률 제8조 제1항의 금액 이상인 때에는 1년 단위로 일죄 구성(대판 2000.4.20, 99도3822) 16. 7급 검찰, 19. 경찰간부

⑩ 상호신용금고가 실질적으로 동일한 채무자에게 동일인 대출 한도를 초과하여 대출한 경우 ⇨ 대출시마다 같은 죄가 성립한다 할 것이므로, 각 초과대출행위는 실질적인 경합범에 해당한다(대판 2004.4.28, 2004도927).

⑪ 음반·비디오물 및 게임물에 관한 법률위반죄와 도박개장죄는 실체적 경합관계로 봄이 상당하다(대판 2007.4.27, 2007도2094).

⑫ 법인별로 다단계판매업 등록을 하지 아니한 채 각 법인 명의로 다단계판매조직을 개설·관리 또는 운영하는 행위를 한 경우에는 법인별로 방문판매 등에 관한 법 제51조 제1항 제1호, 제13조 제1항 위반의 죄가 성립하며 이는 서로 실체적 경합관계에 있다(대판 2013.7.26, 2011도1264).

⑬ 수표금액의 지급 또는 거래정지처분을 면할 목적으로 금융기관에 거짓 신고를 한 자를 처벌하도록 규정하는 부정수표단속법위반죄와 타인으로 하여금 형사처분 또는 징계처분을 받게 할 목적으로 공무소 또는 공무원에 대하여 허위의 사실을 신고하는 때에 성립하는 무고죄는 서로 보호법익이 다르고, 사회관념상 행위가 사물자연의 상태로서 1개로 평가되는 것으로 보기도 어려워 상상적 경합관계에 있다고 볼 수 없다(대판 2014.1.23, 2013도12064 ∴ 실체적 경합관계 ○). 23. 법원행시

⑭ 등록을 하지 아니하고 다단계판매조직을 개설·관리·운영한 자를 처벌하는 방문판매 등에 관한 법률 제13조 제1항 위반죄와 무등록 다단계판매업 영업행위를 통하여 금전을 수입한 유사수신행위를 처벌하는 유사수신행위의 규제에 관한 법률 제3조, 제2조 각 호의 위반죄는 실체적(상상적 ×) 경합관계에 있다(대판 2001.12.24, 2001도205 ∵ 구성요건과 보호법익을 달리하므로 법률상 1개의 행위로 평가되는 경우에 해당 ×). 24. 법원행시

---

01 상상적 경합에 대한 설명 중 옳은 것만을 모두 고르면?(다툼이 있는 경우 판례에 의함)

20. 7급 검찰

> ㉠ 공무원인 의사가 공무소의 명의로 허위진단서를 작성한 경우, 허위공문서작성죄와 허위진단서작성죄가 성립하고 양 죄는 상상적 경합관계에 있다.
>
> ㉡ 사문서를 위조하고 그 위조된 사문서를 행사한 경우, 사문서위조죄와 위조사문서행사죄가 성립하고 양 죄는 상상적 경합관계에 있다.
>
> ㉢ 시험을 관리하는 공무원이 돈을 받고 시험문제를 알려준 경우, 공무상 비밀누설죄와 수뢰후부정처사죄가 성립하고 양 죄는 상상적 경합관계에 있다.
>
> ㉣ 경찰관이 압수물을 범죄 혐의의 입증에 사용하도록 하는 등의 적절한 조치를 취하지 아니하고 오히려 피압수자에게 돌려주어 증거를 인멸한 경우, 증거인멸죄와 직무유기죄가 성립하고 양 죄는 상상적 경합관계에 있다.
>
> ㉤ 배임행위에 사기행위가 수반되어 1개의 행위에 관하여 사기죄와 배임죄의 각 구성요건이 구비된 때에는 양 죄는 상상적 경합관계에 있다.

① ㉢, ㉤

② ㉠, ㉡, ㉣

③ ㉠, ㉢, ㉤

④ ㉢, ㉣, ㉤

해설 ㉠ × : 허위공문서작성죄 ○, 허위진단서작성죄 ×(대판 2004.4.9, 2003도7762)
㉡ × : ~ 실체적(상상적 ×) 경합관계에 있다(대판 1981.7.28, 81도529).
㉢ ○ : 대판 1970.6.30, 70도562
㉣ × : 증거인멸죄 ○, 직무유기죄 ×(대판 2006.10.19, 2005도3909)
㉤ ○ : 대판 2002.7.18, 2002도669 전원합의체

02 다음 〈보기1〉의 (   ) 속에 들어갈 죄수 관계에 부합하는 사례를 〈보기2〉에서 모두 고른 것은?
(다툼이 있는 경우 판례에 의함) *21. 해경간부*

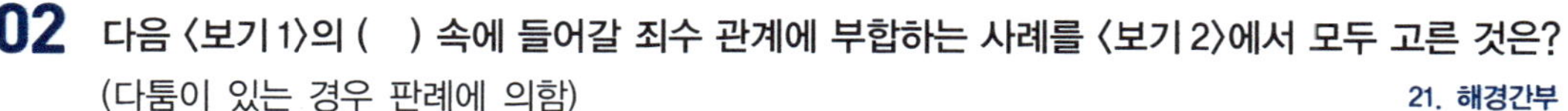

> 〈보기1〉
> 강도범인이 체포를 면탈할 목적으로 경찰관에게 폭행을 가한 때에는 강도죄와 공구집행방해죄가 성립하고 두 죄는 (   )의 관계에 있다.

> 〈보기2〉
> ㉠ 이미 절취한(이 부분은 논외로 함) 피해자 명의의 신용카드를 부정사용하여 현금자동인출기에서 현금을 인출하고 그 현금을 취득까지 한 경우
> ㉡ 비의료인이 의료기관을 개설하여 운영하는 도중 개설자 명의를 다른 의료인 등으로 변경한 경우
> ㉢ 강도가 재물을 강취한 후 현주건조물에 방화하여 피해자들을 사망에 이르게 한 경우
> ㉣ 범죄피해신고를 받고 출동한 두 명의 경찰관에게 욕설을 하면서 순차로 폭행하여 신고처리 및 수사업무에 관한 정당한 직무집행을 방해한 경우, 두 경찰관에 대한 공무집행방해죄

① ㉠, ㉡   ② ㉡, ㉢   ③ ㉢, ㉣   ④ ㉡, ㉣

해설 〈보기1〉은 실체적 경합범 관계임(대판 1992.7.28, 92도917).
㉠ 신용카드부정사용죄와 절도죄의 실체적 경합(대판 1995.7.28, 95도997)
㉡ 의료법위반죄의 실체적 경합(대판 2018.11.29, 2018도10779)
㉢ 강도살인죄와 현주건조물방화치사죄의 상상적 경합(대판 1998.12.8, 98도3416)
㉣ 공무집행방해죄의 상상적 경합(대판 2009.6.25, 2009도3505)

03 죄수에 관한 설명 중 옳지 않은 것은?(다툼이 있는 경우 판례에 의함)
20. 변호사시험, 21. 해경 1차, 25. 해경경위

① 공무원이 취급하는 사건에 관하여 청탁 또는 알선을 할 의사와 능력이 없음에도 청탁 또는 알선을 한다고 기망하고 금품을 교부받은 경우에는 사기죄와 변호사법위반죄가 성립하고 두 죄는 실체적 경합관계에 있다.

② 본인에 대한 배임행위가 본인 이외의 제3자에 대한 사기죄를 구성한다 하더라도 그로 인하여 본인에게 손해가 생긴 때에는 사기죄와 함께 배임죄가 성립하고 두 죄는 실체적 경합관계에 있다.

③ 강도가 한 개의 강도범행을 하는 기회에 수명의 피해자에게 각 폭행을 가하여 각 상해를 입힌 경우에는 각 피해자별로 수개의 강도상해죄가 성립하며 이들은 실체적 경합관계에 있다.

④ 상습성이 있는 자가 같은 종류의 죄를 반복하여 저질렀다 하더라도 상습범을 별도의 범죄유형으로 처벌하는 규정이 없는 한 각 죄는 원칙적으로 실체적 경합범으로 처단된다.

⑤ 공무원이 직무관련자에게 제3자와 계약을 체결하도록 요구하여 계약 체결을 하게 한 행위가 제3자뇌물수수죄와 직권남용권리행사방해죄의 구성요건에 모두 해당하는 경우에는 제3자뇌물수수죄와 직권남용권리행사방해죄가 각각 성립하고 두 죄는 상상적 경합관계에 있다.

[해설] ① × : ～ 상상적(실체적 ×) 경합관계에 있다(대판 2007.5.10, 2007도2372).
② 대판 2010.11.11, 2010도10690
③ 대판 1987.5.26, 87도527
④ 대판 2012.5.10, 2011도12131
⑤ 대판 2017.3.15, 2016도19659

04 **다음 설명 중 가장 옳지 않은 것은?**(다툼이 있는 경우 판례에 의함) 　　　　　20. 법원직

① 동일한 공무를 집행하는 여럿의 공무원에 대하여 폭행, 협박행위를 한 경우에는 공무를 집행하는 공무원의 수에 따라 여럿의 공무집행방해죄가 성립하고, 위와 같은 폭행, 협박행위가 동일한 장소에서 동일한 기회에 이루어진 것으로서 사회관념상 1개의 행위로 평가되는 경우에는 여럿의 공무집행방해죄는 상상적 경합의 관계에 있다.

② 음주로 인한 특정범죄 가중처벌 등에 관한 법률 위반(위험운전치사상)죄와 도로교통법 위반(음주운전)죄는 입법 취지와 보호법익 및 적용영역을 달리하는 별개의 범죄이므로, 1개의 행위에 관하여 양 죄의 각 구성요건이 모두 구비된 때에는 서로 법조경합의 관계로 볼 것이 아니라 상상적 경합관계로 봄이 상당하다.

③ 공무원인 의사가 공무소의 명의로 허위진단서를 작성한 경우에는 허위공문서작성죄만이 성립하고 허위진단서작성죄는 별도로 성립하지 않는다.

④ 강도가 한 개의 강도 범행을 하는 기회에 수명의 피해자에게 각 폭행을 가하여 각 상해를 입힌 경우에는 각 피해자별로 수개의 강도상해죄가 성립하고 이들은 실체적 경합범의 관계에 있다.

[해설] ① 대판 2009.6.25, 2009도3505
② × : ～ (2줄) 별개의 범죄로서 양 죄가 모두 성립하는 경우 두 죄는 실체적 경합관계(상상적 경합관계 ×)에 있는 것으로 보아야 한다(대판 2008.11.13, 2008도7143).
③ 대판 2004.4.9, 2003도7762
④ 대판 1987.5.26, 87도527

05 **죄수에 대한 설명으로 가장 적절한 것은?**(다툼이 있는 경우 판례에 의함) 22. 경찰간부

① 공무원인 의사가 공무소의 명의로 허위진단서를 작성한 경우, 허위진단서작성죄와 허위공문서작성죄의 상상적 경합에 해당한다.

② 금융회사 등의 임직원의 직무에 속하는 사항에 관하여 알선할 의사와 능력이 없음에도 알선을 한다고 기망하고 이에 속은 피해자로부터 알선을 한다는 명목으로 금품 등을 수수한 경우, 사기죄와 특정경제범죄 가중처벌 등에 관한 법률위반죄에 각 해당하고 두 죄는 실체적 경합의 관계에 있다.

③ 공무원이 직무관련자에게 제3자와 계약을 체결하도록 요구하여 계약 체결을 하게 한 행위가 제3자뇌물수수죄의 구성요건과 직권남용권리행사방해죄의 구성요건에 모두 해당하는 경우, 제3자뇌물수수죄와 직권남용권리행사방해죄가 각각 성립하고 양 죄는 상상적 경합관계에 있다.

④ 유사수신행위의 규제에 관한 법률 제3조에서 금지하고 있는 유사수신행위가 별도로 사기죄의 구성요건도 충족하는 경우 유사수신행위의 규제에 관한 법률 위반죄와 사기죄가 각각 성립하고 양 죄는 상상적 경합관계에 있다.

[해설] ① × : 허위공문서작성죄 ○, 허위진단서작성죄 ×(대판 2004.4.9, 2003도7762)
② × : 상상적 경합 ○, 실체적 경합 ×(대판 2012.6.28, 2012도3927)
③ ○ : 대판 2017.3.15, 2016도19659
④ × : 실체적 경합 ○, 상상적 경합 ×(대판 2001.3.27, 2000도5318)

06 **죄수에 관한 설명 중 옳은 것은 모두 몇 개인가?**(다툼이 있는 경우 판례에 의함) 21. 법원행시

㉠ 단일하고 계속된 범의 아래 같은 장소에서 반복하여 여러 사람으로부터 계블입금을 편취한 행위는 피해자별로 포괄하여 1개의 사기죄가 성립하고 이들 포괄일죄 상호간은 실체적 경합관계에 있다고 볼 것이다.

㉡ 운전면허 없이 운전을 하다가 두 사람을 한꺼번에 치어 사상케 한 경우, 각 업무상 과실치사상죄는 상상적 경합관계에 있고, 이와 무면허운전에 의한 도로교통법위반죄와는 실체적 경합관계에 있다.

㉢ 자동차운전자가 타차량을 들이받아 그 차량을 손괴하고 동시에 동 차량에 타고 있던 승객에게 상해를 입힌 경우, 이는 동일한 업무상 과실로 발생한 수개의 결과로서 형법 제40조 소정의 상상적 경합관계에 있다.

㉣ 강도범인이 체포를 면탈할 목적으로 경찰관에게 폭행을 가한 때에는 강도죄와 공무집행방해죄는 상상적 경합관계에 있다.

㉤ 위조사문서행사죄와 이로 인한 사기죄와는 상상적 경합관계에 있다.

㉥ 형법 제332조에 규정된 상습절도죄를 범한 범인이 그 범행 외에 상습적인 절도의 목적으로 주간에 주거침입을 하였다가 절도에 이르지 아니하고 주거침입에 그친 경우 위 주간 주거침입행위는 상습절도죄와 별개로 주거침입죄를 구성한다.

Answer 5. ③ 6. ③

① 1개 ② 2개 ③ 3개
④ 4개 ⑤ 5개

[해설] ㉠ × : 상상적 경합관계 ○, 실체적 경합관계 ×(대판 1990.1.25, 89도252)
㉡ ○ : 대판 1972.10.31, 72도2001
㉢ ○ : 대판 2010.1.14, 2009도10845
㉣ × : 상상적 경합관계 ×, 실체적 경합관계 ○(대판 1992.7.28, 92도917)
㉤ × : 상상적 경합관계 ×, 실체적 경합관계 ○(대판 1991.9.10, 91도1722)
㉥ ○ : 대판 2015.10.15, 2015도8169

07 다음 중 상상적 경합관계가 아닌 것은?(다툼이 있는 경우 판례에 의함)   22. 법원직

① 뇌물을 수수하면서 공여자를 기망한 경우 뇌물수수죄와 사기죄
② 수개의 접근매체를 한 번에 양도한 경우 각 전자금융거래법 위반죄
③ 공무원이 취급하는 사건에 관하여 청탁 또는 알선을 할 의사와 능력이 없음에도 청탁 또는 알선을 한다고 기망하여 돈을 받은 경우 사기죄와 변호사법 위반죄
④ 허위 또는 과장된 사실을 알리는 등 소비자를 유인하는 방법으로 기망하여 돈을 편취한 경우 사기죄와 방문판매업법 위반죄

[해설] • **상상적 경합관계** ○ : ① 대판 1977.6.7, 77도1069 ② 대판 2010.3.25, 2009도1530 ③ 대판 2006.1. 27, 2005도8704
• **상상적 경합관계** × : ④ 대판 2010.2.11, 2009도12627(법조경합관계 ×, 실체적 경합관계 ○)

08 죄수에 관한 설명으로 옳은 것은 모두 몇 개인가?(다툼이 있는 경우 판례에 의함)   23. 순경 2차

㉠ 강도범인이 체포를 면탈할 목적으로 경찰관에게 폭행을 가한 때에는 강도죄와 공무집행방해죄는 상상적 경합관계에 있다.
㉡ 피고인들이 피해자들의 재물을 강취한 후 그들을 살해할 목적으로 현주건조물에 방화하여 사망에 이르게 한 경우 피고인들의 행위는 강도살인죄와 현주건조물방화치사죄에 모두 해당하고 그 두 죄는 실체적 경합관계에 있다.
㉢ 폭력행위 등 처벌에 관한 법률 제4조 제1항은 그 법에 규정된 범죄행위를 목적으로 하는 단체를 구성하거나 이에 가입하는 행위(범죄단체구성 가입죄) 또는 구성원으로 활동하는 행위(범죄단체 활동죄)를 처벌하도록 정하고 있는데 범죄단체를 구성하거나 이에 가입한 자가 더 나아가 구성원으로 활동하는 경우, 각 행위는 실체적 경합관계에 있다.
㉣ 범죄단체 등에 소속된 조직원이 저지른 폭력행위 등 처벌에 관한 법률 위반(단체 등의 공동강요)죄 등의 개별적 범행과 동법 위반(단체 등의 활동)죄는 범행의 목적이나 행위 등 측면에서 일부 중첩되는 부분이 있고, 이에 특별한 사정이 없는 한 법률상 1개의 행위로 평가되어 실체적 경합이 아닌 상상적 경합관계에 있다고 보아야 한다.

① 0개 ② 1개 ③ 2개 ④ 3개

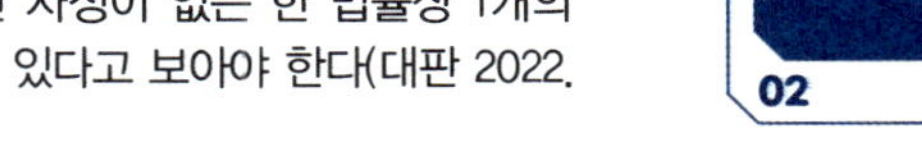

해설 ㉠ × : ~ 실체적(상상적 ×) 경합관계에 있다(대판 1992.7.28, 92도917).
㉡ × : ~ 상상적(실체적 ×) 경합관계에 있다(대판 1998.12.8, 98도3416).
㉢ × : ~ (4줄) 활동하는 경우, 이는 포괄일죄(실체적 경합 ×)의 관계에 있다(대판 2015.9.10, 2015도7081).
㉣ × : ~ (3줄) 일부 중첩되는 부분이 있더라도, 일반적으로 구성요건을 달리하는 별개의 범죄로서 범행의 상대방, 범행 수단 내지 방법, 결과 등이 다를 뿐만 아니라 그 보호법익이 일치한다고 볼 수 없다. 또한 폭력행위처벌법 위반(단체 등의 구성·활동)죄와 위 개별적 범행은 특별한 사정이 없는 한 법률상 1개의 행위로 평가되는 경우로 보기 어려워 상상적 경합이 아닌 실체적 경합관계에 있다고 보아야 한다(대판 2022. 9.7, 2022도6993).

09 죄수에 관한 다음 설명 중 가장 옳지 않은 것은?(다툼이 있는 경우 판례에 의함)　　**24. 법원직**

① 여러 사람의 권리의 목적이 된 자기의 물건을 취거, 은닉 또는 손괴함으로써 그 여러 사람의 권리행사를 방해하였다면 권리자별로 각각 권리행사방해죄가 성립하고 각 죄는 서로 상상적 경합범의 관계에 있다.

② 사기의 수단으로 발행한 수표가 지급거절된 경우, 구성요건적 행위에 부분적 동일성이 있거나 목적, 수단 관계에 있다고 하더라도 행위의 태양과 보호법익이 다르므로 부정수표단속법위반죄와 사기죄는 실체적 경합범의 관계에 있다.

③ 사기도박에 있어 1개의 기망행위에 의하여 여러 피해자로부터 각각 재물을 편취한 경우에는 피해자별로 수개의 사기죄가 성립하고, 그 사이에는 상상적 경합의 관계에 있다.

④ 채권자들에 의한 복수의 강제집행이 예상되는 경우 재산을 은닉 또는 허위양도함으로써 채권자들을 해하였다면 채권자별로 각각 강제집행면탈죄가 성립하는 것이 아니라 포괄하여 1개의 강제집행면탈죄가 성립한다.

해설 ① 대판 2022.5.12, 2021도16876
② 대판 2004.6.25, 2004도1751
③ 대판 2011.1.13, 2010도9330
④ × : ~ (2줄) 각각 강제집행면탈죄가 성립하고 상호 상상적 경합범의 관계에 있다(대판 2011.12.8, 2010 도4129).

종합문제 | 죄수론

01 죄수(罪數)에 대한 설명 중 적절한 것만을 모두 고른 것은?(다툼이 있는 경우 판례에 의함)

20. 순경 2차

> ㉠ 피고인이 강취한 현금카드를 사용하여 현금자동지급기에서 현금을 인출한 행위는 강도죄와는 별도로 절도죄가 성립한다.
> ㉡ 전기통신금융사기(이른바 보이스피싱 범죄)의 범인이 피해자를 기망하여 피해자의 돈을 사기 이용계좌로 송금·이체받은 후 그 계좌에서 현금을 인출하였다면, 송금·이체 행위에 대해서는 사기죄가, 현금을 인출한 행위에 대해서는 횡령죄가 성립하며 양 죄는 실체적 경합관계에 있다.
> ㉢ 음주로 인한 특정범죄 가중처벌 등에 관한 법률 위반(위험운전치사상)죄와 도로교통법 위반 (음주운전)죄가 모두 성립하는 경우 두 죄는 실체적 경합관계에 있다.
> ㉣ 신용카드를 절취한 후 이를 사용한 경우 신용카드의 부정사용행위는 선행 절도범행의 불가벌적 사후행위에 해당한다.

① ㉠, ㉡　　　　② ㉡, ㉢　　　　③ ㉠, ㉢　　　　④ ㉢, ㉣

해설 ㉠ ○ : 대판 2007.5.10, 2007도1375
㉡ × : 사기죄 ○, 횡령죄 ×(대판 2017.5.31, 2017도3894 ∵ 위탁관계나 신임관계 존재 ×, 새로운 법익침해 ×)
㉢ ○ : 대판 2008.11.13, 2008도7143
㉣ × : 절도죄와 신용카드부정사용죄의 실체적 경합(대판 1996.7.12, 96도1181 ∵ 불가벌적 사후행위 ×)

02 사례와 죄수판단을 연결한 것으로 가장 적절한 것은?(다툼이 있는 경우 판례에 의함) 　21. 경찰승진

① 계속적으로 무면허운전을 할 의사를 가지고 여러 날에 걸쳐 무면허운전행위를 반복적으로 한 경우 – 도로교통법위반죄의 포괄일죄

② 강도가 체포면탈의 목적으로 경찰관에게 폭행을 가한 경우 – 강도죄와 공무집행방해죄의 상상적 경합

③ 동일한 공무를 집행하는 두 명의 경찰관에 대하여 동일한 장소에서 동일한 기회에 각각 폭행을 가한 경우 – 공무집행방해죄의 포괄일죄

④ 주취상태에서 운전을 하여 사람을 사상하게 함으로써 도로교통법상의 음주운전죄와 특정범죄 가중처벌 등에 관한 법률상의 위험운전치사상죄를 범한 경우 – 도로교통법위반 죄와 특정범죄 가중처벌 등에 관한 법률위반죄의 실체적 경합

해설 ① × : 포괄일죄 ×, 운전한 날마다 무면허운전죄 1죄 성립(대판 2002.7.23, 2001도6281)
② × : 상상적 경합 ×, 실체적 경합 ○(대판 1992.7.28, 92도917)
③ × : 포괄일죄 ×, 상상적 경합 ○(대판 2009.6.25, 2009도3505)
④ ○ : 대판 2008.11.13, 2008도7143

Answer　1.③　2.④

03 甲은 음주운전 전력으로 자동차 운전면허가 취소된 상태에서, 혈중알코올농도 0.15%의 술에 취하여 정상적인 운전이 곤란한 상태에서 자신의 승용차를 운전하여 가던 중, 전방에 신호대기로 정차하고 있던 A가 운전하는 화물차의 뒷부분을 들이받아 그 충격으로 A에게 약 2주간의 치료를 요하는 상해를 입게 하고, 위 화물차의 수리비가 150만원이 들도록 손괴하였다. 이에 관한 설명 중 옳지 않은 것을 모두 고른 것은?(다툼이 있는 경우 판례에 의함) 21. 변호사시험

> ㉠ 甲이 범한 도로교통법위반(음주운전)죄와 도로교통법위반(무면허운전)죄는 상상적 경합관계에 있다.
> ㉡ 甲이 정상적인 운전이 곤란한 상태가 아니었다면, 甲이 범한 도로교통법위반(무면허운전)죄와 교통사고처리특례법위반(치상)죄는 상상적 경합관계에 있다.
> ㉢ 甲의 행위에 대하여 특정범죄 가중처벌 등에 관한 법률위반(위험운전치상)죄가 성립되는 경우, 교통사고처리특례법위반(치상)죄는 그 죄에 흡수되어 별죄를 구성하지 아니한다.
> ㉣ 甲이 사고 후 도로교통법 제54조 제1항의 조치를 취하지 아니하고 도주하여 특정범죄 가중처벌 등에 관한 법률위반(도주치상)죄와 도로교통법위반(사고 후 미조치)죄가 성립하는 경우, 위 두 죄는 실체적 경합관계에 있다.

① ㉠, ㉡   ② ㉠, ㉢   ③ ㉡, ㉢   ④ ㉡, ㉣   ⑤ ㉢, ㉣

해설 ㉠ ○ : 대판 1987.2.24, 86도2731
㉡ × : ~ 실체적(상상적 ×) 경합관계에 있다(대판 1972.10.31, 72도2001).
㉢ ○ : 대판 2008.12.11, 2008도9182
㉣ × : ~ 상상적(실체적 ×) 경합관계에 있다(대판 2016.11.24, 2016도12407).

04 죄수에 대한 설명 중 가장 적절하지 않은 것은?(다툼이 있는 경우 판례에 의함) 21. 경력채용

① 대마취급자가 아닌 자가 절취한 대마를 흡입할 목적으로 소지하는 행위는 절도죄와 무허가대마소지죄의 경합범이 성립한다.
② 하나의 사건에 관하여 한 번 선서한 증인이 같은 기일에 여러 가지 사실에 관하여 기억에 반하는 허위의 진술을 한 경우 포괄하여 1개의 위증죄를 구성한다.
③ 한국소비자보호원을 비방할 목적으로 18회에 걸쳐서 출판물에 의하여 공연히 허위의 사실을 적시·유포함으로써 한국소비자보호원의 명예를 훼손하고 업무를 방해하였다는 각 죄는 1개의 행위가 2개의 죄에 해당하는 상상적 경합의 관계에 있다.
④ 부동산 명의수탁자가 명의신탁자의 승낙없이 제3자에게 근저당설정등기를 경료한 후에 다시 피해자의 승낙없이 같은 부동산에 별개의 근저당권을 설정하거나 해당 부동산을 매각한 경우, 후행행위는 불가벌적 사후행위로서 별도의 횡령죄가 성립하지 않는다.

해설 ① 대판 1999.4.13, 98도3619 ② 대판 1998.4.14, 97도3340 ③ 대판 1993.4.13, 92도3035
④ × : 종중 소유 부동산을 명의신탁 받은 부동산 명의수탁자가 ~ 불가벌적 사후행위로 볼 수 없고, 별도의 횡령죄를 구성한다(대판 2013.2.21, 2010도10500 전원합의체).

05 **죄수에 대한 설명으로 옳은 것은?**(다툼이 있는 경우 판례에 의함) 21. 7급 검찰

① 공동상속인 중 1인인 甲이 상속재산인 임야를 보관 중 다른 상속인들로부터 매도 후 분배 또는 소유권이전등기를 요구받고도 그 반환을 거부한 경우 횡령죄가 성립하고, 그 후 그 임야에 관하여 다시 제3자 앞으로 근저당권설정등기를 경료해 주었다면 별도의 횡령죄를 구성한다.

② 공무원 甲이 직무관련 있는 A에게 제3자와 계약을 체결하도록 요구하여 계약 체결을 하게 한 행위가 제3자뇌물수수죄의 구성요건과 직권남용권리행사방해죄의 구성요건에 모두 해당하는 경우, 甲에게 제3자뇌물수수죄와 직권남용권리행사방해죄가 각각 성립하고 양죄는 실체적 경합관계이다.

③ 건물관리인 甲이 건물주로부터 월세임대차계약 체결업무를 위임받고도 임차인들을 속여 전세임대차계약을 체결하고 그 보증금을 편취한 경우, 甲에게 사기죄와 별도로 업무상 배임죄가 성립하고 양죄는 상상적 경합관계이다.

④ 甲에게 폭행 범행을 반복하여 저지르는 습벽이 있고 이러한 습벽에 의하여 A를 단순폭행하고, 甲의 어머니 B를 존속폭행한 경우, 각 죄별로 상습성을 판단할 것이 아니라 포괄하여 甲에게 상습존속폭행죄만 성립한다.

> **해설** ① × : 별도의 횡령죄 ×(대판 2010.2.25, 2010도93 ∵ 횡령물을 처분하는 것은 불가벌적 사후행위 ○)
> ② × : 상상적 경합관계 ○, 실체적 경합관계 ×(대판 2017.3.15, 2016도19659)
> ③ × : 실체적 경합관계 ○, 상상적 경합관계 ×(대판 2010.11.11, 2010도10690)
> ④ ○ : 대판 2018.4.24, 2017도10956

06 **죄수에 대한 설명으로 가장 적절하지 않은 것은?**(다툼이 있는 경우 판례에 의함) 21. 순경 2차

① 형법 제131조 제1항 수뢰 후 부정처사죄에 있어서 단일하고도 계속된 범의 아래 일정 기간 반복하여 일련의 뇌물수수 행위와 부정한 행위가 행하여졌고 뇌물수수 행위와 부정한 행위 사이에 인과관계가 인정되며 피해법익도 동일한 경우에는 최후의 부정한 행위 이후에 저질러진 뇌물수수 행위도 최후의 부정한 행위 이전의 뇌물수수 행위 및 부정한 행위와 함께 수뢰 후 부정처사죄의 포괄일죄가 된다.

② 미성년자를 약취한 후 강간 목적으로 가혹한 행위 및 상해를 가하고 나아가 강간 및 살인미수를 범한 경우에는 약취한 미성년자에 대한 상해 등으로 인한 특정범죄 가중처벌 등에 관한 법률위반죄와 미성년자에 대한 강간 및 살인미수행위로 인한 성폭력범죄의 처벌 등에 관한 특례법위반죄가 성립하고, 상해의 결과가 피해자에 대한 강간 및 살인미수행위 과정에서 발생한 것이라면 각 죄는 상상적 경합관계에 있다.

③ 공무원이 직무관련자에게 제3자와 계약을 체결하도록 요구하여 계약을 체결하게 한 행위가 제3자뇌물수수죄와 직권남용권리행사방해죄의 구성요건에 모두 해당하는 경우에 제3자뇌물수수죄와 직권남용권리행사방해죄는 상상적 경합관계에 있다.

Answer　5. ④　6. ②

④ 택시운전을 방해하는 과정에서 택시운전사를 폭행한 경우에는 피해자에 대한 폭행행위가 동일한 피해자에 대한 업무방해죄의 수단이 되었다 하더라도 그 폭행행위를 불가벌적 수반행위라 볼 수 없다.

[해설] ① 대판 2021.2.4, 2020도12103
② ✕ : ~ (5줄) 발생한 것이라 하더라도 각 죄는 실체적 경합관계에 있다(대판 2014.2.27, 2013도12301).
③ 대판 2017.3.15, 2016도19659
④ 대판 2012.10.11, 2012도1895

07 죄수에 관한 설명으로 가장 적절한 것은?(다툼이 있는 경우 판례에 의함)　　22. 순경 1차

① 예금주인 현금카드 소유자를 협박하여 그 카드를 갈취한 다음 피해자의 승낙에 의하여 현금카드를 사용할 권한을 부여받아 이를 이용하여 현금자동지급기에서 현금을 인출한 행위는 공갈죄와는 별도로 절도죄를 구성한다.

② 음주로 인한 특정범죄 가중처벌 등에 관한 법률위반(위험운전치사상)죄는 중한 형태의 도로교통법 위반(음주운전)죄를 기본범죄로 하는 결과적 가중범으로 그 행위유형과 보호법익을 이미 모두 포함하고 있으므로, 특정범죄 가중처벌 등에 관한 법률위반(위험운전치사상)죄가 성립하면 도로교통법위반(음주운전)죄는 이에 흡수되어 따로 성립하지 아니한다.

③ 공무원이 직무관련자에게 제3자와 계약을 체결하도록 요구하여 계약 체결을 하게 한 행위가 제3자 뇌물수수죄의 구성요건과 직권남용권리행사방해죄의 구성요건에 모두 해당하는 경우에는 제3자 뇌물수수죄와 직권남용권리행사방해죄가 각각 성립하고 두 죄는 상상적 경합관계에 있다.

④ 업무방해죄와 폭행죄의 관계에 있어 피해자에 대한 폭행행위가 동일한 피해자에 대한 업무방해죄의 수단이 된 경우, 그러한 폭행행위는 이른바 불가벌적 수반행위에 해당하여 업무방해죄에 대하여 흡수관계에 있다.

[해설] ① ✕ : 공갈죄 일죄 ○, 절도죄 ✕(대판 1996.9.20, 95도1728)
② ✕ : 특정범죄 가중처벌 등에 관한 법률 위반(위험운전치사상)죄와 도로교통법 위반(음주운전)죄는 입법취지와 보호법익 및 적용영역을 달리하는 별개의 범죄로서 양 죄가 모두 성립하는 경우 두 죄는 실체적 경합관계에 있는 것으로 보아야 한다(대판 2008.11.13, 2008도7143).
③ ○ : 대판 2017.3.15, 2016도19659
④ ✕ : 설령 피해자에 대한 폭행행위가 동일한 피해자에 대한 업무방해죄의 수단이 되었다고 하더라도 그러한 폭행행위가 이른바 '불가벌적 수반행위'에 해당하여 업무방해죄에 대하여 흡수관계에 있다고 볼 수는 없다(대판 2012.10.11, 2012도1895).

Answer　7.③

08 죄수에 관한 다음 설명 중 옳지 않은 것은 모두 몇 개인가?(다툼이 있는 경우 판례에 의함)

22. 법원행시

> ㉠ 강간범행의 수단으로 또는 그에 수반하여 저질러진 폭행·협박은 강간죄의 구성요소로서 그에 흡수되는 법조경합의 관계에 있는 만큼 이를 따로 떼어내어 폭행죄·협박죄 또는 폭력행위 등 처벌에 관한 법률 위반의 죄로 공소를 제기할 수 없다.
>
> ㉡ 피고인이 검사로부터 범인을 검거하라는 지시를 받고서도 그 직무상의 의무에 따른 적절한 조치를 취하지 아니하고 오히려 범인에게 전화로 도피하라고 권유하여 그를 도피케 하였다는 범죄사실만으로는 직무위배의 위법상태가 범인도피행위 속에 포함되어 있는 것으로 보아야 할 것이므로, 이와 같은 경우에는 작위범인 범인도피죄만이 성립하고 부작위범인 직무유기죄는 따로 성립하지 아니한다.
>
> ㉢ 수인이 각자 구입자금을 갹출하여 향정신성의약품을 매수한 다음 갹출한 금액에 상응하는 향정신성의약품을 분배하기로 공모하여 향정신성의약품을 매매하고 이를 자신이 갹출한 금액에 상응하여 분배한 경우 향정신성의약품매매죄 외에 별도로 향정신성의약품수수죄가 성립하고, 두 죄는 실체적 경합관계에 있다.
>
> ㉣ 신고 없이 물품을 수입한 본범이 그 물품에 대한 취득, 양여 등의 행위를 하는 경우 밀수입행위에 의하여 이미 침해되어 버린 것으로 평가되는 적정한 통관절차의 이행과 관세수입의 확보라는 보호법익 외에 새로운 법익의 침해를 수반한다고 보기 어려우므로, 이는 새로운 법익의 침해를 수반하지 않는 이른바 불가벌적 사후행위로서 별개의 범죄를 구성하지 않는다고 할 것이다.
>
> ㉤ 폭행죄의 상습성은 폭행 범행을 반복하여 저지르는 습벽을 말하는 것으로서, 단순폭행, 존속폭행의 범행이 동일한 폭행 습벽의 발현에 의한 것으로 인정되는 경우, 그중 법정형이 더 중한 상습존속폭행죄에 나머지 행위를 포괄하여 하나의 죄만이 성립한다.

① 없 음　　　　　　② 1개　　　　　　③ 2개

④ 3개　　　　　　⑤ 4개

해설　㉠ ○ : 대판 2002.5.16, 2002도51 전원합의체

㉡ ○ : 대판 1996.5.10, 96도51

㉢ × : 수인이 공모공동하여 향정신성의약품을 매수한 후 그 공범자 사이에 그중 일부를 수수하는 경우에 있어서 그 매수의 범행 당시 공범들이 각자 그 구입자금을 갹출하여 그 금액에 상응하는 분량을 분배하기로 약정하고, 그 약정에 따라 이를 수수하는 경우와 같이 그 수수행위와 매매행위가 불가분의 관계에 있는 것이라거나 매매행위에 수반되는 필연적 결과로서 일시적으로 행하여진 것에 지나지 않는다고 평가되지 아니하는 한, 그 수수행위는 매매행위에 포괄 흡수되지 아니하고 향정신성의약품매매죄와는 별도로 향정신성의약품수수죄가 성립하고, 두 죄는 실체적 경합관계에 있다(대판 1998.10.13, 98도2584). 따라서 판례의 반대해석상 지문의 경우 향정신성의약품매매죄만 성립하고 별도로 향정신성의약품수수죄는 성립하지 않는다.

㉣ ○ : 대판 2008.1.17, 2006도455

㉤ ○ : 대판 2018.4.24, 2017도10956

Answer 8. ②

09 죄수론에 대한 설명 중 옳지 않은 것을 모두 고른 것은?(다툼이 있는 경우 판례에 의함)

23. 경찰승진

> ㉠ 공무원 甲이 A를 기망하여 그로부터 뇌물을 수수한 경우 수뢰죄와 사기죄는 구성요건을 달리하는 별개의 범죄로서 서로 보호법익을 달리하고 있으므로 양죄는 실체적 경합범의 관계에 있다.
> ㉡ 甲이 공무원이 취급하는 사건에 관하여 청탁 또는 알선을 할 의사와 능력이 없음에도 청탁 또는 알선을 한다고 A를 기망하여 금품을 교부받은 경우 사기죄와 변호사법위반죄는 상상적 경합범의 관계에 있다.
> ㉢ 甲이 A로부터 수수한 메스암페타민을 장소를 이동하여 투약하고서 잔량을 은닉하는 방법으로 소지한 행위는 그 소지의 경위나 태양에 비추어 볼 때 당초의 수수행위에 수반되는 필연적 결과로 볼 수 있으므로 향정신성의약품수수죄만 성립하고 별도로 그 소지죄는 성립하지 않는다.
> ㉣ 甲이 음주의 영향으로 정상적인 운전이 곤란한 상태에서 자동차를 운전하여 사람을 상해에 이르게 함과 동시에 다른 사람의 재물을 손괴한 경우 특정범죄 가중처벌 등에 관한 법률 위반(위험운전치사상)죄 외에 업무상 과실재물손괴로 인한 도로교통법위반죄가 성립하고, 양죄는 실체적 경합관계에 있다.
> ㉤ 甲이 음주상태로 자동차를 운전하다가 제1차 사고를 내고 그대로 진행하여 제2차 사고를 낸 경우 제1차 사고 당시의 음주운전으로 인한 도로교통법위반(음주운전)죄와 제2차 사고 당시의 음주운전으로 인한 도로교통법위반(음주운전)죄는 포괄일죄의 관계에 있다.

① ㉠, ㉡, ㉣　　　　　　　　　　② ㉠, ㉢, ㉣
③ ㉠, ㉢, ㉤　　　　　　　　　　④ ㉡, ㉢, ㉣, ㉤

해설 ㉠ × : ~ 수뢰죄와 사기죄는 형법상 1개의 행위가 뇌물죄와 사기죄의 각 구성요건에 해당될 수 있으므로 양죄는 상상적 경합범의 관계에 있다(대판 1977.6.7, 77도1069).
㉡ ○ : 대판 2006.1.27, 2005도8704
㉢ × : ~ (3줄) 향정신성의약품수수죄 외에 별도로 그 소지죄가 성립한다(대판 1999.8.20, 99도1744).
㉣ × : ~ (3줄) 성립하고, 양죄는 1개의 운전행위로 인한 것으로서 상상적 경합관계에 있다(대판 2010.1.14, 2009도10845).
㉤ ○ : 대판 2007.7.26, 2007도4404

10 죄수에 관한 다음 설명 중 가장 옳지 않은 것은?(다툼이 있는 경우 판례에 의함)　　23. **법원행시**

① 강도가 재물강취의 뜻을 재물의 부재로 이루지 못한 채 미수에 그쳤으나 그 자리에서 항거불능의 상태에 빠진 피해자를 간음할 것을 결의하고 실행에 착수했으나 역시 미수에 그쳤더라도 반항을 억압하기 위한 폭행으로 피해자에게 상해를 입힌 경우에는 강도강간미수죄와 강간치상죄가 성립되고 이들은 상상적 경합관계에 있다.

② 상습절도 등의 범행을 한 자가 추가로 자동차등불법사용의 범행을 한 경우에 그것이 절도 습벽의 발현이라고 보이는 이상, 상습절도 등의 죄만 성립하고 이와 별개로 자동차등 불법사용죄는 성립하지 않는다.

Answer　9. ②　10. ①

③ 강도가 한 개의 강도범행을 하는 기회에 수명의 피해자에게 각 폭행을 가하여 각 상해를 입힌 경우에는 각 피해자별로 수개의 강도상해죄가 성립하며 이들은 실체적 경합범의 관계에 있다.

④ 무면허운전으로 인한 도로교통법 위반죄는 운전한 날마다 무면허운전으로 인한 도로교통법 위반의 1죄가 성립한다고 할 것이지만, 같은 날 무면허운전 행위를 여러 차례 반복한 경우라도 그 범의의 단일성 내지 계속성이 인정되지 않거나 범행 방법 등이 동일하지 않은 경우 각 무면허운전 범행은 실체적 경합관계에 있다고 볼 수 있다.

⑤ 감금행위가 강간미수죄의 수단이 되었다 하여 감금행위는 강간미수죄에 흡수되어 범죄를 구성하지 않는다고 할 수는 없다.

해설 ① × : 강도강간미수죄와 강도(강간 ×)치상죄의 상상적 경합관계(대판 1988.6.28, 88도820)
② 대판 2002.4.26, 2002도429 ③ 대판 1987.5.26, 87도527
④ 대판 2022.10.27, 2022도8806 ⑤ 대판 1983.4.26, 83도323

11 죄수 관계에 관한 설명 중 가장 옳지 않은 것은?(다툼이 있는 경우 판례에 의함) 　23. 법원직

① 타인의 사무를 처리하는 자가 그 사무처리상 임무에 위배하여 본인을 기망하고 착오에 빠진 본인으로부터 재물을 교부받은 경우 사기죄와 함께 배임죄도 성립하고, 양 죄는 상상적 경합범 관계이다.

② 피고인이 여관에서 종업원을 칼로 찔러 상해를 가하고 객실로 끌고 들어가는 등 폭행·협박을 하고 있던 중, 마침 다른 방에서 나오던 여관의 주인도 같은 방에 밀어 넣은 후, 주인으로부터 금품을 강취하고, 1층 안내실에서 종업원 소유의 현금을 꺼내 갔다면, 여관 종업원과 주인에 대한 각 강도행위가 각별로 강도죄를 구성하되 상상적 경합범 관계에 있다.

③ 피고인이 피해자의 택시운행을 방해하는 과정에서 피해자에 대한 폭행행위가 있었다면, 이는 업무방해죄의 행위 태양인 '위력으로써 업무를 방해하는 행위'의 일부를 구성하는 것으로서 업무방해죄에 흡수되므로 업무방해죄 1죄만이 성립할 뿐 별도로 폭행죄가 성립하지는 않는다.

④ 피고인이 1개의 행위로 피해자 甲으로부터 렌탈(임대차)하여 보관하던 컴퓨터 본체, 모니터 등을 횡령하면서 피해자 乙로부터 리스(임대차)하여 보관하던 컴퓨터 본체, 모니터, 그래픽카드, 마우스 등을 횡령하였다면 위탁관계별로 수개의 횡령죄가 성립하고, 그 사이에는 상상적 경합의 관계가 있다.

해설 ① 대판 2002.7.18, 2002도669 전원합의체 ② 대판 1991.6.25, 91도643
③ × : 업무방해죄 ○, 폭행죄 ○(대판 2012.10.11, 2012도1895 ∵ 설령 피해자에 대한 폭행행위가 동일한 피해자에 대한 업무방해죄의 수단이 되었다고 하더라도 그러한 폭행행위가 이른바 '불가벌적 수반행위'에 해당하여 업무방해죄에 대하여 흡수관계에 있다고 볼 수는 없다.)
④ 대판 2013.10.31, 2013도10020

Answer　11. ③

12 죄수에 관한 설명으로 가장 적절하지 않은 것은?(다툼이 있는 경우 판례에 의함) **24. 순경 1차**

① 하나의 사건에 관하여 한 번 선서한 증인이 같은 기일에 여러 가지 사실에 관하여 기억에 반하는 허위의 진술을 한 경우, 1개의 위증죄만이 성립한다.

② 한 개의 행위가 서로 다른 둘 이상의 구성요건을 실현하는 경우에는 상상적 경합이 성립하나, 한 개의 행위가 동일한 구성요건을 2회 이상 실현하는 경우에는 상상적 경합이 성립하지 않는다.

③ 주식회사의 대표이사가 타인을 기망하여 그 회사가 발행하는 신주를 인수하게 한 후 그로부터 납입받은 신주인수대금을 보관하던 중 횡령한 경우, 신주인수대금을 횡령한 행위는 사기죄의 불가벌적 사후행위에 해당하지 않는다.

④ 같은 날 무면허운전 행위를 여러 차례 반복한 경우, 그 범의의 단일성 내지 계속성이 인정되지 않거나 범행방법 등이 동일하지 않다면 각 무면허운전 범행은 실체적 경합관계에 있다.

[해설] ① 대판 1998.4.14, 97도3340

② × : 상상적 경합이란 1개의 행위가 수개의 죄에 해당하는 경우로 수개의 죄는 이종일 수도 있지만(이종의 상상적 경합 : 서로 다른 둘 이상의 구성요건을 실현) 동종의 죄일 수도 있다(동종의 상상적 경합 : 동일한 구성요건을 2회 이상 실현)(대판 1987.7.21, 87도564 : 문서에 2인 이상의 작성명의인이 있을 때에는 각 명의자마다 1개의 문서가 성립되므로 2인 이상의 연명으로 된 문서를 위조한 때에는 작성명의인의 수대로 수개의 문서위조죄가 성립하고 또 그 연명문서를 위조하는 행위는 자연적 관찰이나 사회통념상 하나의 행위라 할 것이어서 위 수개의 문서위조죄는 형법 제40조가 규정하는 상상적 경합범에 해당한다).

③ 대판 2006.10.27, 2004도6503

④ 대판 2022.10.27, 2022도8806

13 죄수 관계에 관한 설명 중 옳지 않은 것은 모두 몇 개인가?(다툼이 있는 경우 판례에 의함)

24. 법원행시

㉠ 저작권법은 제140조 단서 제1호에서 영리를 목적으로 또는 상습적으로 저작재산권 침해 범행을 한 경우에는 고소가 없어도 공소를 제기할 수 있다고 규정하고 있으므로, 피고인들이 저작재산권 침해 방조행위를 하였고 피고인들에게 영리 목적 또는 상습성이 인정된다면 다수 저작권자의 다수 저작물 전체에 대한 피고인들의 범행 전체에 대하여 하나의 포괄일죄가 성립한다.

㉡ 등록을 하지 아니하고 다단계판매조직을 개설·관리·운영한 자를 처벌하는 방문판매 등에 관한 법률 제13조 제1항 위반죄와 무등록 다단계판매업 영업행위를 통하여 금전을 수입한 유사수신행위를 처벌하는 유사수신행위의 규제에 관한 법률 제3조, 제2조 각 호의 위반죄는 상상적 경합관계에 있다.

㉢ 단순배임죄와 사기죄는 그 구성요건을 달리하는 별개의 범죄이고 형법상으로도 각각 별개의 장에 규정되어 있으므로, 1개의 행위에 관하여 사기죄와 단순배임죄의 각 구성요건이 모두 구비된 때에는 양 죄를 상상적 경합관계로 보아야 한다.

> ㉣ 공무원이 취급하는 사건에 관하여 청탁 또는 알선을 할 의사와 능력이 없는데도 청탁 또는 알선을 한다고 기망하고 금품을 교부받은 경우 사기죄와 변호사법위반죄가 성립하는데, 양 죄는 구성요건과 보호법익을 달리하여 법률상 1개의 행위로 평가되는 경우에 해당하지 않으므로, 양 죄를 상상적 경합관계로 볼 것이 아니라 실체적 경합관계로 보아야 한다.
>
> ㉤ 타인의 사무를 처리하는 자가 여러 사람으로부터 각각 부정한 청탁을 받고 그들로부터 각각 금품을 수수한 경우 만일 그 청탁이 동종의 것이라고 한다면 이는 단일하고 계속된 범의 아래 이루어진 범행에 해당하므로 그 전체를 포괄일죄로 보아야 한다.

① 없 음   ② 1개   ③ 2개
④ 3개   ⑤ 4개

해설 ㉠ × : 포괄일죄 ×, (실체적) 경합범 ○(대판 2012.5.10, 2011도12131 ∵ 상습범 가중처벌하는 별도의 규정 ×)

㉡ × : 상상적 경합관계 ×, 실체적 경합관계 ○(대판 2001.12.24, 2001도205 ∵ 구성요건과 보호법익을 달리하므로 법률상 1개의 행위로 평가되는 경우에 해당 ×)

㉢ ○ : 대판 2002.7.18, 2002도669 전원합의체

㉣ × : 상상적 경합관계 ○, 실체적 경합관계 ×(대판 2006.1.27, 2005도8704 ∵ 법률상 1개의 행위로 평가되는 경우에 해당 ○)

㉤ × : 타인의 사무를 처리하는 자가 여러 사람으로부터 각각 부정한 청탁을 받고 그들로부터 각각 금품을 수수한 경우에는 비록 그 청탁이 동종의 것이라고 하더라도 단일하고 계속된 범의 아래 이루어진 범행으로 보기 어려워 그 전체를 포괄일죄로 볼 수 없다(대판 2008.12.11, 2008도6987).

14 죄수에 관한 설명으로 가장 적절한 것은?(다툼이 있는 경우 판례에 의함)   24. 순경 2차

① 甲이 피해자의 주거에 침입하여 강간하려다 미수에 그침과 동시에 자기의 형사사건의 수사 또는 재판과 관련하여 수사 단서를 제공하고 진술한 것에 대한 보복 목적으로 그를 폭행한 경우, 특정범죄 가중처벌 등에 관한 법률위반(보복범죄 등)죄 및 성폭력범죄의 처벌 등에 관한 특례법위반(주거침입강간 등)죄가 각 성립하고 두 죄가 상상적 경합관계에 있다.

② 절도 범인으로부터 장물보관을 의뢰받은 甲이 그 정을 알면서 이를 인도받아 보관하고 있다가 A로부터 금원을 차용하면서 보관 중이던 장물을 담보로 제공한 경우, 장물보관죄와 횡령죄가 각 성립하고 두 죄는 실체적 경합관계에 있다.

③ 甲이 보이스피싱 사기 범죄단체에 가입한 후 사기범죄의 피해자들로부터 돈을 편취하는 등 그 구성원으로서 활동한 경우, 범죄단체 가입행위 또는 범죄단체 구성원으로서 활동하는 행위와 사기행위는 법조경합 중 흡수관계에 있으므로 목적된 범죄인 사기죄만 성립한다.

④ 甲이 2010. 11. 15. X회사 사무실에서 부부인 피해자 A와 B에게 '토지를 매수하여 분필한 후 이를 분양해서 원금 및 수익금을 지급하겠다.'면서 기망한 후 공동재산인 건물을 매도

하여 돈을 마련한 피해자들로부터 A의 예금계좌에서 1억원, B의 예금계좌에서 4억원을 송금받아 편취한 경우, 각 피해자의 피해법익의 동일성에 대하여 예금계좌에 예치된 금전에 관한 권리 등 민사상 권리 귀속관계 등을 고려하여 판단할 때 이를 포괄일죄로 볼 수 없다.

해설 ① ○ : 대판 2012.3.15, 2012도544
② × : 장물보관죄 ○, 횡령죄 ×(대판 2004.4.9, 2003도8219 ∵ 불가벌적 사후행위 ○)
③ × : ~ (3줄) 사기행위는 각각 별개의 범죄구성요건을 충족하는 독립된 행위이고 서로 보호법익도 달라 법조경합 관계로 목적된 범죄인 사기죄만 성립하는 것은 아니다(대판 2017.10.26, 2017도8600).
④ × : ~ (4줄) 편취한 경우, 피해자들에 대한 사기죄의 피해법익이 동일하다고 평가될 수 있어 이들에 대한 사기죄가 포괄일죄를 구성한다(대판 2023.12.21, 2023도13514).

15 죄수 관계에 관한 설명 중 옳지 않은 것을 모두 고른 것은?(다툼이 있는 경우 판례에 의함)
25. 변호사시험

> ㉠ 여러 사람의 권리의 목적이 된 자기의 물건을 취거, 은닉 또는 손괴함으로써 그 여러 사람의 권리행사를 방해하였다면 권리자별로 각각 권리행사방해죄가 성립하고, 각 죄는 실체적 경합의 관계에 있다.
> ㉡ 타인의 부동산을 보관 중인 자가 불법영득의사를 가지고 그 부동산에 근저당권설정등기를 경료한 후 같은 부동산에 별개의 근저당권을 설정한 행위는 특별한 사정이 없는 한 횡령죄의 불가벌적 사후행위에 해당한다.
> ㉢ 범죄 피해 신고를 받고 출동한 두 명의 경찰관에게 같은 장소에서 욕설을 하면서 한 명의 경찰관을 먼저 폭행하고 곧이어 이를 제지하는 다른 경찰관을 폭행하여 수사 업무에 관한 정당한 직무집행을 방해한 때에는 2개의 공무집행방해죄가 성립하고, 두 공무집행방해죄는 상상적 경합의 관계에 있다.
> ㉣ 피해자에 대한 폭행행위가 동일한 피해자에 대한 업무방해죄의 수단이 된 경우 그러한 폭행행위는 불가벌적 수반행위에 해당하여 업무방해죄에 대하여 흡수관계에 있다.

① ㉠, ㉡   ② ㉠, ㉢   ③ ㉡, ㉣
④ ㉠, ㉡, ㉢   ⑤ ㉠, ㉡, ㉣

해설 ㉠ × : ~ (2줄) 각 죄는 서로 상상적(실체적 ×) 경합의 관계에 있다(대판 2022.5.12, 2021도16876).
㉡ × : ~ (2줄) 특별한 사정이 없는 한 불가벌적 사후행위로 볼 수 없고, 별도로 횡령죄를 구성한다(대판 2013.2.21, 2010도10500 전원합의체).
㉢ ○ : 대판 2009.6.25, 2009도3505
㉣ × : 피해자에 대한 폭행행위가 동일한 피해자에 대한 업무방해죄의 수단이 되었다고 하더라도 그러한 폭행행위가 이른바 '불가벌적 수반행위'에 해당하여 업무방해죄에 대하여 흡수관계에 있다고 볼 수는 없다(대판 2012.10.11, 2012도1895).

16 죄수에 관한 설명으로 옳은 것을 모두 고른 것은?(다툼이 있는 경우 판례에 의함)　25. 경찰승진

> ㉠ 음주로 인한 특정범죄 가중처벌 등에 관한 법률 위반(위험운전치사상)죄와 도로교통법 위반(음주운전)죄 양 죄가 모두 성립하는 경우 두 죄는 상상적 경합관계에 있다.
>
> ㉡ 음주 또는 약물의 영향으로 정상적인 운전이 곤란한 상태에서 자동차를 운전하여 사람을 상해에 이르게 함과 동시에 다른 사람의 재물을 손괴한 때에는 특정범죄 가중처벌 등에 관한 법률 위반(위험운전치사상)죄 외에 업무상 과실 재물손괴로 인한 도로교통법 위반죄가 성립하고, 두 죄는 1개의 운전행위로 인한 것으로서 상상적 경합관계에 있다.
>
> ㉢ 무면허운전으로 인한 도로교통법 위반죄에 관해서는 어느 날에 운전을 시작하여 다음 날까지 동일한 기회에 일련의 과정에서 계속 운전을 한 경우라도 사회통념상 운전한 날을 기준으로 운전한 날마다 1개의 운전행위가 있다고 보는 것이 상당하다.
>
> ㉣ 같은 날 무면허 운전행위를 여러 차례 반복한 경우 그 범의의 단일성 내지 계속성이 인정되지 않거나 범행방법 등이 동일하지 않은 경우 각 무면허운전 범행은 실체적 경합관계에 있다고 볼 수 있다.

① ㉠, ㉡　　　　　② ㉠, ㉢　　　　　③ ㉡, ㉢　　　　　④ ㉡, ㉣

해설 ㉠ × : ~ 두 죄는 실체적 경합관계에 있다(대판 2008.11.13, 2008도7143).
㉡ ○ : 대판 2010.1.14, 2009도10845
㉢ × : ~ (2줄) 계속 운전을 한 경우 등 특별한 경우를 제외하고는 사회통념상 운전한 날을 기준으로 운전한 날마다 1개의 운전행위가 있다고 보는 것이 상당하다(대판 2022.10.27, 2022도8806).
㉣ ○ : 대판 2022.10.27, 2022도8806

17 죄수(罪數)에 대한 설명으로 옳지 않은 것은?(다툼이 있는 경우 판례에 의함)
25. 9급 검찰 · 마약수사 · 철도경찰

① 음주 또는 약물의 영향으로 정상적인 운전이 곤란한 상태에서 자동차를 운전하여 사람을 상해에 이르게 함과 동시에 다른 사람의 재물을 손괴한 때에는 특정범죄 가중처벌 등에 관한 법률위반(위험운전치상)죄 외에 업무상 과실 재물손괴로 인한 도로교통법위반죄가 성립하고, 위 두 죄는 각각 보호법익이 다르므로 실체적 경합관계에 있다.

② 하나의 사건에 관하여 한 번 선서한 증인이 같은 기일에 여러 가지 사실에 관하여 기억에 반하는 허위의 진술을 한 경우 이는 하나의 범죄의사에 의하여 계속하여 허위의 진술을 한 것으로서 포괄하여 1개의 위증죄를 구성한다.

③ 절취한 자기앞수표를 음식대금으로 교부하고 거스름돈을 환불받은 행위는 절도의 불가벌적 사후처분행위로서 사기죄가 되지 아니한다.

④ 수인의 피해자에 대해 각각 기망행위를 하여 재물을 편취한 경우에는 범의가 단일하고 범행방법이 동일하더라도 각 피해자의 피해법익은 독립한 것이므로 포괄하여 일죄가 되지 않고 피해자별로 독립한 사기죄가 성립한다.

[해설] ① × : ~ (4줄) 성립하고, 위 두 죄는 1개의 운전행위로 인한 것으로서 상상적 경합관계에 있다(대판 2010.1.14, 2009도10845).
② 대판 1998.4.14, 97도3340
③ 대판 1987.1.20, 86도1728
④ 대판 2003.4.8, 2003도382

18 죄수론에 관한 설명으로 가장 적절한 것은?(다툼이 있는 경우 판례에 의함)　　25. 순경 1차

① 피해자에 대한 폭행행위가 동일한 피해자에 대한 업무방해죄의 수단이 된 경우, 그 폭행행위는 불가벌적 수반행위에 해당하므로 업무방해죄에 대하여 흡수관계에 있다.

② 사기범행에 이용되리라는 사정을 알고서도 자신 명의 계좌의 접근매체를 양도함으로써 사기범행을 방조한 종범이 사기이용계좌로 송금된 피해자의 돈을 임의로 인출한 경우, 사기방조죄와 별도로 횡령죄에 해당한다.

③ 부동산 관리를 하는 업무자가 건물주로부터 월세임대차계약 체결업무를 위임받고도 임차인들을 속여 전세임대차계약을 체결하고 그 보증금을 편취한 경우, 사기죄와 별도로 업무상 배임죄에 해당한다.

④ 절도범인으로부터 그 정을 알면서 자기앞수표를 교부받아 이를 음식대금으로 지급하고 거스름돈을 환불받은 경우, 새로운 법익 침해가 발생하였기에 장물취득죄와 별도로 사기죄에 해당한다.

[해설] ① × : ~ 흡수관계에 있다고 볼 수는 없다(대판 2012.10.11, 2012도1895).
② × : 사기방조죄 ○, 횡령죄 ×(대판 2017.5.31, 2017도3894 ∵위탁관계나 신임관계 ×, 새로운 법익침해 × ⇨ 불가벌적 사후행위 ○)
③ ○ : 대판 2010.11.11, 2010도10690(사기죄와 업무상 배임죄의 실체적 경합)
④ × : 장물취득죄 ○, 사기죄 ×(대판 1993.11.23, 93도213 ∵ 새로운 법익 침해 × ⇨ 불가벌적 사후행위 ○)

THEMA 33

경합범에 관한 다음 설명 중 가장 옳다고 볼 수 없는 것은?

① 판결이 확정되지 아니한 수개의 죄 또는 판결이 확정된 죄와 그 판결확정 전에 범한 죄를 경합범으로 한다.

② 경합범을 동시에 판결한 때에는 각 죄에 정한 형이 무기징역이나 무기금고 이외의 이종의 형인 때에는 병과한다.

③ 경합범 중 판결을 받지 아니한 죄가 있는 때에는 그 죄와 판결이 확정된 죄를 동시에 판결할 경우와 형평을 고려하여 그 죄에 대하여 형을 선고한다. 이 경우 그 형을 감경 또는 면제할 수 있다.

④ 경합범에 의한 판결의 선고를 받은 자가 경합범 중의 어떤 죄에 대하여 사면 또는 형의 집행이 면제된 때에는 다른 죄에 대하여 다시 형을 정한다.

⑤ 1개의 행위가 수개의 죄에 해당하는 경우에는 가장 중한 죄에 정한 형으로 처벌한다.

도움말　경합범의 처벌

1. 동시적 경합범의 처벌(제38조)
- 흡수주의 : 가장 무거운 죄에 대하여 정한 형이 사형, 무기징역, 무기금고인 경우에는 가장 무거운 죄에 대하여 정한 형으로 처벌한다(제38조 제1항 제1호).
- 가중주의 : 각 죄에 대하여 정한 형이 사형, 무기징역, 무기금고 외의 같은 종류의 형인 경우에는 가장 무거운 죄에 대하여 정한 형의 장기 또는 다액에 그 2분의 1까지 가중하되 각 죄에 대하여 정한 형의 장기 또는 다액을 합산한 형기 또는 액수를 초과할 수 없다. 다만, 과료와 과료, 몰수와 몰수는 병과할 수 있다(제38조 제1항 제2호).
- 병과주의 : 각 죄에 대하여 정한 형이 무기징역, 무기금고 외의 다른 종류의 형인 경우에는 병과한다(제38조 제1항 제3호).
- 제1항 각 호의 경우에 징역과 금고는 같은 종류의 형으로 보아 징역형으로 처벌한다(제38조 제2항).
  - 동종의 형 : 형벌의 종류가 같은 것 ▣ 징역과 징역, 벌금과 벌금
  - 이종의 형 : 형벌의 종류가 다른 것 ▣ 유기징역과 벌금, 벌금과 과료

2. 사후적 경합범의 처벌(제39조)
- 경합범 중 판결을 받지 아니한 죄가 있는 때에는 그 죄와 판결이 확정된 죄를 동시에 판결할 경우와 형평을 고려하여 그 죄에 대하여 형을 선고한다. 이 경우 그 형을 감경 또는 면제할 수 있다.
- 경합범에 의한 판결의 선고를 받은 자가 경합범 중의 어떤 죄에 대하여 사면 또는 형의 집행이 면제된 때에는 다른 죄에 대하여 다시 형을 정한다.
- 전 3항의 형의 집행에 있어서는 이미 집행한 형기를 통산한다.

해설

① × : 판결이 확정되지 아니한 수개의 죄 또는 '금고 이상의 형'에 처한 판결이 확정된 죄와 그 판결확정 전에 범한 죄를 경합범으로 한다(제37조).
② 제38조 제1항 제3호 ③ 제39조 제1항 ④ 제39조 제3항 ⑤ 제40조　　　　　　　　　　》①

01 다음 설명 중 가장 옳지 않은 것은?(다툼이 있는 경우 판례에 의함) 20. 경찰간부

① 비의료인이 의료기관을 개설하여 운영하는 도중 개설자 명의를 다른 의료인 등으로 변경한 경우에는 그 범의가 단일하다거나 범행방법이 종전과 동일하다고 보기 어렵다. 따라서 개설자 명의별로 별개의 범죄가 성립하고 각 죄는 실체적 경합관계에 있다고 보아야 한다.

② 피고인들이, 자신들이 개설한 인터넷 사이트를 통해 회원들로 하여금 음란한 동영상을 게시하도록 하고, 다른 회원들로 하여금 이를 다운받을 수 있도록 하는 방법으로 정보통신망을 통한 음란한 영상의 배포·전시를 방조한 행위가 단일하고 계속된 범의 아래 일정 기간 계속하여 이루어졌고 피해법익도 동일한 경우 방조행위는 포괄일죄 관계에 있다.

③ 동시적 경합범에서 각 죄에 정한 형이 징역과 금고인 때에는 금고의 형기만큼 징역형으로 처벌할 수 없다.

④ 형법 제37조 후단 경합범에 대하여 형법 제39조 제1항에 의하여 형을 감경할 때에도 법률상 감경에 관한 형법 제55조 제1항이 적용되어 유기징역을 감경할 때에는 그 형기의 2분의 1 미만으로는 감경할 수 없다.

[해설] ① 대판 2018.11.29, 2018도10779 ② 대판 2010.11.25, 2010도1588
③ × : ~ 수 있다(제38조 제2항). ④ 대판 2019.4.18, 2017도14609 전원합의체

02 죄수에 대한 설명으로 옳은 것은?(다툼이 있는 경우 판례에 의함) 21. 경찰간부

① 포괄일죄의 관계에 있는 범행의 일부에 대하여 약식명령이 확정된 경우, 그 약식명령 발령시를 기준으로 그 이전에 이루어진 범행에 대해서는 면소판결을 선고해야 한다.

② 경합범 중 판결을 받지 아니한 죄가 있는 때에는 그 죄와 판결이 확정된 죄를 동시에 판결할 경우와 형평을 고려하여 그 죄에 대하여 형을 선고한다. 이 경우 그 형을 감경 또는 면제한다.

③ 경찰공무원이 지명수배 중인 범인을 발견하고도 직무상 의무에 따른 적절한 조치를 취하지 아니하고 오히려 범인을 도피하게 한 경우, 범인도피죄와 직무유기죄가 모두 성립하고 양 죄는 상상적 경합관계에 있다.

④ 건물제공행위와 성매매알선행위의 경우 성매매알선행위가 건물제공행위의 결과에 해당하고 반대로 건물제공행위는 성매매 알선행위에 수반되는 수단으로 볼 수 있으므로 별개의 죄를 구성하지 않고 위 각 행위를 통틀어 법정형이 더 무거운 성매매 알선행위의 포괄일죄를 구성한다.

[해설] ① ○ : 대판 2020.7.9, 2019도17405
② × : ~ 형을 감경 또는 면제할 수 있다(제39조 제1항).
③ × : 범인도피죄 ○, 직무유기죄 ×(대판 2017.3.15, 2015도1456)
④ × : 구 성매매알선 등 행위의 처벌에 관한 법률상의 '영업으로 성매매를 알선한 행위'와 '영업으로 성매매에 제공되는 건물을 제공하는 행위'는 당해 행위 사이에서 각각 포괄일죄를 구성할 뿐, 서로 독립된 가벌적 행위로서 별개의 죄를 구성한다(대판 2011.5.26, 2010도6090).

Answer 1.③ 2.①

03 형법 제37조 후단 경합범에 관한 설명 중 옳지 않은 것은?(다툼이 있는 경우 판례에 의함)

22. **변호사시험**

① 후단 경합범이란 금고 이상의 형에 처한 판결이 확정된 죄와 그 판결확정 전에 범한 죄를 가리키는데, 여기서 말하는 판결에는 집행유예 판결도 포함된다.

② 확정판결이 있는 죄에 대하여 일반사면이 있는 경우는 형의 선고효력이 상실되지만 그 죄에 대한 확정판결이 있었던 사실 자체는 인정되므로 그 확정판결 이전에 범한 죄와의 관계에서 후단 경합범이 성립한다.

③ 포괄일죄로 되는 개개의 범죄행위가 다른 종류의 죄의 확정판결 전후에 걸쳐서 행하여진 경우에는 그 죄는 2죄로 분리되지 않고 확정판결 후인 최종의 범죄행위시에 완성되므로 후단 경합범에 해당하지 않는다.

④ 판결을 받지 아니한 수개의 죄가 판결확정을 전후하여 저질러진 경우 판결확정 전에 범한 죄를 이미 판결이 확정된 죄와 동시에 판결할 수 없었던 경우라면, 판결확정을 전후한 각각의 범죄는 형법 제37조 후단 경합범이 아니라 전단 경합범에 해당하여 하나의 형을 선고하여야 한다.

⑤ 후단 경합범에 대하여 형법 제39조 제1항에 의하여 형을 감경할 때에도 법률상 감경에 관한 형법 제55조 제1항이 적용되어 유기징역을 감경할 때에는 그 형기의 2분의 1 미만으로는 감경할 수 없다.

> **해설** ① 대판 1992.11.24, 92도1417
> ② 대판 1996.3.8, 95도2114
> ③ 대판 2003.8.22, 2002도5341
> ④ × : ~ (3줄) 형법 제37조 후단 경합범(사후적 경합범)이나 전단 경합범(동시적 경합범)에 해당하지 아니하여 판결확정을 전후한 각각의 범죄에 대하여 별도로 형을 선고할 수밖에 없다(대판 2014.3.27, 2014도469).
> ⑤ 대판 2019.4.18, 2017도14609 전원합의체

04 경합범에 대한 설명으로 옳은 것은?(다툼이 있는 경우 판례에 의함)　　　22. 9급 철도경찰

① 경합범 중 판결을 받지 않은 죄가 있는 때에는 그 죄와 판결이 확정된 죄를 동시에 판결할 경우와 형평을 고려하여 그 죄에 대하여 형을 선고하되 그 형을 면제할 수는 없다.

② 경합범에 의한 판결의 선고를 받은 자가 경합범 중의 어떤 죄에 대하여 사면을 받거나 형의 집행이 면제된 때에는 다른 죄에 대하여 다시 형을 정한다.

③ 형법 제37조 전단은 '판결이 확정되지 아니한 수개의 죄'를 경합범으로 규정하고 있으므로, 한 개의 행위가 수개의 죄에 해당하는 경우도 형법 제37조 전단의 경합범이 될 수 있다.

④ 형법 제37조 후단은 '금고 이상의 형에 처한 판결이 확정된 죄와 그 판결확정 전에 범한 죄'를 경합범으로 규정하고 있으므로, 약식명령이 확정된 죄도 형법 제37조 후단의 경합범이 될 수 있다.

Answer　3. ④　4. ②

해설 ① × : ~ 형을 감경 또는 면제할 수 있다(제39조 제1항).
② ○ : 제39조 제3항
③ × : 한 개의 행위가 수개의 죄에 해당하는 경우 ➡ 상상적 경합관계(제40조)
④ × : 형법 제37조 후단에서 '금고 이상의 형에 처한 판결이 확정된 죄와 그 판결확정 전에 범한 죄'를 경합범으로 규정하고 있으므로, 벌금형을 선고한 판결이나 약식명령이 확정된 죄는 형법 제37조 후단의 경합범이 될 수 없다(대판 2017.7.11, 2017도7287).

05 형법 제37조(경합범)에 관한 설명 중 가장 적절하지 않은 것은?(다툼이 있는 경우 판례에 의함)
22. 경력채용

① 금고 이상의 형에 처한 확정판결 전에 범한 A죄와 그 확정판결 후에 범한 B죄는 형법 제37조의 경합범 관계에 있는 것은 아니므로 별개의 주문으로 각각 따로 형을 선고하여야 한다.

② 甲이 범한 A죄에 대하여 금고 이상의 형에 처한 판결이 확정되었는데 이후 일반사면이 이루어져 형의 선고의 효력이 상실된 경우라도 A죄는 여전히 형법 제37조 후단의 경합범에 있어서 '판결이 확정된 죄'에 해당한다.

③ 무기징역에 처하는 판결이 확정된 A죄에 대하여 형법 제37조의 후단 경합범의 관계에 있는 B죄가 공소제기된 경우, 뒤에 공소제기된 형법 제37조의 후단 경합범인 B죄에 대한 형을 필요적으로 면제하여야 하는 것은 아니다.

④ A죄에 대해 금고 이상의 형에 처한 확정판결을 받은 甲이 판결 확정 후 별개의 후행범죄인 B죄를 저질렀는데 A죄에 대한 유죄의 확정판결에 대하여 재심이 개시된 경우, 후행범죄인 B죄가 재심 대상 판결에 대한 재심판결 확정 전에 범하여졌다고 한다면 아직 판결을 받지 아니한 후행범죄인 B죄와 재심판결이 확정된 선행범죄 A죄 사이에는 형법 제37조 후단에서 정한 경합범 관계가 성립한다.

해설 ① 대판 2014.3.27, 2014도469
② 대판 1996.3.8, 95도2144
③ 대판 2008.9.11, 2006도8376
④ × : ~ (3줄) 재심판결 확정 전에 범하여졌다 하더라도 아직 판결을 받지 아니한 후행범죄인 B죄와 재심판결이 확정된 선행범죄 A죄 사이에는 형법 제37조 후단에서 정한 경합범 관계가 성립하지 않는다(대판 2019.6.20, 2018도20698 전원합의체).

06 죄수에 관한 설명 중 가장 적절하지 않은 것은?(다툼이 있는 경우 판례에 의함) *22. 순경 2차*

① 주거침입강간죄는 사람의 주거 등을 침입한 자가 피해자를 강간한 경우에 성립하는 것으로서 주거침입죄를 범한 후에 사람을 강간하여야 하는 일종의 신분범이고, 선후가 바뀌어 강간죄를 범한 자가 그 피해자의 주거에 침입한 경우에는 강간죄와 주거침입죄의 실체적 경합범이 된다.

② 피해견인 로트와일러가 묶여 있던 자신의 진돗개를 공격하자, 진돗개 주인이 피해견을 쫓아버리기 위해 엔진톱으로 위협하다가 피해견의 등 쪽을 절단하여 죽게 한 행위는 구 동물보호법 위반죄(잔인한 방법으로 죽이는 행위)와 재물손괴죄가 성립하고, 양자는 상상적 경합의 관계에 있다.

③ 공직선거법 제18조 제3항(형법 제38조에도 불구하고 제1항 제3호에 규정된 죄와 다른 죄의 경합범에 대하여는 이를 분리선고하여야 한다)은 선거범이 아닌 다른 죄가 선거범의 양형에 영향을 미치는 것을 최소화하기 위하여 형법상 경합범 처벌례에 관한 조항의 적용을 배제하고 분리하여 형을 따로 선고하여야 한다는 취지이기에, 선거범과 상상적 경합관계에 있는 모든 죄는 통틀어 선거범으로 취급하여서는 아니 된다.

④ 수개의 등록상표에 대하여 상표법 제230조의 상표권 침해행위가 계속하여 이루어진 경우에는 등록상표마다 포괄하여 1개의 범죄가 성립하나, 하나의 유사상표 사용행위로 수개의 등록상표를 동시에 침해하였다면 각각의 상표법 위반죄는 상상적 경합의 관계에 있다.

> **해설** ① 대판 2021.8.12, 2020도17796 ② 대판 2016.1.28, 2014도2477
> ③ × : ~ (4줄) 한다는 취지이다. 그리고 선거범과 상상적 경합관계에 있는 다른 범죄에 대하여는 여전히 형법 제40조에 의하여 그중 가장 중한 죄에 정한 형으로 처벌해야 하고, 그 처벌받는 가장 중한 죄가 선거범인지 여부를 묻지 않고 선거범과 상상적 경합관계에 있는 모든 죄는 통틀어 선거범으로 취급하여야 한다 (대판 2021.7.21, 2018도16587).
> ④ 대판 2020.11.12, 2019도11688

07 죄수에 대한 설명으로 옳은 것은?(다툼이 있는 경우 판례에 의함)　　　23. 경찰간부

① 징역형만 규정된 A죄와 징역형과 벌금형의 임의적 병과규정이 있는 B죄가 상상적 경합 관계에 있는 경우, A죄에 정해진 징역형의 상한이 B죄에 정해진 징역형의 상한보다 높다면 A죄에서 정한 징역형으로 처벌해야 하고 벌금형은 병과할 수 없다.

② 甲이 상습절도죄(A죄)로 X법원으로부터 징역형을 선고받고 확정된 후 동일한 습벽이 있는 별개의 B죄를 저질러 Y법원에서 심리 중이었는데 확정된 A죄에 대한 X법원의 적법한 재심심판절차에서 징역형이 선고되어 확정된 경우, 별개로 기소된 B죄를 심판하는 Y법원은 B죄에 대하여 형법 제39조 제1항에 의한 형의 감경 또는 면제를 할 수 없다.

③ 甲이 A를 살해할 목적으로 흉기를 구입하여 A의 집 앞에서 A를 기다렸으나 만나지 못하였고 다음날 A의 맥주잔에 독약으로 오인한 제초제를 몰래 넣었으나 복통만 일으키게 하다가 며칠 뒤 A를 자동차로 치어 사망하게 한 경우, 甲에게는 살인예비 내지 미수죄와 동 기수죄의 경합죄가 성립한다.

④ 운전면허시험에 계속 불합격하였으나 운전을 잘하던 甲이 영업을 하기 위해 자동차를 구입하여 일주일 동안 매일 매일 운전 해오다가 적발된 경우, 甲에게는 포괄하여 도로교통법위반(무면허운전)의 일죄가 성립한다.

Answer　7.②

해설 ① ✕ : ~ (3줄) 징역형으로 처벌하기로 하면서 벌금형을 병과할 수 있다(대판 2008.12.24, 2008도9169).

② ○ : 유죄의 확정판결을 받은 사람이 그 후 별개의 후행범죄를 저질렀는데 유죄의 확정판결에 대하여 재심이 개시된 경우, 후행범죄가 그 재심대상판결에 대한 재심판결 확정 전에 범하여졌다 하더라도 아직 판결을 받지 아니한 후행범죄는 재심심판절차에서 재심대상이 된 선행범죄와 함께 심리하여 동시에 판결할 수 없었으므로 후행범죄와 재심판결이 확정된 선행범죄 사이에는 형법 제37조 후단 경합범이 성립하지 않고, 동시에 판결할 경우와 형평을 고려하여 그 형을 감경 또는 면제할 수 없다(대판 2019.6.20, 2018도20698 전원합의체).

③ ✕ : ~ (3줄) 사망하게 한 경우, 포괄하여 1개의 살인기수죄가 성립한다(대판 1965.9.28, 65도695).

④ ✕ : 계속적으로 무면허운전을 할 의사를 가지고 여러 날에 걸쳐 무면허운전행위를 반복하였다면 운전한 날마다 무면허운전으로 인한 도로교통법 위반의 1죄가 성립한다고 보아야 한다(대판 2002.7.23, 2001도6281).

08 죄수에 관한 설명 중 가장 적절하지 않은 것은?(다툼이 있는 경우 판례에 의함) 　23. 순경 1차

① 공무원이 직무관련자에게 제3자와 계약을 체결하도록 요구하여 계약 체결을 하게 한 행위가 제3자뇌물수수죄의 구성요건과 직권남용권리행사방해죄의 구성요건에 모두 해당하는 경우, 제3자뇌물수수죄와 직권남용권리행사방해죄가 각각 성립하그 양죄는 상상적 경합관계에 있다.

② 허위공문서작성죄와 동행사죄가 수뢰 후 부정처사죄와 각각 상상적 경합관계에 있는 경우, 허위공문서작성죄와 동행사죄 상호간은 실체적 경합범관계에 있다그 할지라도 상상적 경합범관계에 있는 수뢰 후 부정처사죄와 대비하여 가장 중한 죄에 정한 형으로 처단하면 족하다.

③ 수개의 행위가 여러 개의 구성요건을 충족하는 경우에도 포괄일죄가 될 수 있으므로 횡령, 배임의 행위와 사기의 행위 사이에는 포괄일죄를 구성할 수 있다.

④ 형법 제40조가 규정하는 한 개의 행위가 여러 개의 죄에 해당하는 경우에 "가장 무거운 죄에 정한 형으로 처벌한다."란, 여러 개의 죄명 중 가장 무거운 형을 규정한 법조에 의하여 처단한다는 취지와 함께 다른 법조의 최하한의 형보다 가볍게 처단할 수 없다는 취지, 즉 각 법조의 상한과 하한을 모두 중한 형의 범위 내에서 처단한다는 것을 포함한다.

해설 ① 대판 2017.3.15, 2016도19659

② 대판 1983.7.26, 83도1378

③ ✕ : 포괄일죄라 함은 각기 따로 존재하는 수개의 행위가 한 개의 구성요건을 한 번 충족하는 경우를 말하므로 구성요건을 달리하고 있는 횡령, 배임 등의 행위와 사기의 행위는 포괄1죄를 구성할 수 없다(대판 1988.2.9, 87도58).

④ 대판 2006.1.27, 2005도8704

09 죄수(罪數)에 대한 설명으로 옳지 않은 것은?(다툼이 있는 경우 판례에 의함)　　　23. 7급 검찰

① 상상적 경합은 1개의 행위가 실질적으로 여러 개의 구성요건을 충족하는 경우를 말하고, 법조경합은 1개의 행위가 외관상 여러 개의 죄의 구성요건에 해당하는 것처럼 보이나 실질적으로 1죄만을 구성하는 경우를 말하며, 실질적으로 1죄인가 또는 수죄인가는 구성요건적 평가와 보호법익의 측면에서 고찰하여 판단하여야 한다.

② 무면허운전으로 인한 도로교통법위반죄에 관해서는 어느 날에 운전을 시작하여 다음 날까지 동일한 기회에 일련의 과정에서 계속 운전을 한 경우 등 특별한 경우를 제외하고는 사회통념상 운전한 날을 기준으로 운전한 날마다 1개의 운전행위가 있다고 보는 것이 상당하므로, 운전한 날마다 무면허운전으로 인한 도로교통법위반의 1죄가 성립한다고 보아야 한다.

③ 유죄의 확정판결을 받은 사람이 그 후 별개의 후행범죄를 저질렀는데 유죄의 확정판결에 대하여 재심이 개시된 경우, 후행범죄가 재심대상판결에 대한 재심판결 확정 전에 범하여졌다면 아직 판결을 받지 아니한 후행범죄와 재심판결이 확정된 선행범죄 사이에는 형법 제37조 후단에서 정한 경합범 관계가 성립한다.

④ 형법 제37조 후단 경합범에 대하여 형법 제39조 제1항에 따라 형을 감경할 때에도 법률상 감경에 관한 형법 제55조 제1항이 적용되어 유기징역을 감경할 때에는 그 형기의 2분의 1 미만으로는 감경할 수 없다.

해설 ① 대판 2011.11.24, 2010도8568 ② 대판 2022.10.27, 2022도8806
③ × : 유죄의 확정판결을 받은 사람이 그 후 별개의 후행범죄를 저질렀는데 유죄의 확정판결에 대하여 재심이 개시된 경우, 후행범죄가 그 재심대상판결에 대한 재심판결 확정 전에 범하여졌다 하더라도 아직 판결을 받지 아니한 후행범죄는 재심심판절차에서 재심대상이 된 선행범죄와 함께 심리하여 동시에 판결할 수 없었으므로 후행범죄와 재심판결이 확정된 선행범죄 사이에는 형법 제37조 후단 경합범이 성립하지 않고, 동시에 판결할 경우와 형평을 고려하여 그 형을 감경 또는 면제할 수 없다(대판 2019.6.20, 2018도20698 전원합의체). ④ 대판 2019.4.18, 2017도14609 전원합의체

10 죄수론에 관한 설명으로 옳지 않은 것을 모두 고른 것은?(다툼이 있는 경우 판례에 의함)
　　　24. 경찰승진

> ㉠ 피해자에 대한 폭행행위가 동일한 피해자에 대한 업무방해죄의 수단이 되었다고 하더라도 그러한 폭행행위가 이른바 '불가벌적 수반행위'에 해당하여 업무방해죄에 대하여 흡수관계에 있다고 볼 수는 없다.
> ㉡ 형법 제37조 후단, 제39조 제1항의 문언과 입법 취지 등에 비추어 보면, 아직 판결을 받지 않은 죄가 이미 판결이 확정된 죄와 동시에 판결할 수 없었던 경우라 하더라도 형법 제39조 제1항에 따라 동시에 판결할 경우와 형평을 고려하여 형을 선고하거나 그 형을 감경 또는 면제할 수 있다고 해석함이 타당하다.
> ㉢ 피해신고를 받고 출동한 두 명의 경찰관에게 욕설을 하면서 순차로 폭행을 하여 경찰관의 정당한 직무집행을 방해한 경우 포괄하여 하나의 공무집행방해죄가 성립한다.

Answer　9. ③　10. ②

> ㉣ 상습사기죄에 있어서의 사기행위의 습벽은 행위자의 사기 습벽의 발현으로 인정되는 한, 동종
> 의 수법에 의한 사기범행의 습벽만을 의미하는 것이 아니라 이종의 수법에 의한 사기 범행을
> 포괄하는 사기의 습벽도 포함한다.

① ㉠, ㉡   ② ㉡, ㉢   ③ ㉢, ㉣   ④ ㉡, ㉢, ㉣

해설 ㉠ ○ : 대판 2012.10.11, 2012도1895
㉡ × : ~ (2줄) 동시에 판결할 수 없었던 경우, 형법 제39조 제1항에 따라 동시에 판결할 경우와 형평을
고려하여 형을 선고하거나 그 형을 감경 또는 면제할 수 없다(대판 2012.9.27, 2012도9295).
㉢ × : 공무집행방해죄의 상상적 경합 ○, 포괄일죄 ×(대판 2009.6.25, 2009도3505)
㉣ ○ : 대판 1999.11.26, 99도3929

11 죄수에 관한 설명 중 옳은 것(○)과 옳지 않은 것(×)을 올바르게 조합한 것은?(다툼이 있는 경우
판례에 의함)   **24. 변호사시험**

> ㉠ 수인의 피해자에 대하여 1개의 기망행위를 통해 각각 재물을 편취한 경우에는 범의가 단일하
> 고 범행방법이 동일하더라도 피해자별로 독립한 사기죄가 성립하고 각 사기죄는 상상적 경합
> 관계에 있다.
> ㉡ 절도범인으로부터 장물보관 의뢰를 받은 자가 그 정을 알면서 이를 인도받아 보관하고 있다가
> 임의처분한 경우, 이러한 횡령행위는 장물죄의 불가벌적 사후행위에 불과하여 별도의 횡령죄
> 가 성립하지 않는다.
> ㉢ 회사 명의의 합의서를 임의로 작성·교부한 행위에 의해 회사에 재산상 손해를 가하였다면,
> 사문서위조죄 및 그 행사죄와 업무상 배임죄는 실체적 경합관계에 있다.
> ㉣ 2인 이상의 작성명의인이 연명으로 서명·날인한 문서를 하나의 행위로 위조한 때에는 작성
> 명의인의 수에 해당하는 문서위조죄의 상상적 경합범에 해당한다.
> ㉤ 유죄의 확정판결을 받은 사람이 그 후 별개의 후행범죄를 저질렀는데 유죄의 확정판결에 대하
> 여 재심이 개시된 경우, 후행범죄와 재심판결이 확정된 선행범죄 사이에는 형법 제37조 후단
> 에서 정한 경합범이 성립한다.

① ㉠(○), ㉡(×), ㉢(×), ㉣(○), ㉤(○)
② ㉠(○), ㉡(○), ㉢(○), ㉣(×), ㉤(×)
③ ㉠(○), ㉡(○), ㉢(×), ㉣(○), ㉤(×)
④ ㉠(×), ㉡(○), ㉢(○), ㉣(○), ㉤(○)
⑤ ㉠(×), ㉡(×), ㉢(×), ㉣(×), ㉤(○)

해설 ㉠ ○ : 대판 1990.1.25, 89도252 ㉡ ○ : 대판 2004.4.9, 2003도8219
㉢ × : 회사 명의의 합의서를 임의로 작성·교부한 행위에 대하여 약식명령이 확정된 사문서위조 및 그 행사
죄의 범죄사실과 그로 인하여 회사에 재산상 손해를 가하였다는 업무상 배임의 공소사실은 그 객관적 사실
관계가 하나의 행위이므로 1개의 행위가 수개의 죄에 해당하는 경우로서 형법 제40조에 정해진 상상적 경합
관계에 있다(대판 2009.4.9, 2008도5634). ㉣ ○ : 대판 1987.7.21, 87도564
㉤ × : ~ 경합범이 성립하지 않는다(대판 2019.6.20, 2018도20698 전원합의체).

Answer 11. ③

12 **경합범에 대한 설명으로 옳은 것은?**(다툼이 있는 경우 판례에 의함) 24. 7급 검찰

① 피고인이 A, B, C의 죄를 순차적으로 범하고 이 중 A죄에 대하여 벌금형에 처한 판결이 확정된 후, 그 판결확정 전에 범한 B죄와 판결확정 후에 범한 C죄가 같은 법원에 기소된 경우 법원은 B죄와 C죄를 동시적 경합범으로 처벌할 수 없다.

② 포괄일죄의 중간에 다른 종류의 범죄에 대하여 금고 이상의 형에 처한 확정판결이 끼어 있는 경우 그 포괄일죄는 확정판결 후의 범죄로 다루어야 하므로 판결이 확정된 죄와 사후적 경합범이 되지 않는다.

③ 아직 판결을 받지 아니한 수개의 죄가 징역형의 판결확정을 전후하여 저질러지고 판결확정 전에 범한 죄를 이미 판결이 확정된 죄와 동시에 판결할 수 없었던 경우, 그 수개의 죄 사이에는 형법 제37조 전단의 경합범 관계가 인정된다.

④ 형법 제37조 후단의 경합범 관계가 성립할 수 없어 아직 판결을 받지 아니한 죄에 대하여 형을 선고할 때는 그 죄와 판결이 확정된 죄를 동시에 판결할 경우와 형평을 고려하도록 한 형법 제39조 제1항을 적용하여야 한다.

> **해설** ① × : ~ 처벌할 수 있다(대판 2017.7.11, 2017도7287 ∵ 벌금형에 처한 판결이 확정된 경우 제37조 후단의 경합범이 될 수 없음).
> ② ○ : 대판 2003.8.22, 2002도5341
> ③ × : ~ 경합범 관계가 인정되지 않는다(대판 2014.3.27, 2014도469).
> ④ × : ~ 제1항을 적용할 수 없다(대판 2012.9.27, 2012도9295).

13 **다음 설명 중 가장 옳은 것은?**(다툼이 있는 경우 판례에 의함) 24. 법원직

① 경합범을 동시에 판결할 때 가장 무거운 죄에 정한 법정형이 사형, 무기징역, 무기금고인 경우에는 가장 무거운 죄에 대하여 정한 형에 그보다 가벼운 다른 유기징역형을 병과한다.

② 법정형이 징역 10년 이하인 A범죄와, 징역 2년 이하인 B범죄가 실체적 경합범의 관계에 있는 경우 형법 제38조 제1항 제2호에 따라 경합범 가중을 하면 처단형은 징역 12년 이하가 된다.

③ 국가공무원법 제33조의 2는 '형법 제38조에도 불구하고 제33조 제6호의 2 또는 제6호의 3 각목에 규정된 죄와 다른 죄의 경합범에 대하여 벌금형을 선고하는 경우에는 이를 분리 선고하여야 한다.'고 규정하고 있는데, 이는 국가공무원법 위반 1개의 범행과 형법상의 2개의 범행을 저지른 자에 대하여 위 각 3개의 범행을 모두 벌금형으로 처벌하기로 하였다면, 3개의 분리된 벌금형으로 선고하여야 한다는 의미이다.

④ A범행에 대하여는 징역형, B 범행에 대하여는 금고형을 선택한 후 형법 제38조에 따라 경합범가중을 하는 경우 징역과 금고는 다른 종류의 형이므로, 하나의 징역형으로 처벌할 수는 없다.

해설 ① × : ~ (2줄) 경우에는 가장 무거운 죄에 대하여 정한 형으로 처벌한다(제38조 제1항 제1호).
② ○ : 장기의 2분의 1까지 가중[10+(10×1/2)=15년 이하]하되 각 죄에 정한 형의 장기를 합산한 형기(10+2=12년 이하)를 초과할 수 없다(제38조 제1항 제2호).
③ × : 국가공무원법 제33조의 2는 '형법 제38조에도 불구하고 제33조 제6호의 2 또는 제6호의 3 각목에 규정된 죄와 다른 죄의 경합범에 대하여 벌금형을 선고하는 경우에는 이를 분리 선고하여야 한다.'고 규정하고 있는데, 이는 국가공무원법 위반죄와 형법상 범죄 사이에는 분리 선고하는 것이 맞지만 형법상 범죄 사이에는 이를 분리 선고하여야 하는 것은 아니다. 따라서 국가공무원법 위반 1개의 범행과 형법상의 2개의 범행을 저지른 자에 대하여 위 각 3개의 범행을 모두 벌금형으로 처벌하기로 한 경우, 형법상 범죄 2개도 분리 선고하여야 하는 것은 아니므로 3개의 분리된 벌금형으로 선고하여야 한다고 볼 수 없다.
④ × : ~ (2줄) 징역과 금고는 같은 종류의 형으로 보아 징역형으로 처벌한다(제38조 제2항).

14 경합범에 관한 설명으로 가장 적절하지 않은 것은?(다툼이 있는 경우 판례에 의함) 25. 경찰승진

① 경합범으로 처단할 시 가장 중한 죄 아닌 죄에 정한 형의 단기가 가장 중한 죄에 정한 형의 단기보다 중한 경우에는 형법 제38조 제1항 제2호 본문의 규정 취지에 비추어 그 중한 단기를 하한으로 한다고 새겨야 한다.

② 형법 제37조 후단의 경합범규정의 "판결확정 전"의 의미는 판결이 상소 등 통상의 불복방법에 의하여 다툴 수 없게 된 상태가 되기 전을 말한다.

③ 유죄의 확정판결을 받은 사람이 그 후 별개의 후행범죄를 저질렀는데 유죄의 확정판결에 대하여 재심이 개시된 경우 후행범죄가 재심대상판결에 대한 재심판결 확정 전에 범하여졌다면 아직 판결을 받지 아니한 후행범죄와 재심판결이 확정된 선행범죄 사이에 형법 제37조 후단에서 정한 경합범 관계가 성립한다.

④ 동일한 피고인에 대한 수개의 범죄사실 중 일부에 대하여 먼저 공소가 제기되고 나머지 범죄사실에 대하여 별도로 공소가 제기됨으로써 이를 심리한 각 제1심법원이 공소제기된 사건별로 별개의 형을 선고하였는데, 이 중 어느 한 사건이 항소심법원에 계속되는 동안에 금고 이상의 형에 처한 다른 사건의 판결이 별개의 절차에서 확정되었다면, 항소심법원은 이를 동시에 판결할 경우와의 형평을 고려하여 형을 선고하여야 한다.

해설 ① 대판 1985.4.23, 84도2890
② 대판 1974.10.8, 74도1301
③ × : ~ 경합범 관계가 성립하지 않는다(대판 2019.6.20, 2018도20698 전원합의체).
④ 대결 2020.5.18, 2020모1425

Answer 14. ③

THEMA

03

PART

형벌론

형의 종류와 형의 경중

www.pmg.co.kr

관련조문

제41조【형의 종류】 형의 종류는 다음과 같다.
  1. 사형   2. 징역   3. 금고   4. 자격상실   5. 자격정지
  6. 벌금   7. 구류   8. 과료   9. 몰수

제42조【징역 또는 금고의 기간】 징역 또는 금고는 무기 또는 유기로 하고, 유기는 1개월 이상 30년 (15년 ×) 이하로 한다. 단, 유기징역 또는 유기금고에 대하여 형을 가중하는 때에는 50년(25년 ×)까지로 한다. 14. 법원직, 16. 법원행시

제46조【구류】 구류는 1일 이상 30일 미만(이하 ×)으로 한다. 20. 법원행시, 22. 해경 2차

제66조【사형】 사형은 교정시설 안에서 교수하여 집행한다. 22. 법원행시

제67조【징역】 징역은 교정시설에 수용하여 집행하며, 정해진 노역에 복무하게 한다. 22. 해경 2차

제68조【금고와 구류】 금고와 구류는 교정시설에 수용하여 집행한다.

제45조【벌금】 벌금은 5만원 이상으로 한다. 다만, 감경하는 경우에는 5만원 미만으로 할 수 있다.

제47조【과료】 과료는 2천원(5천원 ×) 이상 5만원 미만으로 한다. 14. 법원직, 22. 해경 2차

제69조【벌금과 과료】 ① 벌금과 과료는 판결확정일로부터 30일(60일 ×) 내에 납입하여야 한다. 단, 벌금을 선고할 때에는 동시에 그 금액을 완납할 때까지 노역장에 유치할 것을 명할 수 있다. 12. 7급 검찰·법원직, 21. 해경승진

② 벌금을 납입하지 아니한 자는 1일(1개월 ×) 이상 3년 이하, 과료를 납입하지 아니한 자는 1일 이상 30일 미만의 기간 노역장에 유치하여 작업에 복무하게 한다. 22. 9급 검찰·마약수사·철도경찰, 24. 순경 2차

제70조【노역장 유치】 ① 벌금이나 과료를 선고할 때에는 이를 납입하지 아니하는 경우의 노역장 유치기간을 정하여 동시에 선고하여야 한다. 12. 7급 검찰, 18. 9급 검찰·마약수사·철도경찰·법원행시

② 선고하는 벌금이 1억원 이상 5억원 미만인 경우에는 300일 이상, 5억원 이상 50억원 미만인 경우에는 500일 이상, 50억원 이상인 경우에는 1천일 이상의 노역장 유치기간을 정하여야 한다. 18. 법원행시·9급 검찰·마약수사·철도경찰, 22. 7급 검찰

제71조【유치일수의 공제】 벌금이나 과료의 선고를 받은 사람이 그 금액의 일부를 납입한 경우에는 벌금 또는 과료액과 노역장 유치기간의 일수에 비례하여 납입금액에 해당하는 일수를 뺀다.

01 다음 중 불가능한 선고형은 모두 몇 개인가?

11. 법원행시

| ㉠ 징역 50년 | ㉡ 자격정지 15년 | ㉢ 벌금 3만원 |
| ㉣ 구류 1일 | ㉤ 과료 2천원 | |

① 없 음   ② 1개   ③ 2개
④ 3개   ⑤ 4개

Answer   1.①

> **해설** ㉠ 가중시 50년까지 가능(제42조 단서)
> ㉡ 자격정지 : 1년 이상 15년 이하(제44조 제1항)
> ㉢ 감경시 5만원 미만 가능(제45조 단서)
> ㉣ 구류 : 1일 이상 30일 미만(제46조)
> ㉤ 과료 : 2천원 이상 5만원 미만(제47조)
> ∴ 모두 다 선고 가능한 형이다.

02 벌금형에 대한 설명으로 옳지 않은 것은?(다툼이 있는 경우 판례에 의함)

18. 9급 검찰 · 마약수사 · 철도경찰

① 법정형에 징역형과 벌금형이 선택형으로 규정되어 있는 범죄에서 벌금형을 선택하여 처벌하는 경우에 노역장 유치기간은 법정형에서 정한 징역형의 상한을 초과하여 정할 수 없다.

② 벌금을 선고할 때에는 납입하지 아니하는 경우의 유치기간을 정하여 동시에 선고하여야 한다.

③ 벌금을 납입하지 아니하는 자에 대한 노역장 유치기간은 벌금액수가 아무리 많더라도 3년을 초과할 수 없다.

④ 선고하는 벌금이 5억원 이상 50억원 미만인 경우에는 500일 이상의 유치기간을 정하여야 한다.

> **해설** ① × : 징역형과 벌금형 가운데서 벌금형을 선택하여 선고하면서 환산한 노역장유치기간이 선택형인 징역형의 장기보다 더 길더라도 위법이 아니다(대판 2000.11.24, 2000도3945).
> ② 제70조 제1항 ③ 제69조 제2항(1일 이상 3년 이하) ④ 제70조 제2항

03 다음 중 형의 종류와 경중에 대한 설명으로 가장 옳지 않은 것은?(다툼이 있는 경우 판례에 의함)

21. 해경승진

① 징역은 금고보다 무거운 형이지만, 유기금고의 장기가 유기징역의 장기를 초과하는 때에는 금고를 중한 것으로 한다.

② 유기징역 또는 유기금고의 판결을 받은 자는 그 형의 집행이 종료하거나 면제될 때까지 공무원이 되는 자격이 정지된다. 다만 다른 법률에 특별한 규정이 있는 경우에는 그 법률에 따른다.

③ 징역형의 집행유예와 벌금형이 병과된 신청인에 대하여 징역형의 집행유예의 효력을 상실케 하는 내용의 특별사면이 있다면, 그 벌금형의 선고의 효력을 상실케 한다.

④ 벌금은 5만원 이상으로 하며, 판결확정일로부터 30일 이내에 납입하여야 한다.

> **해설** ① 제50조 제1항 ② 제43조
> ③ × : ~ 특별사면이 있는 경우, 그 특별사면의 효력이 병과된 나머지 형에까지 미치는 것은 아니므로 그 벌금형의 선고의 효력까지 상실케 하는 것은 아니다(대결 1997.10.13, 96모33).
> ④ 제69조 제1항

Answer   2.①   3.③

> **관련조문**
>
> **제43조【형의 선고와 자격상실, 자격정지】** ① 사형, 무기징역 또는 무기금고의 판결을 받은 자는 다음에 기재한 자격을 상실한다.
> 1. 공무원이 되는 자격
> 2. 공법상의 선거권과 피선거권
> 3. 법률로 요건을 정한 공법상의 업무에 관한 자격
> 4. 법인의 이사, 감사 또는 지배인 기타 법인의 업무에 관한 검사역이나 재산관리인이 되는 자격
> ② 유기징역 또는 유기금고의 판결을 받은 자는 그 형의 집행이 종료하거나 면제될 때까지 전항 제1호 내지 제3호에 기재된 자격이 정지된다. 12. 7급 검찰 다만, 다른 법률에 특별한 규정이 있는 경우에는 그 법률에 따른다. 20. 법원행시, 21. 해경승진, 22. 순경 2차
> **제44조【자격정지】** ① 전조에 기재한 자격의 전부 또는 일부에 대한 정지는 1년(1개월 ×) 이상 15년 이하로 한다. 17. 법원직, 20. 법원행시
> ② 유기징역 또는 유기금고에 자격정지를 병과한 때에는 징역 또는 금고의 집행을 종료하거나 면제된 날로부터 정지기간을 기산한다. 12. 7급 검찰, 14. 법원행시

☑ 형벌의 범위 총정리

징역·금고	무 기	종신(단, 20년이 경과한 후에는 가석방이 가능)
	유 기	1개월 이상 30년 이하(단, 가중시는 50년 이하)
구 류		1일 이상 30일 미만
자격정지	당연정지(제43조 제2항)	형 집행의 종료 또는 면제시까지
	선고에 의한 정지(제44조)	1년 이상 15년 이하
벌 금		5만원 이상
과 료		2,000원 이상 5만원 미만

관련조문

제48조 【몰수의 대상과 추징】 ① 범인 외의 자의 소유에 속하지 아니하거나 범죄 후 범인 외의 자가 사정을 알면서 취득한 다음 각 호의 물건은 전부 또는 일부를 몰수할 수 있다.

1. 범죄행위에 제공하였거나 제공하려고 한 물건

2. 범죄행위로 인하여 생겼거나 취득한 물건

3. 제1호 또는 제2호의 대가로 취득한 물건

② 제1항 각 호의 물건을 몰수할 수 없을 때에는 그 가액을 추징한다.

③ 문서, 도화, 전자기록 등 특수매체기록 또는 유가증권의 일부가 몰수의 대상이 된 경우에는 그 부분을 폐기한다(폐기할 수 있다. ×). 22. 법원행시

제49조 【몰수의 부가성】 몰수는 타형에 부가하여 과한다. 단, 행위자에게 유죄의 재판을 아니할 때에도 몰수의 요건이 있는 때에는 몰수만을 선고할 수 있다.

THEMA 34 '몰수와 추징' 총정리

1. **몰수의 부가성** : 몰수는 원칙적으로 타형에 부가하여 과하는 부가형이지만(제49조 본문), 행위자에게 유죄의 재판을 하지 아니할 때에도 몰수의 요건이 있는 때에는 예외적으로 **몰수만을 선고할 수 있다** (제49조 단서). 16. 법원행시, 18. 순경 3차, 20. 해경승진·법원직, 21. 7급 검찰, 23. 경찰승진, 24. 해경승진

2. **임의적 몰수와 필요적 몰수** : 몰수의 여부는 원칙적으로 법관의 자유재량에 의한다(제48조 제1항, 제49조 단서). 즉, 몰수는 원칙적으로 임의적 몰수이다. 그러나 형법 각칙과 특별법에 필요적 몰수로 하는 경우가 있다[뇌물(제134조), 배임수재에 의하여 취득한 취득한 재물(제357조 제3항) ▶ 주의 : 배임증재에 의하여 공여한 재물 ⇨ 필요적 몰수 ×, 임의적 몰수 ○]. 15. 경찰승진·순경 3차

⚖ **관련판례**

1. 피고인이 신고 없이 외국환을 해외 계좌로 송금한 사실로 체포될 당시에 **미처 송금하지 못하고** 소지하고 있던 자기앞수표나 현금은 **장차 실행하려고** 한 외국환거래법 위반의 범행에 제공하려는 물건일 뿐, 그 이전에 범해진 외국환거래법 위반의 '범죄행위에 제공하려고 한 물건'으로는 볼 수 없으므로 **몰수할 수 없다**(대판 2008.2.14, 2007도10034 ∵ 어떠한 물건을 '범죄행위에 제공하려고 한 물건'으로서 몰수하기 위하여는 그 물건이 유죄로 인정되는 **당해 범죄행위에 제공하려고 한 물건**임이 인정되어야 하므로 **장차 실행하려고 한 범행에 제공하려고 한 물건은 몰수할 수 없음**). 19. 경력채용, 22. 법원행시·법원직·해경간부·해경 2차, 23. 해경승진, 25. 경찰승진

▶ **유사판례**

① '물품에 대한 수입신고를 함에 있어 주요사항을 허위로 신고'하여 구 관세법을 위반한 경우, **허위신고의 대상물** ⇨ 몰수 ×(대판 1974.6.11, 74도352 ∵ 위 물건은 신고의 대상물에 지나지 않아 신고로서 이루어지는 허위신고죄의 범죄행위 자체에 제공한 물건 ×) 21. 법원행시

② 부동산의 소유권을 이전받을 것을 내용으로 하는 계약(1차 계약)을 체결한 자가 그 부동산에 대하여 다시 제3자와 소유권이전을 내용으로 하는 계약(전매계약)을 체결한 것이 부동산등기 특별조치법 제8조 제1호 위반행위에 해당하는 경우, **전매계약에 의하여 제3자로부터 받은 대금** ⇨ 몰수 ×(대판 2007.12.14, 2007도7353 ∵ 전매계약에 의하여 제3자로부터 받은 대금은 같은 법 제8조 제1호가 처벌대상으로 삼고 있는 1차 계약에 따른 소유권이전등기를 하지 않은 행위로 인하여 취득한 것이라고 볼 수 없으므로 형법 제48조 제1항 제2호, 제2항에 의하여 이를 몰수하거나 추징할 수 없다.) 21. 법원행시

2. 형법 제48조 제1항의 '범인'에는 공범자도 포함되므로 피고인의 소유물은 물론 **공범자의 소유물도 그 공범자의 소추 여부를 불문하고 몰수할 수 있는 것**이고 여기에서의 공범자에는 공동정범, 교사범, 방조범에 해당하는 자는 물론 **필요적 공범관계에 있는 자도 포함된다**. 24. 순경 1차 이 경우에 형법 제48조 제1항의 '범인'에 해당하는 **공범자는 반드시 유죄의 죄책을 지는 자에 국한된다**(국한된다 ×)고 볼 수 **없고**, 공범에 해당하는 행위를 한 자이면 족하다(대판 2006.11.23, 2006도5586). 21. 법원행시 · 해경승진, 22. 변호사시험 · 법원직, 23. 9급 검찰 · 마약수사, 24. 순경 1차 그리고 형벌은 공범자 전원에 대하여 각기 별도로 선고하여야 할 것이므로 **공범자 중 1인 소유에 속하는 물건에 대한 부가형인 몰수에 관하여도 개별적으로 선고하여야 한다**(대판 2013.5.23, 2012도11586).

3. 형법 제48조 제1항 제1호의 "범죄행위에 제공한 물건"은, 가령 살인행위에 사용한 칼 등 범죄의 **실행행위 자체에 사용한 물건에만 한정되는 것이 아니며**, 실행행위의 **착수 전**의 행위 또는 실행행위의 종료 후의 행위에 사용한 물건이더라도 그것이 **범죄행위의 수행에 실질적으로 기여하였다고** 인정되는 한 위 법조 소정의 제공한 물건에 포함된다〔대판 2006.9.14, 2006도4075 예 **대형할인매장**에서 수회 상품을 **절취**하여 자신의 승용차(소나타)에 싣고 간 경우, 위 **승용차 ⇨ 몰수대상 ○**〕. 17. 법원행시, 23. 경찰승진 · 7급 검찰, 24. 변호사시험 · 순경 1차, 25. 9급 검찰 · 마약수사 · 철도경찰

4. 甲이 A로 하여금 **사기도박**에 참여하도록 유인하기 위하여 **고액의 수표를 제시**해 보였다면 그 수표를 직접적으로 **도박자금으로 사용하지 않았더라도 몰수할 수 있다**(없다 ×)(대판 2002.9.24, 2002도3589). 16. 경찰간부, 17. 9급 검찰 · 마약수사 · 철도경찰, 22. 변호사시험, 23. 경찰승진

5. 형법 제48조 제1항 제1호에 의한 몰수는 **임의적인 것**이므로 그 몰수의 요건에 해당되는 물건이라도 이를 몰수할 것인지의 여부는 일응 **법원의 재량**에 맡겨져 있다 할 것이나, 형벌 일반에 적용되는 **비례의 원칙에 의한 제한**을 받는다(대판 2013.5.23, 2012도1586). 14. 경찰간부, 16. 법원행시

6. 몰수하여야 할 압수물이 멸실, 파손 또는 부패의 염려가 있거나 보관하기에 불편하여 형사소송법 제132조의 규정에 따라 매각하여 그 대가를 보관하는 경우에는 그 대가보관금을 몰수할 수 있다(대판 1996.11.11, 96도2477). 12. 법원직, 22. 법원행시, 23. 해경승진

7. 피고인이 甲에게서 명의신탁을 받아 피고인 명의로 소유권이전등기를 마친 토지 및 그 지상 건물(이하 '부동산'이라고 한다)에서 甲과 공동하여 영업으로 성매매알선 등 행위를 함으로써 **성매매에 제공되는 사실을 알면서 부동산을 제공한 경우**, 부동산(성매매업소 5층 건물 전체)을 몰수한 원심의 조치는 정당하고 비례의 원칙에 반하여 재량권을 남용한 잘못이 없다(대판 2013.5.23, 2012도1586).

8. **장물매각대금**은 장물죄 피해자에게 환부되어야 할 물건으로서 범인의 소유가 아니므로 몰수할 수 **없다**(대판 1969.1.21, 68도1672). 12. 사시, 14. 경찰간부

9. 공무원이 그 권한에 의하여 **허위로 작성한 공문서**(군 PX에서 공무원인 군인이 허위작성한 월간판매실적보고서)는 몰수할 수 **없다**(대판 1983.6.14, 83도808 ∵ 공무소인 소관 육군부대의 소유임). 12. 법원직 · 사시, 21. 해경간부

10. 사행성 게임기는 기판과 본체가 서로 물리적으로 결합되어야만 비로소 그 기능을 발휘할 수 있는 기계로서, 당국으로부터 적법하게 등급심사를 받은 것이라고 하더라도 본체를 포함한 그 전부가 범죄행위에 제공된 물건으로서 몰수의 대상이 된다(대판 2006.12.8, 2006도6400). 19. 경력채용, 22. 7급 검찰

11. **몰수를 선고한 판결의 효력은** 원칙적으로 몰수의 원인이 된 사실에 관하여 유죄의 판결을 받은 **피고인에 대한 관계에서** 그 물건을 소지하지 못하게 하는 데 그치고, 그 사건에서 재판을 받지 아니한 **제3자의 소유권에 어떤 영향을 미치는 것은 아니다**(대결 2017.9.29, 2017모236). 예금통장이 몰수되었다고 하여 예금반환채권까지 몰수된 것으로 볼 수 없다(대판 1997.11.14, 97다34235). 15. 법원행시, 21. 법원직

12. 오락실업자, 상품권업자 및 환전소 운영자가 공모하여 사행성 전자식 유기기구에서 경품으로 배출된 상품권을 현금으로 환전하면서 그 수수료를 일정한 비율로 나누어 가지는 방식으로 영업을 한 경우 환전소 운영자가 환전소에 보관하던 현금 전부가 몰수의 대상이 된다(대판 2006.10.13, 2006도3302). 22. 법원행시

13. 형법 제48조가 규정하는 몰수·추징의 대상은 범인이 범죄행위로 인하여 취득한 물건을 뜻하고, 여기서 '취득'이란 해당 범죄행위로 인하여 결과적으로 이를 취득한 때를 말한다고 제한적으로 해석함이 타당하다(대판 2021.7.21, 2020도10970).

14. 전자기록은 일정한 저장매체에 전자방식이나 자기방식에 의하여 저장된 기록으로서 저장매체를 매개로 존재하는 물건이므로 형법 제48조 제1항에 정한 사유가 있는 때에는 이를 몰수할 수 있는바, 휴대전화의 동영상 촬영기능을 이용하여 피해자를 촬영한 행위 자체가 범죄에 해당하는 경우, 휴대전화는 '범죄행위에 제공된 물건', 촬영되어 저장된 동영상은 휴대전화에 저장된 전자기록으로서 '범죄행위로 인하여 생긴 물건'에 각각 해당하고 이러한 경우 법원이 휴대전화를 몰수하지 않고 동영상만을 몰수하는 것도 가능하다(대판 2024.1.4, 2021도5723). 23. 변호사시험·법원행시, 24. 경위공채, 25. 경찰승진·해경경사·순경 1차

15. 특별법에서 해당 법률의 입법 목적과 취지 등을 고려하여 몰수·추징의 성격이나 그 범위 등에 관하여 형법과 달리 정한 경우에는 특별법 우선의 원칙상 특별법 규정이 적용되는 한도에서 형법 제48조의 적용이 배제된다. 그러나 특별법에 따른 몰수·추징 요건이 구비되지 않고 형법 제48조의 요건만 충족되는 경우에는 이에 따른 몰수·추징이 가능하다(대판 1974.6.11, 74도352). 23. 법원행시

3. **추징** : 몰수의 대상인 물건을 몰수하기 불능한 때에는 그 가액을 추징하고(제48조 제2항), 문서·도화·전자기록 등 특수매체기록 또는 유가증권의 일부가 몰수에 해당하면 그 부분을 폐기한다(제48조 제3항). 11. 법원행시

① 추징은 형법상의 형벌이 아니지만 실질적으로 부가형으로서의 성질을 가진다(대판 1989.2.14, 88도2211). 추징은 일종의 형으로서 검사가 공소를 제기함에 있어 관련 추징규정의 적용을 빠뜨렸다 하더라도 법원은 직권으로 이를 적용하여야 하는 것이다(대판 2007.1.25, 2006도8663). 16. 경찰간부, 24. 해경승진

② 수인이 공동하여 뇌물을 수수한 경우에는 각자가 실제로 분배받은 금품을 몰수하거나 그 가액을 추징하여야 하며, 수수한 뇌물을 공동으로 소비하였거나 분배액이 불명한 경우에는 평등하게 추징하여야 한다(대판 1975.4.22, 73도1963). 13. 경찰간부, 25. 9급 검찰·마약수사·철도경찰

③ 추징가액을 산정하는 기준은 재판선고시의 가격(몰수불능시의 가격 ×, 취득가액 ×, 반환시의 가격 ×)을 기준으로 정한다(대판 1991.5.28, 91도352). 16. 법원행시, 17. 9급 검찰, 21. 경찰간부, 22. 해경간부, 23. 7급 검찰, 25. 순경 1차 따라서 추징가액은 범인이 그 물건을 보유하고 있다가 몰수의 선고를 받았더라면 잃게 될 이득상당액을 의미하므로, 추징하여야 할 가액이 몰수의 선고를 받았더라면 잃게 될 이득상당액을 초과하여서는 아니 된다(대판 2017.9.21, 2017도8611). 21. 법원행시, 22. 경찰간부, 23. 법원직·9급 검찰·마약수사·철도경찰

관련판례

1. 주형을 선고유예하는 경우에 몰수·추징을 선고유예할 수 있으며(대판 1979.4.10, 78도3098) 몰수(추징)만을 선고할 수도 있으나(대판 1990.4.27, 89도2291), 주형에 대해 선고유예를 하지 않으면서 이에 부가할 몰수·추징에 대해서만 선고유예를 할 수는 없다(대판 1988.6.21, 88도551). 14. 사시, 18. 법원직, 21. 해경간부·해경승진, 23. 7급 검찰

2. 몰수나 추징을 선고하기 위하여는 공소가 제기된 공소사실과 관련되어 있어야 하나 그 공소사실에 관하여 이미 공소시효가 완성되어 유죄의 선고를 할 수 없는 경우에는 몰수나 추징도 할 수 없다(대판 1992.7.28, 92도700). 15. 순경 3차, 24. 해경간부, 25. 9급 검찰·마약수사·철도경찰

▶ 유사판례

① 우리 법제상 공소의 제기 없이 별도로 몰수만을 선고할 수 있는 제도가 마련되어 있지 않으므로, 위 규정에 근거하여 몰수를 선고하기 위해서는 몰수의 요건이 공소가 제기된 공소사실과 관련되어 있어야 하고, 공소가 제기되지 않은 별개의 범죄사실을 법원이 인정하여 그에 관하여 몰수나 추징을 선고하는 것은 불고불리의 원칙에 위반되어 허용되지 않는다(대판 2022.11.17, 2022도8662). 23. 법원행시·9급 검찰·마약수사·철도경찰·법원직, 24. 변호사시험

② 우리 법제상 공소제기 없이 몰수만을 선고할 수 있는 제도가 마련되어 있지 아니하므로 실체판단에 들어가 공소사실을 인정하는 경우가 아닌 면소의 경우에는 원칙적으로 몰수도 할 수 없다(대판 2007.7.26, 2007도4556). 15. 9급 검찰·마약수사, 24. 순경 2차

③ 마약류 관리에 관한 법률 제67조의 몰수나 추징을 선고하기 위하여는 몰수나 추징의 요건이 공소가 제기된 범죄사실과 관련되어 있어야 하므로, 법원으로서는 범죄사실에서 인정되지 아니한 사실에 관하여는 몰수나 추징을 선고할 수 없다(대판 2016.12.15, 2016도16170 ⓓ 범죄사실에서 필로폰 양을 특정할 수 없는 경우 ⇨ 추징 ×). 18. 법원행시·순경 3차

④ 부패재산의 몰수 및 회복에 관한 특례법 제6조 제1항, 제3조 제1항, 제2조 제3호에서 정한 몰수·추징의 원인이 되는 범죄사실은 공소제기된 범죄사실에 한정되고, '범죄피해재산'은 그 공소제기된 범죄사실 피해자로부터 취득한 재산 또는 그 재산의 보유·처분에 의하여 얻은 재산에 한정되며, 그 피해자의 피해회복이 심히 곤란하다고 인정되는 경우(범죄피해자가 그 재산에 관하여 범인에 대한 재산반환청구권 또는 손해배상청구권 등을 행사할 수 없는 등)에만 몰수·추징이 허용된다(대판 2022.11.17, 2022도8662). 23. 법원행시

3. 징역형의 집행유예와 추징의 선고를 받은 자에 대하여 징역형의 선고의 효력을 상실케 하는 동시에 복권하는 특별사면이 있는 경우에 추징에 대하여도 형선고의 효력이 상실된다고 볼 수 없다(대결 1996.5.14, 96모14). 12. 경찰승진, 14. 7급 검찰

4. 몰수대상은 반드시 압수되어 있는 물건에 제한되지 않으므로 몰수대상물건의 압수 여부 및 적법절차에 의한 압수 여부는 몰수의 요건이 아니다(대판 2003.5.30, 2003도705). 따라서 판결선고 전 검찰에 의해 압수된 후 피고인에게 환부된 물건도 몰수할 수 있다(대판 1977.5.24, 76도4001). 16. 법원행시, 19. 경찰승진, 21. 경찰간부, 22. 해경 2차·7급 검찰, 23. 법원직·9급 검찰·마약수사, 24. 해경간부

5. 범인이 직접 또는 간접적으로 점유하던 밀수출 대상 물품을 압수한 경우에는 그 물품이 제3자의 소유에 속하더라도 관세법상 밀수출범죄의 필요적 몰수 대상이 된다(대결 2017.9.29, 2017모236). 21. 해경승진

4. 몰수·추징의 목적(취지)

(1) 범죄행위로 인한 이득을 박탈하여 부정한 이익을 보유하지 못하게 한 경우 ⇨ 몰수·추징의 범위는 피고인이 실질적으로 취득하거나 그에게 귀속된 이익에 한정된다.

① 형법상의 몰수·추징 : 공무원의 직무에 속한 사항의 알선에 관하여 금품을 받은 범인이 그 금품 중의 일부를 받은 취지에 따라 청탁과 관련하여 관계공무원에게 뇌물로 공여한 경우에는 그 부분의 이익은 실질적으로 그 범인에게 귀속된 것이 아니어서 그 범인으로부터는 이를 제외한 나머지 금품만을 몰수하거나 그 가액을 추징하여야 한다(대판 2002.6.14, 2002도1283). 11. 순경, 12. 경찰승진, 24. 변호사시험·법원직

② 변호사법상의 몰수·추징 : 수인이 공동하여 공무원이 취급하는 사건 또는 사무에 관하여 청탁을 한다는 명목으로 받은 금품을 분배한 경우에는 각자로부터 실제로 분배받은 금품만을 개별적으로 몰수하거나 그 가액을 추징하여야 한다(대판 1996.11.29, 96도2490). 12. 법원행시·순경 2차

⑵ 범죄행위로 인한 이득박탈이 목적이 아니라 범죄사실에 대한 징벌적 제재의 성격을 갖는 경우 ⇨ 이득을 취득하지 않은 경우에도 추징을 명하고 각 범칙자 전원에 대하여 그 가액 전부의 추징을 명해야 한다.

① 관세법상 추징은 일반 형사법에서의 추징과는 달리 징벌적 성격을 띠고 있어 여러 사람이 공모하여 관세를 포탈하거나 관세장물을 알선, 운반, 취득한 경우에는 그 물품의 범칙 당시의 국내도매가격 상당의 가액 전액을 그 물품의 소유 또는 점유사실의 유무를 불문하고 범칙자 전원으로부터 각각 추징할 수 있다(대판 2007.12.28, 2007도8401). 12. 경찰간부·순경 2차, 16. 법원행시

외국환관리법상 몰수·추징(대판 1998.5.21, 95도2002), 19. 법원행시 밀항단속법상의 몰수와 추징은 여러 사람이 공모하여 죄를 범하고도 몰수대상인 수수 또는 약속한 보수를 몰수할 수 없을 때에는 공범자 전원에 대하여 그 보수액 전부의 추징을 명하여야 한다(대판 2008.10.9, 2008도7034). 11. 순경, 15. 법원직

② 마약류 관리에 관한 법률 제67조에 의한 몰수나 추징은 범죄행위로 인한 이득의 박탈을 목적으로 하는 것이 아니라 징벌적 성질의 처분이므로, 그 범행으로 인하여 이득을 취득한 바 없다 하더라도 법원은 그 가액의 추징을 명하여야 한다[대판 2000.9.8, 2000도546 : 이때 수수한 의약품(히로뽕) 가액전액을 추징하면 되지 직접 투약한 부분에 대한 가액의 별도 추징 불가능]. 15. 순경 3차, 19. 경찰승진, 22. 법원행시, 23. 법원직, 24. 순경 2차

③ 특정경제범죄 가중처벌 등에 관한 법률 제10조 제3항, 제1항에 의한 몰수·추징은 징벌적 성격의 처분이라고 보는 것이 상당하므로 그 도피재산이 피고인들이 아닌 회사의 소유라거나 피고인들이 이를 점유하고 그로 인하여 이득을 취한 바가 없다고 하더라도 피고인들 모두에 대하여 그 도피재산의 가액 전부의 추징을 명하여야 한다(대판 2005.4.29, 2002도7262). 16. 사시

⚖ 추징 관련판례

1. 금원이나 자기앞수표를 뇌물로 받아 이를 소비하거나 뇌물인 수표를 예금한 후 동액 상당의 현금을 증뢰자에게 반환한 경우 ⇨ 수뢰자로부터 그 가액 추징(대판 1999.1.29, 98도3584) 19·23. 법원직, 24. 변호사시험·순경 1차

2. 수뢰자가 뇌물을 그대로 보관하였다가 증뢰자에게 반환한 경우 ⇨ 증뢰자로부터 몰수·추징(대판 1984.2.28, 83도2783) 13. 경찰간부, 14. 7급 검찰, 15. 사시, 16. 9급 검찰·마약수사, 23. 법원직

  ▶ 유사판례 : 수재자가 증재자로부터 받은 재물을 그대로 가지고 있다가 증재자에게 반환하였다면 증재자로부터 이를 몰수하거나 그 가액을 추징하여야 한다(대판 2017.4.7, 2016도18104). 18. 법원행시·순경 3차, 19. 변호사시험, 23. 경찰승진·법원직

3. 뇌물로 받은 돈을 그 후 다른 사람에게 다시 뇌물로 공여한 경우 수뢰액 전부를 (제1)수뢰자로부터 추징하여야 한다(대판 1986.11.25, 86도1951). 13. 7급 검찰, 24. 법원직

4. 뇌물에 공할 금품이 특정되지 않았던 것은 몰수할 수 없고 그 가액을 추징할 수도 없다(대판 1996.5.8, 96도221 ⑩ 甲이 공무원 A에게 승용차 대금 명목으로 1,400만원을 뇌물로 제공하기로 약속한 경우, 뇌물로 약속된 승용차대금 명목의 금품은 특정되지 않아 이를 몰수할 수 없었으므로 그 가액을 추징할 수 없다. ∵ 추징은 몰수할 수 있었음을 전제로 하는 것임). 추징의 대상이 되는지 여부는 엄격한 증명을 필요로 하는 것은 아니나, 그 대상이 되는 범죄수익을 특정할 수 없는 경우에는 추징할 수 없다(대판 2007.6.14, 2007도2451). 17. 경찰간부·9급 검찰, 18. 순경 3차, 24. 해경승진

5. 범죄행위로 인하여 물건을 취득하면서 그 대가를 지급하였다고 하더라도 범죄행위로 취득한 것은 물건 자체이고, 이는 몰수되어야 할 것이나 이미 처분되어 없다면 그 가액 상당을 추징할 것이고, 그 가액에서 이를 취득하기 위한 대가로 지급한 금원(ⓔ 범죄행위로 취득한 주식의 취득대가)을 뺀 나머지를 추징해야 하는 것은 아니다(대판 2005.7.15, 2003도4293). 15. 9급 검찰·마약수사, 17. 경찰간부, 22. 해경간부, 24. 해경승진

6. 금품의 무상차용을 통하여 위법한 재산상 이익을 취득한 경우 범인이 받은 부정한 이익은 그로 인한 금융이익 상당액이므로 추징의 대상이 되는 것은 무상으로 대여받은 금품 그 자체가 아니라 위 금융이익 상당액이다(대판 2008.9.25, 2008도2590). 19. 경찰승진, 20. 해경승진, 22. 경찰간부

7. 공무원이 뇌물취득을 위하여 상대방에게 뇌물액에 상당하는 금원의 일부를 비용명목으로 출연하거나 경제적 이익을 제공한 경우 ➪ 그 받은 뇌물 자체를 몰수·추징한다(대판 1999.10.8, 99도1638 ∵ 뇌물을 받는 데 지출한 부수적 비용에 불과). 19. 변호사시험·법원행시, 22. 경찰간부

   ▶ **유사판례** : 공무원이 뇌물을 받는 데에 필요한 경비를 지출한 경우 그 경비는 뇌물수수의 부수적 비용에 불과하여 뇌물의 가액과 추징액에서 공제할 항목에 해당하지 않는다. 뇌물을 받는 주체가 아닌 자가 수고비로 받은 부분이나 뇌물을 받기 위하여 형식적으로 체결된 용역계약에 따른 비용으로 사용된 부분은 뇌물수수의 부수적 비용에 지나지 않는다(대판 2017.3.22, 2016도21536). 17. 7급 검찰·마약수사·철도경찰·법원행시, 18. 경찰간부, 24. 법원직

8. 상상적 경합관계에 있는 사기죄와 변호사법 위반죄에 대하여 형이 더 무거운 사기죄로 처벌하면서도, 필요적 몰수·추징에 관한 구 변호사법 제116조, 제111조에 의하여 청탁 명목으로 받은 금품 상당액을 추징한 것은 정당하다(대판 2006.1.27, 2005도8704). 21. 변호사시험, 22. 법원행시

9. 공무원의 직무에 속한 사항의 알선에 관하여 금품을 받음에 있어 타인의 동의하에 그 타인 명의의 예금계좌로 입금받는 방식을 취하였다고 하더라도 이는 범인이 받은 금품을 관리하는 방법의 하나에 지나지 아니하므로, 그 가액 역시 범인으로부터 추징하지 않으면 안 된다고 할 것이다(대판 2006.10.27, 2006도4659). 14. 사시

10. 변호사법 위반의 범행으로 금품을 취득한 경우 그 범행과정에서 지출한 비용이 있더라도 추징할 금원을 산정할 때 그 금품의 가액에서 위 지출 비용을 공제할 수는 없다(대판 2008.10.9, 2008도6944). 13. 경찰간부, 14. 순경 1차, 19. 경찰승진

    ⓔ 변호사가 형사사건 피고인으로부터 담당판사에 대한 교제 명목으로 받은 돈의 일부를 공동변호 명목으로 다른 변호사에게 지급한 경우, 이는 변호사법 위반으로 취득한 재물의 소비방법에 불과하므로 위 돈을 추징에서 제외할 수 없다(대판 2006.11.23, 2005도3255). 09. 법원행시

11. 뇌물을 수수한 자가 뇌물의 공동수수자가 아닌 교사범 또는 종범에게 뇌물 중 일부를 사례금 명목으로 교부하였다 하더라도, 뇌물수수자에게서 수뢰액 전부를 추징하여야 한다(대판 2011.11.24, 2011도9585). 15. 법원직, 18. 변호사시험·순경 3차, 21. 법원행시·7급 검찰

    ▶ **비교판례** : 마약류 불법거래 방지에 관한 특례법 제6조를 위반하여 마약류를 수출입·제조·매매하는 행위 등을 업으로 하는 범죄행위의 정범이 그 범죄행위로 얻은 수익은 몰수·추징의 대상이 된다. 그러나 정범으로부터 대가를 받고 판매할 마약을 공급하는 방법으로 범행을 용이하게 한 방조범은 정범의 범죄행위로 인한 수익을 정범과 공동으로 취득하였다고 평가할 수 없다면 정범과 같이 추징할 수는 없고, 그 방조범으로부터는 방조행위로 얻은 재산 등에 한하여 몰수·추징할 수 있다고 보아야 한다(대판 2021.4.29, 2020도16369). 21. 법원행시

12. 수뢰자가 금품의 무상차용을 통하여 위법한 재산상 이익을 취득한 경우, 추징의 대상이 되는 금융이익 상당액은 금융기관으로부터 대출받는 등 통상적인 방법으로 자금을 차용하였을 경우 부담

하게 될 대출이율을 기준으로 하거나, 그 대출이율을 알 수 없는 경우에는 금품을 제공받은 피고인의 지위에 따라 민법 또는 상법에서 규정하고 있는 법정이율을 기준으로 하여 금융이익의 수액을 산정한 뒤 추징한다(대판 2014.5.16, 2014도1547). 15. 법원직

13. 알선의뢰인이 알선수재자에게 공무원이나 금융기관 임직원의 직무에 속한 사항에 관한 알선의 대가를 형식적으로 체결한 고용계약에 터잡아 급여의 형식으로 지급한 경우에, 알선수재자가 수수한 알선수재액은 명목상 급여액이 아니라 원천징수된 근로소득세 등을 제외하고 알선수재자가 실제 지급받은 금액으로 보아야 하고, 또한 위 금액만을 몰수·추징하여야 한다(대판 2012.6.14, 2012도534). 18. 법원행시

14. 甲주식회사 대표이사인 피고인이 금융기관에 청탁하여 乙주식회사가 대출을 받을 수 있도록 알선행위를 하고 그 대가로 용역대금 명목의 수수료를 甲회사 계좌를 통해 송금받아, 위 수수료에 대한 권리가 甲회사에 귀속된다 하더라도 행위자인 피고인으로부터 수수료로 받은 금품을 몰수 또는 그 가액을 추징할 수 있으므로, 피고인이 개인적으로 실제 사용한 금품이 없더라도 마찬가지라고 볼 것이다(대판 2015.1.15, 2012도7571). 19. 변호사시험, 21. 경찰간부·해경간부, 22. 법원행시

15. 알선수재자가 금품 중의 일부를 받은 취지에 따르지 않고 독자적인 판단에 따라 경비로 사용한 경우 ⇨ 그 금액 추징 가능(대판 1999.5.11, 99도963 ; 대판 1970.4.14, 69도2461)

16. 피고인이 뇌물로 받은 주식이 압수되어 있지 않고 주주명부상 피고인의 배우자 명의로 등재되어 있으며, 위 배우자는 몰수의 선고를 받은 자가 아니어서 그에 대해서는 몰수물의 제출을 명할 수도 없고, 몰수를 선고한 판결의 효력도 미치지 않으므로 몰수하는 대신 그 가액을 추징할 수 있다(대판 2005.10.28, 2005도5822).

17. 수인이 공모하여 도박개장을 하여 이익을 얻은 경우에도 실질적으로 귀속된 이익이 없는 피고인에 대하여는 추징을 할 수 없다(대판 2007.10.12, 2007도4695).

18. 피고인들이 보이스피싱 사기 범죄단체의 구성원으로 활동하면서 그 범죄수익이 사기죄의 피해자로부터 취득한 재산에 해당하여도 범죄수익은닉의 규제 및 처벌 등에 관한 법률에 의하여 추징의 대상이 된다(대판 2017.10.26, 2017도8600).

19. 안마사 자격이 없는 종업원들을 고용한 안마시술업소에서 행한 마사지와 유사성교행위로 인한 손님으로부터 지급받는 서비스대금은 그 전부가 마사지 대가이면서 동시에 유사성교행위의 대가라고 보아 유사성교행위가 포함된 서비스대금 전액을 추징한다(대판 2018.2.8, 2014도10051).

20. 범죄수익은닉의 규제 및 처벌 등에 관한 법률에 정한 중대범죄에 해당하는 범죄행위에 의하여 취득한 것으로 재산적 가치가 인정되는 무형재산도 몰수할 수 있다〔대판 2018.5.30, 2018도3619 ❷ 피고인이 음란물유포 인터넷사이트를 운영하면서 정보통신망 이용촉진 및 정보보호 등에 관한 법률 위반(음란물유포)죄와 도박개장방조죄에 의하여 비트코인(Bitcoin)을 취득한 경우, 비트코인은 재산적 가치가 있는 무형의 재산이라고 보아야 하고, 몰수의 대상인 비트코인이 특정되어 있으므로, 피고인이 취득한 비트코인을 몰수할 수 있다〕. 22. 법원행시·해경간부·해경 2차, 23. 해경승진, 24. 경위공채

21. 형법 제48조는 몰수의 대상을 '물건'으로 한정하고 있다. 이는 범죄행위에 의하여 생긴 재산 및 범죄행위의 보수로 얻은 재산을 범죄수익으로 몰수할 수 있도록 한 범죄수익은닉의 규제 및 처벌 등에 관한 법률이나 범죄행위로 취득한 재산상 이익의 가액을 추징할 수 있도록 한 형법 제357조(배임수재죄) 등의 규정과는 구별된다(대판 2021.10.14, 2021도7168).
　❷ ① 피고인이 범죄행위에 이용한 웹사이트 매각을 통해 취득한 대가는 형법 제48조 제1항 제2호, 제2항이 규정한 추징의 대상에 해당하지 않는다〔대판 2021.10.14, 2021도7168 ∵ 위 웹사이트

는 범죄행위에 제공된 무형의 재산에 해당할 뿐 형법 제48조 제1항 제2호에서 정한 '범죄행위로 인하여 생(生)하였거나 이로 인하여 취득한 물건'에 해당하지 않으므로]. 23. 변호사시험 · 법원행시 · 7급 검찰, 24. 경위공채, 25. 경찰승진 · 순경 1차 · 9급 검찰 · 마약수사 · 철도경찰

② 피고인이 운영하는 인터넷 사이트 등을 이용하여 도박사이트를 홍보하면서 위 도박사이트 운영자로부터 계좌송금을 통해 취득한 범행의 보수는 형법 제48조 제1항 제2호, 제2항이 규정한 추징의 대상에 해당하지 아니한다(대판 2023.1.12, 2020도2154 ∵ 은행 계좌로 송금 받는 방법으로 범행의 보수를 받는 경우 피고인은 은행에 대한 예금채권을 취득할 뿐이어서 이를 형법 제48조 제1항 각호의 '물건'에 해당한다고 보기는 어렵다). 24. 경위공채

22. 피고인이 총책인 甲 등이 불법 인터넷 도박 사이트를 개설하여 운영하는 데 이용될 대포통장을 제공함으로써, 피고인이 대포통장 제공의 대가로 얻은 수익은 도박 사이트 운영자들이 범행을 위해 지출한 비용이자 피고인이 전자금융거래법 위반 행위로 얻은 이익으로 봄이 타당하고, 피고인이 도박 사이트 운영자들과 공동으로 국민체육진흥법 위반(도박개장 등) 범행을 저지른 뒤 이익을 분배받은 것으로 보기는 어려우므로, 피고인으로부터 국민체육진흥법에 따른 추징은 허용되지 않는다(대판 2020.5.28, 2020도2074). 21. 법원행시

23. 부패재산의 몰수 및 회복에 관한 특례법 제6조 제1항, 제3조 제1항, 제2조 제3호에서 정한 몰수 · 추징의 원인이 되는 범죄사실은 공소제기된 범죄사실에 한정되고, '범죄피해재산'은 그 공소제기된 범죄사실 피해자로부터 취득한 재산 또는 그 재산의 보유 · 처분에 의하여 얻은 재산에 한정되며, 그 피해자의 피해회복이 심히 곤란하다고 인정되는 경우(범죄피해자가 그 재산에 관하여 범인에 대한 재산반환청구권 또는 손해배상청구권 등을 행사할 수 없는 등)에만 몰수 · 추징이 허용된다(대판 2022.11.17, 2022도8662). 23. 법원행시

24. 도박공간을 개설한 자가 도박에 참가하여 얻은 수익은 도박공간개설을 통하여 간접적으로 얻은 이익에 당연히 포함된다고 보기 어려우므로, 전체 범죄수익 중 피고인이 직접 도박에 참가하여 얻은 수익은 도박공간개설의 범죄로 인한 추징 대상에서 제외하고 그 차액만을 추징하여야 한다(대판 2022.12.29, 2022도8592). 24. 법원행시, 25. 경찰승진 · 순경 1차

25. 뇌물수수나 알선수재에 이용된 공급계약이 실제 공급이 없는 형식적 계약에 불과하여 부가가치세 과세대상이 아니라면 그에 관한 납세의무가 없으므로, 설령 부가가치세 명목의 금전을 포함한 대가를 받았다고 하더라도 그 일부를 부가가치세로 거래 징수하였다고 할 수 없어 수수한 금액 전부가 범죄로 얻은 이익에 해당하여 추징대상이 되며, 그 후에 이를 부가가치세로 신고 · 납부하였다고 하더라도 달리 볼 수 없다(대판 2015.1.15, 2012도7571). 24. 법원행시

26. 성매매알선 행위자인 피고인들이 자신의 성매매알선영업에 필요한 장소인 오피스텔 각 호실을 임차하기 위해 보증금을 임대인에게 지급한 행위가 '성매매에 제공되는 사실을 알면서 자금을 제공하는 행위'에 해당하므로, 위 오피스텔 각 호실에 관한 임대차보증금반환채권은 범죄수익은닉의 규제 및 처벌 등에 관한 법률에 따른 몰수의 대상이 된다(대판 2020.10.15, 2020도960). 24. 법원행시

27. 마약류 관리에 관한 법률상의 추징은 징벌적 성질을 가진 처분이므로 마약류의 소유자나 최종 소지인 뿐만 아니라 동일한 마약류를 취급한 자들에 대하여도 그 취급한 범위 내에서 가액 전부의 추징을 명하여야 하지만, 그 소유자나 최종 소지인으로부터 마약류의 전부 또는 일부를 몰수하였다면 다른 취급자들과의 관계에 있어서도 실질상 이를 몰수한 것과 마찬가지이므로 그 몰수된 마약류의 가액 부분은 이를 추징할 수 없다(대판 2009.6.11, 2009도2819). 24. 법원행시

01 **몰수에 대한 설명으로 옳은 것은?**(다툼이 있는 경우 판례에 의함) 20. 9급 검찰·마약수사·철도경찰

① 상품을 절취하여 자신의 승용차에 싣고 간 경우, 그 승용차가 단순한 교통수단을 넘어 장물의 운반에 사용한 것이라고 인정된다면 이를 범죄행위에 제공한 물건으로 보아 몰수할 수 있다.

② 몰수나 추징이 공소사실과 관련이 있는 경우 그 공소사실에 관하여 이미 공소시효가 완성된 경우에도 몰수나 추징을 할 수 있다.

③ 피고인의 소유물은 물론 공범자의 소유물도 몰수할 수 있으나, 공범자의 소유물은 공범자가 소추된 경우에 한하여 몰수할 수 있다.

④ 집행을 종료함으로써 효력을 상실한 압수·수색영장에 기하여 다시 압수·수색을 실시하면서 몰수대상물건을 압수한 경우, 압수 자체가 위법하므로 그러한 압수물의 몰수 역시 효력이 없다.

> **해설** ① ○ : 대판 2006.9.14, 2006도4075
> ② × : ~ 수 없다(대판 1992.7.28, 92도700).
> ③ × : ~ 소유물은 그 공범자의 소추 여부를 불문하고 몰수할 수 있다(대판 2006.11.23, 2006도5586).
> ④ × : ~ 효력은 인정된다(대판 2003.5.30, 2003도705).

02 **몰수와 추징에 대한 설명으로 옳은 것은?**(다툼이 있는 경우 판례에 의함) 21. 경찰간부, 25. 해경경위

① 甲주식회사 대표이사가 금융기관에 청탁하여 乙주식회사의 대출을 알선하고 그 대가로 용역대금 명목의 수수료를 받아 특정경제범죄 가중처벌 등에 관한 법률 위반죄를 범한 경우, 수수료에 대한 권리는 甲회사에 귀속되기 때문에 수수료로 받은 금품을 몰수 또는 그 가액을 추징할 수 없다.

② 몰수는 범죄에 의한 이득을 박탈하는 데 그 취지가 있고 추징도 이러한 몰수의 취지를 관철하기 위한 것이라는 점에서 추징 가액의 산정은 재판선고시의 가격이 기준이 된다.

③ 형법 제48조 제1항의 '범인'에 해당하는 공범자는 유죄의 죄책을 지는 자에 국한되므로, 유죄의 죄책을 지지 않는 공범자의 물건은 몰수할 수 없다.

④ 효력을 상실한 압수·수색영장에 기하여 다시 압수를 실시하여 압수해 온 물건을 몰수하였다면, 해당 몰수는 위법한 것으로 효력이 없다.

> **해설** ① × : ~ 추징할 수 있다(대판 2015.1.15, 2012도7571).
> ② ○ : 대판 1991.5.28, 91도352
> ③ × : ~ 국한되지 않으므로, 유죄의 죄책을 지지 않는 공범자의 물건은 몰수할 수 있다(대판 2006.11.23, 2006도5586).
> ④ × : 지문의 경우 압수 자체가 위법하더라도 위 물건에 대한 몰수의 효력은 인정된다(대판 2003.5.30, 2003도705).

03 다음 중 몰수와 추징에 대한 설명으로 가장 옳지 않은 것은?(다툼이 있는 경우 판례에 의함)

21. 해경승진

① 주형을 선고유예 하는 경우에 몰수의 선고유예도 가능하다.

② 피고인이 정보통신망법 위반(음란물유포)죄와 도박개장방조죄의 대가로 취득한 비트코인은 비록 특정되어 있더라도, 재산적 가치가 인정되지 않는 무형재산이므로 몰수할 수 없다.

③ 형법 제48조 제1항의 '범인'에는 공범자도 포함되므로, 범인 자신의 소유물은 물론 필요적 공범관계에 있는 자의 소유물도 그 공범자의 소추 여부를 불문하고 몰수할 수 있다.

④ 범인이 직접 또는 간접적으로 점유하던 밀수출 대상 물품을 압수한 경우에는 그 물품이 제3자의 소유에 속하더라도 관세법상 밀수출범죄의 필요적 몰수 대상이 된다.

해설 ① 대판 1979.4.10, 78도3098

② × : ~ 재산적 가치가 있는 무형재산이므로 몰수할 수 있다(대판 2018.5.30, 2018도3619).

③ 대판 2006.11.23, 2006도5586

④ 대결 2017.9.29, 2017모236

04 다음 중 몰수할 수 있는 것은 모두 몇 개인가?(다툼이 있는 경우 판례에 의함) **21. 법원행시**

> ㉠ '물품에 대한 수입신고를 함에 있어 주요사항을 허위로 신고'하여 구 관세법을 위반한 경우, 허위신고의 대상물
> ㉡ 범죄행위로 인하여 취득한 물건이기는 하나, 판결선고 전 검찰에 의하여 압수된 후 피고인에게 환부된 것
> ㉢ 관세법 소정의 공소시효가 완성된 밀반입 바이올린
> ㉣ 범행에 제공하려고 한 물건이기는 하나, 효력을 상실한 압수·수색 영장에 의하여 압수한 것
> ㉤ 부동산의 소유권을 이전받을 것을 내용으로 하는 계약(1차 계약)을 체결한 자가 그 부동산에 대하여 다시 제3자와 소유권이전을 내용으로 하는 계약(전매계약)을 체결한 것이 부동산등기특별조치법 제8조 제1호 위반행위에 해당하는 경우, 전매계약에 의하여 제3자로부터 받은 대금

① 없 음 ② 1개 ③ 2개

④ 3개 ⑤ 4개

해설 • 몰수 ○ : ㉡ 대판 1977.5.24, 76도4001 ㉣ 대판 2003.5.30, 2003도705
• 몰수 × : ㉠ 대판 1974.6.11, 74도352(∵ 위 물건은 신고의 대상물에 지나지 않아 신고로서 이루어지는 허위신고죄의 범죄행위 자체에 제공한 물건 ×) ㉢ 대판 1992.7.28, 92도700 ㉤ 대판 2007.12.14, 2007도7353(∵ 전매계약에 의하여 제3자로부터 받은 대금은 같은 법 제8조 제1호가 처벌대상으로 삼고 있는 1차 계약에 따른 소유권이전등기를 하지 않은 행위로 인하여 취득한 것이라고 볼 수 없으므로 형법 제48조 제1항 제2호, 제2항에 의하여 이를 몰수하거나 추징할 수 없다.)

05 몰수와 추징에 대한 설명이다. 아래 설명 중 옳고 그름의 표시(○, ×)가 바르게 된 것은?(다툼이 있는 경우 판례에 의함) **22. 경찰간부**

> ㉠ 공무원이 뇌물을 받으면서 그 취득을 위하여 상대방에게 뇌물의 가액에 상당하는 금원의 일부를 비용의 명목으로 출연하거나 그 밖에 경제적 이익을 제공한 경우, 공무원이 받은 뇌물은 그 뇌물의 가액에서 위와 같은 지출액을 공제한 나머지 가액에 상당한 이익에 한정되고 이를 몰수·추징해야 하는 것이지 받은 뇌물 자체를 몰수·추징해야 하는 것은 아니다.
> ㉡ 추징의 가액산정은 재판선고시의 가격을 기준으로 하므로, 경우에 따라 추징하여야 할 가액이 몰수의 선고를 받았더라면 잃게 될 이득상당액을 초과하는 것도 가능하다.
> ㉢ 금품의 무상대여를 통하여 위법한 재산상 이익을 취득한 경우, 범인이 받은 부정한 이익은 그로 인한 금융이익 상당액이라 할 것이므로 추징의 대상이 되는 것은 무상으로 대여받은 금품 그 자체가 아니라 위 금융이익 상당액이라 보아야 한다.
> ㉣ 대형할인매장에서 상당한 부피의 상품을 수회 절취하여 승용차로 운반한 경우 그 승용차는 실행행위의 종료 이후 사용한 물건이므로 형법 제48조 제1항 제1호의 "범죄행위에 제공한 물건"으로 볼 수 없어 몰수의 대상이 되지 않는다.
> ㉤ 마약류 관리에 관한 법률 제67조에 의한 몰수나 추징은 범죄행위로 인한 이득의 박탈을 목적으로 하는 것이 아니라 징벌적 성질의 처분이므로, 그 범행으로 인하여 이득을 취득한 바 없다 하더라도 법원은 그 가액의 추징을 명하여야 하고, 그 추징의 범위에 관하여는 죄를 범한 자가 여러 사람일 때에는 각자에 대하여 그가 취급한 범위 내에서 의약품 가액 전액의 추징을 명하여야 한다.

① ㉠(○), ㉡(×), ㉢(○), ㉣(×), ㉤(○)
② ㉠(×), ㉡(○), ㉢(○), ㉣(○), ㉤(×)
③ ㉠(○), ㉡(×), ㉢(×), ㉣(○), ㉤(×)
④ ㉠(×), ㉡(×), ㉢(○), ㉣(×), ㉤(○)

해설 ㉠ × : ~ (3줄) 뇌물의 가액에서 지출액을 공제한 나머지 가액에 상당한 이익에 한정되는 것이 아니고 그 받은 뇌물 자체를 몰수·추징해야 한다(대판 1999.10.8, 99도1638).
㉡ × : ~ 초과하여서는 아니 된다(대판 2017.9.21, 2017도8611).
㉢ ○ : 대판 2008.9.25, 2008도2590
㉣ × : ~ (2줄) 실행행위의 종료 이후 사용한 물건이더라도 형법 제48조 제1항 제1호의 "범죄행위에 제공한 물건"으로 볼 수 있어 몰수의 대상이 된다(대판 2006.9.14, 2006도4075).
㉤ ○ : 대판 2000.9.8, 2000도546

06 형법 제48조 제1항에 따라 몰수할 수 없는 것은?(다툼이 있는 경우 판례에 의함) **22. 법원직**

① 사기도박에 참여하도록 유인하기 위하여 피해자에게 제시하였으나 직접 도박자금으로 사용되지는 않은 수표
② 이미 범한 외국환거래법 위반 혐의로 체포될 당시에 향후 외국환거래법을 위반하여 송금하기 위하여 소지하고 있던 자기앞수표나 현금

Answer 5. ④ 6. ②

③ 甲과 乙이 공모하여 사행행위를 한 경우 甲에 대한 재판에서 사행행위에 제공된 乙소유의 현금

④ 뇌물로 제공한 현금으로 위법한 절차에 의하여 압수된 경우

[해설] • 몰수 ○ : ① 대판 2002.9.24, 2002도3589 ③ 대판 2006.10.13, 2006도3302 ④ 대판 2003.5.30, 2003도705
• 몰수 × : ② 대판 2008.2.14, 2007도10034(∵ 그 이전에 범한 외국환거래법 위반의 '범죄행위에 제공하려고 한 물건'이 아님)

07 몰수(형법 제48조 제1항)에 대한 설명으로 옳지 않은 것은?(다툼이 있는 경우 판례에 의함)

22. 7급 검찰

① '범죄행위에 제공하려고 한 물건'은 범인 이외의 자의 소유에 속하지 아니하거나 범죄 후 범인 이외의 자가 정을 알면서 취득한 경우 이를 몰수할 수 있다.

② 범죄행위에 제공된 사행성 게임기가 기판과 본체가 서로 물리적으로 결합하여야만 그 기능을 발휘할 수 있는 기계라도 그 게임기가 당국으로부터 적법하게 등급심사를 받은 것이라면, 본체는 직접 범죄행위에 제공된 것이 아니므로 몰수의 대상이 될 수 없다.

③ 체포될 당시 소지하고 있던 자기앞수표가 장차 실행하려고 한 외국환거래법위반의 범행에 제공하려는 물건이라면, 이는 그 범행과는 별개로 이전에 범해진 외국환거래법위반죄의 '범죄행위에 제공하려고 한 물건'으로는 볼 수 없다.

④ 판결선고 전 검찰에 의하여 압수된 후 피고인에게 환부된 물건에 대하여도 피고인으로부터 몰수할 수 있다.

[해설] ① 제48조 제1항 제1호
② × : 사행성 게임기는 기판과 본체가 서로 물리적으로 결합되어야만 비로소 그 기능을 발휘할 수 있는 기계로서, 당국으로부터 적법하게 등급심사를 받은 것이라고 하더라도 본체를 포함한 그 전부가 범죄행위에 제공된 물건으로서 몰수의 대상이 된다(대판 2006.12.8, 2006도6400).
③ 대판 2008.2.14, 2007도10034 ④ 대판 1977.5.24, 76도4001

08 다음 중 몰수 또는 추징할 수 없는 것은 모두 몇 개인가?(다툼이 있는 경우 판례에 의함)

22. 법원행시 · 해경간부 · 해경 2차, 23. 해경승진

> ㉠ 피고인이 음란물유포 인터넷사이트를 운영하면서 정보통신망 이용촉진 및 정보보호 등에 관한 법률 위반(음란물유포)죄와 도박개장방조죄에 의하여 비트코인(Bitcoin)을 취득한 사안에서 비트코인
>
> ㉡ 甲주식회사 대표이사인 피고인이 금융기관에 청탁하여 乙주식회사가 대출을 받을 수 있도록 알선행위를 하고 그 대가로 용역대금 명목의 수수료를 甲회사 계좌를 통해 송금받아 특정경제범죄 가중처벌 등에 관한 법률 위반(알선수재)죄가 인정된 사안에서 甲회사 계좌를 통해 받은 수수료

> ⓒ 압수한 밀수품이 멸실, 파손 또는 부패의 염려가 있어 형사소송법 제132조에 따라 이를 매각하고 취득한 대가
> ⓔ 피고인이 신고 없이 외국환을 해외 계좌로 송금한 사실로 체포될 당시 미처 송금하지 못하고 소지하고 있던 각 자기앞수표 또는 현금
> ⓜ 오락실업자, 상품권업자 및 환전소 운영자가 공모하여 사행성 전자식 유기기구에서 경품으로 배출된 상품권을 현금으로 환전하면서 그 수수료를 일정한 비율로 나누어 가지는 방식으로 영업을 한 경우 환전소 운영자가 환전소에 보관하던 현금 전부
> ⓗ 범죄행위로 인하여 취득한 물건이기는 하나, 판결선고 전 검찰에 의하여 압수된 후 피고인에게 환부된 것

① 1개   ② 2개   ③ 3개   ④ 4개   ⑤ 5개

[해설] • 몰수 ○ : ㉠ 대판 2018.5.30, 2018도3619(∵ 비트코인은 재산적 가치가 있는 무형의 재산이고, 몰수의 대상인 비트코인이 특정되어 있음) ⓒ 대가보관금(대판 1996.11.11, 96도2477) ⓜ 대판 2006.10.13, 2006도3302 ⓗ 대판 1977.5.24, 76도4001
  • 추징 ○ : ⓛ 대판 2015.1.15, 2012도7571
  • 몰수 × : ⓔ 대판 2008.2.14, 2007도10034(∵ 어떠한 물건을 '범죄행위에 제공하려고 한 물건'으로서 몰수하기 위하여는 그 물건이 유죄로 인정되는 당해 범죄행위에 제공하려고 한 물건임이 인정되어야 하므로 장차 실행하려고 한 범행에 제공하려고 한 물건은 몰수할 수 없음)

09 몰수·추징에 대한 설명 중 가장 적절한 것은?(다툼이 있는 경우 판례에 의함)　　23. 경찰승진
① 몰수는 원칙적으로 타형에 부가하여 과하는 부가형이므로, 몰수의 요건이 있는 경우라도 행위자에게 유죄의 재판을 하지 아니할 때에는 몰수만을 선고할 수 없다.
② 형법 제357조 배임수증재죄에서 수재자가 증재자로부터 받은 재물을 그대로 가지고 있다가 증재자에게 반환한 경우 증재자로부터 이를 몰수하거나 그 가액을 추징할 수 없다.
③ 살인행위에 사용한 칼 등 범죄의 실행행위 자체에 사용한 물건뿐만 아니라 실행행위의 착수 전의 행위에 사용한 물건도 몰수할 수 있지만, 실행행위의 종료 후의 행위에 사용한 물건은 그것이 범죄행위의 수행에 실질적으로 기여하였다고 인정되더라도 몰수할 수 없다.
④ 피해자로 하여금 사기도박에 참여하도록 유인하기 위하여 수표를 제시해 보인 경우 수표가 직접적으로 도박자금에 사용되지 아니하였다 할지라도, 피해자로 하여금 사기도박에 참여하도록 만들기 위한 수단으로 사용되었다면 몰수할 수 있다.

[해설] ① × : ~ 과하는 부가형이지만(제49조 본문), 행위자에게 유죄의 재판을 하지 아니할 때에도 몰수의 요건이 있는 때에는 선고할 수 있다(제49조 단서).
② × : ~ 그 가액을 추징하여야 한다(대판 2017.4.7, 2016도18104).
③ × : ~ 기여하였다고 인정되는 한 몰수할 수 있다(대판 2006.9.14, 2006도4075).
④ ○ : 대판 2002.9.24, 2002도3589

10 다음 설명 중 가장 옳은 것은?(다툼이 있는 경우 판례에 의함)　　　**23. 법원직**

① 압수되어 있는 물건만을 몰수할 수 있는 것은 아니나, 압수되어 있는 물건을 몰수하기 위하여는 그 압수가 적법한 절차에 의하여 이루어졌을 것이 요구된다.

② 피고인이 필로폰을 수수하여 그중 일부를 직접 투약한 경우, 필로폰 수수죄와 필로폰 투약죄가 별도로 성립하므로 피고인이 수수한 필로폰의 가액에 피고인이 투약한 필로폰의 가액을 더하여 추징하여야 한다.

③ 수뢰자가 뇌물로 받은 돈을 입금시켜 두었다가 뇌물공여자에게 같은 금액의 돈을 반환한 경우라면, 수뢰자가 뇌물을 그대로 보관하여 두었다가 뇌물공여자에게 반환한 것과 달리 볼 이유가 없으므로, 뇌물공여자로부터 그 가액을 추징하여야 한다.

④ 우리 법제상 공소제기 없이 별도로 몰수·추징만을 선고할 수 있는 제도가 마련되어 있지 아니하므로, 몰수·추징을 선고하려면 몰수·추징의 요건이 공소가 제기된 공소사실과 관련되어 있어야 하고, 공소가 제기되지 아니한 별개의 범죄사실을 법원이 인정하여 그에 관하여 몰수·추징을 선고하는 것은 불고불리의 원칙에 위배되어 허용되지 않는다.

> **해설**　① × : 몰수대상은 반드시 압수되어 있는 물건에 제한되지 않으므로 몰수대상물건의 압수 여부 및 적법절차에 의한 압수 여부는 몰수의 요건이 아니다(대판 2003.5.30, 2003도705).
> ② × : 수수한 필로폰의 가액만을 추징할 수 있고, 직접 투약한 필로폰의 가액을 별도로 추징할 수 없다(대판 2000.9.8, 2000도546).
> ③ × : ~ (2줄) 경우에는, 수뢰자가 뇌물을 그대로 보관하여 두었다가 뇌물공여자에게 반환한 것과 달리 수뢰자로부터 그 가액을 추징하여야 한다(대판 1999.1.29, 98도3584).
> ④ ○ : 대판 2010.5.13, 2009도11732

11 몰수 및 추징에 관한 설명 중 가장 옳은 것은?(다툼이 있는 경우 판례에 의함)　　　**23. 법원행시**

① 형법 제49조 단서는 "행위자에게 유죄의 재판을 아니할 때에도 몰수의 요건이 있는 때에는 몰수만을 선고할 수 있다."라고 규정하고 있으므로, 공소가 제기되지 않은 별개의 범죄사실을 법원이 인정하여 그에 관하여 몰수나 추징을 선고할 수 있다.

② 부패재산의 몰수 및 회복에 관한 특례법 제6조 제1항, 제3조 제1항, 제2조 제3호에서 정한 몰수·추징의 원인이 되는 범죄사실은 공소제기된 범죄사실에 한정되고, '범죄피해재산'은 그 공소제기된 범죄사실 피해자로부터 취득한 재산 또는 그 재산의 보유·처분에 의하여 얻은 재산에 한정되며, 그 피해자의 피해회복이 심히 곤란하다고 인정되는 경우에만 몰수·추징이 허용된다.

③ 피고인이 개설한 웹사이트에 음란 사이트 링크 배너와 도박사이트 홍보배너를 게시하는 등의 방식으로 운영하다가 성명불상자에게 이 사건 웹사이트를 50,000,000원에 매각하고 현금으로 위 돈을 지급받은 경우, 이 사건 웹사이트는 각 범죄행위에 제공된 무형의 재산에 해당할 뿐만 아니라 형법 제48조 제1항 제2호에서 정한 '범죄행위로 인하여 생(生)하였거나 이로 인하여 취득한 물건'에 해당한다.

Answer　　10. ④　11. ②

④ 특별법에서 해당 법률의 입법 목적과 취지 등을 고려하여 몰수·추징의 성격이나 그 범위 등에 관하여 형법과 달리 정한 경우에는 특별법 우선의 원칙상 특별법 규정이 적용되는 한도에서 형법 제48조의 적용이 배제되므로, 특별법에 따른 몰수·추징 요건이 구비되지 않고 형법 제48조의 요건만 충족되는 경우에는 이에 따른 몰수·추징이 가능하지 않다.

⑤ 동영상과 같은 전자기록은 일정한 저장매체에 전자방식이나 자기방식에 의하여 저장된 기록에 불과하므로 형법 제48조 제1항 제2호가 정하는 '범죄행위로 인하여 생긴 물건'에 해당하지 않는다.

해설 ① × : ~ (2줄) 규정하고 있으나, 공소가 제기되지 않은 별개의 범죄사실을 법원이 인정하여 그에 관하여 몰수나 추징을 선고할 수 없다(대판 2010.5.13, 2009도11732).
② ○ : 대판 2022.11.17, 2022도8662
③ × : ~ (4줄) 무형의 재산에 해당할 뿐 형법 제48조 제1항 제2호에서 정한 '범죄행위로 인하여 생(生)하였거나 이로 인하여 취득한 물건'에 해당하지 않는다(대판 2021.10.14, 2021도7168).
④ × : ~ (3줄) 제48조의 적용이 배제된다. 그러나 특별법에 따른 몰수·추징 요건이 구비되지 않고 형법 제48조의 요건만 충족되는 경우에는 이에 따른 몰수·추징이 가능하다(대판 1974.6.11, 74도352).
⑤ × : 휴대전화로 촬영한 동영상은 일정한 저장매체에 전자방식이나 자기방식에 의하여 저장된 기록으로서 저장매체를 매개로 존재하는 물건이므로 몰수의 사유가 있는 때에는 그 전자기록을 몰수할 수 있다(대판 2017.10.23, 2017도5905 ∵ 동영상은 휴대전화기에 저장된 전자기록으로서, 형법 제48조 제1항 제2호가 정하는 '범죄행위로 인하여 생긴 물건'에 해당함).

12 형법 제48조 몰수·추징에 대한 설명으로 옳지 않은 것은?(다툼이 있는 경우 판례에 의함)
23. 7급 검찰

① 몰수 또는 이에 갈음하는 추징은 부가형적 성질을 가지므로 그 주형에 대하여 선고를 유예하지 아니하면서 이에 부가할 몰수·추징에 대하여서만 선고를 유예할 수는 없다.
② 범죄실행행위의 착수 전의 행위 또는 실행행위의 종료 후에 사용한 물건이더라도 그것이 범죄행위의 수행에 실질적으로 기여하였다고 인정되는 한, 몰수의 대상인 범죄행위에 제공한 물건에 포함된다.
③ 추징 가액의 산정은 특별한 사정이 없는 한 재판선고시의 가격을 기준으로 하여야 한다.
④ 피고인이 범죄행위에 이용한 웹사이트는 범죄행위에 제공된 무형의 재산에 해당하여 몰수할 수는 없지만, 범죄행위에 이용한 웹사이트 매각을 통하여 취득한 대가는 범죄행위로 인하여 생겼거나 이로 인하여 취득한 물건의 가액에 해당하므로 추징의 대상이 된다.

해설 ① 대판 1988.6.21, 88도551
② 대판 2006.9.14, 2006도4075
③ 대판 1991.5.28, 91도352
④ × : 피고인이 범죄행위에 이용한 웹사이트 매각을 통해 취득한 대가는 형법 제48조 제1항 제2호, 제2항이 규정한 추징의 대상에 해당하지 않는다(대판 2021.10.14, 2021도7168 ∵ 위 웹사이트는 범죄행위에 제공된 무형의 재산에 해당할 뿐 형법 제48조 제1항 제2호에서 정한 '범죄행위로 인하여 생(生)하였거나 이로 인하여 취득한 물건'에 해당하지 않으므로).

Answer　12.④

13 **몰수와 추징에 관한 설명 중 옳지 않은 것은?**(다툼이 있는 경우 판례에 의함)　　24. 변호사시험

① 공소사실이 인정되지 않는 경우에 이와 관련되지 않은 범죄사실을 법원이 인정하여 몰수·추징을 선고하는 것은 불고불리의 원칙에 위반된다.

② 수뢰자가 자기앞수표를 뇌물로 받아 이를 소비한 후 자기앞수표 상당액을 증뢰자에게 반환하였다 하더라도 뇌물 그 자체를 반환한 것은 아니므로 이를 몰수할 수 없고 수뢰자로부터 그 가액을 추징하여야 한다.

③ 범죄행위의 수행에 실질적으로 기여한 것으로 인정된다고 하더라도, 실행행위의 착수 전 또는 실행행위 종료 후의 행위에 사용되었을 뿐 범죄의 실행행위 자체에 사용되지 않은 물건은 몰수·추징의 대상인 '범죄행위에 제공한 물건'에 포함될 수 없다.

④ 몰수·추징이 공소사실과 관련이 있다 하더라도 그 공소사실에 관하여 이미 공소시효가 완성된 경우에는 몰수·추징을 할 수 없다.

⑤ 甲이 공무원 직무에 속한 사항의 알선에 관하여 1억원을 받았으나 그중 3,000만원을 받은 취지에 따라 청탁과 관련하여 관계 공무원에게 뇌물로 공여한 경우라면, 甲으로부터는 이를 제외한 나머지 7,000만원만 몰수·추징할 수 있다.

해설　① 대판 2010.5.13, 2009도11732
② 대판 1999.1.29, 98도3584
③ × : 범죄행위의 수행에 실질적으로 기여한 것으로 인정된다면, 실행행위의 착수 전 또는 실행행위 종료 후의 행위에 사용되었을 뿐 범죄의 실행행위 자체에 사용되지 않은 물건은 몰수·추징의 대상인 '범죄행위에 제공한 물건'에 포함될 수 있다(대판 2006.9.14, 2006도4075).
④ 대판 1992.7.28, 92도700
⑤ 대판 2002.6.14, 2002도1283

14 **추징에 관한 설명 중 가장 옳지 않은 것은?**(다툼이 있는 경우 판례에 의함)　　24. 법원직

① 수뢰자가 자기앞수표를 뇌물로 받아 이를 소비한 후 자기앞수표 상당액을 증뢰자에게 반환하였다 하더라도 수뢰자로부터 그 가액을 추징하여야 한다.

② 수뢰자들이 각 뇌물로 받은 돈을 그 후 다른 사람에게 다시 뇌물로 공여하였더라도 수뢰자들로부터 그 수뢰액 전부를 각 추징하여야 한다.

③ 수인이 공동하여 공무원이 취급하는 사건 또는 사무에 관하여 청탁을 한다는 명목으로 받은 금품을 분배한 경우에는 각자로부터 실제로 분배받은 금품만을 개별적으로 몰수하거나 그 가액을 추징할 것이 아니라 공동수수자들로부터 수뢰액 전부를 각 추징하여야 한다.

④ 공무원이 뇌물을 받는 데에 필요한 경비를 지출한 경우 그 경비는 뇌물수수의 부수적 비용에 불과하여 뇌물의 가액과 추징액에서 공제할 항목에 해당하지 않는다.

해설　① 대판 1999.1.29, 98도3584 ② 대판 1986.11.25, 86도1951
③ × : ~ (2줄) 개별적으로 몰수하거나 그 가액을 추징하여야 한다(대판 1996.11.29, 96도2490).
④ 대판 2017.3.22, 2016도21536

Answer　13. ③　14. ③

15 **몰수와 추징에 관한 설명으로 옳은 것은?**(다툼이 있는 경우 판례에 의함)　　24. 경위공채

> 甲은 모텔 등에서 투숙객을 대상으로 휴대전화로 동영상을 불법촬영한 후, 음란물 유포 인터넷 사이트를 운영하는 乙에게 전달하였고, 이에 대해 乙은 甲의 은행계좌로 범행의 보수를 송금하였다. 乙은 인터넷 사이트 이용자에게 비트코인(Bitcoin)을 대가로 지급 받는 방식으로 불법 촬영된 동영상을 서비스하였다. 이후 乙은 위 인터넷 사이트를 丙에게 매각하였다.

① 甲의 휴대전화에 저장된 불법 촬영 동영상은 저장매체에 전자방식이나 자기방식에 의하여 저장된 정보로서 '물건'이라고 할 수 없으므로 몰수할 수 없다.

② 甲이 계좌송금을 통해 취득한 범행의 보수는 형법 제48조 제1항 제2호, 제2항이 규정한 추징의 대상에 해당한다.

③ 乙이 음란물 유포 인터넷 사이트를 운영하면서 음란물유포죄에 의하여 취득한 비트코인(Bitcoin)은 형법뿐만 아니라 범죄수익은닉의 규제 및 처벌 등에 관한 법률에 의해서도 몰수할 수 없다.

④ 乙이 음란물 유포 인터넷 사이트 매각을 통해 취득한 대가는 형법 제48조 제1항 제2호, 제2항에서 규정한 추징의 대상에 해당하지 않는다.

해설 ① × : 전자기록은 일정한 저장매체에 전자방식이나 자기방식에 의하여 저장된 기록으로서 저장매체를 매개로 존재하는 물건이므로 형법 제48조 제1항에 정한 사유가 있는 때에는 이를 몰수할 수 있는바, 휴대전화의 동영상 촬영기능을 이용하여 피해자를 촬영한 행위 자체가 범죄에 해당하는 경우, 휴대전화는 '범죄행위에 제공된 물건', 촬영되어 저장된 동영상은 휴대전화에 저장된 전자기록으로서 '범죄행위로 인하여 생긴 물건'에 각각 해당하고 이러한 경우 법원이 휴대전화를 몰수하지 않고 동영상만을 몰수하는 것도 가능하다(대판 2024.1.4, 2021도5723).
② × : ～ 추징의 대상에 해당하지 않는다(대판 2023.1.12, 2020도2154).
③ × : ～ 비트코인(Bitcoin)은 형법에 의해서는 몰수할 수 없으나, 범죄수익은닉의 규제 및 처벌 등에 관한 법률에 의해서는 몰수할 수 있다(대판 2018.5.30, 2018도3619).
④ ○ : 대판 2021.10.14, 2021도7168

16 **몰수 · 추징에 관한 설명으로 가장 적절한 것은?**(다툼이 있는 경우 판례에 의함)　　25. 경찰승진

① 체포될 당시에 미처 송금하지 못하고 소지하고 있던 자기앞수표나 현금은 장차 실행하려고 한 외국환거래법 위반의 범행에 제공하려는 물건이므로 몰수할 수 있다.

② 피고인이 범죄행위에 이용한 웹사이트 매각을 통해 취득한 대가는 형법 제48조 제1항 제2호에서 정한 '범죄행위로 인하여 생겼거나 취득한 물건'에 해당하므로 동법 제48조 제2항이 규정한 추징의 대상에 해당한다.

③ 형법 제247조의 도박장소 등 개설죄로 유죄를 선고받은 자가 도박에 직접 참가하여 얻은 수익은 도박공간개설을 통하여 간접적으로 얻은 이익에 포함되므로 도박공간개설로 얻은 범죄수익으로 몰수하거나 추징할 수 있다.

④ 휴대전화의 동영상 촬영기능을 이용하여 피해자를 촬영한 행위 자체가 범죄에 해당하는 경우 휴대전화는 '범죄행위에 제공된 물건', 촬영되어 저장된 동영상은 휴대전화에 저장된 전자기록으로서 '범죄행위로 인하여 생긴 물건'에 각각 해당하고 이러한 경우 법원이 휴대전화를 몰수하지 않고 동영상만을 몰수하는 것도 가능하다.

[해설] ① × : 피고인이 신고 없이 외국환을 해외 계좌로 송금한 사실로 체포될 당시에 미처 송금하지 못하고 소지하고 있던 자기앞수표나 현금은 장차 실행하려고 한 외국환거래법 위반의 범행에 제공하려는 물건일 뿐, 그 이전에 범해진 외국환거래법 위반의 '범죄행위에 제공하려고 한 물건'으로는 볼 수 없으므로 몰수할 수 없다(대판 2008.2.14, 2007도10034).
② × : 피고인이 범죄행위에 이용한 웹사이트 매각을 통해 취득한 대가는 형법 제48조 제1항 제2호, 제2항이 규정한 추징의 대상에 해당하지 않는다[대판 2021.10.14, 2021도7168 ∵ 위 웹사이트는 범죄행위에 제공된 무형의 재산에 해당할 뿐 형법 제48조 제1항 제2호에서 정한 '범죄행위로 인하여 생(生)하였거나 이로 인하여 취득한 물건'에 해당하지 않으므로].
③ × : 도박공간을 개설한 자가 도박에 참가하여 얻은 수익은 도박공간개설을 통하여 간접적으로 얻은 이익에 당연히 포함된다고 보기 어려우므로, 전체 범죄수익 중 피고인이 직접 도박에 참가하여 얻은 수익은 도박공간개설의 범죄로 인한 추징 대상에서 제외하고 그 차액만을 추징하여야 한다(대판 2022.12.29, 2022도8592). ④ ○ : 대판 2024.1.4, 2021도5723

17 **몰수와 추징에 관한 설명으로 가장 적절한 것은?**(다툼이 있는 경우 판례에 의함)　　25. 순경 1차
① 휴대전화의 동영상 촬영기능을 이용하여 피해자를 촬영한 행위 자체가 범죄에 해당하는 경우, 휴대전화는 '범죄행위에 제공된 물건'이지만, 촬영되어 저장된 동영상은 휴대전화에 저장된 전자기록으로서 '범죄행위로 인하여 생긴 물건'이 아니므로 법원이 휴대전화를 몰수하지 않고 동영상만을 몰수할 수는 없다.
② 도박공간을 개설한 자가 도박에 직접 참가하여 얻은 수익을 도박공간개설로 얻은 범죄수익으로 몰수하거나 추징할 수는 없다.
③ 정보통신망을 통하여 음란한 화상 또는 영상을 배포하고 도박 사이트를 홍보한 경우, 그 범죄행위에 이용된 웹사이트를 매각하여 취득한 대가는 형법 제48조 제1항 제2호, 제2항이 규정한 추징의 대상에 해당한다.
④ 수뢰자가 뇌물을 그대로 보관하다가 증뢰자에게 반환한 때에는 몰수나 추징의 상대방은 증뢰자가 되고, 몰수할 수 없는 때에 추징하여야 할 가액은 범인이 그 물건을 보유하고 있다가 몰수의 선고를 받았더라면 잃었을 이득상당액을 의미한다고 보아야 하므로, 다른 특별한 사정이 없는 한 그 가액산정은 반환시의 가격을 기준으로 하여야 한다.

[해설] ① × : 휴대전화의 동영상 촬영기능을 이용하여 피해자를 촬영한 행위 자체가 범죄에 해당하는 경우, 휴대전화는 '범죄행위에 제공된 물건', 촬영되어 저장된 동영상은 휴대전화에 저장된 전자기록으로서 '범죄행위로 인하여 생긴 물건'에 각각 해당하고 이러한 경우 법원이 휴대전화를 몰수하지 않고 동영상만을 몰수하는 것도 가능하다(대판 2024.1.4, 2021도5723). ② ○ : 대판 2022.12.29, 2022도8592
③ × : ~ 추징의 대상에 해당하지 않는다(대판 2021.10.14, 2021도7168).
④ × : ~ (4줄) 그 가액산정은 재판선고시의 가격(반환시의 가격 ×, 몰수불능시의 가격 ×, 취득가액 ×)을 기준으로 하여야 한다(대판 1991.5.28, 91도352).

Answer 17. ②

관련조문

제50조【형의 경중】 ① 형의 경중은 제41조 각 호의 순서에 따른다. 다만, 무기금고와 유기징역은 무기금고를 무거운 것으로 하고 유기금고의 장기가 유기징역의 장기를 초과하는 때에는 유기금고를 무거운 것으로 한다.
② 같은 종류의 형은 장기가 긴 것과 다액이 많은 것을 무거운 것으로 하고 장기 또는 다액이 같은 경우에는 단기가 긴 것과 소액이 많은 것을 무거운 것으로 한다.
③ 제1항 및 제2항을 제외하고는 죄질과 범정을 고려하여 경중을 정한다.

01 형의 종류가 중한 것부터 경한 것까지 바르게 나열된 것은?　　00. 법무사, 01. 법원직, 10. 경찰승진

① 사형 － 금고 － 징역 － 자격상실 － 벌금 － 구류 － 과료 － 몰수
② 사형 － 징역 － 금고 － 벌금 － 자격상실 － 구류 － 과료 － 몰수
③ 사형 － 징역 － 금고 － 자격상실 － 벌금 － 구류 － 과료 － 몰수
④ 사형 － 징역 － 자격상실 － 금고 － 벌금 － 구류 － 과료 － 몰수
⑤ 사형 － 징역 － 금고 － 자격상실 － 벌금 － 과료 － 구류 － 몰수

02 형의 종류와 경중에 관한 설명 중 가장 옳지 않은 것은?(다툼이 있는 경우 판례에 의함)

20. 법원행시

① 징역이 금고보다 무거운 형이나, 유기금고의 장기가 유기징역의 장기를 초과하는 때에는 금고를 중한 것으로 한다.
② 유기징역 또는 유기금고의 판결을 받은 자는 그 형의 집행이 종료하거나 면제될 때까지 공무원이 되는 자격이 정지된다. 다만, 다른 법률에 특별한 규정이 있는 경우에는 그 법률에 따른다.
③ 유기징역은 1개월 이상 30년 이하로 하고, 자격정지는 1개월 이상 15년 이하로 한다.
④ 구류는 1일 이상 30일 미만으로 한다.
⑤ 벌금은 5만원 이상으로 한다. 다만, 감경하는 경우에는 5만원 미만으로 할 수 있다.

해설　① 제50조 제1항
② 제43조
③ ×：~ , 자격정지는 1년(1개월 ×) 이상 15년 이하로 한다(제44조 제1항).
④ 제46조
⑤ 제45조

THEMA 35

다음 중 형의 임의적 감면사유로만 연결된 것은?

① 장애미수 – 위증죄의 자백, 자수
② 중지미수 – 범인은닉과 친족간의 특례
③ 농아자(청각 및 언어 장애인) – 경합범 중 판결을 받지 아니한 죄에 대하여 형을 선고할 때
④ 방조범 – 외국에서 형의 전부 또는 일부의 집행을 받은 자
⑤ 과잉방위 – 불능미수

도움말 형의 가중 · 감경 · 면제사유 16. 변호사시험 · 경찰간부, 18. 법원직 · 경력채용, 20. 9급 검찰 · 철도경찰, 21 · 22. 해경간부, 23. 해경승진, 24. 법원행시

형의 가중 ┌ 법률상의 가중 ○ └ 재판상의 가중 × ┌ 필요적 가중 ○ └ 임의적 가중 ×	**총 칙** (일반적 가중 사유)	1. 특수교사 · 방조의 가중(제34조 제2항) : 교사(2분의 1까지 가중), 방조(정범의 형) 2. 누범가중(제35조) : 장기(단기 ×)의 2배까지 가중 3. 경합범 가중(제38조) : 2분의 1까지 가중
	각 칙 (특수적 가중 사유)	1. 상습범 가중(제203조, 제264조, 제279조, 제285조, 제322조, 제351조 등) 2. 특수범죄의 가중 　• 특수공무방해죄(제144조) : 2분의 1까지 가중 　• 특수체포 · 감금죄(제278조) : 2분의 1까지 가중
필요적 감경 (형을 감경해야 함)	**총 칙**	1. 농아자(제11조) 2. 종범(제32조 제2항)
임의적 감경 (형을 감경할 수 있음)	**총 칙**	1. 심신미약자(제10조 제2항) 2. 미수범(장애미수 : 제25조 제2항) 3. 작량감경(정상참작감경 : 제53조)
	각 칙	1. 범죄단체조직죄(제114조 제1항 단서) 2. 약취 · 유인 및 인신매매의 죄(제295조의 2), 인질강요죄 및 인질상해 · 치상죄(제324조의 6) ⇨ 피해자를 안전한 장소로 풀어준 때 ▶ 체포 · 감금죄와 인질강도죄에는 이에 해당하는 규정이 없다.
필요적 감면 (형을 감경 또는 면제해야 함)	**총 칙**	중지미수(제26조)
	각 칙	1. 내란죄 · 외환죄 · 외국에 대한 사전죄(私戰罪) · 방화죄 · 통화위조죄에 있어서 실행에 이르기 전에 자수한 때(제90조 제1항 · 제2항, 제101조 제1항 · 제2항, 제120조 제1항 · 제2항, 제175조, 제213조) 2. 위증죄 · 허위감정통역번역죄 · 무고죄에 있어서 재판 또는 징계처분이 확정되기 전에 자백 또는 자수한 때(제153조, 제154조, 제157조)

		3. 장물죄에 있어서 장물범과 본범 간에 일정한 친족관계 있을 때(제365조 제2항)
임의적 감면 (형을 감경 또는 면제할 수 있음)	**총 칙**	1. 과잉방위(제21조 제2항) 2. 과잉피난(제22조 제2항) 3. 과잉자구행위(제23조 제2항) 4. 불능미수(제27조) 5. 자수·자복(제52조) 6. 제37조 후단 경합범(사후적 경합범)(제39조 제1항) ▶ 외국에서 받은 형의 집행(제7조) ⇨ 임의적 감면 ×

해설

① 장애미수(임의적 감경, 제25조 제2항) - 위증죄의 자백, 자수(필요적 감면, 제153조)

② 중지미수(필요적 감면, 제26조) - 범인은닉과 친족간의 특례(불가벌, 제151조)

③ 농아자(필요적 감경, 제11조) - 경합범 중 판결을 받지 아니한 죄에 대하여 형을 선고할 때(임의적 감면, 제39조 제1항)

④ 방조범(필요적 감경, 제32조) - 죄를 지어 외국에서 형의 전부 또는 일부가 집행된 사람에 대해서는 그 집행된 형의 전부 또는 일부를 선고하는 형에 산입한다(제7조 ∴ 임의적 감면사유 ×).

⑤ 과잉방위(임의적 감면, 제21조) - 불능미수(임의적 감면, 제27조)   ≫ ⑤

---

01 다음 중 형의 필요적 감면사유에 해당하는 것은?(다툼이 있는 경우 판례에 의함)

14. 경찰간부, 23. 해경승진

① 강간하려고 피해자를 폭행하였으나 피해자가 다음에 친해지면 응해 주겠다고 설득하여 그만둔 경우

② 장롱 안에 있는 옷가지에 불을 놓아 건물을 소훼하려 했으나 불길이 치솟자 발각이 두려워서 불을 끈 경우

③ 요구르트에 농약을 섞어 마시게 했지만 그 농약이 치사량에 달하지 않아서 살해하지 못한 경우

④ 살인범이 자수한 경우

해설 ① 중지미수(대판 1993.10.12, 93도1851 ∴ 필요적 감면)
② 장애미수(대판 1997.6.13, 97도957 ∴ 임의적 감경)
③ 불능미수(대판 1984.2.28, 83도3331 ∴ 임의적 감면)
④ 임의적 감면(제52조 제1항)

02 형의 감면에 관한 설명 중 가장 옳은 것은?(다툼이 있는 경우 판례에 의함)　　19. 법원직

① 자기 또는 타인의 법익에 대한 현재의 부당한 침해에 대한 방위행위가 그 정도를 초과한 때에는 그 형을 감경할 수 있을 뿐, 면제할 수는 없다.

② 범행이 심신미약의 상태에서 저질러진 때에는 그 형을 감경해야 한다.

③ 경합범 중 판결을 받지 아니한 죄가 있는 때에는 그 죄와 판결이 확정된 죄를 동시에 판결할 경우와 형평을 고려하여 그 죄에 대하여 형을 선고하되, 이 경우 그 형을 감경 또는 면제해야 한다.

④ 범인이 자의로 실행에 착수한 행위를 중지하거나 그 행위로 인한 결과의 발생을 방지한 때에는 형을 감경 또는 면제해야 한다.

> **해설** ① × : ~ 형을 감경 또는 면제할 수 있다(제21조 제2항).
> ② × : ~ 형을 감경할 수 있다(제10조 제2항).
> ③ × : ~ 형을 감경 또는 면제할 수 있다(제39조 제1항).
> ④ ○ : 제26조

03 형을 임의적으로 감경 또는 면제할 수 있는 경우만을 모두 고르면?　　20. 9급 검찰

> ㉠ 자구행위가 그 정도를 초과하였지만 정황에 참작할 사유가 있는 경우
> ㉡ 실행 수단의 착오로 인하여 결과의 발생이 불가능하지만 위험성이 인정되는 경우
> ㉢ 피해자의 의사에 반하여 처벌할 수 없는 죄에 있어서 피해자에게 자복(自服)한 경우
> ㉣ 범인이 자의로 실행에 착수한 행위를 중지하거나 그 행위로 인한 결과의 발생을 방지한 경우

① ㉠, ㉣　　　　② ㉡, ㉣　　　　③ ㉠, ㉡, ㉢　　　　④ ㉡, ㉢, ㉣

> **해설** • 임의적 감경 또는 면제 : ㉠ 과잉자구행위(제23조 제2항) ㉡ 불능미수(제27조) ㉢ 자수·자복(제52조)
> • 필요적 감경 또는 면제 : ㉣ 중지미수(제26조)

04 다음 사례 중 형의 임의적 감경·면제사유에 해당하는 것을 모두 고른 것은?　　21. 경찰간부

> ㉠ 죄를 범한 후 수사책임이 있는 관서에 자수한 경우
> ㉡ 심신장애로 인하여 사물변별능력 또는 의사결정능력이 미약한 경우
> ㉢ 실행의 수단 또는 대상의 착오로 인하여 결과의 발생이 불가능하더라도 위험성이 있는 경우
> ㉣ 미성년자약취죄를 범한 사람이 약취된 미성년자를 안전한 장소로 풀어준 경우
> ㉤ 범죄에 의하여 외국에서 형의 전부 또는 일부의 집행을 받은 경우

① ㉠, ㉢　　　　② ㉠, ㉡, ㉢　　　　③ ㉠, ㉢, ㉤　　　　④ ㉡, ㉣, ㉤

> **해설** • 임의적 감경·면제사유 : ㉠ 자수(제52조) ㉢ 불능미수(제27조)
> • 임의적 감경사유 : ㉡ 심신미약자(제10조 제2항) ㉣ 약취·유인 및 인신매매의 죄(제295조의 2)
> • 외국에서 받은 형의 집행(제7조) : 임의적 감경·면제사유 ×(㉤)

Answer　2.④　3.③　4.①

05 다음 〈사례〉와 형의 가중·감경·면제사유가 동일한 것은 모두 몇 개인가?(다툼이 있는 경우 판례에 의함)
20. 해경승진

〈사 례〉
강간하려고 피해자를 폭행하였으나 피해자가 다음에 친해지면 응해주겠다고 설득하여 그만둔 경우

㉠ 통화위조죄에 있어서 실행에 이르기 전에 자수한 때
㉡ 경합범 중 판결을 받지 아니한 죄에 대하여 형을 선고할 때
㉢ 타인을 무고한 사람이 그 무고한 사건의 재판이 확정되기 전에 수사기관에 자수한 때
㉣ 장물취득죄를 범한 자가 본범과 동거친족인 때

① 1개   ② 2개   ③ 3개   ④ 4개

해설 사례는 중지미수(대판 1993.10.12, 93도1851)에 해당되어 필요적 감면사유임(제26조).
• **필요적 감면사유** : ㉠ 제213조 ㉢ 제157조 ㉣ 제365조 제2항
• **임의적 감면사유** : ㉡ 제39조 제1항

06 다음 중 형의 필요적 감경 또는 면제사유에 해당하는 것을 모두 고른 것은?
24. 법원행시

㉠ 무고죄의 재판 확정 전 자백   ㉡ 살인죄의 실행 착수 후 중지미수
㉢ 강도죄의 심신미약   ㉣ 장물취득죄에서 본범이 아들인 경우
㉤ 폭행죄에서 과잉방위

① ㉠, ㉢, ㉤   ② ㉡, ㉢, ㉤   ③ ㉠, ㉢, ㉣
④ ㉡, ㉣, ㉤   ⑤ ㉠, ㉡, ㉣

해설 • **필요적 감경 또는 면제** : ㉠ 제157조 ㉡ 제26조 ㉣ 제365조 제2항
• **임의적 감경** : ㉢ 제10조 제2항
• **임의적 감경 또는 면제** : ㉤ 제21조 제2항

관련조문

제51조 【양형의 조건】 형을 정함에 있어서는 다음 사항을 참작하여야 한다.
   1. 범인의 연령, 성행, 지능과 환경
   2. 피해자에 대한 관계
   3. 범행의 동기, 수단과 결과
   4. 범행 후의 정황
제53조 【정상참작감경】 범죄의 정상에 참작할 만한 사유가 있는 경우에는 그 형을 감경할 수 있다.
제54조 【선택형과 정상참작감경】 한 개의 죄에 정한 형이 여러 종류인 때에는 먼저 적용할 형을 정하고 그 형을 감경한다.
제55조 【법률상의 감경】 ① 법률상의 감경은 다음과 같다.
   1. 사형을 감경할 때에는 무기 또는 20년 이상 50년 이하의 징역 또는 금고로 한다.
   2. 무기징역 또는 무기금고를 감경할 때에는 10년 이상 50년 이하의 징역 또는 금고로 한다.
   3. 유기징역 또는 유기금고를 감경할 때에는 그 형기의 2분의 1로 한다.
   4. 자격상실을 감경할 때에는 7년 이상의 자격정지로 한다.
   5. 자격정지를 감경할 때에는 그 형기의 2분의 1로 한다.
   6. 벌금을 감경할 때에는 그 다액의 2분의 1로 한다.
   7. 구류를 감경할 때에는 그 장기의 2분의 1로 한다.
   8. 과료를 감경할 때에는 그 다액의 2분의 1로 한다.
   ② 법률상 감경할 사유가 수개 있는 때에는 거듭 감경할 수 있다.
제56조 【가중 · 감경의 순서】 형을 가중 · 감경할 사유가 경합하는 경우에는 다음 각 호의 순서에 따른다.
   15. 경찰간부, 19. 7급 검찰, 21. 법원직 · 해경승진, 23. 9급 검찰 · 마약수사 · 철도경찰, 24. 법원행시
   1. 각칙 조문에 따른 가중
   2. 제34조 제2항에 따른 가중(특수 교사 · 방조)
   3. 누범 가중
   4. 법률상 감경
   5. 경합범 가중
   6. 정상참작감경
   ▶ **암기** : (각) ⇨ (특) ⇨ (누) ⇨ (법) ⇨ (경) ⇨ (작)

01 형법상 양형의 조건으로 가장 적절하지 않은 것은?　　　　18. 경찰승진

① 피해자에 대한 관계　　　　② 범행 전의 정황
③ 범인의 연령, 성행, 지능과 환경　　　　④ 범행의 동기, 수단과 결과

해설 양형의 조건(제51조) : ③, ①, ④, 범행 후(전 ×)의 정황

02 다음 설명 중 옳지 않은 것은 모두 몇 개인가?(다툼이 있는 경우 판례에 의함) 20. 법원행시

> ㉠ 형의 양정은 법정형 확인, 처단형 확정, 선고형 결정 등 단계로 구분된다. 법관은 형의 양정을 할 때 법정형에서 형의 가중·감경 등을 거쳐 형성된 처단형의 범위 내에서만 양형의 조건을 참작하여 선고형을 결정하여야 하고, 이는 형법 제37조 후단 경합범의 경우에도 마찬가지이다.
> ㉡ 형법 제56조는 형을 가중·감경할 사유가 경합된 경우 가중·감경의 순서를 '1. 각칙 본조에 의한 가중, 2. 제34조 제2항의 가중, 3. 누범가중, 4. 법률상 감경, 5. 경합범가중, 6. 작량감경(정상참작감경)' 순으로 하도록 정하고 있다.
> ㉢ 형의 감경에는 법률상 감경과 재판상 감경인 작량감경(정상참작감경)이 있다. 작량감경(정상참작감경) 외에 법률의 여러 조항에서 정하고 있는 감경은 모두 법률상 감경이라는 하나의 틀 안에 놓여 있다. 따라서 형법 제39조 제1항 후문에서 정한 감경도 당연히 법률상 감경에 해당한다.
> ㉣ 형법 제37조 후단 경합범에 대하여 형법 제39조 제1항에 의하여 형을 감경할 때에도 법률상 감경에 관한 형법 제55조 제1항이 적용되어 유기징역을 감경할 때에는 그 형기의 2분의 1 미만으로는 감경할 수 없다.
> ㉤ 어떠한 행위가 위법성조각사유로서 정당행위나 정당방위가 되는지 여부는 구체적인 경우에 따라 합목적적·합리적으로 가려야 하고, 또 행위의 적법 여부는 국가질서를 벗어나서 이를 가릴 수 없는 것이다.

① 1개   ② 2개   ③ 3개   ④ 4개   ⑤ 없 음

해설 ㉠ ○ : 대판 2019.4.18, 2017도14609 전원합의체
㉡ ○ : 제56조
㉢ ○ : 대판 2019.4.18, 2017도14609 전원합의체
㉣ ○ : 대판 2019.4.18, 2017도14609 전원합의체
㉤ ○ : 대판 2018.12.27, 2017도15226

03 형의 양정에 관한 설명 중 가장 옳지 않은 것은?(다툼이 있는 경우 판례에 의함) 22. 법원직

① 필요적 감경의 경우에는 감경사유의 존재가 인정되면 반드시 형법 제55조 제1항에 따른 법률상 감경을 하여야 함에 반해, 임의적 감경의 경우에는 감경사유의 존재가 인정되더라도 법관이 형법 제55조 제1항에 따른 법률상 감경을 할 수도 있고 하지 않을 수도 있다.
② 형법은 형의 가중·감경할 사유가 경합된 때에 그 적용순서에 관하여, 각칙조문에 따른 가중, 제34조 제2항에 따른 가중, 누범 가중, 법률상 감경, 경합범 가중, 정상참작감경 순으로 규정하고 있으므로, 법관이 처단형을 결정하는 과정에서 최종 선고형을 머릿속에 그리면서 임의적 감경 여부를 결정하는 것은 법리적·논리적 순서에 부합한다고 볼 수 없다.
③ 유기징역형에 대한 법률상 감경을 하면서 형법 제55조 제1항 제3호에서 정한 것과 같이 장기와 단기를 모두 2분의 1로 감경하는 것이 아닌 장기 또는 단기 중 어느 하나만을 2분의 1로 감경하는 방식이나 2분의 1보다 넓은 범위의 감경을 하는 방식 등은 죄형법정주의 원칙상 허용될 수 없다.

④ 형법이 '형을 감경할 수 있다.'고 규정하고 있는 것은 임의적 감경사유가 인정되더라도 그에 따른 감경이 필요한 경우와 필요하지 않은 경우가 모두 있을 수 있으니 임의적 감경사유로 인한 행위불법이나 결과불법의 축소효과가 미미하거나 행위자의 책임의 경감 정도가 낮은 경우에는 감경하지 않은 무거운 처단형으로 처벌할 수 있도록 한 것이다.

[해설] ①③④ 대판 2021.1.21, 2018도5475 전원합의체
② × : ~ 부합한다고 볼 수 있다(대판 2021.1.21, 2018도5475 전원합의체).

04 다음 설명 중 가장 옳지 않은 것은?(다툼이 있는 경우 판례에 의함) **24. 법원직**

① 유기징역형에 대한 법률상 감경을 하면서 형법 제55조 제1항 제3호에서 정한 것과 같이 장기와 단기를 모두 2분의 1로 감경하는 것이 아닌 장기 또는 단기 중 어느 하나만을 2분의 1로 감경하는 방식이나 2분의 1보다 넓은 범위의 감경을 하는 방식은 위 규정에 의한 법률상 감경이 임의적인 경우에는 허용될 수 있다.

② 심신장애로 인하여 사물을 변별할 능력이나 의사를 결정할 능력이 미약하다고 하더라도, 이미 범행을 예견하고도 자의로 위와 같은 심신장애를 야기한 경우라면 형법 제10조 제3항에 의하여 심신장애로 인한 감경 등을 할 수 없다.

③ 형법 제56조는 형을 가중·감경할 사유가 경합된 경우 가중·감경의 순서를 정하고 있고, 이에 따르면 법률상 감경을 먼저 하고 마지막으로 작량감경을 하게 되어 있으므로, 법률상 감경사유가 있을 때에는 작량감경보다 우선하여야 한다.

④ 처단형은 선고형의 최종적인 기준이 되므로 그 범위는 법률에 따라서 엄격하게 정하여야 하고, 별도의 명시적인 규정이 없는 이상 형법 제56조에서 열거하고 있는 가중·감경할 사유에 해당하지 않는 다른 성질의 감경사유를 인정할 수는 없다.

[해설] ① × : ~ (4줄) 임의적인 경우라도 죄형법정주의 원칙상 허용될 수 없다(대판 2021.1.21, 2018도5475 전원합의체).
② 대판 1996.6.11, 96도857
③ 대판 1991.6.11, 91도985
④ 대판 2019.4.18, 2017도14609 전원합의체

Answer　4. ①

관련조문

제52조 【자수, 자복】 ① 죄를 지은 후 수사기관에 자수한 경우에는 형을 감경하거나 면제할 수 있다. ② 피해자의 의사에 반하여 처벌할 수 없는 범죄의 경우에는 피해자에게 죄를 자복하였을 때에도 형을 감경하거나 면제할 수 있다.

01 다음 설명 중 가장 적절하지 않은 것은?(다툼이 있는 경우 판례에 의함)　　20. 순경 2차

① 형사사건으로 외국 법원에 기소되었다가 무죄판결을 받은 사람은, 설령 그가 무죄판결을 받기까지 상당 기간 미결구금되었더라도 이를 유죄판결에 의하여 형이 실제로 집행된 것으로 볼 수는 없으므로, '외국에서 형의 전부 또는 일부가 집행된 사람'에 해당한다고 볼 수 없고, 그 미결구금 기간은 형법 제7조에 의한 산입의 대상이 될 수 없다.

② 피고인이 수사기관에 자진 출석하여 처음 조사를 받으면서는 돈을 차용하였을 뿐이라며 범죄사실을 부인하다가 제2회 조사를 받으면서 비로소 업무와 관련하여 돈을 수수하였다고 자백한 행위를 자수라고 할 수 없다.

③ 법관은 양형을 함에 있어 법정형에서 형의 가중·감면 등을 거쳐 형성된 처단형의 범위 내에서 양형의 조건을 참작하여 선고형을 정하여야 한다.

④ 작량감경(정상참작감경)이란 법률상 특별한 감경사유가 없는 경우에도 피고인에게 정상참작의 여지가 있을 때 법원이 재량으로 하는 형의 감경이고, 법률상 감경사유가 있을 때에는 항상 작량감경이 우선해야 한다.

해설 ① 대판 2017.8.24, 2017도5977 전원합의체

② 대판 2011.12.22, 2011도12041

③ 대판 2019.4.18, 2017도14609 전원합의체

④ × : 법률상 감경사유가 있을 때에는 작량감경보다 우선하여 하여야 하고, 작량감경은 이와 같은 법률상 감경을 다하고도 그 처단형보다 낮은 형을 선고하고자 할 때에 하는 것이 옳다(대판 1991.6.11, 91도985).

02 자수에 관한 설명 중 옳은 것은 모두 몇 개인가?(다툼이 있는 경우 판례에 의함)　　22. 해경간부

㉠ 신문지상에 혐의사실이 보도되기 시작한 후 담당 검사에게 전화를 걸어 조사를 받게 해 달라고 요청한 다음 자진출석하여 혐의사실을 모두 인정하는 내용의 진술서를 작성하고 검찰 수사과정에서 혐의사실을 모두 자백한 경우 자수에 해당한다.

㉡ 경찰관이 피고인의 강도상해 범행에 관하여 수사를 하던 중 증거를 토대로 피고인의 여죄를 추궁하자, 또 다른 강도강간 범행을 자백한 경우 자수에 해당한다.

㉢ 수사기관의 질문 또는 조사에 응하여 범죄사실을 진술하는 것은 자백일 뿐 자수는 아니다.

㉣ 세관 검색시 금속탐지기에 의해 대마 휴대 사실이 발각될 상황에서 세관 검색원의 추궁에 의하여 대마 수입 범행을 시인한 경우, 자수에 해당하지 않는다.

    ㉤ 공직선거법 제262조는 자수가 범죄발견에 유용하다는 측면에서 형의 필요적 면제를 규정한 것이므로 범행이 발각되고 피고인에 대한 구속영장까지 발부된 이후에 수사기관에 자진출두 하여도 공직선거법상의 자수에 해당하지 아니한다고 보는 것이 대법원의 태도이다.

① 1개   ② 2개   ③ 3개   ④ 4개

해설 ㉠ ○ : 대판 1994.9.9, 94도619
㉡ × : 자수 ×(대판 2006.9.22, 2006도4883)
㉢ ○ : 대판 1982.9.28, 82도1965
㉣ ○ : 대판 1999.4.13, 98도4560
㉤ × : 공직선거법 제262조의 '자수'를 '범행발각 전에 자수한 경우'로 한정하는 풀이는 단순한 목적론적 축소해석에 그치는 것이 아니라, 형면제 사유에 대한 제한적 유추를 통하여 처벌범위를 실정법 이상으로 확대한 것으로서 죄형법정주의의 파생원칙인 유추해석금지의 원칙에 위반된다(대판 1997.3.20, 96도1167 전원합의체).

03 다음 설명 중 옳지 않은 것은 모두 몇 개인가?(다툼이 있는 경우 판례에 의함)   23. 법원행시

    ㉠ 형법 제55조 제1항은 형벌의 종류에 따라 법률상 감경의 방법을 규정하고 있는데, 형법 제55조 제1항 제3호는 "유기징역 또는 유기금고를 감경할 때에는 그 형기의 2분의 1로 한다."라고 규정하고 있다. 이와 같이 유기징역형을 감경할 경우에는 '단기'나 '장기'의 어느 하나만 2분의 1로 감경하는 것이 아니라 '형기', 즉 법정형의 장기와 단기를 모두 2분의 1로 감경함을 의미한다는 것은 법문상 명확하다.

    ㉡ 처단형은 선고형의 최종적인 기준이 되므로 그 범위는 법률에 따라서 엄격하게 정하여야 하고, 별도의 명시적인 규정이 없는 이상 형법 제56조에서 열거하고 있는 가중ㆍ감경할 사유에 해당하지 않는 다른 성질의 감경사유를 인정할 수는 없다.

    ㉢ 유기징역형에 대한 법률상 감경을 하면서 형법 제55조 제1항 제3호에서 정한 것과 같이 장기와 단기를 모두 2분의 1로 감경하는 것이 아닌 장기 또는 단기 중 어느 하나만을 2분의 1로 감경하는 방식이나 2분의 1보다 넓은 범위의 감경을 하는 방식 등은 죄형법정주의 원칙상 허용될 수 없다.

    ㉣ 죄를 범한 후 수사책임이 있는 관서에 자수한 때에는 그 형을 감경 또는 면제할 수 있으나 이는 임의적 감면사유일 뿐더러(형법 제52조 제1항), '자수'는 범인이 스스로 수사책임이 있는 관서에 자기의 범행을 자발적으로 신고하고 그 처분을 구하는 의사표시를 말하고, 수사기관의 직무상의 질문 또는 조사에 응하여 범죄사실을 진술하는 것은 자백일 뿐 자수로는 되지 않는다.

    ㉤ 형법 제37조 후단 경합범에 대해서는 그 죄와 판결이 확정된 죄를 동시에 판결할 경우와 형평을 고려하여 형을 정해야 하고, 이 경우 그 형을 감경 또는 면제할 수 있다.

① 없 음   ② 1개   ③ 2개   ④ 3개   ⑤ 4개

해설 ㉠ ○ ㉢ ○ : 대판 2021.1.21, 2018도5475 전원합의체
㉡ ○ : 대판 2019.4.18, 2017도14609 전원합의체
㉣ ○ : 대판 1982.9.28, 82도1965
㉤ ○ : 제39조 제1항

04 **자수에 관한 설명으로 가장 적절한 것은?**(다툼이 있는 경우 판례에 의함) 24. 경찰승진

① 반의사불벌죄를 저지른 자가 피해자에게 죄를 자복하였을 경우와 달리 죄를 지은 후 수사기관에 자수한 경우에는 형을 감경하거나 면제할 수 있다.

② 법률상의 형의 감경사유가 되는 자수를 위하여는 법적으로 요건을 완전히 갖춘 범죄행위라고 적극적으로 인식하고 있을 필요가 있다.

③ 형법 제52조 제1항에서 말하는 '자수'란 범행이 발각된 후에 수사기관에 자진 출석하여 범죄사실을 자백한 경우도 포함하나, 그 후에 범인이 번복하여 수사기관이나 법정에서 범행을 부인하는 경우라면 일단 발생한 자수의 효력은 소멸한다.

④ 자수서를 소지하고 수사기관에 출석하였으나 조사를 받으면서 자수서를 제출하지 아니하고 범행사실을 부인하였다면 자수가 성립한다고 볼 수 없고, 그 이후 구속까지 된 상태에서 자수서를 제출하고 제4회 피의자신문 당시 범행사실을 시인한 것은 자수에 해당하지 않는다.

해설 ① × : ~ 자복하였을 경우와 동일하게(달리 ×) 죄를 지은 후 수사기관에 자수한 경우에는 형을 감경하거나 면제할 수 있다(제52조 제2항과 제1항). ② × : ~ 있을 필요가 없다(대판 1995.6.30, 94도1017). ③ × : ~ (3줄) 범행을 부인하는 경우라도 일단 발생한 자수의 효력이 소멸하는 것은 아니다(대판 1999.7.9, 99도1695). ④ ○ : 대판 2004.10.14, 2003도3133

05 **형법상 형의 가중, 감경 또는 면제에 관한 다음 설명 중 옳지 않은 것은 모두 몇 개인가?**(다툼이 있는 경우 판례에 의함) 24. 법원행시

> ㉠ 형을 가중·감경할 사유가 경합하는 경우에는 '각칙 조문에 따른 가중, 누범 가중, 제34조 제2항에 따른 가중, 법률상 감경, 경합범 가중, 정상참작감경'의 순서에 따른다.
>
> ㉡ 직계혈족, 배우자, 동거친족, 동거가족 또는 그 배우자 간의 제323조(권리행사방해)의 죄는 그 형을 감경 또는 면제한다.
>
> ㉢ 형법 제52조 제1항 소정의 자수란 범인이 자발적으로 자신의 범죄사실을 수사기관에 신고하여 그 소추를 구하는 의사표시를 함으로써 성립하는 것이므로, 일단 자수가 성립한 이상 자수의 효력은 확정적으로 발생하고 그 후에 범인이 번복하여 수사기관이나 법정에서 범행을 부인한다고 하더라도 일단 발생한 자수의 효력이 소멸하는 것은 아니다.
>
> ㉣ 무기징역 또는 무기금고를 감경할 때에는 10년 이상 50년 이하의 징역 또는 금고로 한다.
>
> ㉤ 형법 제152조(위증, 모해위증)의 죄를 범한 자가 그 공술한 사건의 재판 또는 징계처분이 확정되기 전에 자백 또는 자수한 때에는 그 형을 감경 또는 면제하고, 제324조의 2(인질강요) 또는 제324조의 3(인질상해·치상)의 죄를 범한 자 및 그 죄의 미수범이 인질을 안전한 장소로 풀어준 때에는 그 형을 감경할 수 있다.

① 없 음   ② 1개   ③ 2개   ④ 3개   ⑤ 4개

해설 ㉠ × : ~ '각칙 조문에 따른 가중, 제34조 제2항에 따른 가중, 누범 가중, 법률상 감경, 경합범 가중, 정상참작감경'의 순서에 따른다(제56조). ㉡ × : ~ 그 형을 면제(감경 ×)한다(제328조 제1항). ㉢ ○ : 대판 2004.10.14, 2003도3133 ㉣ ○ : 제55조 제1항 제2호 ㉤ ○ : 제153조, 제324조의 6

관련조문

제57조【판결선고 전 구금일수의 통산】 ① 판결선고 전의 구금일수는 그 전부(일부 ×)를 유기징역, 유기금고, 벌금이나 과료에 관한 유치 또는 구류에 산입한다(산입할 수 있다 ×). 17. 법원행시, 18. 7급 검찰, 19 · 23. 9급 검찰 · 마약수사 · 철도경찰
② 전항의 경우에는 구금일수의 1일은 징역, 금고, 벌금이나 과료에 관한 유치 또는 구류의 기간의 1일로 계산한다.

01 판결 선고 전 구금일수에 대한 설명으로 옳은 것(○)과 옳지 않은 것(×)을 바르게 연결한 것은?
(다툼이 있는 경우 판례에 의함)   18. 7급 검찰

> ㉠ 형의 집행과 구속영장의 집행이 경합하고 있는 경우에는 미결구금을 본형에 통산하여야 한다.
> ㉡ 피고인이 범행 후 미국으로 도주하였다가 대한민국 정부와 미합중국정부 간의 범죄인인도조약에 따라 체포된 후 인도절차를 밟기 위해 미국에서 구금되어 있던 기간은 형법 제57조에 의하여 본형에 산입될 미결구금일수에 해당하지 않는다.
> ㉢ 판결 선고 당일에 집행유예, 선고유예, 벌금형 등의 선고나 보석, 구속취소 등으로 인하여 그날 중으로 석방된 피고인이 바로 당일에 상소를 제기한 경우에는 그 선고 당일(석방된 당일)의 구금일수 1일은 상소심의 통산의 대상이 된다.
> ㉣ 외국에서 무죄판결을 받고 석방되기까지의 미결구금은 국내의 형벌권 행사와 같이 공소의 목적을 달성하기 위하여 필수불가결하게 이루어진 강제처분으로 볼 수 있으므로 형법 제57조에서 규정한 본형에 당연히 산입되는 미결구금과 같다고 볼 수 있다.
> ㉤ 판결 선고 전의 구금일수는 그 전부 또는 일부를 유기징역, 유기금고, 벌금이나 과료에 관한 유치 또는 구류에 산입한다.

	㉠	㉡	㉢	㉣	㉤
①	×	○	×	×	○
②	×	○	○	×	×
③	○	×	○	×	×
④	○	○	○	○	×

해설 ㉠ × : ~ 통산하여서는 안 된다(대판 2001.10.26, 2001도4583 ∵ 형의 집행에 의한 구금만이 존재 ○, 구속에 의한 자유박탈 ×).
㉡ ○ : 대판 2009.5.28, 2009도1446
㉢ ○ : 대판 2006.2.10, 2005도6246
㉣ × : 외국에서 이루어진 미결구금을 형법 제57조 제1항에서 규정한 '본형에 당연히 산입되는 미결구금'과 같다고 볼 수 없다. 결국 미결구금이 자유 박탈이라는 효과 면에서 형의 집행과 일부 유사하다는 점만을 근거로, 외국에서 형이 집행된 것이 아니라 단지 미결구금되었다가 무죄판결을 받은 사람의 미결구금일수를 형법 제7조의 유추적용에 의하여 그가 국내에서 같은 행위로 인하여 선고받는 형에 산입하여야 한다는 것은 허용되기 어렵다(대판 2017.8.24, 2017도5977 전원합의체).
㉤ × : ~ 그 전부(일부 ×)를 유기징역, 유기금고, 벌금이나 과료에 관한 유치 또는 구류에 산입한다(제57조 제1항).

관련조문

제8조【판결의 공시】 ① 피해자(피고인 ×)의 이익을 위하여 필요하다고 인정할 때에는 피해자(피고인 ×)의 청구가 있는 경우에 한하여 피고인(피해자 ×)의 부담으로 판결공시의 취지를 선고할 수 있다. ② 피고사건에 대하여 무죄의 판결을 선고하는 경우에는 무죄판결공시의 취지를 선고하여야 한다(필요적). 다만, 무죄판결을 받은 피고인이 무죄판결공시 취지의 선고에 동의하지 아니하거나 피고인의 동의를 받을 수 없는 경우에는 그러하지 아니하다. 16. 사시, 16·17. 법원행시, 19. 순경 1차 ③ 피고사건에 대하여 면소의 판결을 선고하는 경우에는 면소판결공시의 취지를 선고할 수 있다(임의적). 16. 사시·법원행시

01 다음 설명 중 옳은 것은?

① 피고사건에 대하여 무죄의 판결을 선고할 때에는 판결공시의 취지를 선고하여야 하고, 피해자의 이익을 위해서는 피해자의 청구가 없는 경우에도 피고인의 비용부담으로 판결공시의 취지를 선고할 수 있다.

② 피고사건에 대하여 무죄의 판결 또는 면소의 판결을 선고하는 경우 판결공시의 취지를 선고하여야 한다.

③ 피고사건에 대하여 공소기각의 판결을 선고할 때에는 판결공시의 취지를 선고할 수 있다.

④ 무죄판결을 받은 피고인이 무죄판결공시 취지의 선고에 동의하지 아니하거나 피고인의 동의를 받을 수 없는 경우에는 무죄판결공시의 취지를 선고할 수 없다.

해설 ① × : 피해자의 청구가 있는 경우에 한하여 피고인의 부담으로 판결공시의 취지를 선고할 수 있다(제58조 제1항). ② × : 무죄의 판결을 선고하는 경우에는 무죄판결공시의 취지를 선고하여야 하나(필요적 : 제58조 제2항), 면소의 판결을 선고하는 경우에는 면소판결공시의 취지를 선고할 수 있다(임의적 : 제58조 제3항). ③ × : 형법규정 × ④ ○ : 제58조 제2항 단서

02 다음에서 옳은 서술은 몇 개인가?

> ㉠ 구류는 자유형의 일종으로서 1일 이상 30일 이하이다.
> ㉡ 현행 형법상 재판상 면제와 필요적 가중은 인정되지 않는다.
> ㉢ 자격정지기간은 자격정지가 선택형인 경우에는 판결이 확정된 다음날부터 기산한다.
> ㉣ 석방은 형기가 종료된 다음날에 하여야 한다.
> ㉤ 유기징역 또는 유기금고의 판결을 선고할 경우 그 기간동안 일정한 자격의 정지를 병과하여 선고한다.

① 0개 　　　 ② 1개 　　　 ③ 2개 　　　 ④ 3개

해설 ㉠ × : 30일 미만이다(제46조).
㉡ × : 법률상의 가중 ○, 재판상의 가중 ×, 필요적 가중 ○, 임의적 가중 ×
㉢ × : 판결이 확정된 날로부터 기산한다. ㉣ × : 형기종료일에 하여야 한다(제86조).
㉤ × : 당연정지에 해당하므로 병과된 선고가 필요 없다(제43조 제2항).

Answer ▶ 1.④ 2.①

관련조문

제35조【누범】 ① 금고 이상의 형을 선고받아 그 집행이 종료되거나 면제된 후 3년 내에 금고 이상에 해당하는 죄를 지은 사람은 누범으로 처벌한다.
② 누범의 형은 그 죄에 대하여 정한 형의 장기의 2배까지 가중한다.
제36조【판결선고 후의 누범발각】 판결선고 후 누범인 것이 발각된 때에는 그 선고한 형을 통산하여 다시 형을 정할 수 있다. 단, 선고한 형의 집행을 종료하거나 그 집행이 면제된 후에는 예외로 한다.
▶ 여기서 "다시 형을 정한다."고 함은 다시 재판한다는 의미가 아니라 집행 중인 형에 누범으로 인하여 가중되는 형만을 추가한다는 의미이다.

THEMA 36

누범에 대한 설명으로 타당한 것은?

① 징역형을 선고받고 집행면제 후 3년 내에 죄를 범하면 누범이 된다.
② 금고 이상에 해당하는 죄란 법정형을 의미한다.
③ 집행유예기간 중에 죄를 범하여도 누범이 된다.
④ 장기는 물론 단기도 2배까지 가중할 수 있다.
⑤ 후범죄의 선고형이 금고 이상일 경우에 누범이 된다.

해설

①⑤ 모든 죄가 아니라 금고 이상에 해당하는 죄를 범한 경우이다.
② 금고 이상의 형은 법정형이 아닌 선고형을 의미하므로, 징역형과 벌금형이 선택형으로 규정되어 있고 벌금형을 선택하는 경우에는 누범이 되지 않는다.
③ 전범의 형이 그 집행을 종료하거나 면제를 받은 후 3년 내에 다시 금고 이상에 해당하는 죄를 범할 것 ⇨ 따라서 징역 또는 금고형의 집행 중에 금고 이상에 해당하는 죄를 범한 경우와 선고유예 또는 집행유예기간(대판 1983.8.23, 83도1600) 및 가석방기간(대판 1976.9.14, 76도2071) 중은 물론이고, 그 유예의 취소 또는 실효됨이 없이 선고유예 또는 집행유예기간을 경과한 후에 3년 이내에 금고 이상에 해당하는 죄를 범한 경우 및 전범이 금고 이상의 형에 해당하더라도 일반사면에 의하여 형의 선고의 효력이 상실되었을 경우에는 누범가중을 할 수 없다.
④ 장기의 2배까지 가중한다.   》⑤

01 **누범에 대한 설명으로 옳은 것은?**(다툼이 있는 경우 판례에 의함)　　　16. 7급 검찰

① 누범이 성립하기 위해서는 누범에 해당하는 전과사실과 새로이 범한 범죄 사이에 일정한 상관관계가 있을 것이 요구된다.

② 다시 금고 이상에 해당하는 죄를 범하였는지 여부는 그 범죄의 실행행위를 하였는지 여부를 기준으로 결정하여야 하므로 3년의 기간 내에 실행의 착수가 있으면 족하고, 그 기간 내에 기수에까지 이르러야 되는 것은 아니다.

③ 포괄일죄의 일부 범행이 누범기간 내에 이루어지고 나머지 범행이 누범기간 경과 후에 이루어진 경우 누범기간 내에 이루어진 범행만이 누범에 해당한다.

④ 법정형에 유기징역과 벌금형이 선택적으로 되어 있는 경우 벌금형을 선택하여도 누범가중을 할 수 있다.

> **해설** ① × : ~ 상관관계가 있어야 하는 것은 아니다(대판 2008.12.24, 2006도1427).
> ② ○ : 대판 2006.4.7, 2005도9858 전원합의체
> ③ × : ~ 경우 그 범행 전부가 누범에 해당한다(대판 2012.3.29, 2011도14135).
> ④ × : ~ 벌금형을 선택한 때에는 누범가중을 할 수 없다(대판 1982.9.14, 82도1702).

02 **누범에 관한 다음 설명 중 가장 옳지 않은 것은?**　　　18. 법원직

① 금고 이상의 형을 선고받아 그 집행이 종료되거나 면제된 후 3년 내에 금고 이상에 해당하는 죄를 지은 사람은 누범으로 처벌한다.

② 금고 이상의 형을 받고 그 형의 집행유예기간 중에 금고 이상에 해당하는 죄를 범하였다면 누범으로 처벌할 수 있다.

③ 포괄일죄의 일부 범행이 누범기간 내에 이루어진 이상 나머지 범행이 누범기간 경과 후에 이루어졌더라도 그 범행 전부가 누범에 해당한다고 보아야 한다.

④ 구성요건상 상습범에 해당하는 경우라도 누범가중을 할 수 있다.

> **해설** ① 제35조 제1항 ② × : ~ 처벌할 수 없다(대판 1983.8.23, 83도1600).
> ③ 대판 2012.3.29, 2011도14135 ④ 대판 1982.5.25, 82도600

03 **다음 설명 중 옳지 않은 것은 모두 몇 개인가?**(다툼이 있는 경우 판례에 의함)　　　18. 법원행시

> ㉠ 누범이 경합범인 경우에는 먼저 경합범 가중을 한 후에 누범가중을 해야 한다.
> ㉡ 집행유예의 선고를 받은 후 그 선고의 실효 또는 취소됨이 없이 유예기간을 경과한 경우 그 전과사실은 누범가중의 사유가 되지 않는다.
> ㉢ 형면제 판결을 선고받은 전과 및 일반사면된 전과는 누범전과가 될 수 없으나, 특별사면된 전과 및 복권된 전과는 예외 없이 누범전과에 해당한다.
> ㉣ 잔형기 경과 전인 가석방기간 중에 범한 죄에 대하여는 형 집행 종료 후에 죄를 범한 경우에 해당한다고 볼 수 없으므로 누범가중을 할 수 없다.

Answer　1.② 2.② 3.④

> ⑩ 형법상 누범의 형은 그 죄에 정한 형의 장기의 2배까지 가중하므로, 징역 50년은 초과할 수 있으나 단기는 가중하지 않는다.

① 0개　　　② 1개　　　③ 2개　　　④ 3개　　　⑤ 4개

해설 ㉠ × : 누범가중(제56조 제3호) ⇨ 경합범 가중(제56조 제5호) 순서
㉡ ○ : 대판 1970.9.22, 70도1627
㉢ × : 형면제 판결을 선고받은 전과 및 일반사면된 전과(대판 1965.11.30, 65도910) ⇨ 누범전과 ×, 특별사면으로 형의 집행을 면제받아 잔형기가 면제된 전과(대판 1986.11.11, 86도2004) ⇨ 누범전과 ○, 특별사면으로 형의 언도의 효력이 상실된 전과(예외적인 특별사면 ; 사면법 제5조 제2호 단서) ⇨ 누범전과 ×, 복권된 전과(대판 1981.4.14, 81도543) ⇨ 누범전과 ○
㉣ ○ : 대판 1976.9.14, 76도2071　㉤ × : 제42조 단서에 의해 장기는 50년을 초과할 수 없다.

---

04 누범에 대한 설명으로 옳은 것은?(다툼이 있는 경우 판례에 의함)　　　19. 7급 검찰
① 행위책임에 형벌가중의 본질이 있는 상습범과 행위자책임에 형벌가중의 본질이 있는 누범을 단지 평면적으로 비교하여 그 경중을 가릴 수는 없다.
② 포괄일죄의 일부 범행이 누범기간 내에 이루어졌다고 하더라도 나머지 범행이 누범기간 경과 후에 이루어졌다면 선행 범죄만이 누범에 해당한다고 보아야 한다.
③ 누범을 가중 처벌하는 이유는 전범에 대하여 처벌을 받았음에도 다시 범행을 하는 경우에 전범도 후범과 일괄하여 다시 처벌한다는 것이다.
④ 누범가중의 사유가 되는 전과에 적용된 법률조항에 대하여 위헌결정이 있어 재심이 가능하다는 이유만으로 그 전과의 누범가중사유로서의 법률적 효력에 영향이 있다고 할 수는 없다.

해설 ① × : 행위자(행위 ×)책임에 형벌가중의 본질이 있는 상습범과 행위(행위자 ×)책임에 형벌가중의 본질이 있는 누범을 단지 평면적으로 비교하여 그 경중을 가릴 수는 없다(대판 2007.8.23, 2007도4913).
② × : 그 범행 전부가 누범에 해당한다(대판 2012.3.29, 2011도14135).
③ × : ~ 경우에 후범에 대하여 그 죄에 정한 형의 장기의 2배까지 가중처벌한다는 것이다(제35조 제2항).
④ ○ : 대판 2019.4.11, 2018도17909(∵ 재심판결이 확정된 때 ⇨ 종전의 확정판결은 당연히 효력상실 ⇨ 누범전과 ×)

---

05 누범에 관한 설명 중 옳지 않은 것은 모두 몇 개인가?(다툼이 있는 경우 판례에 의함)
21. 법원행시

> ㉠ 형법상 누범의 형은 그 죄에 정한 형의 단기 및 장기의 2배까지 가중한다.
> ㉡ 헌법재판소는 누범을 가중처벌하는 것은 전범에 대한 형벌의 경고적 기능을 무시하고 다시 범죄를 저질렀다는 점에서 비난가능성이 많고, 누범이 증가하고 있다는 현실에서 사회방위, 범죄의 특별예방 및 일반예방이라는 형벌목적에 비추어 보아, 헌법상의 평등의 원칙에 위배되지 아니한다고 보았다.

ⓒ 특별사면으로 출소한 후 3년 이내에 다시 범죄를 저지른 경우에는 누범으로 처벌되지 않는다.

ⓐ 형법 제35조 제1항에 규정된 '금고 이상에 해당하는 죄'라 함은 법정형이 유기금고형이나 유기징역형에 해당하는 죄를 가리키는 것이다.

ⓜ 형법 제35조 제1항에서 말하는 '형집행 종료 후'라 함은 '형집행 종료일 후'를 의미한다고 해석되므로, 형집행 종료일에 출소하여 같은 날 다시 죄를 범하였다고 하더라도 위 조항의 누범으로 볼 수 없고, 누범기간의 기산점도 형집행 종료일의 다음날이다.

① 1개　　　　② 2개　　　　③ 3개　　　　④ 4개　　　　⑤ 5개

해설 ㉠ × : ~ 형의 장기(단기 ×)의 2배까지 가중한다(제35조 제2항).
ㄴ ○ : 헌재결 1995.2.23, 93헌바43
ㄷ × : ~ 처벌된다(대판 1986.11.11, 86도2004).
ㄹ × : ~ 함은 선고형(법정형 ×)이 유기금고형이나 유기징역형에 해당하는 죄를 가리키는 것이다(대판 1982.9.14, 82도1702). ㅁ ○ : 대판 2021.2.25, 2020도8728

06 형의 가중·감경에 대한 설명으로 옳지 않은 것은 모두 몇 개인가?(다툼이 있는 경우 판례에 의함)
　　　　　　　　　　　　　　　　　　　　　　　　　　　　　21. 순경 2차

㉠ 임의적 감경사유의 존재가 인정되고 법관이 그에 따라 징역형에 대해 법률상 감경을 하는 경우에는 법정형의 하한만 2분의 1로 감경한다.

ⓛ 경합범에 대하여 형법 제38조 제1항 제3호에 의하여 징역형과 벌금형을 병과하는 경우 징역형에만 작량감경을 하고 벌금형에는 작량감경을 하지 아니하는 것은 위법하다.

ⓒ 법정형에 하한이 설정된 형법 제37조 후단 경합범에 대하여 형법 제39조 제1항 후문에 따라 형을 감경할 때에는 형법 제55조 제1항이 적용되지 아니하여 유기징역의 경우에는 그 형기의 2분의 1 미만으로도 감경할 수 있다.

ⓐ 절도죄로 3차례에 걸쳐 징역형을 선고받고 그 형의 집행을 종료한 후, 누범기간 내에 수회의 절도 범행을 저지른 경우에는 반복적으로 범행을 저지르는 절도 사범에 관한 법정형을 강화한 특정범죄 가중처벌 등에 관한 법률(2016. 1. 6. 법률 제13717호로 개정·시행) 제5조의 4 제5항 제1호가 적용되므로 별도로 형법 제35조의 누범가중한 형기범위 내에서 처단형을 정할 필요는 없다.

ⓜ 반복된 음주운전행위에 대해 도로교통법(2011. 6. 8. 법률 제10790호로 개정) 제148조의 2 제1항 제1호를 적용하고 다시 형법 제35조에 의한 누범가중을 하는 것은 헌법상 일사부재리나 이중처벌금지에 반하지 아니한다.

① 1개　　　　　② 2개　　　　　③ 3개　　　　　④ 4개

해설 ㉠ × : ~ 법정형의 상한과 하한을 모두 2분의 1로 감경한다(대판 2021.1.21, 2018도5475 전원합의체).
ㄴ × : ~ 위법하다고 할 수는 없다(대판 2006.3.23, 2006도1076).
ㄷ × : ~ 2분의 1 미만으로는 감경할 수 없다(대판 2019.4.18, 2017도14609 전원합의체).
ㄹ × : ~ 처단형을 정하여야 한다[대판 2020.5.14, 2019도18947 ∵ 상습절도죄도 특가법 제5조의 4 제5항 제1호(누범가중처벌)가 적용되나, 다시 형법 제35조의 누범가중 규정을 적용함].
ㅁ ○ : 대판 2014.7.10, 2014도5868

07 **형벌에 대한 설명으로 옳지 않은 것은?**(다툼이 있는 경우 판례에 의함)　　　**22. 7급 검찰**

① 임의적 감경의 사유가 존재하고 법관이 그에 따라 징역형에 대해 법률상 감경을 하는 이상 형법 제55조 제1항 제3호에 따라 상한과 하한을 모두 2분의 1로 감경한다.

② 특수상해죄(형법 제258조의 2 제1항)를 상습으로 범한 자에 대해서는 상습범 가중 규정(형법 제264조)에 따라 그 법정형의 단기와 장기를 모두 2분의 1까지 가중한다.

③ 형법은 경합범을 동시에 판결할 때, 각 죄에 대하여 정한 형이 사형, 무기징역, 무기금고 외의 같은 종류의 형인 경우에 가중주의를 채택하고 있는데, 과료와 과료는 병과(倂科)할 수 있다.

④ 도로교통법위반죄에 대하여 당해 법조가 정하고 있는 징역형과 벌금형 가운데에서 벌금형을 선택한 경우, 피고인이 금고(禁錮) 이상의 형을 선고받아 그 집행이 종료된 후 3년이 경과하기 전이라면 누범가중을 할 수 있다.

> **해설** ① 대판 2021.1.21, 2018도5475 전원합의체
> ② 대판 2017.6.29, 2016도18194 ③ 제38조 제1항 제2호 단서
> ④ × : 형법 제35조 제1항에 규정된 '금고 이상에 해당하는 죄'라 함은 유기금고형이나 유기징역형으로 처단할 경우에 해당하는 죄를 가리키는 것으로서, 징역형과 벌금형이 선택형으로 규정되어 있는 경우에 징역형을 선택하여 처벌하는 때에만 누범이 될 뿐, 벌금형을 선택한 때에는 누범가중을 할 수 없다(대판 1982.9.14, 82도1702).

08 **다음 설명 중 가장 옳은 것은?**(다툼이 있는 경우 판례에 의함)　　　**23. 법원직**

① 자수가 성립하였다고 하더라도 그 후에 범인이 이를 번복하여 수사기관이나 법정에서 범행을 부인하면 자수의 효력이 소멸하여 형법 제52조 제1항의 자수감경을 할 수 없다.

② 수사기관에의 신고가 자발적인 이상 그 신고의 내용이 자기의 범행을 명백히 부인하는 등의 내용으로 자기의 범행으로서 범죄성립요건을 갖추지 아니한 사실이라고 하더라도 자수는 성립한다.

③ 형법 제35조 소정의 누범이 되려면 금고 이상의 형을 받아 그 집행을 종료하거나 면제를 받은 후 3년 내에 다시 금고 이상에 해당하는 죄를 범하여야 하는데, 이 경우 다시 금고 이상에 해당하는 죄를 범하였는지 여부는 그 범죄가 기수에 이르렀는지 여부를 기준으로 결정하여야 하므로, 3년의 기간 내에 기수에 이르러야 누범 가중이 가능하다.

④ 집행유예가 실효되는 등의 사유로 인하여 두 개 이상의 금고형 내지 징역형을 선고받아 각 형을 연이어 집행받음에 있어 하나의 형의 집행을 마치고 또 다른 형의 집행을 받던 중 먼저 집행된 형의 집행종료일로부터 3년 내에 금고 이상에 해당하는 죄를 저지른 경우에, 집행 중인 형에 대한 관계에 있어서는 누범에 해당하지 않지만 앞서 집행을 마친 형에 대한 관계에 있어서는 누범에 해당한다.

> **해설** ① × : 자수가 성립 ⇨ 수사기관이나 법정에서 범행 부인 ⇨ 이미 발생한 자수의 효력에 영향 ×(대판 2005.4.29, 2002도7262 ∴ 자수감경을 할 수 있다.)

Answer　7.④　8.④

② × : 수사기관에의 신고가 자발적이라고 하더라도 그 신고의 내용이 자기의 범행을 명백히 부인하는 등의 내용으로 자기의 범행으로서 범죄성립요건을 갖추지 아니한 사실일 경우에는 자수는 성립하지 않고, 일단 자수가 성립하지 아니한 이상 그 이후의 수사과정이나 재판과정에서 범행을 시인하였다그 하더라도 새롭게 자수가 성립할 여지는 없다고 할 것이다(대판 2004.10.14, 2003도3133).

③ × : ~ (3줄) 죄를 범하였는지 여부는 그 범죄의 실행행위를 하였는지 여부를 기준으로 결정하여야 하므로, 3년의 기간 내에 실행의 착수가 있으면 족하고, 그 기간 내에 기수에까지 이르러야 되는 것은 아니다(대판 2006.4.7, 2005도9858 전원합의체).

④ ○ : 대판 2021.9.16, 2021도8764

09 상습범에 관한 설명 중 옳지 않은 것은 모두 몇 개인가?(다툼이 있는 경우 판례에 의함)

15. 법원행시

> ㉠ 상습범 중 인질강도죄, 장물죄는 별도의 법정형이 규정되어 있다.
> ㉡ 행위책임에 형벌가중의 본질이 있는 상습범과 행위자 책임에 형벌가중의 본질이 있는 누범은 서로 다른 개념으로서 누범에 해당한다고 하여 반드시 상습범이 되는 것이 아니고, 반대로 상습범에 해당한다고 하여 반드시 누범이 되는 것도 아니다.
> ㉢ 확정판결을 받은 범죄사실과 그 확정판결의 사실심판결 선고 전에 저질러진 범죄사실이 상습범으로서 포괄일죄에 해당하는 것으로 평가될 수 있다고 하더라도, 그 확정판결에서 당해 피고인이 상습범이 아닌 기본 구성요건의 범죄로 처단된 경우에는 그 확정판결의 기판력이 그 사실심판결 선고 전에 저질러진 범죄 사실에 미치는 것으로 볼 수 없다.
> ㉣ 상습으로 도박개장죄를 범한 자는 그 죄에 정한 형의 2분의 1까지 가중한다.
> ㉤ 상습범은 같은 유형의 범행을 반복하여 저지르는 습벽을 말하는 것인바, 절도와 강도는 형법 각칙의 같은 장에 규정된 죄로서 동종 또는 유사한 죄로 규정하고 있으므로 상습성 인정의 기초가 되는 같은 유형의 범죄이다.
> ㉥ 상습성을 인정하는 자료에는 아무런 제한이 없으므로 피고인이 과거에 소년법에 의한 보호처분을 받은 사실도 상습성 인정의 자료로 삼을 수 있다.

① 1개　　　② 2개　　　③ 3개　　　④ 4개　　　⑤ 5개

해설 ㉠ ○ : 제341조, 제363조

㉡ × : 상습범과 누범은 서로 다른 개념으로서 누범에 해당한다고 하여 반드시 상습범이 되는 것이 아니며, 반대로 상습범에 해당한다고 하여 반드시 누범이 되는 것도 아니다. 또한, 행위자책임에 형벌가중의 본질이 있는 상습범과 행위책임에 형벌가중의 본질이 있는 누범을 단지 평면적으로 비교하여 그 경중을 가릴 수는 없고, 사안에 따라서는 누범의 책임이 상습범의 경우보다 오히려 더 무거운 경우도 얼마든지 있을 수 있다(대판 2007.8.23, 2007도4913).

㉢ ○ : 대판 2004.9.16, 2001도3206 전원합의체

㉣ × : 상습도박죄 ○(제246조 제1항), 상습도박개장죄 처벌규정 ×

㉤ × : 상습범은 같은 유형의 범행을 반복누행하는 습벽을 말하는 것인바, 절도와 강도는 유형을 달리하는 범행이므로 각 별로 상습성의 유무를 가려야 하며, 절도와 강도를 형법 각칙의 같은 장에 규정된 죄로서 동종 또는 유사한 죄로 규정하고 있다고 하여 상습성 인정의 기초가 되는 같은 유형의 범죄라고 말할 수 없다(대판 1990.4.10, 90감도8).

㉥ ○ : 대판 1990.6.26, 90도887

Answer　9. ③

관련조문

〈형의 선고유예〉

제59조【선고유예의 요건】 ① 1년 이하의 징역이나 금고, 자격정지 또는 벌금의 형을 선고할 경우에 제51조의 사항을 고려하여 뉘우치는 정상이 뚜렷할 때에는 그 형의 선고를 유예할 수 있다. 다만, 자격정지 이상의 형을 받은 전과가 있는 사람에 대해서는 예외로 한다.

② 형을 병과할 경우에도 형의 전부 또는 일부에 대하여 선고를 유예할 수 있다.

제59조의 2【보호관찰】 ① 형의 선고를 유예하는 경우에 재범방지를 위하여 지도 및 원호가 필요한 때에는 보호관찰을 받을 것을 명할 수 있다.

② 제1항의 규정에 의한 보호관찰의 기간은 1년으로 한다.

제60조【선고유예의 효과】 형의 선고유예를 받은 날로부터 2년을 경과한 때에는 면소된 것으로 간주한다.

제61조【선고유예의 실효】 ① 형의 선고유예를 받은 자가 유예기간 중 자격정지 이상의 형에 처한 판결이 확정되거나 자격정지 이상의 형에 처한 전과가 발견된 때에는 유예한 형을 선고한다.

② 제59조의 2의 규정에 의하여 보호관찰을 명한 선고유예를 받은 자가 보호관찰기간 중에 준수사항을 위반하고 그 정도가 무거운 때에는 유예한 형을 선고할 수 있다.

〈형의 집행유예〉

제62조【집행유예의 요건】 ① 3년 이하의 징역이나 금고 또는 500만원 이하의 벌금의 형을 선고할 경우에 제51조의 사항을 참작하여 그 정상에 참작할 만한 사유가 있는 때에는 1년 이상 5년 이하의 기간 형의 집행을 유예할 수 있다. 다만, 금고 이상의 형을 선고한 판결이 확정된 때부터 그 집행을 종료하거나 면제된 후 3년까지의 기간에 범한 죄에 대하여 형을 선고하는 경우에는 그러하지 아니하다.

② 형을 병과할 경우에는 그 형의 일부에 대하여 집행을 유예할 수 있다.

제62조의 2【보호관찰, 사회봉사 · 수강명령】 ① 형의 집행을 유예하는 경우에는 보호관찰을 받을 것을 명하거나 사회봉사 또는 수강을 명할 수 있다.

② 제1항의 규정에 의한 보호관찰의 기간은 집행을 유예한 기간으로 한다. 다만, 법원은 유예기간의 범위 내에서 보호관찰기간을 정할 수 있다.

③ 사회봉사명령 또는 수강명령은 집행유예기간 내에 이를 집행한다.

제63조【집행유예의 실효】 집행유예의 선고를 받은 자가 유예기간 중 고의로 범한 죄로 금고 이상의 실형을 선고받아 그 판결이 확정된 때에는 집행유예의 선고는 효력을 잃는다.

제64조【집행유예의 취소】 ① 집행유예의 선고를 받은 후 제62조 단행의 사유가 발각된 때에는 집행유예의 선고를 취소한다.

② 제62조의 2의 규정에 의하여 보호관찰이나 사회봉사 또는 수강을 명한 집행유예를 받은 자가 준수사항이나 명령을 위반하고 그 정도가 무거운 때에는 집행유예의 선고를 취소할 수 있다.

제65조【집행유예의 효과】 집행유예의 선고를 받은 후 그 선고의 실효 또는 취소됨이 없이 유예기간을 경과한 때에는 형의 선고는 효력을 잃는다.

〈가석방〉

제72조【가석방의 요건】 ① 징역이나 금고의 집행 중에 있는 사람이 행상이 양호하여 뉘우침이 뚜렷한 때에는 무기형은 20년, 유기형은 형기의 3분의 1이 지난 후 행정처분으로 가석방을 할 수 있다.
② 제1항의 경우에 벌금이나 과료가 병과되어 있는 때에는 그 금액을 완납하여야 한다.

제73조【판결선고 전 구금과 가석방】 ① 형기에 산입된 판결선고 전 구금일수는 가석방을 하는 경우 집행한 기간에 산입한다.
② 제72조 제2항의 경우에 벌금이나 과료에 관한 노역장 유치기간에 산입된 판결선고 전 구금일수는 그에 해당하는 금액이 납입된 것으로 본다.

제73조의 2【가석방의 기간 및 보호관찰】 ① 가석방의 기간은 무기형에 있어서는 10년으로 하고, 유기형에 있어서는 남은 형기로 하되, 그 기간은 10년을 초과할 수 없다.
② 가석방된 자는 가석방기간 중 보호관찰을 받는다. 다만, 가석방을 허가한 행정관청이 필요가 없다고 인정한 때에는 그러하지 아니한다.

제74조【가석방의 실효】 가석방 기간 중 고의로 지은 죄로 금고 이상의 형을 선고받아 그 판결이 확정된 경우에 가석방 처분은 효력을 잃는다.

제75조【가석방의 취소】 가석방의 처분을 받은 자가 감시에 관한 규칙을 위배하거나, 보호관찰의 준수사항을 위반하고 그 정도가 무거운 때에는 가석방처분을 취소할 수 있다.

제76조【가석방의 효과】 ① 가석방의 처분을 받은 후 그 처분이 실효 또는 취소되지 아니하고 가석방 기간을 경과한 때에는 형의 집행을 종료한 것으로 본다.
② 전 2조의 경우에는 가석방 중의 일수는 형기에 산입하지 아니한다.

THEMA 37 선고유예·집행유예·가석방

구 분	선고유예	집행유예	가석방
요 건	㉠ 1년 이하 징역이나 금고, 자격정지 또는 벌금의 형을 선고할 경우 ㉡ 뉘우치는 정상이 뚜렷할 것 ㉢ 자격정지 이상의 전과가 없을 것	㉠ 3년 이하 징역이나 금고 또는 500만원 이하의 벌금의 형을 선고할 경우 ㉡ 정상에 참작할 만한 사유가 있는 때 ㉢ 금고 이상의 형을 선고한 판결이 확정된 때부터 그 집행을 종료하거나 면제된 후 3년까지의 기간에 범한 죄에 대하여 형을 선고한 경우가 아닐 것	㉠ 징역 또는 금고의 집행 중에 있는 자가 무기의 경우 20년, 유기의 경우 형기의 3분의 1이 경과한 후일 것 ㉡ 행상이 양호하여 뉘우침이 뚜렷한 때 ㉢ 벌금 또는 과료의 병과가 있는 때에는 그 금액을 완납할 것
기 간	2년	1년 이상 5년 이하	무기는 10년, 유기는 잔형기
결 정	법원의 재량	법원의 재량	행정처분(법무부장관이 결정)
효 과	면소된 것으로 간주(전과가 남지 않음)	형선고의 효력상실(전과가 남지 않음)	형집행이 종료된 것으로 간주(유죄판결 자체에 아무런 영향을 못미침)

	보호관찰	보호관찰, 사회봉사·수강명령	보호관찰
보호 관찰	㉠ 임의적 ㉡ 기간 : 1년으로 한다.	㉠ 임의적 ㉡ 기 간 　• 보호관찰 : 집행유예기간 　　(단, 법원의 재량이 인정됨) 　• 사회봉사·수강명령 : 집행 　　유예기간 내에 집행	㉠ 필요적, 단 가석방을 허가 　한 행정관청이 필요 없다 　고 인정한 때에는 제외 ㉡ 기간 : 가석방기간 중
실 효	㉠ 유예기간 중 자격정지 이상 의 형에 대한 판결이 확정된 경우나 자격정지 이상의 형 에 대한 전과가 발견된 경우 ⇨ 필요적(유예한 형을 선고 한다) ㉡ 보호관찰기간 중에 준수사 항을 위반하고 그 정도가 무 거운 때 ⇨ 임의적(선고할 수 있다)	유예기간 중 고의로 범한 죄로 금고 이상의 실형의 선고받아 그 판결이 확정된 때	가석방 기간 중 고의로 지은 죄로 금고 이상의 형을 선고 받아 그 판결이 확정된 때
취 소	無	㉠ 위의 요건 ㉢(제62조 단서)이 결여된 것이 발견된 때 ⇨ 필 요적 취소 ㉡ 보호관찰, 사회봉사·수강명령 을 받은 집행유예자가 준수사 항이나 명령을 위반하고 그 정 도가 무거운 때 ⇨ 임의적 취소	감시에 관한 규칙에 위배한 때, 보호관찰의 준수사항을 위 반하고 그 정도가 무거운 때 ⇨ 임의적 취소

01 선고유예와 집행유예에 대한 설명으로 가장 적절한 것은?(다툼이 있는 경우 판례에 의함)

18. 경찰승진, 23. 해경승진

① 형의 선고를 유예하는 경우 재범방지를 위하여 필요한 때에는 보호관찰을 받을 것을 명할 수 있고 그 기간은 법원이 형법 제51조의 사항을 참작하여 재량으로 한다.

② 집행유예의 선고를 받은 후 그 선고의 실효 또는 취소됨이 없이 유예기간을 경과한 때에는 형의 선고는 효력을 잃는다.

③ 집행유예의 선고를 받은 자가 유예기간 중 고의 또는 과실로 범한 죄로 금고 이상의 실형을 선고받아 그 판결이 확정된 때에는 집행유예의 선고는 효력을 잃는다.

④ 주형에 대해 선고유예하지 않으면서 부가형에 대하여만 선고유예 할 수 있다.

[해설] ① × : 법원의 재량이 아니라 1년으로 법정되어 있다(제59조의 2 제2항).
② ○ : 제65조
③ × : ~ 고의(과실 ×)로 범한 죄로 범한 죄로 금고 이상의 실형을 선고받아 그 판결이 확정된 때에는 집행유예의 선고는 효력을 잃는다(제63조).
④ × : ~ 선고유예를 할 수 없다(대판 1988.6.21, 88도551).

02 집행유예·선고유예에 대한 설명 중 가장 적절하지 않은 것은?(다툼이 있는 경우 판례에 의함)

20. 경찰승진

① 집행유예의 선고를 받은 자가 유예기간 중 고의로 범한 죄로 금고 이상의 실형을 선고받아 그 판결이 확정된 때에는 집행유예의 선고는 효력을 잃는다.

② 집행유예 기간의 시기(始期)에 관하여 명문의 규정을 두고 있지는 않으므로 법원은 그 시기를 집행유예를 선고한 판결 확정일 이후의 시점으로 임의로 선택할 수 있다.

③ 형의 선고를 유예하는 경우에 재범방지를 위하여 지도 및 원호가 필요한 때에는 1년의 보호관찰을 받을 것을 명할 수 있다.

④ 형의 선고유예를 받은 날로부터 2년을 경과한 때에는 면소된 것으로 간주한다.

[해설] ① 제63조
② × : 형법이 집행유예기간의 시기에 관하여 명문의 규정을 두고 있지는 않지만 집행유예를 함에 있어 그 집행유예기간의 시기는 집행유예를 선고한 판결확정일로 하여야 하고 법원이 판결확정일 이후의 시점을 임의로 선택할 수는 없다(대판 2002.2.26, 2000도4637). ③ 제59조의 2 제1항 ④ 제60조

03 선고유예와 집행유예에 대한 설명으로 옳은 것은?(다툼이 있는 경우 판례에 의함)　21. 경찰간부

① 형의 선고를 유예하는 경우 보호관찰을 명할 수 있고, 보호관찰의 기간은 법원이 형법 제51조의 사항을 참작하여 정할 수 있다.

② 형의 선고를 유예하는 판결을 할 경우에도 선고가 유예된 형에 대한 판단을 해야 하기 때문에 그 선고형을 정해 놓아야 하고, 벌금의 경우에는 벌금액을 정해야 하지만 환형유치처분까지 할 필요는 없다.

Answer　1.② 2.② 3.③

③ 형법 제62조 제1항은 '형'의 집행을 유예할 수 있다고 규정하고 있는데 이는 하나의 형의 전부에 대한 집행유예에 관한 규정으로 해석하여야 하고, 따라서 하나의 형의 일부에 대한 집행유예는 불가능하다.

④ 형의 집행유예를 선고받은 자가 유예기간을 무사히 경과하여 형의 선고가 효력을 잃게 되는 경우, 형의 선고가 있었다는 사실 자체까지 없어지므로 선고유예 결격사유인 '자격정지 이상의 형을 받은 전과가 있는 자'에 해당되지 않는다.

> **해설** ① × : 보호관찰 기간은 법원의 재량이 아니라 언제나 1년이다(제59조의 2 제2항).
> ② × : ~ 벌금액과 환형유치처분까지 해두어야 한다(대판 1993.6.11, 92도3437).
> ③ ○ : 대판 2007.2.22, 2006도8555
> ④ × : ~ (2줄) 사실 자체가 없어지는 것은 아니므로 선고유예 결격사유인 '자격정지 이상의 형을 받은 전과가 있는 자'에 해당된다(대판 2003.12.26, 2003도3768).

04 다음 설명 중 가장 옳지 않은 것은?(다툼이 있는 경우 판례에 의함) 20. 경찰간부

① 유죄의 확정판결에 대하여 재심개시결정이 확정되어 법원이 그 사건에 대하여 다시 심판을 한 후 재심의 판결을 선고하고 그 재심판결이 확정된 때에는 종전의 확정판결은 당연히 효력을 상실하므로, 누범전과가 될 수 없다.

② 형의 집행유예를 선고받은 후 형법 제65조에 의하여 그 선고가 실효 또는 취소됨이 없이 정해진 유예기간을 무사히 경과하여 형의 선고가 효력을 잃게 되는 경우에는 선고유예의 판결을 할 수 있다.

③ 집행유예의 선고를 받은 후에 그 선고가 실효 또는 취소됨이 없이 유예기간이 경과하더라도 형의 선고가 있었다는 사실 자체가 없어지는 것은 아니다.

④ 징역 또는 금고의 집행 중에 있는 자가 그 행상이 양호하여 뉘우침이 뚜렷한 때에는 무기에 있어서는 20년, 유기에 있어서는 형기의 3분의 1을 경과한 후 행정처분으로 가석방을 할 수 있다.

> **해설** ① 대판 2019.4.11, 2018도17909
> ② × : ~ 할 수 없다(대판 2003.12.26, 2003도3768 ∵ '자격정지 이상의 형을 받은 전과가 있는 자'에 해당).
> ③ 대판 2003.12.26, 2003도3768 ④ 제72조 제1항

05 보호관찰 등에 관한 다음 설명 중 옳지 않은 것은 모두 몇 개인가? 15. 법원직, 21. 법원행시

> ㉠ 형의 집행을 유예하면서 사회봉사명령 또는 수강명령을 선고하려면 보호관찰을 받을 것도 함께 명하여야 한다.
> ㉡ 사회봉사명령 또는 수강명령은 집행유예 기간이 경과한 후에는 이를 집행할 수 없다.
> ㉢ 보호관찰이나 사회봉사 또는 수강을 명한 집행유예를 받은 자가 준수사항이나 명령을 위반하고 그 정도가 무거운 때에는 집행유예의 선고를 취소할 수 있다..

ㄹ 선고유예의 조건으로 사회봉사명령 또는 수강명령을 부과할 수는 없다.

ㅁ 사회봉사 · 수강명령대상자에 대한 특별준수사항은 보호관찰대상자에 대한 것과 같을 수 없고, 따라서 보호관찰 등에 관한 법률에서 정한 보호관찰대상자에 대한 특별준수사항(예 '범죄행위로 인한 손해를 회복하기 위하여 노력할 것' 등)을 사회봉사 · 수강명령대상자에게 그대로 부과할 수 없다.

ㅂ 근로기준법을 위반한 버스회사 노동조합 지부장인 피고인에 대하여 노조지부장 선거에 '개입하지 말 것'이라는 내용의 특별준수사항을 부과한 것은 정당하다.

① 1개 　　　　② 2개 　　　　③ 3개 　　　　④ 4개

[해설] ㉠ × : 형의 집행을 유예하는 경우에는 보호관찰을 받을 것을 명하거나 사회봉사 또는 수강을 명할 수 있다(제62조의 2 제1항). 판례에 의하면 동시에 명할 수 있으나(대판 1998.4.24, 98도98) 함께 명하여야 하는 것은 아니다.
㉡ ○ : 제62조의 2 제3항(집행유예기간 내에 집행한다.)
㉢ ○ : 제64조 제2항
㉣ ○ : 옳다(선고유예 ⇨ 사회봉사명령 · 수강명령 ×, 집행유예 ⇨ 사회봉사명령 · 수강명령 ○).
㉤ ○ : 대판 2020.11.5, 2017도18291
㉥ ○ : 대판 2010.9.30, 2010도6403

06 집행유예와 선고유예에 대한 설명이다. 아래 설명 중 옳지 않은 것은 모두 몇 개인가?(다툼이 있는 경우 판례에 의함)　　　　　　　　　　　　　　　　　　　　　　　22. 경찰간부

ㄱ 선고유예의 요건 중 '개전의 정상이 현저한 때'라 함은 피고인이 죄를 깊이 뉘우치는 것을 의미하기 때문에 범죄사실을 자백하지 않고 부인하는 경우에는 선고유예를 할 수 없다.

ㄴ 집행유예의 선고가 실효 또는 취소됨 없이 정해진 유예기간을 무사히 경과하여 형의 선고가 효력을 잃게 된 경우, 형법 제59조 제1항 단서에서 정한 선고유예 결격사유인 "자격정지 이상의 형을 받은 전과가 있는 자"에 해당하지 않는다.

ㄷ 법원이 사회봉사명령으로서 일정액의 금전출연을 주된 내용으로 하는 사회공헌계획의 성실한 이행을 명하는 것은 허용될 수 없으나, 유죄로 인정된 범죄행위를 뉘우치거나 그 범죄행위를 공개하는 취지의 말이나 글을 발표하도록 하고 이를 위반하는 경우 집행유예의 선고를 취소할 수 있도록 하여 그 이행을 강제하는 것은 허용된다.

ㄹ 형법 제62조의 2의 규정에 의하여 보호관찰이나 사회봉사 또는 수강을 명한 집행유예를 받은 자가 준수사항이나 명령을 위반하고 그 정도가 무거운 때에는 집행유예의 선고를 취소해야 한다.

① 1개 　　　　② 2개 　　　　③ 3개 　　　　④ 4개

[해설] ㄱ × : '개전의 정상이 현저한 때'란 다시 범행을 저지르지 않으리라는 사정이 현저하게 기대되는 경우를 가리키는 것이지 반드시 죄를 깊이 뉘우치고 있는 경우만을 뜻하거나, 범죄사실을 자백하지 않고 부인하는 경우 언제나 선고유예를 할 수 없다고 해석할 것은 아니다(대판 2003.2.20, 2001도6138 전원합의체).

ⓛ ✕ : ~ 해당한다(대판 2003.12.26, 2003도3768).
ⓒ ✕ : ~ (2줄) 허용될 수 없고, 유죄로 인정된 범죄행위를 뉘우치거나 그 범죄행위를 공개하는 취지의 말이
나 글을 발표하도록 하고 이를 위반하는 경우 집행유예의 선고를 취소할 수 있도록 하여 그 이행을 강제하는
것도 허용될 수 없다(대판 2008.4.11, 2007도8373).
ⓔ ✕ : ~ 선고를 취소할 수 있다(제64조 제2항).

07 보호관찰 등에 대한 설명으로 옳지 않은 것은?(다툼이 있는 경우 판례에 의함)

22. 9급 검찰 · 마약수사 · 철도경찰

① 형의 선고를 유예할 때 재범방지를 위하여 지도 및 원호가 필요하다면 보호관찰을 받을
것을 명할 수 있다.
② 형의 집행을 유예하면서 보호관찰과 사회봉사를 함께 명할 수 있다.
③ 형의 집행을 유예하면서 내린 사회봉사명령 또는 수강명령은 집행유예기간 내에 이를
집행한다.
④ 보호관찰을 명한 집행유예를 받은 자가 준수사항을 위반하고 그 정도가 무거운 때에는
집행유예의 선고를 취소하여야 한다.

> **해설** ① 제59조의 2 제1항
> ② 대판 1998.4.24, 98도98
> ③ 제62조의 2 제3항
> ④ ✕ : ~ 취소할 수 있다(제64조 제2항).

08 선고유예와 집행유예에 관한 설명 중 가장 옳지 않은 것은?(다툼이 있는 경우 판례에 의함)

22. 법원직

① 주형에 대하여 선고를 유예하지 아니하면서 부가형인 몰수 · 추징에 대해서만 선고를 유
예할 수는 없다.
② 선고유예는 자격정지 이상의 형을 받은 전과가 없는 경우에 2년 동안 형의 선고를 유예
하고, 그 유예기간이 경과한 때에는 면소된 것으로 간주하는 제도이다.
③ 금고 이상의 형을 선고한 판결이 확정된 때부터 그 집행을 종료하거나 면제된 후 3년까
지의 기간에 범한 죄에 대하여 형을 선고하는 경우에는 집행유예를 할 수 없다.
④ 법원이 선고유예 또는 집행유예를 하는 경우에는 보호관찰을 받을 것을 명하거나 사회봉
사 또는 수강을 명할 수 있다.

> **해설** ① 대판 1988.6.21, 88도551
> ② 제60조
> ③ 제62조 제1항 단서
> ④ ✕ : 선고유예 ⇨ 보호관찰 ○, 사회봉사 또는 수강명령 ✕
>   집행유예 ⇨ 보호관찰 ○, 사회봉사 또는 수강명령 ○

Answer 7.④ 8.④

09 집행유예에 관한 설명 중 가장 옳지 않은 것은?(다툼이 있는 경우 판례에 의함)   23. 법원직

① 500만원의 벌금형을 선고할 경우 그 집행을 유예할 수 있다.

② 집행유예 기간 중에 범한 죄에 대하여 공소가 제기된 후 그 재판 도중에 집행유예 기간이 경과한 경우 집행유예 기간 중에 범한 죄에 대하여 다시 집행유예를 선고할 수 있다.

③ 형의 집행을 유예하는 경우에는 보호관찰을 받을 것을 명할 수 있는데, 행위자의 사회복귀와 범죄예방을 위한 보안처분이라는 취지에 비추어, 보호관찰 기간은 법원의 판결에 따라 집행을 유예한 기간을 넘을 수 있다.

④ 집행유예의 선고를 받은 다음 집행유예의 선고가 실효되거나 취소되지 않고 유예기간이 지난 때에는 형의 선고는 효력을 잃으므로, 그 후 형법 제64조 제2항에서 정한 사유로 집행유예의 선고를 취소할 수 없다.

> **해설** ① 제62조 제1항
> ② 대판 2007.2.8, 2006도6196
> ③ × : 보호관찰의 기간을 집행을 유예한 기간으로 한다. 다만, 법원은 유예기간의 범위 내에서 보호관찰기간을 정할 수 있다(제62조의 2 제2항). 따라서 법원의 판결에 따라 집행을 유예한 기간을 넘을 수 없다.
> ④ 대결 1999.1.12, 98모151

10 선고유예·집행유예·가석방에 관한 설명 중 가장 적절하지 않은 것은?(다툼이 있는 경우 판례에 의함)   23. 순경 1차

① 집행유예의 선고를 받은 후 그 선고의 실효 또는 취소됨이 없이 유예기간을 경과한 때에는 형법 제65조가 정하는 바에 따라 형의 선고는 효력을 잃는 것이고, 그와 같이 유예기간이 경과함으로써 형의 선고가 효력을 잃은 후에는 형법 제62조 단행의 사유가 발각되었다고 하더라도 그와 같은 이유로 집행유예를 취소할 수 없고 그대로 유예기간 경과의 효과가 발생한다.

② 1년 이하의 징역이나 금고, 자격정지, 벌금 또는 구류의 형을 선고할 경우에 형법 제51조의 사항을 고려하여 뉘우치는 정상이 뚜렷할 때에는 그 형의 선고를 유예할 수 있지만, 자격정지 이상의 형을 받은 전과가 있는 사람에 대해서는 그러하지 아니하다.

③ 형법 제62조의 2의 규정에 의하여 보호관찰이나 사회봉사 또는 수강을 명한 집행유예를 받은 자가 준수사항이나 명령을 위반한 경우에 그 위반사실이 동시에 범죄행위로 되더라도 그 기소나 재판의 확정 여부 등 형사절차와는 별도로 법원이 보호관찰 등에 관한 법률에 의한 검사의 청구에 의하여 형법 제64조 제2항에 규정된 집행유예 취소의 요건에 해당하는가를 심리하여 준수사항이나 명령위반사실이 인정되고 위반의 정도가 무거운 때에는 집행유예를 취소할 수 있다.

④ 형법에 의하면 징역이나 금고의 집행 중에 있는 사람이 행상(行狀)이 양호하여 뉘우침이 뚜렷한 때에는 무기형은 20년, 유기형은 형기의 3분의 1이 지난 후 행정처분으로 가석방을 할 수 있다. 벌금 과료가 병과되어 있는 때에는 그 금액을 완납하여야 하며, 벌금이나 과료에 관한 노역장 유치기간에 산입된 판결선고 전 구금일수는 그에 해당하는 금액이 납입된 것으로 본다.

해설 ① 대결 1999.1.2, 98모151
② × : 구류의 형을 선고할 경우 ⇨ 선고유예 ×(제59조 제1항)
③ 대결 1999.3.10, 99모33
④ 제72조 제1항ㆍ제2항, 제73조 제2항

11 집행유예 및 선고유예에 관한 설명으로 가장 적절한 것은?(다툼이 있는 경우 판례에 의함)

24. 경찰승진

① 3년 이하의 징역이나 금고의 형을 선고할 경우에 형법 제51조의 사항을 참작하여 그 정상에 참작할 만한 사유가 있는 때에는 1년 이상 5년 이하의 기간 형의 집행을 유예할 수 있지만, 500만원 이하의 벌금형을 선고할 경우에는 집행유예를 선고할 수 없다.
② 형법 제37조 후단의 경합범 관계에 있는 두 개의 범죄에 대하여 하나의 판결로 두 개의 자유형을 선고하는 경우에 형법 제62조 제1항에 정한 집행유예의 요건에 해당하더라도 그 두 개의 징역형 중 하나의 징역형에 대하여는 실형을 선고하면서 다른 징역형에 대하여 집행유예를 선고하는 것은 허용되지 아니한다.
③ 1천만원의 벌금형을 선고할 경우에 형법 제51조의 사항을 고려하여 뉘우치는 정상이 뚜렷하고 자격정지 이상의 형을 받은 전과가 없다면 그 형의 선고를 유예할 수 있다.
④ 법원이 집행유예 또는 선고유예를 하는 경우에 보호관찰을 받을 것을 명하거나, 사회봉사 또는 수강을 명할 수 있다.

해설 ① × : 3년 이하의 징역이나 금고 또는 500만원 이하의 벌금의 형을 선고할 경우에 제51조의 사항을 참작하여 그 정상에 참작할 만한 사유가 있는 때에는 1년 이상 5년 이하의 기간 형의 집행을 유예할 수 있다(제62조 제1항).
② × : 제37조 후단의 경합범 관계(사후적 경합범)에 있는 죄에 대하여 제39조 제1항에 의하여 1개의 판결로 2개의 징역형을 선고하는 경우 각각 집행유예를 선고할 수도 있고, 1개는 실형을 선고하면서 다른 하나는 집행유예를 선고할 수도 있다(대판 2002.2.26, 2000도4637).
③ ○ : 집행유예(500만원 이하의 벌금)와 달리 선고유예는 벌금의 금액을 불문하므로 옳다(제59조 제1항).
④ × : 집행유예 ⇨ 보호관찰 ○, 사회봉사 또는 수강명령 ○
　　　선고유예 ⇨ 보호관찰 ○, 사회봉사 또는 수강명령 ×

Answer　11.③

12 집행유예와 선고유예에 대한 설명으로 옳은 것은?(다툼이 있는 경우 판례에 의함)

24. 9급 검찰 · 마약수사 · 철도경찰

① 집행유예의 선고를 받은 자가 유예기간 중 고의 또는 과실로 범한 죄로 금고 이상의 실형을 선고받아 그 판결이 확정된 때에는 집행유예의 선고는 효력을 잃는다.

② 실형을 선고받고 집행종료나 집행면제 후 3년이 지나지 않은 시점에서 범한 죄에 대하여 형을 선고하는 경우뿐만 아니라, 집행유예 기간 중에 범한 죄에 대하여 형을 선고할 때 이미 집행유예가 실효 또는 취소된 경우도 형법 제62조 제1항 단서의 집행유예 결격사유에 해당한다.

③ 형의 선고를 유예하는 경우에 재범방지를 위하여 지도 및 원호가 필요한 때에는 보호관찰을 받을 것을 명하여야 하며, 보호관찰을 명한 선고유예를 받은 자가 보호관찰기간 중에 준수사항을 위반하고 그 정도가 무거운 때에는 유예한 형을 선고하여야 한다.

④ 형의 선고유예를 받은 자에 대해 유예기간 중 자격정지 이상의 형에 처한 전과가 발견된 경우 유예한 형을 선고할 수 없다.

> **해설** ① × : 집행유예의 선고를 받은 자가 유예기간 중 고의(과실 ×)로 범한 죄로 금고 이상의 실형(집행유예 ×)을 선고받아 그 판결이 확정된 때에는 집행유예의 선고는 효력을 잃는다(제63조).
> ② ○ : ~ (3줄) 실효 또는 취소된 경우와 그 선고 시점에 미처 유예기간이 경과하지 아니하여 형 선고의 효력이 실효되지 아니한 채로 남아 있는 경우에도 형법 제62조 제1항 단서의 집행유예 결격사유에 해당한다(대판 2007.2.8, 2006도6196).
> ③ × : ~ (2줄) 받을 것을 명할 수 있으며(명하여야 하며 ×)(제59조의 2 제1항), 보호관찰을 명한 선고유예를 받은 자가 보호관찰기간 중에 준수사항을 위반하고 그 정도가 무거운 때에는 유예한 형을 선고할 수 있다(선고하여야 한다 ×)(제61조 제2항).
> ④ × : ~ 유예한 형을 선고한다(제61조 제1항).

13 형법상 집행유예, 선고유예, 가석방에 관한 설명으로 가장 적절한 것은?(다툼이 있는 경우 판례에 의함)

24. 경력채용

① 형법 제37조 후단의 경합범 관계에 있는 죄에 대하여 두 개의 징역형을 선고하면서 하나의 징역형에 대하여만 집행유예를 선고하고 그 집행유예기간의 시기를 다른 하나의 징역형의 집행 종료일로 한 것은 위법하다.

② 형의 선고를 유예하는 경우에 재범방지를 위하여 지도 및 원호가 필요한 때에는 보호관찰을 받을 것을 명하거나 사회봉사 또는 수강을 명할 수 있다.

③ 집행유예의 선고를 받은 자가 유예기간 중 고의 또는 과실로 범한 죄로 금고 이상의 실형을 선고받아 그 판결이 확정된 때에는 집행유예의 선고는 효력을 잃는다.

④ 징역이나 금고의 집행 중에 있는 사람이 행상이 양호하여 뉘우침이 뚜렷한 때에는 무기형은 20년, 유기형은 형기의 2분의 1이 지난 후부터 행정처분으로 가석방을 할 수 있다.

Answer　12. ②　13. ①

해설 ① ○ : 대판 2002.2.26, 2000도4637
② × : ~ 보호관찰을 받을 것을 명할 수 있으나(제59조의 2 제1항), 사회봉사 또는 수강을 명할 수 없다.
③ × : ~ 유예기간 중 고의(과실 ×)로 범한 죄로 금고 이상의 실형을 선고받아 그 판결이 확정된 때에는 집행유예의 선고는 효력을 잃는다(제63조).
④ × : ~ (2줄) 유기형은 형기의 3(2 ×)분의 1이 지난 후부터 행정처분으로 가석방을 할 수 있다(제72조 제1항).

14 **집행유예에 대한 설명으로 옳지 않은 것은?**(다툼이 있는 경우 판례에 의함)　　　**24. 7급 검찰**
① 집행유예 기간 중에 범한 범죄라고 할지라도 집행유예가 실효 취소됨이 없이 그 유예기간이 경과한 경우에는 이에 대해 다시 집행유예의 선고가 가능하다.
② 형법 제62조에 의하여 집행유예를 선고할 경우에는 같은 법 제62조의 2 제1항에 규정된 보호관찰과 사회봉사 또는 수강을 동시에 명할 수 있다.
③ 법원이 형법 제62조의 2의 규정에 의한 사회봉사명령으로 피고인에게 일정한 금원을 출연하거나 이와 동일시할 수 있는 행위를 명하는 것도 허용될 수 있다.
④ 확정판결 이전 및 이후의 두 개의 범죄에 대하여 하나의 판결로 두 개의 자유형을 선고하는 경우 그 두 개의 자유형은 각각 별개의 형이므로 형법 제62조 제1항에 정한 집행유예의 요건에 해당하면 그 각 자유형에 대하여 각각 집행유예를 선고할 수 있다.

해설 ① 대판 2007.2.8, 2006도6196
② 대판 1998.4.24, 98도98
③ × : ~ (2줄) 명하는 것은 허용될 수 없다(대판 2008.4.11, 2007도8373).
④ 대판 2002.2.26, 2000도4637

형의 시효 · 소멸

〈형의 시효〉

제77조【형의 시효의 효과】 형(사형은 제외한다)을 선고받은 사람에 대해서는 시효가 완성되면 그 집행이 면제된다(▶ 주의 : 형의 선고는 효력을 잃는다 ×).

제78조【형의 시효의 기간】 시효는 형을 선고하는 재판이 확정된 후 그 집행을 받지 아니하고 다음 각 호의 구분에 따른 기간이 지나면 완성된다.

1. 삭제<2023. 8. 8>(▶ 사형 : 30년 ⇨ 삭제)
2. 무기의 징역 또는 금고 : 20년
3. 10년 이상의 징역 또는 금고 : 15년
4. 3년 이상의 징역이나 금고 또는 10년 이상의 자격정지 : 10년
5. 3년 미만의 징역이나 금고 또는 5년 이상의 자격정지 : 7년(5년 ×)
6. 5년 미만의 자격정지, 벌금, 몰수 또는 추징 : 5년(3년 ×)
7. 구류 또는 과료 : 1년

제79조【시효의 정지】 ① 시효는 형의 집행의 유예나 정지 또는 가석방 기타 집행할 수 없는 기간은 진행되지 아니한다. 13. 법원행시, 24. 경찰간부

② 시효는 형이 확정된 후 그 형의 집행을 받지 아니한 사람이 형의 집행을 면할 목적으로 국외에 있는 기간 동안은 진행되지 아니한다. 17 · 22. 순경 2차, 24. 경찰간부

제80조【시효의 중단】 시효는 징역, 금고 및 구류의 경우에는 수형자를 체포한 때, 벌금, 과료, 몰수 및 추징의 경우에는 강제처분을 개시한 때에 중단된다. 13. 법원직, 17. 순경 2차

〈형의 소멸〉

제81조【형의 실효】 징역 또는 금고의 집행을 종료하거나 집행이 면제된 자가 피해자의 손해를 보상하고 자격정지 이상의 형을 받음이 없이 7년을 경과한 때에는 본인 또는 검사의 신청에 의하여 그 재판의 실효를 선고할 수 있다. 17. 순경 2차, 21. 법원직 · 7급 · 9급 검찰, 24. 해경경위

제82조【복권】 자격정지의 선고를 받은 자가 피해자의 손해를 보상하고 자격정지 이상의 형을 받음이 없이 정지기간의 2분의 1을 경과한 때에는 본인 또는 검사의 신청에 의하여 자격의 회복을 선고할 수 있다. 14. 법원행시, 17. 순경 2차

〈형의 기간〉

제83조【기간의 계산】 연 또는 월로 정한 기간은 연 또는 월 단위로 계산한다.

제84조【형기의 기산】 ① 형기는 판결이 확정된 날로부터 기산한다.

② 징역, 금고, 구류와 유치에 있어서는 구속되지 아니한 일수는 형기에 산입하지 아니한다.

제85조【형의 집행과 시효기간의 초일】 형의 집행과 시효기간의 초일은 시간을 계산함이 없이 1일로 산정한다.

제86조【석방일】 석방은 형기종료일에 하여야 한다.

01 사면, 복권에 관한 다음 설명 중 옳지 않은 것은 모두 몇 개인가?(다툼이 있는 경우 판례에 의함)

23. 법원행시

> ㉠ 여러 개의 형이 병과된 사람에 대하여 그 병과형 중 일부의 집행을 면제하거나 그에 대한 형의 선고의 효력을 상실케 하는 특별사면이 있은 경우, 그 특별사면의 효력이 병과된 나머지 형에까지 미치는 것은 아니다.
>
> ㉡ 형의 선고를 받은 자가 특별사면을 받아 형의 집행을 면제받고, 또 후에 복권이 되었다 하더라도 형의 선고의 효력이 상실되는 것은 아니지만, 복권이 된 이상 누범의 기초가 되는 전과에는 포함되지 아니한다.
>
> ㉢ 확정판결의 죄에 대하여 일반사면이 있다 하더라도 일사부재리의 효력 등은 여전히 계속 존속하는 것이고, 확정판결이 있었던 사실에 의하여 그 전의 죄와 후의 죄 등이 형법 제37조 후단의 경합범관계에 있었다고 하는 효과에도 영향이 있다고 할 수 없다.
>
> ㉣ 일반사면은 죄의 종류를 정하여 행해지는 것으로, 대통령령의 방식으로 실시하며, 형 선고의 효력이 상실되고, 형을 선고받지 아니한 자에 대하여는 공소권(公訴權)이 상실된다.

① 없 음 ② 1개 ③ 2개
④ 3개 ⑤ 4개

해설 ㉠ ○ : 대결 1997.10.13, 96모33
㉡ × : ~ (2줄) 선고의 효력은 상실되지 않으므로, 누범의 기초가 되는 전과에 포함된다(대판 1986.11.11, 86도2004).
㉢ ○ : 대판 1995.12.22, 95도2446
㉣ ○ : 사면법 제8조, 사면법 제5조 제1항 제1호

02 형의 시효·소멸에 관한 설명으로 가장 적절하지 않은 것은?(다툼이 있는 경우 판례에 의함)

24. 경찰간부

① 3년 미만의 징역이나 금고 또는 5년 이상의 자격정지의 형을 선고하는 재판이 확정된 후 그 집행을 받지 아니하고 7년의 기간이 지나면 형의 시효는 완성된다.

② 징역형의 집행유예와 벌금형의 병과를 선고받은 자에 대하여 징역형의 집행유예의 효력을 상실케 하는 특별사면이 있었다면 그 벌금형 역시 선고의 효력이 상실된다.

③ 형의 시효는 형의 집행의 유예나 정지 또는 가석방 기타 집행할 수 없는 기간은 진행되지 아니한다.

④ 형의 시효는 형이 확정된 후 그 형의 집행을 받지 아니한 자가 형의 집행을 면할 목적으로 국외에 있는 기간 동안은 진행되지 아니한다.

해설 ① 제78조 제5호
② × : 징역형의 집행유예와 벌금형이 병과된 신청인에 대하여 징역형의 집행유예의 효력을 상실케 하는 내용의 특별사면이 있는 경우, 그 특별사면의 효력이 병과된 나머지 형에까지 미치는 것은 아니므로 그 벌금형의 선고의 효력까지 상실케 하는 것은 아니다(대결 1997.10.13, 96모33).
③ 제79조 제1항 ④ 제79조 제2항

Answer 1. ② 2. ②

종합문제 **형벌론**

01 다음 설명 중 가장 옳은 것은?(다툼이 있는 경우 판례에 의함)   18. 법원행시

① 우리 형법은 집행유예기간의 시기에 관하여 명문의 규정을 두고 있지 않으므로, 법원이 집행유예기간의 시기로서 판결확정일 이후의 시점을 선택할 수 있다.

② 집행유예의 선고를 받은 후에 그 선고가 실효 또는 취소됨이 없이 유예기간이 경과한 때에는 형의 선고의 법률적 효과가 없어지므로 선고유예를 할 수 있다.

③ 선고하는 벌금이 1억원 이상 5억원 미만인 경우에는 300일 이상, 5억원 이상 50억원 미만인 경우에는 500일 이상, 50억원 이상인 경우에는 1,000일 이상의 유치기간을 정하여야 한다.

④ 주형을 선고유예하면서 몰수나 추징도 함께 선고유예를 할 수 있고, 주형의 선고를 유예하지 아니하면서 몰수나 추징의 선고만을 유예할 수도 있다.

⑤ 형법은 '벌금을 감경할 때에는 그 다액의 2분의 1로 한다.'라고 규정하고 있으므로, 그 의미가 명확한 '다액'을 '금액'으로 해석하여 벌금의 하한까지 감경할 수는 없다.

해설 ① × : 형법이 집행유예기간의 시기에 관하여 명문의 규정을 두고 있지는 않지만 집행유예를 함에 있어 그 집행유예기간의 시기는 집행유예를 선고한 판결확정일로 하여야 하고 법원이 판결확정일 이후의 시점을 임의로 선택할 수는 없다(대판 2002.2.26, 2000도4637).
② × : 형의 집행유예를 선고받고 그 선고가 실효 또는 취소됨이 없이 정해진 유예기간을 무사히 경과한 경우라도 형의 선고를 유예할 수 없다(대판 2003.12.26, 2003도3768).
③ ○ : 제70조 제2항
④ × : ~ 유예할 수는 없다(대판 1988.6.21, 88도551).
⑤ × : 벌금의 경우 '다액의 2분의 1'로 규정되어 있으나 그 상한과 함께 하한도 2분의 1로 내려간다(대판 1978.4.25, 78도246 전원합의체).

02 형법상 형(刑)에 대한 설명으로 옳은 것은?   21. 9급 검찰·마약수사·철도경찰

① 판결선고 후 누범인 것이 발각된 때에는 그 선고한 형을 통산하여 다시 형을 정하여야 한다. 단, 선고한 형의 집행을 종료하거나 그 집행이 면제된 후에는 예외로 한다.

② 집행유예의 선고를 받은 자가 유예기간 중 벌금 이상의 형을 선고받아 그 판결이 확정된 때에는 집행유예의 선고는 효력을 잃는다.

③ 가석방의 처분을 받은 자가 감시에 관한 규칙을 위배하거나 보호관찰의 준수사항을 위반한 때에는 가석방처분을 취소한다.

④ 징역 또는 금고의 집행을 종료하거나 집행이 면제된 자가 피해자의 손해를 보상하고 자격정지 이상의 형을 받음이 없이 7년을 경과한 때에는 본인 또는 검사의 신청에 의하여 그 재판의 실효를 선고할 수 있다.

[해설] ① × : ~ 다시 형을 정할 수 있다(~ 정하여야 한다. ×). 단, 선고한 형의 집행을 종료하거나 그 집행이 면제된 후에는 예외로 한다(제36조).
② × : 집행유예의 선고를 받은 자가 유예기간 중 고의로 범한 죄로 금고 이상의 실형을 선고 받아 그 판결이 확정된 때에는 집행유예의 선고는 효력을 잃는다(제63조).
③ × : 가석방의 처분을 받은 자가 감시에 관한 규칙을 위배하거나, 보호관찰의 준수사항을 위반하고 그 정도가 무거운 때(가벼운 때 ×)에는 가석방처분을 취소할 수 있다(제75조).
④ ○ : 제81조

03 다음 설명 중 가장 옳지 않은 것은?(다툼이 있는 경우 판례에 의함) 21. 법원직

① 형을 가중·감경할 사유가 경합된 경우에는 형법 각칙 본조에 의한 가중 → 형법 제34조 제2항의 가중 → 누범가중 → 경합범 가중 → 법률상 감경 → 정상참작감경의 순서에 의하여야 한다.

② 형을 병과할 경우에도 형법 제59조에 따라 형의 전부 또는 일부에 대하여 선고를 유예할 수 있다.

③ 징역이나 금고의 집행 중에 있는 사람이 행상이 양호하여 뉘우침이 뚜렷한 때에는 무기형은 20년, 유기형은 형기의 3분의 1이 지난 후 행정처분으로 가석방을 할 수 있다.

④ 징역 또는 금고의 집행을 종료하거나 집행이 면제된 자가 피해자의 손해를 보상하고 자격정지 이상의 형을 받음이 없이 7년을 경과한 때에는 본인 또는 검사의 신청에 의하여 그 재판의 실효를 선고할 수 있다.

[해설] ① × : ~ 누범가중 ⇨ 법률상 감경 ⇨ 경합범 가중 ⇨ 정상참작감경의 순서에 의하여야 한다(제56조).
② 제59조 제2항
③ 제72조 제1항
④ 제81조

04 다음 설명 중 가장 옳지 않은 것은?(다툼이 있는 경우 판례에 의함) 21. 법원직

① 피고인 이외의 제3자의 소유에 속하는 물건의 경우, 몰수를 선고한 판결의 효력은 원칙적으로 몰수의 원인이 된 사실에 관하여 유죄의 판결을 받은 피고인에 대한 관계에서 그 물건을 소지하지 못하게 하는 데 그치지 않고, 그 사건에서 재판을 받지 아니한 제3자의 소유권에도 영향을 미친다.

② 형법 제37조 후단 경합범에 대하여 형법 제39조 제1항에 의하여 형을 감경할 때에도 법률상 감경에 관한 형법 제55조 제1항이 적용되어 유기징역을 감경할 때에는 그 형기의 2분의 1 미만으로는 감경할 수 없다.

③ 형사소송법 제459조가 "재판은 이 법률에 특별한 규정이 없으면 확정한 후에 집행한다."라고 규정한 취지나 집행유예 제도의 본질 등에 비추어 보면 집행유예를 함에 있어 그 집행유예 기간의 시기(始期)는 집행유예를 선고한 판결확정일로 하여야 한다.

Answer 3.① 4.①

④ 형법 제51조의 사항과 개전의 정상이 현저한지에 관한 사항은 형의 양정에 관한 법원의 재량사항에 속하므로, 상고심으로서는 형사소송법 제383조 제4호에 의하여 사형 · 무기 또는 10년 이상의 징역 · 금고가 선고된 사건에서 형의 양정의 당부에 관한 상고이유를 심판하는 경우가 아닌 이상, 선고유예에 관하여 형법 제51조의 사항과 개전의 정상이 현저한지에 대한 원심판단의 당부를 심판할 수 없다.

해설 ① × : ～ (3줄) 소지하지 못하게 하는 데 그치고, 그 사건에서 재판을 받지 아니한 제3자의 소유권에 어떤 영향을 미치는 것은 아니다(대결 2017.9.29, 2017모236).
② 대판 2019.4.18, 2017도14609 전원합의체 ③ 대판 2002.2.26, 2000도4637
④ 대판 2003.2.20, 2001도6138 전원합의체

05 형벌에 관한 설명 중 옳은 것(○)과 옳지 않은 것(×)을 올바르게 조합한 것은?(다툼이 있는 경우 판례에 의함) 　　　　　　　　　　　　　　　　　　　　**23. 변호사시험**

> ㉠ 폭력행위 등 처벌에 관한 법률 제2조 제3항은 2회 이상 징역형을 받은 사람에 대해서 누범으로 가중 처벌하도록 하고 있는데, 집행유예의 선고를 받은 후 그 선고가 실효 또는 취소됨이 없이 유예기간을 경과하여 형의 선고가 효력을 잃은 경우는 위 조항의 '징역형을 받은 경우'에 해당하지 않는다.
> ㉡ 형의 집행을 유예하는 경우에는 보호관찰과 사회봉사 또는 수강을 동시에 명할 수는 없다.
> ㉢ 범죄행위에 이용한 웹사이트 매각을 통해 피고인이 취득한 대가는 형법 제48조 제2항의 추징 대상이 된다.
> ㉣ 휴대전화로 촬영한 동영상은 일정한 저장매체에 전자방식이나 자기방식에 의하여 저장된 기록으로서 저장매체를 매개로 존재하는 물건이므로 몰수의 사유가 있는 때에는 그 전자기록을 몰수할 수 있다.
> ㉤ 유기징역형에 대한 법률상 감경을 하면서 형법 제55조 제1항 제3호에서 정한 것과 같이 장기와 단기를 모두 2분의 1로 감경하는 것이 아닌 장기 또는 단기 중 어느 하나만을 2분의 1로 감경하는 방식이나 2분의 1보다 넓은 범위의 감경을 하는 방식 등은 죄형법정주의 원칙상 허용될 수 없다.

① ㉠(×), ㉡(×), ㉢(○), ㉣(○), ㉤(×)
② ㉠(○), ㉡(○), ㉢(○), ㉣(×), ㉤(○)
③ ㉠(○), ㉡(×), ㉢(×), ㉣(○), ㉤(○)
④ ㉠(×), ㉡(○), ㉢(×), ㉣(×), ㉤(○)
⑤ ㉠(○), ㉡(×), ㉢(○), ㉣(×), ㉤(○)

해설 ㉠ ○ : 대판 2016.6.23, 2016도5032 ㉡ × : ～ 동시에 명할 수 있다(대판 1998.4.24, 98도98).
㉢ × : ～ 추징의 대상에 해당하지 않는다[대판 2021.10.14, 2021도7168 ∵ 위 웹사이트는 범죄행위에 제공된 무형의 재산에 해당할 뿐 형법 제48조 제1항 제2호에서 정한 '범죄행위로 인하여 생(生)하였거나 이로 인하여 취득한 물건'에 해당하지 않으므로]. ㉣ ○ : 대판 2017.10.23, 2017도5905
㉤ ○ : 대판 2021.1.21, 2018도5475 전원합의체

06 형법의 규정과 상응하는 것만을 모두 고르면?

22. 9급 검찰·마약수사

> ㉠ 벌금형의 경우에 선고유예는 물론이고 그 액수에 상관없이 집행유예를 할 수 있다.
> ㉡ 과료를 납입하지 아니한 자는 1일 이상 30일 미만의 기간 노역장에 유치하여 작업에 복무하게 한다.
> ㉢ 형을 선고받은 사람에 대해서는 시효가 완성되면 그 집행이 면제된다.
> ㉣ 가석방 기간 중 고의 또는 과실로 지은 죄로 금고 이상의 형의 선고를 받아 그 판결이 확정된 때에는 가석방 처분은 효력을 잃는다.
> ㉤ 집행유예의 선고를 받은 후 그 선고의 실효 또는 취소됨이 없이 유예기간을 경과한 때에는 형의 집행을 종료한 것으로 본다.

① ㉠, ㉣   ② ㉡, ㉢
③ ㉡, ㉢, ㉤   ④ ㉢, ㉣, ㉤

해설 ㉠ × : 벌금형의 경우에 그 액수에 상관없이 선고유예를 할 수 있으나(제59조 제1항), 500만원 이하의 벌금형을 선고할 경우에 집행유예를 할 수 있다(제62조 제1항).
㉡ ○ : 제69조 제2항
㉢ ○ : 제77조
㉣ × : ~ 고의(과실 ×)로 지은 죄로 금고 이상의 형의 선고를 받아 그 판결이 확정된 때에는 가석방 처분은 효력을 잃는다(제74조).
㉤ × : ~ 때에는 형의 선고는 효력을 잃는다(제65조).

07 다음 설명 중 옳지 않은 것을 모두 고른 것은?

22. 법원행시

> ㉠ 문서, 도화, 전자기록 등 특수매체기록 또는 유가증권의 일부가 몰수의 대상이 된 경우에는 그 부분을 폐기할 수 있다.
> ㉡ 집행유예의 선고를 받은 후 형법 제62조 단행의 사유가 발각된 때에는 집행유예의 선고를 취소할 수 있다.
> ㉢ 사형은 교정시설 안에서 교수하여 집행할 수 있다.
> ㉣ 징역이나 금고의 집행 중에 있는 사람이 행상이 양호하여 뉘우침이 뚜렷한 때에는 무기형은 20년, 유기형은 형기의 4분의 1이 지난 후 행정처분으로 가석방을 할 수 있다.
> ㉤ 가석방 기간 중 고의로 지은 죄로 금고 이상의 형을 선고받아 그 판결이 확정된 경우에 가석방 처분은 효력을 잃는다.

① ㉠, ㉡, ㉢, ㉣   ② ㉠, ㉡, ㉢, ㉣, ㉤   ③ ㉠, ㉡, ㉢
④ ㉠, ㉡   ⑤ ㉣, ㉤

해설 ㉠ × : ~ 폐기한다(제48조 제3항).
㉡ × : ~ 취소한다(제64조 제1항).
㉢ × : ~ 집행한다(제66조).
㉣ × : ~ 형기의 3분의 1이 지난 후 행정처분으로 가석방을 할 수 있다(제72조 제1항).
㉤ ○ : 제74조

Answer 6. ② 7. ①

08 **형벌에 관한 설명 중 가장 적절하지 않은 것은?** 22. 순경 2차

① 징역 10년 형을 선고받은 甲은 그 형의 집행이 종료하거나 면제될 때까지 다른 법률에 특별한 규정이 있는 경우를 제외하고는 공무원이 되는 자격, 공법상의 선거권과 피선거권, 법률로 요건을 정한 공법상의 업무에 관한 자격이 정지된다.

② 甲에게 징역 12년 형이 확정된 후 그 집행을 받지 아니하고 15년이 경과했다면, 그 기간 내에 형의 집행을 면할 목적으로 국외에 3년 동안 나가 있던 것이 확인된 경우라도 형의 시효는 완성된다.

③ 법원이 중상해죄(1년 이상 10년 이하의 징역)로 유죄가 인정된 甲에게 형의 가중감경사유 중 형법 제10조 제2항(심신미약)과 제35조(누범)만을 적용하여 형을 선고할 경우, 甲에게 선고할 수 있는 형의 최하한은 징역 6월이다.

④ 법원이 피고인 甲에게 30억원의 벌금을 선고하는 경우, 이를 납입하지 아니하는 것을 대비하여 500일 이상의 노역장 유치기간을 정하여 동시에 선고하여야 한다.

> **해설** ① 제43조 제2항
> ② × : 甲에게 징역 12년 형이 확정된 후 그 집행을 받지 아니하고 15년이 경과(제78조 제3호)했더라도, 그 기간 내에 형의 집행을 면할 목적으로 국외에 3년 동안 나가 있던 것이 확인된 경우 형의 시효는 완성되지 아니한다〔∵ 시효는 형이 확정된 후 그 형의 집행을 받지 아니한 자가 형의 집행을 면할 목적으로 국외에 있는 기간 동안은 진행되지 아니한다(제79조 제2항)〕.
> ③ 가중·감경의 순서(제56조) : 누범가중(제3호) ⇨ 법률감경(제4호) ∴ 누범가중〔장기의 2배 가중(제35조 제2항) : 1년 이상 20년 이하의 징역〕 ⇨ 법률상 감경〔심신미약 : 그 형기의 2분의 1 감경(제55조 제1항 제3호) : 6월 이상 10년 이하의 징역이므로 형의 최하한은 징역 6월이다.〕
> ④ 노역장 유치기간(제70조 제2항 : 벌금 1억원 이상 5억원 미만 ⇨ 300일 이상, 5억원 이상 50억원 미만 ⇨ 500일 이상, 50억원 이상 ⇨ 1천일 이상)

09 **형벌에 관한 설명 중 옳은 것(○)과 옳지 않은 것(×)을 올바르게 조합한 것은?**(다툼이 있는 경우 판례에 의함) 22. 변호사시험

> ㉠ 경합범의 처벌에 관한 형법 제38조 제1항 제3호에 의하여 징역형과 벌금형을 병과하는 경우에 징역형에만 작량감경을 하고 벌금형에는 작량감경을 하지 않는 것은 위법하다.
> ㉡ 2020. 7. 1. 무고죄로 징역 1년에 집행유예 2년을 선고받고 그 판결이 같은 달 9. 확정된 甲이 2021. 6. 1. 상습도박죄를 범하여 같은 해 11. 1. 유죄판결을 선고받는 경우, 법원은 甲에게 상습도박죄에 대한 집행유예는 선고할 수 없다.
> ㉢ 몰수에 관한 형법 제48조 제1항의 '범인'에는 공범자도 포함되므로 피고인의 소유물은 물론 공범자의 소유물도 그 공범자의 소추 여부를 불문하고 몰수할 수 있다.
> ㉣ 사기도박에 참여하도록 유인하기 위하여 고액의 수표를 제시해 보인 경우라도 그 수표가 직접적으로 도박자금으로 사용되지 않았다면 몰수할 수 없다.
> ㉤ 강도상해의 범행에 대하여 자수한 사안에서 법원이 자수감경을 하지 않았거나 자수감경 주장에 대한 판단을 하지 않았다고 해도 위법하다고 할 수 없다.

① ㉠(○), ㉡(○), ㉢(×), ㉣(×), ㉤(○)
② ㉠(×), ㉡(×), ㉢(○), ㉣(○), ㉤(×)
③ ㉠(○), ㉡(○), ㉢(×), ㉣(×), ㉤(×)
④ ㉠(×), ㉡(○), ㉢(○), ㉣(×), ㉤(○)
⑤ ㉠(×), ㉡(×), ㉢(○), ㉣(○), ㉤(○)

해설 ㉠ × : ~ 것은 위법하다고 할 수는 없다(대판 2006.3.23, 2006도1076).
㉡ ○ : 대판 2007.2.8, 2006도6196
㉢ ○ : 대판 2006.11.23, 2006도5586
㉣ × : ~ 않았더라도 몰수할 수 있다(대판 2002.9.24, 2002도3589).
㉤ ○ : 대판 2001.4.24, 2001도872

10 형벌에 대한 설명으로 옳지 않은 것은?(다툼이 있는 경우 판례에 의함)

23. 9급 검찰·마약수사·철도경찰

① 형을 가중·감경할 사유가 경합하는 경우에는 각칙 조문에 따른 가중, 형법 제34조 제2항에 따른 가중, 누범 가중, 경합범 가중, 법률상 감경, 정상참작감경의 순으로 한다.
② 판결선고 전의 구금일수는 그 전부를 유기징역, 유기금고, 벌금이나 과료에 관한 유치 또는 구류에 산입한다.
③ 형을 병과할 경우에도 형의 전부 또는 일부에 대하여 선고를 유예할 수 있다.
④ 형의 선고를 유예하는 경우에 재범방지를 위하여 지도 및 원호가 필요한 때에는 보호관찰을 받을 것을 명할 수 있다.

해설 ① × : ~ 누범 가중, 법률상 감경, 경합범 가중, 정상참작감경의 순으로 한다(제256조).
② 제57조 제1항
③ 제59조 제2항
④ 제59조의 2 제1항

11 형벌에 관한 설명으로 가장 적절한 것은?(다툼이 있는 경우 판례에 의함) **24. 순경 1차**
① 형법 제48조 제1항의 '범인'에는 공범자도 포함되므로 피고인의 소유물은 물론 공범자의 소유물도 그 공범자의 소추 여부를 불문하고 몰수할 수 있고, 여기에서의 공범자에는 공동정범, 교사범, 방조범에 해당하는 자는 포함되나 필요적 공범관계에 있는 자는 포함되지 않는다.
② 형법 제48조 제1항 제1호의 '범죄행위에 제공하려고 한 물건'은 범죄행위에 사용하려고 준비하였으나 실제 사용하지 못한 물건을 의미하며, 어떠한 물건을 '범죄행위에 제공하려고 한 물건'으로서 몰수하기 위해서는 그 물건이 유죄로 인정되는 당해 범죄행위에 제공하려고 한 물건임이 인정되어야 한다.

③ 형법은 벌금형의 집행유예는 인정하나, 벌금형의 선고유예는 인정하지 않는다.

④ 수뢰자가 뇌물로 받은 수표를 은행에 예금한 후 그 수표금액에 상당하는 금전을 찾아 증뢰자에게 반환한 경우, 증뢰자로부터 그 가액을 추징하여야 한다.

[해설] ① × : ~ (3줄) 방조범에 해당하는 자는 물론 필요적 공범관계에 있는 자도 포함된다(대판 2006. 11.23, 2006도5586).
② ○ : 대판 2008.2.14, 2007도10034
③ × : 벌금형의 선고유예 ○(제59조 제1항), 500만원 이하의 벌금형의 집행유예 ○(제62조 제1항)
④ × : ~ (2줄) 반환한 경우, 수뢰자(증뢰자 ×)로부터 그 가액을 추징하여야 한다(대판 1999.1.9, 98도3584).

12 형벌에 관한 설명 중 옳은 것을 모두 고른 것은?(다툼이 있는 경우 판례에 의함) 　24. **법원행시**

> ㉠ 형법이 집행유예 기간의 시기에 관하여 명문의 규정을 두고 있지는 않으므로, 형의 집행유예를 할 때 집행유예기간의 시기(始期)는 법원이 재량으로 정할 수 있다.
> ㉡ 집행유예 기간 중에 범한 범죄라고 할지라도 집행유예가 실효, 취소됨이 없이 그 유예기간이 경과한 경우에는 이에 대해 다시 집행유예의 선고가 가능하다.
> ㉢ 법관이 임의적 감경사유의 존재에 따라 징역형에 대해 법률상 감경을 하는 경우 형법 제55조 제1항 제3호에 따라 법정형의 상한은 그대로 둔 채 하한만 2분의 1로 감경한 형의 범위가 임의적 처단형의 범위가 된다.
> ㉣ 법정형인 징역형과 벌금형 가운데서 벌금형을 선택하여 선고하면서 그에 대한 노역장유치기간을 환산한 결과 선택형의 하나로 되어 있는 징역형의 장기보다 유치기간이 더 길 수 있게 되었다 하더라도 위법하다고 볼 수 없다.
> ㉤ 형의 선고를 유예하는 경우에 재범방지를 위하여 지도 및 원호가 필요한 때에는 보호관찰을 받을 것을 명할 수 있다.

① ㉠, ㉡, ㉤　　　　② ㉡, ㉢, ㉤　　　　③ ㉠, ㉣, ㉤
④ ㉡, ㉣, ㉤　　　　⑤ ㉠, ㉢, ㉣

[해설] ㉠ × : 형법이 집행유예기간의 시기에 관하여 명문의 규정을 두고 있지는 않지만 집행유예를 함에 있어 그 집행유예기간의 시기는 집행유예를 선고한 판결확정일로 하여야 하고 법원이 판결확정일 이후의 시점을 임의로 선택할 수는 없다(대판 2002.2.26, 2000도4637).
㉡ ○ : 대판 2007.2.8, 2006도6196
㉢ × : ~ (2줄) 제3호에 따라 법정형의 상한과 하한을 모두 2분의 1로 감경한 형의 범위가 임의적 처단형의 범위가 된다(대판 2021.1.21, 2018도5475 전원합의체).
㉣ ○ : 대판 2000.11.24, 2000도3945
㉤ ○ : 제59조의 2 제1항

13 형벌론에 관한 설명으로 가장 적절하지 않은 것은?(다툼이 있는 경우 판례에 의함) 24. 순경 2차

① 과료는 판결확정일로부터 30일 내에 납입하여야 하며, 과료를 납입하지 아니한 자는 1일 이상 30일 미만의 기간 노역장에 유치하여 작업에 복무하게 한다.

② 행위자에게 유죄의 재판을 아니할 때에도 몰수의 요건이 있는 때에는 몰수만을 선고할 수 있지만, 우리 법제상 공소의 제기 없이 별도로 몰수만을 선고할 수 있는 제도는 마련되어 있지 않다.

③ 마약류 관리에 관한 법률 제67조에 의한 몰수나 추징은 범죄행위로 인한 이득의 박탈을 목적으로 하는 것이므로, 그 범행으로 인하여 이득을 취득한 바 없다면 법원은 그 가액의 추징을 명할 수 없다.

④ 甲이 수사기관에 자진 출석하여 처음 조사를 받으면서는 돈을 차용하였을 뿐이라며 범죄 사실을 부인하다가 제2회 조사를 받으면서 비로소 업무와 관련하여 돈을 수수하였다고 자백한 행위에 대하여 자수감경을 할 수 없다.

해설 ① 제69조
② 대판 2007.7.26, 2007도4556
③ × : 마약류관리에 관한 법률 제67조에 의한 몰수나 추징은 범죄행위로 인한 이득의 박탈을 목적으로 하는 것이 아니라 징벌적 성질의 처분이므로, 그 범행으로 인하여 이득을 취득한 바 없다 하더라도 법원은 그 가액의 추징을 명하여야 한다(대판 2000.9.8, 2000도546).
④ 대판 2011.12.22, 2011도12041

01 다음 중 ( ) 안의 숫자의 합은? 20. 해경 1차, 22. 해경 2차

> ㉠ 형법은 형사미성년자로 ( )세 되지 아니한 자의 행위는 벌하지 아니한다고 규정하고 있다.
> ㉡ 소년법상의 소년은 ( )세 미만자를 말한다.
> ㉢ 형법은 금고 이상의 형을 받아 그 집행을 종료하거나 면제를 받은 후 ( )년 내에 금고 이상에 해당하는 죄를 범한 자는 누범으로 처벌하고 누범의 형은 그 죄에 정한 형의 장기의 ( )배까지 가중한다.
> ㉣ 형의 선고유예를 받은 날로부터 ( )년을 경과한 때에는 면소된 것으로 간주한다.
> ㉤ 가석방의 기간은 무기형에 있어서는 ( )년으로 하고, 유기형에 있어서는 남은 형기로 하되, 그 기간은 ( )년을 초과할 수 없다.

① 59 ② 60 ③ 69 ④ 70

해설 ㉠ 14세(제9조)
㉡ 19세(동법 제2조)
㉢ 3년, 2배(제35조)
㉣ 2년(제60조)
㉤ 10년, 10년(제73조의 2 제1항)
∴ 14＋19＋3＋2＋2＋10＋10＝60

02 甲의 죄책에 관한 설명으로 옳은 것은?(다툼이 있는 경우 판례에 의함) 22. 7급 검찰

① 乙의 행위가 범죄구성요건에 해당하지만 위법하지 않은 경우, 甲이 乙의 행위를 방조하였더라도 공범의 종속성에 관해 제한종속형식을 취하는 때에는 종범(형법 제32조 제1항)이 성립하지 않는다.

② 甲의 행위가 범죄구성요건에 해당하고 위법하더라도 甲이 듣거나 말하는 데 모두 장애가 있는 사람이라면 甲의 행위에 대해서는 형을 면제한다.

③ 甲의 행위가 범죄구성요건에 해당하고 위법하더라도 甲이 심신상실자(형법 제10조 제1항)라면 甲에게 보안처분을 과할 수 없다.

④ 乙의 행위가 범죄구성요건에 해당하지만 위법하지 않은 경우, 乙의 행위를 교사한 甲을 간접정범(형법 제34조 제1항)으로는 처벌할 수 없다.

해설 ① ○ : 제한종속형식설에 따르면 정범(乙)의 행위가 구성요건에 해당하고 위법해야만 공범(甲 : 종범)이 성립하므로 ①은 옳다.
② × : ～ 형을 감경한다(제11조 : 청각 및 언어 장애인).
③ × : 심신상실자는 책임능력이 없어 책임이 조각되나 보안처분은 가능하다(치료감호법에 의한 치료감호처분).
④ × : ～ 간접정범으로 처벌할 수 있다(대판 2006.5.25, 2003도3945).

03 **다음 설명 중 옳지 않은 것은?**(다툼이 있는 경우 판례에 의함) 23. 9급 **철도경찰**

① 업무상 배임죄가 부작위에 의해서 행해지는 경우 그러한 부작위를 실행의 착수로 볼 수 있기 위해서는 구성요건적 결과 발생의 위험이 구체화한 상황에서 부작위가 이루어져야 한다.

② 행정상의 단속을 주된 목적으로 하는 형사처벌 법규라 하더라도 '명문규정이 있거나 해석상 과실범도 벌할 뜻이 명확한 경우'를 제외하고는 형법의 원칙에 따라 '고의'가 있어야 벌할 수 있다.

③ 아파트 입주자대표회의 회장이 자신의 승인 없이 동대표들이 관리소장과 함께 게시한 입주자대표회의 소집공고문을 손괴한 행위는 임박한 위법상태를 바로잡기 위한 목적이라 할지라도 사회통념상 허용되지 않는 행위이다.

④ 형법 제35조에 의한 누범의 성립요건 중 '3년 내에 금고 이상에 해당하는 죄'를 범하였는지는 3년의 기간 내에 실행의 착수가 있는지 여부를 기준으로 할 것이고, 그 기간 내에 기수에까지 이르러야 되는 것은 아니다.

해설 ① 대판 2021.5.27, 2020도15529 ② 대판 2010.2.11, 2009도9807
③ × : ~ (2줄) 위법상태를 바로잡기 위한 것으로 사회통념상 허용되는 범위를 크게 넘어서지 않는 행위로 볼 수 있다(대판 2021.12.30, 2021도9680 ∴ 정당행위 ○ ⇨ 재물손괴죄 ×).
④ 대판 2006.4.7, 2005도9858 전원합의체

04 **다음 사례에 대한 설명으로 옳지 않은 것은?**(다툼이 있는 경우 판례에 의함) 24. **경위공채**

> 甲은 A를 살해하고자 용기를 얻기 위해 대마초를 피운 후, A를 야산으로 끌고 가 심신미약 상태에서 칼로 A의 복부를 찔렀다. A가 살려 달라고 애원하자 甲은 살해행위를 그만두었으나 A의 가방이 탐이 나서 가지고 왔다. 그 후 A는 행인에게 발견되어 병원으로 옮겨져 생명을 구하였다.

① 甲의 행위가 실행미수에 해당하는 경우에는 甲에게 중지미수가 성립하지 않는다.

② 甲이 A의 가방을 가져간 행위는 원인에 있어서 자유로운 행위에 해당하지 않으므로 형을 감경해야 한다.

③ 甲이 A를 살해하려고 한 행위는 심신미약 상태에서의 행위라도 형이 감경되지 않는다.

④ 甲이 A의 복부를 칼로 찔러 많은 피가 흘러나오자 겁을 먹고 그만둔 경우에는 자의성을 인정할 수 없다.

해설 ① 실행미수가 중지범으로 인정되기 위해서는 단순히 행위의 계속을 포기하는 것으로 족하지 않고 행위자가 자의에 의하여 결과의 발생을 방지할 것이 요구된다(대판 1986.3.11, 85도2831 ∴ 애원하자 살해행위 중지 ⇨ 자의에 의한 결과발생 방지 × ⇨ 중지미수 ×).
② × : ~ 해당하지 않고(∵ 원인설정행위시에 가방의 영득에 대해서는 고의나 과실이 없었기 때문) 심신미약상태하에서의 행위이므로 형법 제10조 제2항에 의하여 형을 감경할 수 있다(필요적 감경 ×, 임의적 감경 ○). ③ 대판 1996.6.11, 96도857 ④ 대판 1999.4.13, 99도640

Answer 3. ③ 4. ②

05 다음 설명 중 옳은 것만을 모두 고르면?(다툼이 있는 경우 판례에 의함)　　24. 9급 철도경찰

> ㉠ 정보통신망을 통하여 음란한 화상 또는 영상을 배포하고, 도박 사이트를 홍보하였다는 공소사실로 기소되어 유죄로 인정된 경우, 피고인이 범죄행위에 이용한 웹사이트 매각을 통해 취득한 대가는 형법 제48조 제1항 제2호, 제2항이 규정한 추징의 대상에 해당한다.
> ㉡ 링크 행위자가 정범이 저작권법상 공중송신권을 침해한다는 사실을 충분히 인식하면서 그러한 침해 게시물 등에 연결되는 링크를 인터넷 사이트에 영리적·계속적으로 게시한 경우, 침해 게시물을 공중의 이용에 제공하는 정범의 범죄를 용이하게 하므로 공중송신권 침해의 방조범이 성립한다.
> ㉢ 공직선거법 제18조 제3항 전단에 따르면 공직선거법 제18조 제1항 제3호에 규정된 죄와 다른 죄의 경합범에 대하여는 이를 분리 선고하여야 한다. 따라서 판결이 확정된 선거범죄와 확정되지 아니한 다른 죄는 동시에 판결할 수 없었던 경우에 해당하므로 형법 제39조 제1항에 따라 동시에 판결할 경우와의 형평을 고려하여 형을 선고하거나 그 형을 감경 또는 면제할 수 없다고 해석함이 타당하다.
> ㉣ 위험운전 등 치사상에 대한 처벌을 규정하는 구 특정범죄 가중처벌 등에 관한 법률 제5조의11 제1항에서의 '자동차 등'에는 전동킥보드와 같은 개인형 이동장치도 포함되는바, 이후 개정 도로교통법이 전동킥보드와 같은 개인형 이동장치에 관한 규정을 신설하면서 이를 '자동차 등'이 아닌 '자전거 등'으로 분류하였다면 이는 형법 제1조 제2항의 '범죄 후 법률이 변경되어 그 행위가 범죄를 구성하지 아니하게 된 경우'라고 볼 수 있다.

① ㉠, ㉡　　　　　　　　　　　② ㉡, ㉢
③ ㉡, ㉣　　　　　　　　　　　④ ㉢, ㉣

해설　㉠ × : ~ 추징의 대상에 해당하지 않는다(대판 2021.10.14, 2021도7168).
㉡ ○ : 대판 2021.9.9, 2017도19025 전원합의체
㉢ ○ : 대판 2021.10.14, 2021도8719
㉣ × : ~ (4줄) "자전거 등"으로 분류하였다고 하여 이를 형법 제1조 제2항의 '범죄 후 법률이 변경되어 그 행위가 범죄를 구성하지 아니하게 된 경우'라고 볼 수는 없다〔대판 2023.6.29, 2022도13430 ∴ 개정 도로교통법 시행 전의 '전동 킥보드의 운전자'는 여전히 특정범죄가중법 위반(위험운전치상)죄의 주체에 해당한다〕.

06 다음 설명 중 옳지 않은 것은?(다툼이 있는 경우 판례에 의함)　　25. 9급 철도경찰

① 의사 甲이 치료를 요한다는 자신의 의학적 권고에도 불구하고 환자보호자인 乙의 퇴원간청으로 치료중단 및 퇴원을 허용하는 조치를 취하여 환자 A가 사망한 경우, 甲에게 살인방조죄가 성립한다.
② 甲이 A에게 접근하거나 전화를 건 행위가 스토킹범죄의 처벌 등에 관한 법률의 스토킹범죄를 구성하는 스토킹행위에 해당하고 같은 법의 잠정조치를 위반한 행위에도 해당하는 경우, 양죄는 상상적 경합관계에 있다.

③ 甲이 동물권보호단체 회원들과 공모하여 농장으로부터 생닭을 공급받아 도계영업을 하는 A회사 공장 정문 앞 도로에 드러누워 생닭을 실은 트럭들을 가로막는 등 차량 진행을 방해하고 위 단체 회원들은 "닭을 죽이면 안 된다."는 플래카드를 걸고 같은 내용의 구호를 외치며 노래를 부르는 등 위력으로써 A회사의 업무를 방해한 경우, 그 동기나 목적의 정당성이 인정될 여지가 있다고 하여도 수단과 방법의 상당성, 법익균형성 등이 인정되지 아니하여 甲에게 업무방해죄가 성립한다.

④ 포괄일죄의 일부 범행이 누범기간 내에 이루어졌더라도 나머지 범행이 누범기간 경과 후에 이루어졌다면 그 범행 전부가 누범에 해당한다고 볼 수 없다.

[해설] ① 대판 2004.6.24, 2002도995
② 대판 2024.9.27, 2024도7832
③ 대판 2024.8.1, 2021도2084
④ × : ~ 누범에 해당한다고 보아야 한다(대판 2012.3.29, 2011도14135).

07 **다음 설명 중 옳은 것만을 모두 고르면?**(다툼이 있는 경우 판례에 의함)　　25. 9급 철도경찰

> ㉠ 살해의 목적으로 동일인에게 일시 장소를 달리하고 수차에 걸쳐 공격을 가하였으나 미수에 그치다가 드디어 그 목적을 달성한 경우에 그 공격행위가 동일한 의사발동에서 나왔고 그 사이에 범의의 갱신이 없는 한 각 행위가 다른 장소에서 행하여졌거나 그 방법이 동일하지 않더라도 한 개의 살인기수죄로 처단할 것이지 살인미수죄와 동 기수죄의 경합죄로 처단할 수 없다.
> ㉡ 과실치사죄는 결과범이므로 객관적 주의의무위반적 행위와 사망의 결과 사이에 인과관계가 인정되지 않으면 과실범의 미수죄가 성립하여 그 형을 감경받을 수 있다.
> ㉢ 범죄의 실행에 착수하여 행위를 종료하지 못한 경우에는 형을 감경 또는 면제할 수 있고, 실행행위는 종료하였으나 결과가 발생하지 아니한 경우에는 형을 감경할 수 있다.
> ㉣ 허위의 채권을 피보전권리로 삼아 가압류를 하였다고 하더라도, 본안소송을 제기하지 아니하였다면 사기죄의 미수로 처벌할 수 없다.

① ㉠, ㉡　　　　　② ㉠, ㉣　　　　　③ ㉡, ㉢　　　　　④ ㉢, ㉣

[해설] ㉠ ○ : 대판 1965.9.28, 65도695
㉡ × : 과실범은 항상 결과발생을 요하는 결과범(실질범)이므로 과실범의 미수는 이론상 인정할 여지가 없으며 현행법상 과실범에 대한 미수처벌규정도 없다.
㉢ × : ~ (1줄) 못한 경우(착수미수)에 형을 감경할 수 있고, 실행행위는 종료하였으나 결과가 발생하지 아니한 경우(실행미수)에도 형을 감경할 수 있다(제25조).
㉣ ○ : 대판 1982.10.26, 82도1529

공편저자 약력·저서

조충환

- 중앙대학교 법학박사(형사법전공)
- 現 ·교재집필 및 연구
- 前 ·박문각 경찰승진 형사소송법 대표교수
  - 중앙대·울산대 출강
  - 노량진 남부경찰학원 대표강사
  - 노량진 남부행정고시학원 대표강사
  - 노량진 한교경찰학원 대표강사
  - 노량진 베리타스경찰학원 대표강사
  - 법무부 출간 교정지 출제위원
  - 경찰청 인터넷방송 초빙교수

주요저서

- SPA 형법
- SPA 형사소송법
- 객관식 테마 형법
- 객관식 테마 형사소송법
- ALL THAT 올댓 형사법 형법 총론
- ALL THAT 올댓 형사법 형법 각론
- ALL THAT 올댓 형사법 수사·증거
- 수사경과 대비 형사법능력평가
- COPSPA 경찰 형법
- COPSPA 경찰 형사소송법
- 3+3 형법
- 3+3 형사소송법
- 논문 다수

상 훈

- 중앙대 강의평가 우수강사 총장 표창(3회)
- 모범강사 전국학원연합회 회장표창

양 건

- 現 ·박문각 경찰승진 형법 대표교수
  - 공무원저널 형사법 판례교실 집필위원
  - 법률저널 경찰·교정직 집필위원
- 前 ·조이에듀경찰학원 형법 대표강사
  - 신림동 태학관 법정연구회 강의
  - 종로행정고시학원 경찰승진 형법 대표강사
  - 중앙경찰고시학원 형법 대표강사
  - 경찰승진특강
  - 노량진 한교경찰학원 대표강사(형법)
  - 노량진 베리타스경찰학원 대표강사(형법)

주요저서

- SPA 형법
- SPA 형사소송법
- 객관식 테마 형법
- 객관식 테마 형사소송법
- ALL THAT 올댓 형사법 형법 총론
- ALL THAT 올댓 형사법 형법 각론
- ALL THAT 올댓 형사법 수사·증거
- 수사경과 대비 형사법능력평가
- COPSPA 경찰 형법
- COPSPA 경찰 형사소송법
- 3+3 형법
- 3+3 형사소송법

2026 전면개정판 조충환·양건 객관식 테마 형 법 총론 Ⅱ

초판인쇄 : 2025년 7월 15일   초판발행 : 2025년 7월 20일
공편저자 : 조충환·양건   발 행 인 : 박 용
발 행 처 : (주)박문각출판   등   록 : 2015. 4. 29 제2019-000137호
주   소 : 06654 서울시 서초구 효령로 283 서경 B/D
전   화 : 교재문의 (02) 6466-7202
팩   스 : (02) 584-2927

저자와의 협의하에 인지생략

정가 78,000원(전4권)

ISBN 979-11-7519-018-4
ISBN 979-11-7519-016-0(세트)